玉树大地震救灾重建志

（卷五）灾后重建志

《玉树大地震救灾重建志》编纂委员会　编

方志出版社
Publishing House of Local Records

图书在版编目（CIP）数据

玉树大地震救灾重建志 . 卷五，灾后重建志 /《玉树大地震救灾重建志》编纂委员会编 .—北京：方志出版社，2024.7

ISBN 978-7-5144-5218-1

Ⅰ . ①玉… Ⅱ . ①玉… Ⅲ . ①地震灾害－重建－玉树县 Ⅳ . ① D632.5

中国国家版本馆 CIP 数据核字（2024）第 015984 号

责任编辑：齐　笑
责任校对：张玉霞
责任印制：梅中英
出 版 者：方志出版社
地　　址：北京市朝阳区潘家园东里 9 号（国家方志馆 4 层）
邮　　编：100021
网　　址：http://www.zgfzcb.cn
发　　行：方志出版社图书营销中心（010-67110500）
印　　刷：北京中科印刷有限公司
开　　本：889 毫米 ×1194 毫米　1/16
印　　张：33.25
字　　数：807 千字
版　　次：2024 年 7 月第 1 版
印　　次：2024 年 7 月第 1 次印刷
定　　价：380.00 元

玉树

2010.4.14　7：49

7.1级大地震

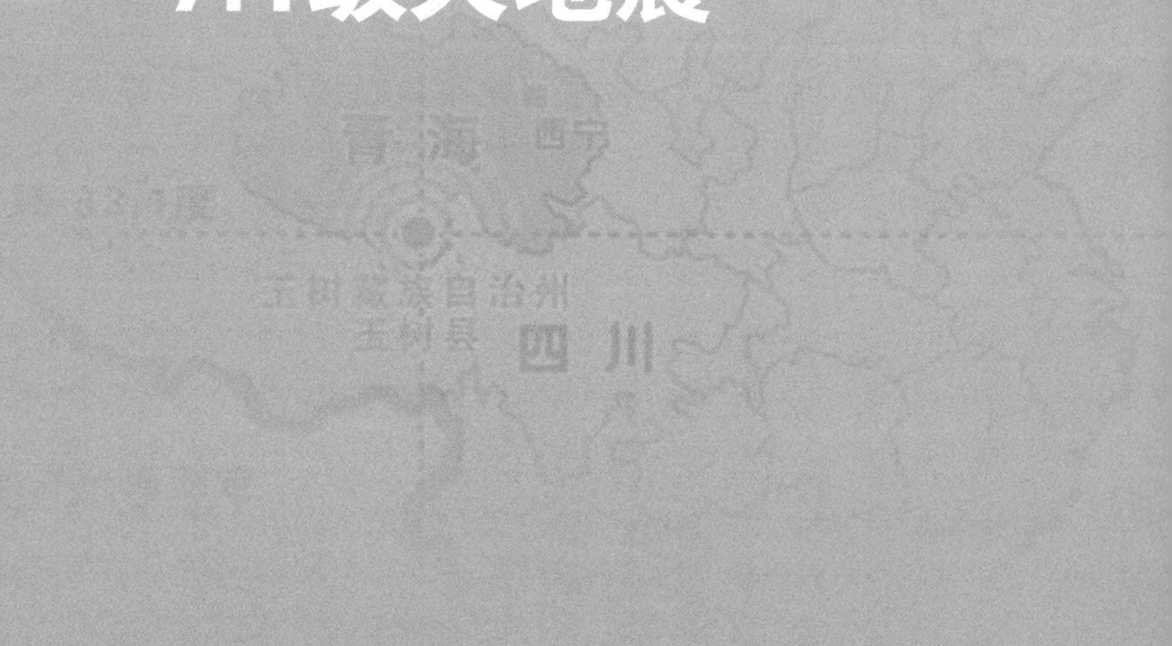

4月14日7时49分37.9秒

青海省玉树藏族自治州玉树县发生里氏7.1级强烈地震

总受灾面积约为35862平方千米，重灾区面积约8022平方千米，246842人受灾，2698人遇难，270人失踪。此次地震为当地有历史记录以来最强烈的地震

4月14日8时许 青海省消防总队玉树支队成立救援组、医疗救护组和县中队看守所增援组，当即开始紧急救援，成为第一支救援部队、第一个救出生命的部队、第一家开设集中安置点的部队

4月14日9时许 青海省委、省政府召开紧急会议，立即启动Ⅰ级应急响应，安排部署抗震救灾和应急处置工作

4月14日10时 卫生部启动自然灾害卫生应急Ⅰ级响应

4月14日上午 温家宝致电强卫，对青海省玉树抗震救灾工作做出重要指示

4月14日中午 受胡锦涛、温家宝委托，回良玉率领国务院有关部门和军队、武警部队负责人紧急赶赴灾区

4月14日11时30分 强卫主持召开十一届省委第92次常委会会议，部署抗震救灾工作

4月14日15时20分 省长骆惠宁一行乘坐专机抵达结古镇，开展现场指挥救援工作

4月14日19时40分 四川省救援队抵达玉树灾区，随即赶赴救援现场。

4月15日11时 甘肃省组织的应急救援队38人、带10辆救护车到达玉树灾区

4月15日17时15分 温家宝乘飞机抵达玉树考察灾情慰问各族干部群众，指导抗震救灾工作

4月15日下午 首架运送震区伤员的飞机抵达西宁机场，38名伤员随即被送往医院

4月17日 卫生部疾病预防控制局局长于竞进带领由25人组成的国家卫生防疫队抵达玉树地震灾区

4月17日 青海省红十字会在西宁市中心广场举行玉树“4·14”抗震救灾大型募捐活动

4月17日 玉树州孤儿学校学生率先复课

4月18日11时 胡锦涛乘专机抵达玉树灾区视察

《玉树大地震救灾重建志》编纂委员会

《玉树大地震救灾重建志》评审小组

《玉树大地震救灾重建志（卷五）灾后重建志》编纂委员会

凡　例

一、《玉树大地震救灾重建志》（以下简称“全志”）编纂，以马克思列宁主义、毛泽东思想、邓小平理论、“三个代表”重要思想、科学发展观、习近平新时代中国特色社会主义思想为指导，坚持辩证唯物主义和历史唯物主义的立场、观点和方法，存真求实，全面、客观、系统地记述2010年4月14日发生在青海省玉树藏族自治州玉树县的里氏7.1级地震灾情灾害、抢险救灾、医疗防疫、社会赈灾和恢复重建的全过程，全景展示中共中央、国务院的坚强领导和青海省委、省政府及各族人民群众抗震救灾的奋斗历程，充分展示社会主义制度的优越性和中华民族强大的凝聚力、向心力，大力弘扬大爱同心、坚韧不拔、挑战极限、感恩奋进的玉树抗震救灾精神。

二、全志共分六卷，卷一为《大事记·附录》，卷二为《图志》，卷三为《灾情灾害志·抢险救灾志》，卷四为《医疗防疫志·社会赈灾志》，卷五为《灾后重建志》，卷六为《集体·人物》。

三、各卷记述时限，上限均为2010年4月14日，下限根据记述主体内容有所区别。卷一《大事记·附录》，卷二《图志》下限为2013年12月31日；卷三中的《灾情灾害志》下限为2010年6月20日，《抢险救灾志》下限为2010年8月31日；卷四《医疗防疫志·社会赈灾志》下限为2010年8月31日；卷五《灾后重建志》下限为2013年12月31日；卷六《集体·人物》下限为2014年1月。为保持记述内容的相对完整，对必要的背景内容、捐赠款物统计及与抗震救灾工作密切相关的原始文件、重大事件后续发展等方面，记述时限适当上溯、下延。

四、全志记述的地域范围，灾情灾害部分为玉树大地震的主要灾区，重点记述玉树藏族自治州1个极重灾区（结古镇）、4个重灾区（隆宝镇、仲达乡、安冲乡、巴塘乡）的情况；其他部分为事件相关地域。

五、全志采用述、记、志、传、图、表、录、索引等体裁，以志为主。内容记述，横分门类，纵述史实。篇目结构，除《大事记·附录》外，其余各卷原则上按篇、章、节编次，节下设目。各卷卷首设《编纂说明》。《凡例》中没有涉及但需要说明并作特殊处理的原则和内容，在各分卷《编纂说明》中分别予以说明。全志除《图志》集中编排图片外，其他各卷图片随文插录。图片不编号，表格以各分卷的篇为单位排序编号。所用地图均以国家测绘部门审定的为准。

六、全志采用现代语体文记述，除前言、概述、无题述外，坚持述而不论，寓观点于记述之中。

七、全志涉及国家法律、法规和有关部门规章的，以现行法律、法规和有关部门规章为准。数字用法、标点符号分别采用国家标准《出版物上数字用法》（GB T15835-2011）、《标点符号用法》（GB T15834-2011），计量单位采用国家技术监督局 1993 年 12 月发布的《量和单位》系列国家标准。行文规范，按照全志编纂委员会制定的《〈玉树大地震救灾重建志〉行文规范》执行。

八、全志资料来源为各级档案馆、图书馆和各种媒体及有关单位。统计数字采用省政府统一提供的公开发布的数据和统计局发布的数据。

九、编纂要点。《大事记·附录》居全志之首。《大事记》采用编年体，适当结合纪事本末体，依时间顺序按年、月、日记载玉树大地震救灾重建全过程中的大事、要事、新事、特事。《附录》按文体分类，主要辑存有关抗震救灾和灾后恢复重建的重要文献。

《图志》按专题分类，采用图片下附简要文字说明的形式，直观再现玉树大地震前后灾区面貌和抗震救灾、灾后重建全过程。

《灾情灾害志·抢险救灾志》《医疗防疫志·社会赈灾志》《灾后重建志》为全志的主体部分。其中，《灾情灾害志·抢险救灾志》主要记述玉树地震灾区地理概况、区域历史地震、玉树大地震造成的巨大破坏和次生灾害情况；中国共产党、人民政府、全国各族人民和海内外各方紧急救援玉树地震灾区情况。《医疗防疫志·社会赈灾志》主要记述灾区医疗救护、疫病防治、伤员康复、医疗卫生机构恢复重建等情况；全国各地、国际社会对玉树地震灾区的赈济及捐赠款物的管理发放情况及群众生活安置工作。《灾后重建志》主要记述灾害调查评估、恢复重建工作的组织实施及验收等情况。

《集体·人物》按人物传、人物简介、人物表分类，坚持“生不立传”的原则，以事系人。区分表彰层次，以相应形式记载为抗震救灾和恢复重建做出贡献并受到表彰的英雄集体和模范。

十、全志一般不采用注释，个别特殊需要加以说明的采取页下注或文内括注方式。

十一、鉴于玉树市于 2013 年 11 月 1 日正式挂牌成立，为尊重历史事实，全志对玉树县、玉树市不作统一处理，两称并存。

编纂说明

一、《玉树大地震救灾重建志（卷五）灾后重建志》由青海省发展和改革委员会牵头承编，主要参编单位有省玉树地震灾后重建工作领导小组办公室、玉树州政府、省经委、省住房城乡建设厅、省农牧厅、省交通厅、省教育厅、省文化新闻出版厅、省旅游局、青藏铁路公司、省财政厅、省商务厅、省卫生厅、省审计厅、省环境保护厅、省民宗委、省司法厅、青海机场公司。

二、正文部分设中央决策领导、青海省实施重建、城乡住房建设、公共事业与服务设施建设、基础设施建设、特色产业恢复重建、市场服务体系建设、生态环境和防灾减灾、精神家园建设、对口援建 10 篇 39 章，志前设概述，卷末附后记，以全面、客观、真实地记述玉树地震灾后恢复重建的基本情况。

三、体例结构按篇、章、节、目设置。为记述层次清晰，有的目下还设置子目。

四、资金中未注明币种的均为人民币。

五、记述所有省外事物、活动排序均按地理区域划分。

总目录

（卷一）大事记 · 附录

（卷二）图　志

（卷三）灾情灾害志·抢险救灾志

灾情灾害志

抢险救灾志

（卷四）医疗防疫志·社会赈灾志

医疗防疫志

社会赈灾志

（卷五）灾后重建志

（卷六）集体·人物

目　录

概　述

众志成城　抗震救灾

2010年4月14日，发生在青海省玉树藏族自治州玉树县的里氏7.1级大地震，是青海省有历史记载以来破坏力最为严重的自然灾害。地震波及范围约3.59万平方千米，极重灾区、重灾区面积8022平方千米，涉及青海省玉树州6个县的19个乡镇126个行政村，城乡居民住房、基础设施、公共服务设施、生态环境、农牧业生产和社会经济活动遭到严重破坏。玉树地处青藏高原腹地，平均海拔4000米以上，高寒缺氧、山高路远、气候多变，灾后重建面临特殊自然条件的严峻挑战。玉树位居三江源生态保护核心区，生态保护与建设任务艰巨、责任重大。加上宗教信仰、民风民俗、民族语言的差异和土地权益关系复杂的特殊现象，为灾后重建增加了许多组织协调工作的难度。玉树特殊的自然地理条件和面临的种种问题，使得玉树灾后恢复重建成为人类在高海拔生命禁区开展的灾后重建，是在各方面制约因素最为突出的地区开展的灾后重建，是国内第一个在国家级自然保护区内实施的灾后重建，是在保障能力最为脆弱的地区实施的灾后重建，是在土地权益关系最为复杂的地区实施的原址重建，是在民族宗教工作任务最为繁重和复杂的地区开展的灾后重建。在中共中央、国务院的坚强领导下，在全国人民的大力支持下，灾区广大干部群众自力更生、艰苦奋斗，坚持“以人为本、尊重科学、保护生态、统筹兼顾”的原则，按照中共中央、国务院提出的“以人为本，把保障民生放在优先位置，尊重民族文化习俗和宗教信仰，注重生态环境保护”的要求，重建家园，经过3年奋斗，胜利完成恢复重建的各项任务。

一

地震发生后，举国关注，中共中央、国务院统揽全局，迅速进行灾后重建工作的决策部署，明确规划任务，组织动员各方力量，举全国之力，开展玉树地震灾后恢复重建。

当人们还沉浸在灾难笼罩的悲痛之中的时候，中共中央、国务院即开始谋划玉树的灾后重生。4月17日，在中央政治局常务委员会会议上，总书记胡锦涛强调，要在做好当前抗震救灾工作的同时，及早谋划恢复生产、灾后重建工作，在做好灾害评估、搞好规划的基础上适时组织力量帮助受灾群众重建家园。4月18日，胡锦涛视察玉树灾区时在玉树州孤儿学校黑板上写下：“新校园，会有的！新家园，会有的！”在玉树看望慰问受灾群众时，胡锦涛掷地有声地表示：“我们一定能够夺取抗震救灾斗争的胜利，也一定能够把社会主义新玉树建设得更加美好！”4月29日，胡锦涛参观上海世博园时，特意来到青海馆参观，嘱咐“在灾后恢复重建过程中，不仅要让灾区人民生产生活上一个大台阶，而且要让三江源地区生态环境建设上一个大台阶，切实保护好中华民族母亲河的源头”。国务院总理温家宝 4 月 15—16 日和 5 月 1 日两次到灾区视察指导，主持会议研究灾后恢复重建工作。温家宝要求，全力保障基础设施恢复正常运行，尽快建立正常的生产生活秩序，抓紧做好灾后恢复重建前期工作，科学组织实施灾后恢复重建。其他党和国家领导人也都高度重视、亲切关怀，及时提出要求，指导抗震救灾及灾后重建工作。

4 月 14 日发生强烈地震当天，国务院成立抗震救灾总指挥部，副总理回良玉任总指挥，国务院有关部门和青海省人民政府为指挥部成员单位。震后第三天，国务院抗震救灾总指挥部协调安排玉树地震灾后恢复重建有关问题。4 月 21 日，国务院抗震救灾总指挥部召开会议，全面安排玉树灾后恢复重建各项工作，决定成立国家玉树地震灾后恢复重建领导协调小组，由国家发展改革委主任张平任组长，副组长单位有住房城乡建设部、财政部、国务院国有资产监督管理委员会、审计署、青海省人民政府，成员单位有 38 个。领导协调小组下设规划编制协调组、资金物资保障组、审计监督组等相应机构。在整个救灾及灾后重建期间，国务院抗震救灾总指挥部、国家玉树地震灾后恢复重建领导协调小组坚持在一线工作，切实履行了组织指挥、领导协调职责。

6 月 9 日，国务院印发《玉树地震灾后恢复重建总体规划》，提出玉树灾后重建的总目标：力争用三年时间基本完成恢复重建主要任务，使灾区基本生产生活条件和经济社会发展全面恢复并超过灾前水平，生态环境切实得到保护和改善，又好又快地重建新校园、新家园，为建设生态美好、特色鲜明、经济发展、安全和谐的社会主义新玉树奠定坚实基础。这一恢复重建总目标，全面表达了中共中央、国务院对玉树地震灾后恢复重建的总要求，也极大地增强了灾区人民走出灾难阴影、建设新家园迈向新生活的信心。

中共中央、国务院十分重视玉树地震灾后恢复重建的政策保障工作。震后不久，国务院相继制定出台了一系列支持玉树灾后恢复重建的政策，统筹和引导社会各方面力量，强力支撑玉树灾后恢复重建总体规划的实施，充分体现了中共中央、国务院对玉树灾区人民的深情关怀，体现了社会主义制度的巨大优越性。

2010 年 5 月 27 日，国务院制定印发的《国务院关于支持玉树地震灾后恢复重建政策措施的意见》(以下简称“《意见》”)，从财政、税收、金融、土地、教育、社会保障、就业、对口支援等多方面，对玉树地震灾后恢复重建给予了全力支持，为实现 3 年重建目标提供了政策保障、资金保障、物资保障。《意见》明确指出，灾后恢复重建所需资金以中央财政资金为主，同时包括省级财政资金、社会捐赠资金以及居民和企业少量自筹资金。经国务院批准，财政部、国家发展改革委共安排玉树地震灾后恢复重建资金 316.5 亿元。其中，中央财政安排 206.5 亿元，中央、地方企业自筹及贷款安排 25 亿元，居民个人负担 5 亿元，省级财政安排 20 亿元，社会捐赠资金安排 60 亿元。按照“统筹考虑、突出重点、总量包干、分类控制”的原则，合理安排重建资金，以极重灾区玉树县结古镇作为恢复重建工作的重点，同时兼顾玉树县隆宝镇、仲达乡、安冲乡、巴塘乡 4 个重灾乡镇。对一般灾区和灾害影响区乡镇，主要支持城乡居民倒塌住房以及受损学校、医院等公共服务设施重建和修复，重建投资由青海省人民政府根据规划目标和轻重缓急，统筹做到中央财政资金、省级财政资金、捐赠资金和其他自筹资金的科学安排、合理使用、有效监督，保障玉树地震灾后恢复重建规划的顺利实施。

玉树大地震灾后重建3年来，中共中央始终和玉树人民心连心，在一起。从中央政治局常委会4月17日会议召开到中央领导亲赴灾区视察指导，从《玉树地震灾后恢复重建总体规划》的出台到玉树灾区重建援建体制的建立，从巨额斥资到最优惠政策的支持，给予玉树超乎寻常的特殊照顾。在党和国家的特殊照顾和格外关爱下，全国人民对玉树倾情奉献、鼎力支持，各路援建大军和青海全省上下凝聚成万众一心、众志成城的磅礴力量，共同造就了社会主义的新玉树、新家园。

二

玉树重建堪称迄今为止人类历史上海拔最高、条件最苦、难度最大的一次大规模重建。在中共中央、国务院的坚强领导和亲切关怀下，在国务院玉树地震灾后恢复重建领导协调小组的有力指导下，青海省委、省政府切实加强组织领导，着眼于玉树长远发展，扎实推进灾后恢复重建各项工作，奋力建设社会主义新玉树。

省委、省政府在灾后重建工作伊始就郑重承诺：要坚持科学重建、依法重建、高效重建、和谐重建；不留遗憾、不留败笔、不留骂名；苦干三年、跨越二十年！2010年4月21日，省委书记强卫在悼念玉树“4·14”地震遇难同胞大会上宣告：“地震摧毁了我们的房屋和家园，但摧不垮我们的精神和意志；灾难夺去了我们的亲人和同胞，但夺不去我们的信心和勇气。让我们挺立起来，拍去身上的泥土，擦干眼角的泪水，在悲痛后凝聚不屈的力量，在废墟上迈开前进的步伐，在奋斗中迎接光明的前景，早日让一个更加美丽、更加富饶、更加和谐的社会主义新玉树，伫立在雄伟辽阔的青藏高原！”他提出，现在，灾后恢复重建工作已经启动，要坚持以人为本、尊重科学、保护生态、统筹兼顾的原则，加大力度，加快进度，攻坚克难，建设更加结实舒适的城乡居民住房，建设更加先进的公共服务体系，建设更加发达的基础设施，建设更加合理的产业结构，建设更加繁荣的优秀文化，建设更加和谐的生态环境，建设更加文明的社会秩序，让每一个玉树人都住进新家园，过上新生活，拥有新幸福。

4月20日，省委书记强卫主持召开省抗震救灾指挥部会议，对抗震救灾全面转入新阶段的有关重点工作进行安排部署。会议强调，抗震救灾要实现从紧急状态全面转入有序状态，启动灾后重建工作，一手抓全面恢复正常秩序，一手抓灾后重建。同日，省政府召开玉树地震灾区灾后重建工作会议，研究部署玉树地震灾区灾后重建工作。省长、省抗震救灾指挥部总指挥骆惠宁在会议上提出，要确保用3年时间完成恢复重建的主要任务，再用两年时间，把玉树州首府建成高原生态型商贸旅游城市、三江源地区的中心城市和青藏高原城乡一体发展的先行地区，实现建设更加美好的社会主义新玉树的宏伟目标。骆惠宁强调，做好灾后重建工作，直接关系到群众的根本利益，关系到青海藏区的跨越发展。推进灾后重建要把握以下重要原则：一是以人为本，政策措施支持的范围要覆盖受灾全部地区，重点支持城乡居民住房、公共服务设施和基础设施等重建；二是科学规划，着眼长远发展，体现时代特征和民族特色，做到适度超前、高标准规划、分阶段实施；三是生态优先，各项重建工作都要以保护和改善生态环境为前提，充分考虑生态环境承载能力，统筹共用设施建设用地；四是城乡一体统筹，把灾后重建与推进城乡一体化建设有机结合起来，既抓重建又抓发展，实现跨越发展与科学发展的高度统一。

《玉树地震灾后恢复重建总体规划》规定，该《总体规划》的实施由青海省、四川省人民政府负总责，建立强有力的领导机构和现场指挥调度系统，明确任务，落实责任，科学高效地组织实施，确保灾区社会和谐稳定。据此，青海省委、省政府，玉树州、县地方党委和政府勇于担当灾后重建的重要使命和维护社会稳定大局的重要责任，面对特殊的困难条件和大规模灾后重建的繁重任务，按照国家关于青海省负总责的要求，依靠“灾区各级政府为主导、广大干部群众为主体，中央大力支持，各方积极援助”的体制机制，夺取了恢复重建建设工程与和谐稳定政治工程的双胜利。

省委、省政府以最快速度启动重建。地震发生后第二天，就派省有关部门到四川学习重建经验。第五天，部署清理废墟工作。第七天，省委、省政府召开第一次灾后重建工作会议。第八天，启动机场至结古镇公路铺油、大宗建材政府采购以及建设玉树散装水泥集散中心、建材物流配置中心等一批支撑灾后重建的项目。第十天，提出灾害评估初步意见。第二十天，作为重建试点的甘达村、禅古村正式开工。第二十五天，组建省灾后重建现场指挥部，探索建立 5 项重建工作机制。第三十天，以嘛呢石堆修复为标志，灾区文化遗产抢救保护工程启动。第三十七天，结古镇灾后重建绿色产业基地开工建设。第五十七天，国务院正式批准《玉树地震灾后恢复重建总体规划》，并于之前公布《关于做好玉树地震灾后恢复重建工作的指导意见》《关于支持玉树地震灾后恢复重建政策措施的意见》。第六十八天，国务院在西宁召开重建工作会议，玉树灾后重建工作全面启动。第七十八天，在结古镇举行灾后重建万人誓师大会，第一批灾后重建项目正式开工。8 月 10 日，第二批灾后重建项目陆续展开。北京、辽宁和 4 家中央企业对口援建单位以及 1 万多名建设大军和 1000 多台（套）大型机械设备进驻灾区，保证了灾后重建工作的顺利进行。

玉树地震灾后重建第一年的主要工作和采取的举措有：统筹考虑、全面部署，及时研究制定出台一系列保障灾后重建的配套政策；科学组织、精心谋划，编制完成灾后重建城乡规划和一批民生及基础设施项目的规划设计方案；千方百计、多措并举，灾后重建各类保障及时到位；把握关键、依法实施，危房鉴定和拆危清墟工作顺利推进；优化服务、营造环境，援建工作无缝对接，全面展开；全力以赴、超常推进，事关民生的灾后重建项目进展顺利；以人为本、突出重点，城乡居民住房建设快速推进；质量为天、强化监督，狠抓重建项目工程质量安全。

在重建的岁月，青海省各级党委和政府依法组织重建，科学施策，高效实施，做了大量扎实有效的工作。注重科学规划的引领作用。牢牢把握目标定位，坚持谋定而后动。依据国家专项规划，编制配套10个方面的总体规划，组织开展千人设计大会战，做到高起点规划、高水平设计，努力体现民族特色、时代特征和地域风貌。加强重建目标和微观操作的对接，实行“一个漏斗”的技术总负责，实现了从“一张图纸到一座城市”的重生。

注重发挥政策支撑作用。在积极推动国家支撑重建政策实现落地的同时，研究制定17套配套政策。特别是从玉树实际出发，出台住房重建、土地权益处置的政策措施，妥善处理了历史遗留问题，较好协调了各个地域之间的关系。同时，根据阶段性任务先后制定下发涉及征地拆迁、意愿锁定、规划落地、现场施工、竣工验收等一系列规范性文件，确保重建又好又快地进行。

注重创新公共机制。成立省重建工作领导小组和现场指挥部，形成省、州、县、乡四级联动、条块结合、高效运转的一体化组织领导体制。充分发挥北京市、辽宁省和中国建筑、中国中铁、中国电建、中国铁建四大央企援建主力军作用，组织省内4个州（市）和11家企业参与对口援建，全面实行“一线工作法”。成立11个片区管委会，数千干部下沉基层，不分昼夜任劳任怨苦干。军、警、民团结一心，同呼吸、共命运，形成强大救援、重建力量。强化玉树电力、物资等要素保障，抓好医疗服务、市场供应工作，满足灾后重建和人民生产生活的需要。

注重加强项目管理。科学安排投资计划，区分轻重缓急，细化流程，明确节点，开展共建。建立相关制度，项目审批加快节奏；面对迅速集结的数万建设大军，制定详细的进度安排表，实行面对面对接，有效提高工作效率。人民子弟兵冲锋在前，兰州军区包建并率先完成“两校一院”重建任务。严把工程质量安全，做到警钟长鸣，整个重建过程没有发生重大质量安全事故。

注重推动廉洁重建。制定廉洁重建原则规定和工作纪律，不定期开展抽查和审计，统筹监管重建资金，严格拨付程序，加强成本控制，合理调度使用。为做到既满足资金急需又保证安全规范运行，专门成立管理中心，把社会捐赠资金全部与项目对接，尊重捐赠者意愿，让捐赠者参与监督，做到来路明、去路清。

注重创造良好社会环境。把尊重和引导群众意愿联系起来，坚持科学民主决策，强化群众主体意识与责任意识，组织开展投工投劳和各种慰问活动，最大限度地调动和发挥灾区群众的积极性。创新社会管理方式，建立综治维稳工作站和劳务纠纷调解中心，及时化解各种矛盾，消除隐患，依法惩治各种违法犯罪行为；大力宣传中共中央、国务院对灾区人民的特殊关怀，激发共建家园的内在动力，营造和谐的重建氛围。

三

在重建的岁月，玉树州委、州政府在省委、省政府领导下，始终坚持科学重建、依法重建、务实重建、和谐重建的原则，在极其复杂的环境和挑战中，找到了重建大业的着力点和突破口。

从规划设计工作抓起，体现民生优先、科学重建理念。在灾后重建规划设计工作中，建立中国城市规划设计研究院技术领衔、州县党委政府主导、各援建单位分工协作、建委会全力配合、民俗专家全程参与的规划设计工作机制，有效发挥了技术总领衔、总支持、总协调的“一个漏斗”作用，为彰显特色、提高品位奠定了基础。在结古镇灾后重建总体规划中特别突出“一降八增”的布局特征（党政机关办公用地量降低，居住、公共服务、交通运输、水域水利、特殊用地、商业用地、仓储、绿化用地增加），缩减行政办公用地 60%，结古镇居民居住用地比震前增加 30.5%，公共管理与公共服务用地比震前增加 103.6%，绿化用地比震前增加 329.7%。在安排重建项目时，优先安排城乡居民用房，再安排学校医院等公共服务设施项目；先安排基础设施项目，再安排党政机关办公用房；先安排极重灾区项目，再安排一般灾区项目。

从基层组织转型抓起，推动重建工作任务有效落实。重建工作启动阶段，通过压缩工作板块、缩小工作半径、合理确定职能、优化管理布局等措施，将原有的 19 个片区党支部优化整合为 10 个片区管委会；灾后重建大规模实施阶段，将管委会转型为 11 个建委会；灾后重建冲刺阶段，将结古镇建委会转型为玉树市 4 个街道办事处 16 个社区，顺利推进了基层组织“帐篷党支部—管委会—建委会—街道社区”的 4 次转型。抽调全州党政机关和企事业单位近 2000 名干部，全部压在灾后重建工作主战场，有效整合农牧区、机关、社区、学校和非公经济 5 个领域党建资源，深入开展“两基一强”活动以及“支部争先进、党员亮身份、争创显活力、重建见实效”等主题实践活动，为服务重建提供了坚强组织保证，成为不同阶段推动重建工作的最有力抓手。

从拆危清墟和征地拆迁抓起，确保重建项目开工建设。根据重建规划，全州需要拆迁 1.19 万户城乡居民、征地 540 多万平方米、拆危清墟 700 多万立方米。为尽快腾出场地，创造良好的项目开工条件，坚持把拆危清墟和征地拆迁作为推动重建的第一难事来抓。特别是在极重灾区结古镇，坚持“党员领导干部先带头，敏感建筑先拆迁”的原则，编制公布重点项目分布图以及施工红线图，绘制拆危清墟任务图，制定下发工作方案及安置补助标准、价格计算规则及实施细则，突出重点，分类指导，先易后难，限定时间，整体推进，按期完成城乡居民拆迁 9760 户、拆危清墟 664 万立方米、征地 436 万平方米的任务，扫清了制约重建的最大障碍。

从宣传思想教育引导抓起，营造感恩重建浓厚氛围。从救灾到灾后重建，建立强有力的政策宣传工作机构，构建大宣传、大动员、大推动的宣传思想文化教育工作格局，大力宣传党和国家对玉树的特殊照顾，教育灾区群众从心底里感激党和政府。把结古镇总体规划、土地权益处置政策，城乡居民房屋重建及维修加固政策，回迁安置、住房建设方式、金融支持政策等原原本本宣传到群众中。组织由州领导带队的宣传队，深入到 11 个片区，通过有线广播站广播、召开万人大会、上门讲解等方式，连续 20 天深入宣讲政策规划，宣传培训面达到 100%，群众教育面达到 100%，强势推进了“两政策一规划”的平稳落地。同时，加强维稳思想宣传教育和舆论引导工作，用强大的宣传舆论攻势树正气、压邪气，抢占制高点，打好主动仗。在全州机关干部、宗教界、中小学校、个体工商户和农牧民阶层深入开展六个主题实践活动和感恩系列活动，营造了感恩重建的浓厚氛围。

从网格化社会管理抓起，创造稳定和谐良好重建环境。按照“党委领导、政府负责、公众参与、社会协同”的要求，从划分基层社会管理的基本单元着手，整合单元网格内各种管理要素，在城乡社区全面建立基层治理“网格”，做到“网中有格，格中定人，各负其责，全面覆盖”。先后抽调1200多名干部充实网格团队，建立6个州县“灾后重建矛盾纠纷调解中心”，整合力量，集中办公，24小时接访，综合运用法律、经济、行政等手段和教育、协商、疏导等办法，最大限度地理顺群众情绪、缓解利益冲突、化解社会矛盾，严厉打击各种干扰破坏重建工作的违法犯罪活动。整个重建期间的维稳形势好于预期，治安形势好于震前。

从改进党员作风抓起，锻造深得民心的一线工作法。为加快重建进程，经常督促检查非常时期各级干部维护重建大局、维护人民利益的自觉性和坚定性，做到有令必行、政令畅通。认真研究和把握群众工作的特点和规律，大力推行一线工作法，下移工作重心，下沉工作精力，前移工作关口，把最强的领导派到一线，把最强的干部压到一线，在重建一线增强党性，在重建一线改进作风，在重建一线对接工作，在重建一线化解矛盾。在重建工作的每一个阶段、每一个环节，各级干部以“特殊时期要有特殊作为、特殊效率”的执着追求和“等不起”“慢不得”“坐不住”的责任感、危机感和紧迫感，在一线与群众走出了感情、走出了方法，培养造就了一支政治坚定、作风扎实、群众信任、敢于担当、注重发展的干部队伍，赢得了各族群众的高度信任。

从复杂的群众工作抓起，发挥各族群众主人翁作用。在制定重建规划和政策落位过程中，玉树灾后重建总体规划自下而上反复征求群众意见14次之多，参与群众43万人次，最后的修订面达到31%；结古镇总体规划先后在12个点上征求意见6次，参与群众8万余人次，修订面达到6%；土地权益处置政策出台前，先后组织召开各类群众座谈会20多次，个别专访群众1000多人次；成立由人大、政府、党群、社会各界组成的民主监督委员会，在玉树县23个村、11个建委会成立民主议事会，发动群众积极参与政策宣传、重建选址、建材质量、资金使用、市政配套等重大问题议事，参加议事群众达到18万人次。在居民住房建设中，从住房户型设计到建设点选址，从建设工程实施到工程质量监督，坚持“服务入户”，让群众自己勾勒新家园，创造了“五个手印”的德宁格工作模式。通过20万枚手印，让设计走进了家家户户，调动了群众共同描绘新家园美好蓝图的主动性和积极性。各族群众自觉地把知恩之心、感恩之情转化为重建家园的实际行动，累计有1.5万余名群众投工投劳2.5万余工时，为援建单位节省人力资源支出近270万元，有力地发挥了主人翁作用。

从“五支队伍”抓起，保证重建项目工程质量安全。组建由专业质量监督、工程监理、党政干部、民主代表、业主组成的“五支队伍”和民主监督委员会，实施地材质量保障金制度支撑的一系列规范管理、强制管控措施，构建完备的钢材、水泥等建材的出厂检验、过程检测等相关技术手段配套的原材料质量保障体系，形成了“五支队伍”与援建地区及企业内部监管措施相结合的质量安全监管工作机制。3年间，“五支队伍”5万多人次、民主监督委员会近8000人次，在6个县19个乡镇192个建设点开展重建工程质量监督工作，对累计发现的2.5万多个各类问题及时督促援建单位进行整改，为确保灾后重建工程质量安全提供了有力保障。

从督促督办工作抓起，提高干部落实决策部署执行力。重建伊始，州委从组建大督查三人小组到五人小组，从专项督查到省、州、县一体化督查，密切配合，协调协办，联动工作，形成了“州委政府协调，督查为主、各方配合、纵向连接、平向对接”的大督查大督办工作格局。灾后重建的主战场抽调近300名干部加强充实各级督察督办工作力量，实现集中管理、集中办公。将1248个重建项目全部列入督查范围，明察暗访，重点督查，跟踪问效，强力推进重点问题解决、重点工作落实。3年间，州督查督办工作领导小组累计召开现场对接协调会180余次，解决影响灾后重建的各类大小问题2568件，办理领导批示件150余件，有效推动了维护稳定、征地拆迁、项目建设、市政对接、质量整改、资金收缴、环境治理等任务的落实，强化了各级干部的执行力，有力推动了党委、政府决策部署的贯彻落实。

四

玉树地震灾后重建是一项规模宏大、影响深远的国家灾害救援系统工程。青海省委、省政府始终把握让玉树人民成为灾后重建主体的指导思想，紧紧依靠玉树州委、州政府和全州各级党政班子，依靠全州各族干部群众，积极协调中央、军队和企业援建单位，组织调动省内有关地区和部门的力量，始终坚持科学重建、开放重建、务实重建、和谐重建的原则，依法科学统一、有力有序有效地开展灾后重建工作。自2010年6月开始，在实际不到2年的有效施工期内，圆满地完成了灾后重建任务。同样，在这场地震中，受灾的四川省石渠县，在四川省委、省政府的坚强领导下提前完成了灾后重建任务。3年艰苦卓绝的玉树灾后重建，托起了玉树新生、灾后崛起的伟大梦想，书写了从悲壮走向豪迈的恢弘史诗，交出了一份从灾难走向辉煌的历史答卷。

玉树灾后恢复重建项目是指纳入玉树灾后恢复重建总体规划和各专项规划，使用灾后重建资金需要原址或异地重建的项目，包括城乡居民住房建设、公共服务设施建设、基础设施建设、生态环境建设、特色产业和服务业发展、和谐家园建设6大类项目。灾后重建工作采取国家和青海省援建为主，灾区本地积极配合参与的模式进行。国家规划安排灾后重建各类项目共1248个。其中，省外援建442项，青海省援建187项。按项目类型分：城乡住房75项、公共服务424项、基础设施371项、生态环境93项、和谐家园238项、特色产业和服务业47项。按项目所属分：省级129项、州级294项、玉树县473项、称多县130项、杂多县83项、治多县80项、囊谦县33项、曲麻莱县26项。财政部和国家发展改革委批复，玉树灾后恢复重建资金总规模为316.5亿元。其中，中央财政资金206.5亿元，青海省级财政资金20亿元，社会捐赠资金60亿元，企业自筹及贷款25亿元，居民个人负担5亿元。

恢复重建项目分3个年度落实任务，组织实施。2010年是启动之年，安排重建项目主要涉及城乡居民住房建设，教育、医疗、社会管理等公共服务设施建设以及市政设施、能源、水利、交通基础设施建设等方面的内容，共计约200多个项目，总投资160亿元，年内要形成100亿元以上的实物投资量，农牧民住房要完成3年总建设任务的80%，城镇住房要完成3年总建设任务的30%。项目的实施，按照优先安排极重灾区、重灾区，统筹兼顾一般灾区的原则，坚持以人为本，把民生优先摆在突出位置。省委、省政府要求努力做到早开工、早建设、早竣工。按照“住房、公共服务优先”的原则，在充分调研论证、反复酝酿衔接的基础上，首先启动实施20个村庄和4所学校、3所医院等民生项目的建设工作。在不足12个月的施工期内，开工项目843个，完成投资209亿元，大部分农牧民和部分城镇居民搬入新居，16所学校启用，僧舍基本能够入住，医院全部在建，其他公共服务设施、基础设施、产业提升、生态修复、和谐家园项目加快推进，新玉树的基本框架初步显现。2011年是关键之年，下达重建投资163亿元。2012年是决战之年，截至10月15日实现投资150亿元以上，包括城乡居民住房、公共服务设施、生态环境治理、特色产业和服务业、和谐家园建设等1248项玉树灾后重建项目开工1222项，开工率97.9%。省委、省政府年初确定的全面完成城乡住房建设任务，基本完成基础设施、生态修复、特色产业、和谐家园建设任务，大部分公共服务设施建设项目实现竣工并投入使用，基本完成三年灾后重建主要任务的总体目标胜利实现。

2013年是收官之年，截至10月，玉树地震灾后重建全面完成投资447.54亿元的1248个重建项目。其中，城乡居民住房37个（新建城镇居民住房22439户，新建农牧民住房16710户，维修加固城乡居民住房9982户），公共服务设施440个，基础设施382个，生态环境89个，特色产业和服务业52个，和谐家园248个。北京市在短短的2年多时间里全面完成援建任务；辽宁省在完成巴塘乡重建任务后，无偿援助支持灾区基础设施建设；中国城市规划设计研究院组织最强力量，绘制了灾后重建蓝图；中国建筑工程总公司率先完成3年援建任务；中国中铁股份有限公司创下了3天一层楼的“玉树速度”；中国电力建设集团有限公司不计成本，担负了近40%的玉树重建任务；中国铁建股份有限公司创造了施工速度质量等多项第一；兰州军区仅用1年多就完成了玉树州八一孤儿学校、玉树州八一职业技术学校和玉树八一医院的援建工程。西宁市、海东地区、海西州、海南州援建4个县4个乡；青海水利水电集团、青海路桥公司等11家企业援建5个县11个乡镇。在实施灾后重建项目的同时，国家和青海省支持灾区实施了一批发展项目，促进玉树州经济上了一个大台阶。2009年，玉树州地区生产总值25.49亿元；2013年，达到54.68亿元，实现了经济总量的成倍增长。

玉树地震灾后重建实现了居民拥有新家园、生态迈上新台阶、设施得到新改善、城乡呈现新面貌、社会和谐新局面的重建目标。一幢幢民族风格突出、坚固漂亮的住房错落有致，灾区人居条件焕然一新；高水准的学校和医院拔地而起，公共服务设施大为改观；交通、水利、能源等项目相继完工，基础设施全面提升；地质灾害得到治理，生态修复与环境保护成效显著；特色优势产业顺势兴起，主要经济指标大幅增长；灾区人民进取、创业和文明意识大大提高，和谐家园建设同步推进。一批支撑玉树长远发展的重大工程相继建成，一个崭新的社会主义新玉树傲然屹立在雪域高原上。放眼玉树，鸟瞰新城，满目是脱胎换骨的变化，到处是浴火重生的景象。

城乡居民住房历史性变化。玉树全州共建成城乡居民住房39149户，总建筑面积380万平方米。2012年年底，16710户农牧民住房全面建成并实现入住。2013年8月底，22439户城镇居民住房、9982套维修加固房全面建成并实现入住。重建住房抗震能力达到7度半的设防标准，水电路暖等配套设施齐全，服务功能完备，民族特色鲜明。292个农牧民住房集中建设点，传统与现代相结合，风貌与功能相统一，展现社会主义新农村的崭新景象。玉树县结古镇禅古、甘达两村农牧民住房成为样板示范工程，代格村成为玉树新能源综合利用科技示范第一村，八吉村成为生态旅游示范村，新寨村成为地域风貌突出、民族特色鲜明、配套设施完善、可持续发展的高原旅游小镇，称多县拉布村农牧民住房成为展示浓郁民族风情的示范样板。

公共服务设施根本性改善。94个教育重建项目及幼儿园建成并投入使用，抗震标准一般都在8级以上，学生人均校舍面积达到震前的1.5倍，教学设备投入比震前翻两番。6万多名灾区学生全部告别板房，进入设计精美、安全坚固、宽敞明亮、设施齐全的新校园；设施完善、设备现代的63项医疗卫生重建项目投入运行，65个文化体育影视项目全部完成，乡镇文化站、农家书屋等一大批基层文化设施惠及基层，从根本上改变了震前文化设施匮乏的局面。教育、医疗和文化体育设施用地较震前分别提升了32%、77%和13.6倍，基本公共服务设施硬件水平迈上新台阶跃居藏区前列。玉树博物馆、格萨尔文化中心等重点工程，成为展示玉树灾后重建伟大成果的标志性工程。

基础设施建设跨越式提升。共建成市政道路235千米，给排水、电力、通信、燃气、热力管网1482千米；新建供水厂5座，日供水能力4.5万吨；污水处理厂6座，日处理能力3.82万吨；垃圾填埋场9座，总库容达220.1万立方米，项目及设备都属于全国一流水平。建成世界海拔最高、规模最大的水光互补微电网发电项目，330千伏联网工程竣工投运，在电网无法覆盖的地区推广光伏电源4万户。292个农牧民住房集中建设点村道路硬化等基础设施配套建设全面完成，道路交通、通信、广播电视、水利等基础设施得到极大改善和提高。

生态环境保护持续推进。一手抓物质建设，一手抓绿色发展，93项灾后重建生态环境建设项目和34项在建项目按期完成。妥善处理施工现场废水、扬尘、固体废物，排查地震引发的地质灾害隐患211处，完成18条泥石流沟和4段不稳定斜坡治理工程及结古寺人工填方高边坡治理工程。严格执行地材企业生态修复方案，严格执行建设项目环境影响评估和“三同时”制度，叫停违规企业和自行生产企业220家。环境应急能力建设与恢复工程、专项环境监测能力建设与恢复工程以及环境监测、监察、信息达标建设工程等项目全面完工。启动实施结古镇造林绿化项目，完成3个综合公园、6个社区公园、5个防护绿地和6个居住组团及沿河绿地的绿化任务。

产业恢复重建渐进式发展。编制完成玉树市绿色产业聚集区规划，48项特色产业和服务业建设项目全面竣工，7个独立商业区和两河景观带商业区投入运营。全面建成106个贫困村产业重建项目。一些商业特色街区和物流集散交易中心相继建成，一批支撑特色农牧业发展的节能暖棚、蔬菜大棚、畜用暖棚和规模养殖小区相继建成，形成了农牧业发展的新业态。

和谐家园面貌靓丽展现。寺院重建与文物保护工程全面实施，248项和谐家园建设项目全部完工。93座受损寺院全部纳入重建项目，所有维修加固项目和寺院公共用房全部完成，寺院道路、通水、通电、通信配套设施建设同步跟进，东仓大藏经珍藏馆、嘉那嘛呢石经城等国内外瞩目的文物保护项目修复完成，4个国家级文物保护项目和56个省级以下文物保护修缮项目全部完成并通过验收。一批设施齐全、宜居舒适的社会福利院、敬老院和儿童福利院相继建成，形成了关爱帮助孤儿、孤老、孤残的良好社会氛围。

五

在玉树灾后重建实践中，全体建设者不断探索在高原、高寒、边远民族地区进行重建的方式办法，积累了经验，锤炼了队伍，展现了灾后重建的玉树速度、玉树模式、玉树奇迹，迸发和弘扬了伟大的玉树抗震救灾精神，为党和政府更多地赢得了民心，灾区群众对党和政府的感激之情达到了新的升华、新的高度。玉树灾后重建是一场惊心动魄的战斗、可歌可泣的壮举。玉树灾后重建是一所重塑心灵的大熔炉，锤炼品质，砥砺意志，增长才干，丰富阅历，是每一个参战人员一生中最值得珍藏的财富、最值得回味的记忆，也是今后战胜一切艰难险阻、无往而不胜的法宝。

玉树地震灾后重建工作是一项与时间赛跑、与自然抗争、与毅力较量的世纪工程，挑战人类极限，考验毅力智慧。重建之所以取得好的成绩，关键是建立了一整套的重建工作机制，制定出台了一批重建工作的规划和政策措施，加强了重建项目的依法监督与管理，精心组织了对口援建工作，各项保障及时跟进，及时总结经验和培育典型，认真研究突破各阶段工作，是实干苦干的结果。总结其基本经验，主要有：高效组织、全面动员是灾后重建的坚强保证；统筹谋划、科学规划是灾后重建的重要途径；以人为本、民生优先是灾后重建的根本取向；严明纪律、严格管理是灾后重建的根本保障；创新体制、强化基层是灾后重建的重要抓手。

在建设物质家园的同时，玉树灾后重建也收获了丰硕的精神家园建设成果。重建战场上，涌现出很多可歌可泣的重建典型，灾区人民焕发出感恩奋进、自强自立、健康向上的良好风貌，草原上唱响了“社会主义好、共产党好、伟大祖国好、人民军队好”的主旋律。3年灾后恢复重建，全体重建者不仅在地震后的废墟上经过战天斗地再造了一个新玉树，也在艰苦、复杂的环境中磨炼出了坚韧不拔的意志和攻坚克难的创新精神。援建大军在玉树共同创造了“缺氧不缺精神，海拔高追求更高”“首善精神”“玉树速度”“白加黑、二加五、晴加雨”等精神财富。玉树灾区也在重建实践中不断创新工作方法，基层管理经历了原先的村社、救灾期的管委会、重建期的建委会、重建后的街道社区4次转型；现场指挥部的“一个漏斗”项目管理法、践行群众路线的“一线工作法”、规划设计的“一个龙头、四个结合”、组织建设的“横向到边、纵向到底”、质量监管的“三个体系、五支队伍”等灾后重建的“玉树模式”，成为应对重大自然灾害的宝贵经验。

玉树重建创造的人间奇迹，既是对中国力量的最佳诠释，也是对逝去生命的最好告慰。玉树重建取得的伟大成就，向世人彰显了中国共产党执政为民的理念，体现了祖国大家庭的温暖，再次见证了社会主义制度的巨大优越性，彰显了中华民族的强大凝聚力，展示了伟大的中国力量。玉树地震灾后重建的辉煌历史必将使中华民族代代铭记。

玉树地震灾后重建取得重大胜利，靠的是党的领导，靠的是国家力量，靠的是全国人民的支持；靠的是省委、省政府的坚强领导，靠的是全省各级党政组织的尽职尽责，靠的是广大党员干部的超常奉献；靠的是援建各方的艰苦努力，靠的是各路建设大军的倾情奉献；靠的是灾区各族人民群众的参与支持，靠的是玉树社会各界的理解支持。这种经历巨大灾难凝炼和考验的力量，是青海、玉树发展的不竭动力。胜利属于过去，未来仍在继续。面对玉树各族人民过上幸福美好生活的新期待，在以习近平同志为核心的党中央坚强领导下，青海省、玉树州紧紧抓住建设三江源国家生态综合保护试验区的战略机遇，不断建设人民安居乐业、城乡共同繁荣、人与自然和谐相处的美好家园，必将使玉树的明天更美好。

第一篇
中央决策领导

玉树大地震发生后，中共中央、国务院作出决策部署，举全国之力，组织开展抗震救灾和灾后恢复重建。中共中央总书记、国家主席、中央军委主席胡锦涛，中共中央政治局常委、国务院总理温家宝等党和国家领导人亲临玉树灾区看望受灾群众，指导抗震救灾工作。国务院抗震救灾总指挥部成立玉树地震灾后恢复重建领导协调小组，全面协调指导玉树灾后恢复重建工作。在对地震灾害损失进行全面系统调查评估和资源环境承载力评价的基础上，科学编制灾后恢复重建总体规划和各专项规划，统一规划，整体设计，突出重点，分步推进，有力有序有效地开展灾后恢复重建各项工作。国务院《关于支持玉树地震灾后恢复重建政策措施的意见》，从财政、税收、金融、土地、教育、社会保障、就业、对口支援等多方面，全方位提出政策措施，对玉树地震灾后恢复重建给予了全力支持。按照“统筹考虑、突出重点、总量包干、分类控制”的原则，合理安排重建资金。重建投资由青海省人民政府根据规划目标和轻重缓急，统筹做到中央财政资金、省级财政资金、捐赠资金和其他自筹资金的科学安排、合理使用、有效监督，保障玉树地震灾后恢复重建规划的顺利实施。通过 3 年多的艰苦奋战，完成城乡住房、公共服务、基础设施、生态环境、特色产业、和谐家园 6 大类共 1248 项重建项目，累计完成投资 447.54 亿元，全面实现灾后重建规划目标，灾区城乡整体功能大幅提高，实现了涅槃重生大跨越。

众志成城　抗震救灾

第一章　组织领导

第一节　决策部署

玉树大地震发生后，中共中央、国务院、中央军委第一时间发出动员令，提出“人民群众的生命高于一切”“举全国之力抗震救灾”；成立国务院抗震救灾总指挥部，由国务院副总理回良玉具体负责抗震救灾工作。

4 月 17 日下午，中共中央政治局常务委员会召开紧急会议，进一步全面部署全国抗震救灾工作。会议号召，在抗震救灾工作中，必须毫不动摇地坚持党的领导，全党和全国军民要更加紧密地团结起来，一切为了灾区，全力支援灾区，以实际行动为抗震救灾贡献力量。会议强调，要全力抢险救灾，迅速修复基础设施，加强对次生灾害的预防，确保社会和谐稳定，确保灾区社会安定、民族团结、人心稳定。要切实加强组织领导，建立强有力的指挥系统，实行统一领导、统一指挥，加强协调，科学调度，有序推进抗震救灾工作。会议要求，及早谋划恢复生产、灾后重建工作，在做好灾害评估、搞好规划的基础上适时组织力量帮助受灾群众重建家园。

4 月 18 日，胡锦涛在玉树抗震救灾指挥部帐篷会议室召开会议，听取抗震救灾工作汇报，并发表重要讲话。胡锦涛指出，当前，抗震救灾工作正处在关键时刻，必须以更加顽强的精神、更加迅速的行动、更加科学的方法，克服一切艰难险阻，坚决做好抗震救灾各项工作。胡锦涛着重提出七点要求：一是全力搜救被困人员；二是努力救治受伤人员；三是妥善安置群众生活；四是迅速恢复基础设施；五是加强宣传引导；六是确保社会和谐稳定；七是建立强有力的指挥系统。

5 月 19 日，国务院召开常务会议，研究部署玉树地震灾后恢复重建工作，国务院总理温家宝主持会议。会议指出，玉树地震灾后恢复重建，事关灾区紧迫的民生问题和长远发展，事关三江源地区生态保护，事关民族团结和社会和谐稳定，意义重大。同时，恢复重建工作面临高寒缺氧、施工期短、交通不便、生态脆弱和建筑资源严重不足等特殊困难，任务艰巨繁重。必须坚持以人为本，把保障民生放在优先位置，尊重民族文化习俗和宗教信仰，注重生态环境保护，以灾区各级政府为主导、广大干部群众为主体，中央大力支持、各方积极援助，科学依法统筹、有力有序有效推进恢复重建各项工作。会议提出，用3年时间基本完成恢复重建主要任务，使灾区基本生产生活条件和经济社会发展全面恢复并超过灾前水平，为建设生态美好、特色鲜明、经济发展、安全和谐的社会主义新玉树奠定坚实基础。为此，一要把恢复重建城乡居民住房摆在突出位置，先行开展农村住房恢复重建。对可以修复的，要抓紧开展维修加固；对需要重建的，要尊重群众意愿，选择适宜的重建形式和建筑样式。建设选址要避开重大灾害隐患地带。二要优先安排教育、卫生等公共服务设施的恢复重建，严格执行强制性建设标准规范，把学校、医院建成最安全、最牢固、群众最放心的建筑。统筹安排宗教活动场所恢复重建，加强对民族宗教文化遗产的抢救和保护。三要以主要干线公路、农村公路和民航、邮政、通信设施为重点，恢复基础设施功能。加快集贸市场、商业网点、生产资料交易市场以及粮油储运设施恢复重建，提高市场供应能力，保障灾区群众基本生活需要。四要抓紧恢复灾区各类生产设施，推进农牧、商贸旅游等地方特色产业恢复重建，加大对农副产品加工、民族特色加工业扶持力度，拓宽就业渠道，提高群众收入水平。五要坚持自然恢复与人工治理相结合，逐步修复生态系统。围绕三江源自然保护区生态保护建设，加大天然林保护、退牧还草等重点生态工程实施力度，恢复重建水源涵养区、自然保护区管护设施。加快地质、气象灾害和次生灾害监测系统恢复重建，提高防灾减灾能力。

为支持和帮助玉树地震灾后恢复重建，会议确定，灾后恢复重建所需资金主要由中央财政解决，2010年中央财政安排90亿元专项资金，之后两年继续作相应安排；实行“总量包干、分类控制”的办法，由地方政府根据规划项目和轻重缓急将中央财政资金与省级财政资金、捐赠资金和其他自筹资金统筹安排使用。同时，采取更加优惠的税收、金融、土地等政策措施，实行更有针对性的扶贫、援建援助、教育特别资助、就业和社会保障政策，加大对恢复重建的支持力度。会议要求，青海省和有关部门要加强对恢复重建工作的组织领导和指导协调，科学编制规划，落实工作责任，精心组织实施。要强化监督检查，确保资金、物资安全和有效使用，确保工程质量。

5月24日，国务院制定下发《关于做好玉树地震灾后恢复重建工作的指导意见》（以下简称“《指导意见》”），对玉树地震灾后恢复重建工作提出了总体要求、主要任务及保障措施，为玉树地震灾后恢复重建总体规划的编制指明了方向，勾画了蓝图。

在《指导意见》印发后的第三天，即2010年5月27日，国务院又制定印发《关于支持玉树地震灾后恢复重建政策措施的意见》。为有力有序有效开展灾后恢复重建工作，国务院从资金安排、税收、金融、土地、收费、教育特别资助、就业和社保、扶贫、援建援助9个方面规定了具体而优惠的政策。同时从“统一认识、坚强领导；明确责任，密切配合；细化政策，完善办法；强化监督，明确效果”4个方面提出了严格的工作要求。

按照国务院安排部署，国家有关部委、系统单位相应作出了具体的安排部署，全面落实政策措施，对玉树地震灾后恢复重建给予全力支持，为实现 3 年重建目标提供了组织保障、政策保障、资金保障、物资保障。

第二节　国务院灾后重建领导机构

一、国务院抗震救灾总指挥部

4 月 14 日地震当天，国务院成立国务院抗震救灾总指挥部，中共中央政治局委员、国务院副总理回良玉任总指挥，国务院有关部门、中央军委总参谋部和青海省人民政府为指挥部成员单位。指挥部下设 8 个工作组，4 月 19 日又增设了灾后恢复重建组。国务院抗震救灾总指挥部在玉树设立了一线联络组。

二、国家玉树地震灾后恢复重建领导协调小组

4 月 21 日，国务院抗震救灾总指挥部召开会议，全面安排了玉树灾后恢复重建各项工作，决定成立国家玉树地震灾后恢复重建领导协调小组。

国家玉树地震灾后恢复重建领导协调小组由国家发展改革委主任张平任组长，副组长单位有住房城乡建设部、财政部、国务院国有资产监督管理委员会、审计署、青海省人民政府。成员单位有四川省人民政府、教育部、科学技术部、工业和信息化部、国家民族事务委员会、公安部、民政部、人力资源社会保障部、国土资源部、环境保护部、交通运输部、铁道部、水利部、农业部、商务部、文化部、卫生部、国家人口和计划生育委员会、中国人民银行、国家税务总局、国家质量监督检验检疫总局、国家广播电影电视总局、国家体育总局、国家林业总局、国家旅游局、国家宗教事务局、中国科学院、中国地震局、中国气象局、中国银行业监督管理委员会、国家电力监督委员会、国家能源局、中国民用航空局、国家文物局、国务院扶贫开发领导小组办公室、中华全国总工会、中国人民解放军总参谋部作战部、中国红十字会总会。

国家玉树地震灾后恢复重建领导协调小组下设规划编制协调组、资金物资保障组、审计监督组等相应机构。

第三节　党和国家领导人视察指导

一、胡锦涛视察指导

地震发生时，正在国外访问的胡锦涛立即决定提前回国。4 月 18 日，胡锦涛不顾刚从国外长途回国的疲劳，赶赴玉树地震灾区，视察灾情，慰问受灾群众和抢险救灾人员，了解救灾工作面临的困难，指导抗灾救灾工作。胡锦涛指出，要尽最大努力抢救被困人员，只要还有一线希望，就要下百倍努力。他强调，地震无情，人间有爱。中共中央和灾区群众心连心，党和政府一定会帮助灾区群众建好家园，尽快解决学生的复课问题，并帮助你们把新房建起来。他到刚刚复课的玉树州孤儿学校看望孩子们，在板房教室的黑板上用力写下了“新校园，会有的！新家园，会有的！”在听取当前抗震救灾工作汇报后，胡锦涛要求，必须以更加顽强的精神、更加迅速的行动、更加科学的方法，克服一切艰难险阻，坚决做好抗震救灾各项工作。他强调，要抓好玉树地震灾后恢复重建工作，使灾区人民生产生活上一个大台阶，使三江源地区生态保护和建设水平上一个大台阶。他表示，有中共中央、国务院、中央军委的正确领导，有全国各族人民的大力支持，有青海省委和省政府的坚强领导，有地震灾区各族干部群众的团结奋斗，就一定能够夺取抗震救灾斗争的胜利，也一定能够把社会主义新玉树建设得更加美好。

二、温家宝视察指导

4 月 15 日，中共中央政治局常委、国务院总理温家宝飞赴玉树灾区视察指导抗震救灾工作。在玉树军分区大院内搭起的国务院抗震救灾总指挥部帐篷里，温家宝主持召开会议，听取玉树抗震救灾的情况汇报并作了重要指示。他指出，抗震救灾要重点做好 10 项工作：第一是救人。第二是医疗工作。第三是安置群众。第四是基础设施恢复。要尽快恢复供电，保证安全用水，所需柴油和发动机要给予保障。第五是要预防余震。第六是做好受灾群众生活补贴发放工作。第七是搞好灾情评估。尽早制定重建方案。第八是保持社会秩序稳定。第九是信息公开。第十是加强领导。各级领导要各司其职，忠于职守，每个党员干部要发挥模范表率作用，团结广大群众，战胜这场灾情，把新的玉树建设好。

4 月 16 日上午，在现场指挥救灾、慰问群众时，温家宝表示，要尽最大努力建设一个新玉树。16 日中午，在离开玉树灾区前，温家宝对玉树灾区的房屋重建提出了具体要求：安全、舒适、具有民族风格。他严肃强调，灾后重建的每一步都要进行全程的财务审计、监察和监督。

5 月 1 日，温家宝再次赶赴玉树灾区。当晚主持召开会议，研究灾后恢复重建工作。他指出，当前玉树地震灾区抢险救灾、应急救援基本结束，进入到进一步安置好受灾群众、恢复正常秩序、加快恢复重建的新阶段。这一阶段的工作与前一阶段相比，头绪更多，任务更重，持续时间更长，需要解决的矛盾和问题更复杂。必须坚持人民利益高于一切，以更加顽强的精神、更加精心的组织、更加细致的工作，克服一切艰难险阻，科学依法统筹，有力有序有效做好抗震救灾和恢复重建工作，让灾区人民满意，让全国人民放心。下一阶段要重点做好以下工作：第一，进一步安置好受灾群众生活。第二，切实加强灾区卫生防疫工作。第三，全力保障基础设施恢复正常运行。第四，尽快建立正常的生产生活秩序。第五，抓紧做好灾后恢复重建前期工作。一是抓紧开展资源环境承载能力评价，对震后地质、水文、生态环境、重建选址等进行科学论证。二是抓紧对房屋及建筑物进行受损程度鉴定，明确维修加固和重建任务，尽快提出城乡建设规划，科学确定建筑设防标准和技术规范。三是抓紧编制灾后恢复重建总体规划和各专项规划。四是抓紧制定灾后恢复重建的各项支持政策和资金解决方案，包括政府投入、税费优惠、生活救助、金融支持、用地保障、对口支援、社会募集、转移安置、倒房重建补助等方面的具体政策措施。第六，科学组织实施灾后恢复重建。一是城乡居民住房建设。要把重建城乡居民住房摆在突出和优先位置，让灾区群众早日住上放心房。二是城乡基础设施建设。要根据城乡布局和人口规模，整合资源，统筹安排，合理布局。优先安排学校、医院等公共服务设施的恢复重建，严格执行强制性建设标准规范，建成最安全、最牢固、群众最放心的建筑。重点抓好道路交通、供水供电、广电通信、垃圾污水处理、公共卫生等设施建设，在建设中要特别注重保护和传承藏族文化，对于损毁寺庙的修复和重点文物的保护，政府要予以支持。三是环境保护和节约利用资源。玉树地处三江源核心区，对生态环境保护要求高，灾后恢复重建必须坚持安全、适用、省地、节俭的原则，合理确定建设规模和标准，不盲目攀比，不超标建设，不铺张浪费。四是恢复重建支持政策。玉树灾后恢复重建要充分发挥中央和地方两个积极性。青海省人民政府对玉树灾后恢复重建负总责，国务院有关部门按照职责分工加强指导和做好相关工作，受灾地区各级政府要统筹兼顾，合理安排，精打细算，节俭办事，管好用好各类资金。五是恢复重建时间安排。要统一规划、整体设计、突出重点、分步推进，力争用 3 年时间基本完成恢复重建主要任务。六是对口支援。玉树灾后恢复重建的对口支援主要是建筑施工。东西部扶贫协作对口省市、支援藏区的对口省市、周边省区以及中央企业，要组织有高原施工经验和能力的建筑施工力量支持玉树恢复重建工作。第七，促进民族团结进步事业发展。在玉树灾后恢复重建中，要继续大力宣传和全面贯彻落实民族宗教政策，弘扬各民族共同团结奋斗、共同繁荣发展的主旋律。

三、贾庆林视察指导

4 月 26 日，中共中央政治局常委、全国政协主席贾庆林抵达地震灾区后立即赶往玉树县第一民族中学看望师生，到结古寺看望慰问宗教界人士。在听取青海省委、省政府抗震救灾工作汇报后，贾庆林指出，要继续贯彻落实中共中央、国务院决策部署，妥善安置受灾群众，全力以赴做好医疗卫生工作，着力做好民族、宗教工作，全面启动灾后重建，努力夺取抗震救灾斗争的全面胜利。贾庆林强调，要全面启动灾后重建工作，加快建设更加美丽、更加富饶、更加和谐的社会主义新玉树。他说，玉树地震灾区，地处民族地区、贫困地区、生态重点保护区、高原高寒地区。一年中，真正适合恢复重建的时间只有 4 个月，而且灾区的建材工业不发达，运输建材物资难度大，恢复重建时间紧、任务重、困难多。要按照国务院抗震救灾总指挥部的总体部署，紧密结合贯彻中央第五次西藏工作座谈会议精神，结合“十二五”发展规划的制定和实施，加大工作力度，加快进行科学评估和灾后重建规划，抓紧研究制定灾后重建方案和时间表，尽快组织实施。要注重生态保护和建设，加快移民搬迁的力度，努力把受灾群众向生态环境承载能力强、资源条件好的地方集中，形成有利于保护和改善生态环境的发展模式。要大力发展特色农牧业、特色旅游业，要积极培植战略性支柱产业，努力为灾后重建和增加群众收入提供产业支撑。要继续保护少数民族的传统文化，积极保护历史文化遗产，充分尊重当地少数民族的民族传统、风俗习惯，尊重信教群众的宗教信仰，保护各民族特有的文化特色和建筑风格。要引导各民族群众，发扬自力更生、艰苦奋斗、互帮互助、苦干实干精神，在全国人民的支持下，建设更加美好的新家园，过上更加幸福的新生活。

4 月 26 日，贾庆林就玉树地震受损寺院恢复重建问题作了重要指示。他指出，地震中很多寺庙遭受严重损失，僧人遭到严重损失，僧人也是公民，当前救灾和下一步的灾后重建工作要统筹考虑。一是灾后社会救济，僧人要和受灾群众一视同仁。受伤的同样给予治疗，生活同样给予保障，抚恤金、救助金同样发放。二是将寺庙僧舍和交通、水、电等公共服务设施的恢复重建，同城镇恢复重建一齐推进，争取重建后僧人的基本生活条件比地震前有所改善。三是将寺庙恢复重建工作纳入整体规划。像文成公主庙、禅古寺、结古寺、结古清真寺等文物价值较高的寺庙，要按照文物保护有关规定，制订计划，加紧实施。对其他受损寺庙包括清真寺要清查受损情况、受损的程度，区别对待，研究相关政策，对其重建、维修给予帮助，满足信教群众的信仰需要。要保护好寺院文物，不可使其流失。

四、李长春视察指导

7 月 2 日，中共中央政治局常委李长春在中共中央政治局委员、书记处书记、中宣部部长刘云山，中共中央政治局委员、国务委员刘延东的陪同下，到玉树地震灾区考察慰问，检查指导重建工作。2 日上午，李长春前往文成公主庙，了解文物保护情况。他指出，文成公主庙是民族团结的重要象征，一定要维护好、保护好。在结古寺帐篷寺院，他认真察看文物抢救情况，称赞寺院僧侣在抗震救灾和恢复重建过程中发挥的特殊作用，勉励他们继续为维护民族团结与社会和谐做出新的贡献。李长春要求有关部门加快实施灾区文化遗产抢救保护工作，进一步完善抢救修复方案，精心组织实施，早日恢复灾区文物和历史文化遗产的风采。李长春一行在实地察看灾后恢复重建特别是文化重建情况后指出，宣传思想文化部门要认真贯彻落实中共中央、国务院的决策部署，加快推进灾区文化恢复重建各项工作，切实把文化重建项目规划好、实施好、建设好，为夺取恢复重建全面胜利、建设社会主义新玉树做出应有贡献。

五、习近平视察指导

6 月 1 日，中共中央政治局常委、书记处书记、国家副主席习近平专程赶赴青海玉树地震灾区，看望慰问灾区各族干部群众和灾后重建人员，考察群众安置情况和灾后重建工作，指导抗震救灾重建。中共中央政治局委员、中央书记处书记、中组部部长李源潮一同考察。习近平强调，要以科学发展观为指导谋划重建、推动重建、检验重建，把保障和改善民生放在优先位置，把安排好过渡安置期间灾区群众的生产生活作为当前重中之重，精心组织好对口援建工作，按照中央要求又好又快地建设新玉树。

习近平来到结古镇甘达村灾后重建施工现场，认真观看工程规划展板，详细了解工程建设情况，亲切看望正在施工的建设者。习近平强调，灾后重建要坚持以人为本，注重生态环境保护，精心规划、精心组织、精心实施，建设更加结实的城乡居民住房，更加先进的公共服务体系，更加完善的基础设施，更加合理的产业结构，更加繁荣的民族文化，更加和谐的生态环境，更加文明的社会秩序。在结古寺大经堂，习近平看望慰问宗教人士，仔细察看寺庙损毁程度，了解文物保护情况。他充分肯定灾区广大领导干部、基层党组织和党员在地震灾害面前，充分发挥了骨干带头作用、战斗堡垒作用和先锋模范作用，希望大家继续扎实做好安置受灾群众、维护灾区社会稳定、组织群众重建家园等各方面工作。习近平指出，开展创先争优活动，是学习实践科学发展观活动的延展和深入，是夺取灾后重建新胜利的重要保证。要把恢复重建第一线作为创先争优主战场，围绕灾后重建确定创先争优活动主题，确保抗灾救灾与创先争优活动相互促进、相得益彰。

当日傍晚，习近平在青海省抗震救灾指挥部帐篷会议室主持召开会议，听取青海省委、省政府工作汇报，对前一阶段抗震救灾取得的成绩给予肯定，就继续做好恢复重建工作提出要求。习近平指出，抗震救灾和灾后重建是培养锻炼干部的重要阵地，要有计划安排机关干部特别是缺乏基层工作经验的年轻干部、后备干部，到灾后重建一线经受锻炼、增强本领。习近平强调，玉树是民族地区，信教群众多，要认真贯彻党的民族宗教政策，广泛开展多种形式民族团结宣传教育和民族团结进步创建活动，使灾后重建过程成为加强民族团结、推动民族互助、促进民族和谐的过程。

六、李克强视察指导

5 月 10 日，中共中央政治局常委、国务院副总理李克强抵达玉树灾区考察，赴禅古村查看灾情，听取工作汇报。当晚，李克强在玉树县结古镇临时搭建的帐篷里主持召开抗震救灾和恢复重建工作会议，议定灾后重建目标定位、中央财政支付政策、恢复重建工作组织形式、居民住房恢复重建、基础设施建设、受灾群众补助等事项。李克强指出，抗震救灾工作在统一指挥下取得显著成效和阶段性成果，开始转入全面推进灾后恢复重建的新阶段。要坚持以人为本，从实际出发，科学规划，统筹兼顾，重点做好以下五项工作：一是保障灾区应急救援、过渡性安置费用和受灾群众补助等所需资金，安置好受灾群众，全面做好伤病员救治、卫生防疫和高原病防治工作，尽早恢复正常生产生活秩序。二是抓紧编制灾后重建总体规划和专项规划，恢复重建所需资金主要由中央财政安排，采取更加优惠的财税、金融、土地、教育、就业、扶贫、社保、援建援助等政策。力争用3年甚至更短的时间基本完成恢复重建任务。三是5月底前基本完成废墟清理、城乡布局规划、重建选址等工作，优先规划设计居民住房和公共设施，做好重建各项准备。四是2010年年底前努力做到全面完成可修复住房维修加固，力争完成大部分农牧民住房重建，开工建设大部分城镇居民住房，使尽可能多的受灾群众入住永久性房屋，并及早安排其他受灾群众越冬所需棉帐篷和取暖设施。五是抓紧恢复重建学校、医院以及供水、供电、电信、道路等设施。在重建中，要尊重民族文化习俗和宗教信仰，注重生态环境保护。5月10—11日李克强在玉树灾区考察指导工作期间，国务院抗震救灾总指挥部有关成员单位负责人及国务院有关部门负责人陪同考察并参加了灾后重建现场办公会。

七、贺国强视察指导

8月17日，中共中央政治局常委、中央纪委书记贺国强到玉树看望慰问干部群众和灾后恢复重建人员，实地考察群众安置、灾后恢复重建和监督检查工作，出席在青海玉树召开的地震灾后安置、恢复重建暨监督检查工作汇报会，听取青海省、中央纪委监察部、国家发展改革委、民政部、财政部、审计署工作汇报，并作重要讲话。17日下午，贺国强出席了在青海玉树召开的地震灾后安置、恢复重建暨监督检查工作汇报会。在认真听取青海省、中央纪委监察部、国家发展改革委、民政部、财政部、审计署有关负责人的汇报后，贺国强指出，玉树地震发生以来，抢险救灾迅速有效，恢复重建开局良好，抗震救灾斗争取得了阶段性重大胜利。同时，抗震救灾监督检查工作扎实推进，中央抗震救灾决策部署落实和资金物资管理使用情况总体良好，没有发现重大违规违纪问题。贺国强强调，当前玉树抗震救灾工作全面进入灾后恢复重建新阶段。要实现中央提出的恢复重建目标，必须进一步提高思想认识、明确职责任务、突出工作重点、严格执行纪律，着力加强对中央关于抗震救灾和灾后恢复重建政策措施落实、资金物资管理使用、《总体规划》执行和项目实施以及工作制度落实等情况的监督检查，严肃查办违规违纪案件，为夺取灾后恢复重建全面胜利提供有力保证。中共中央书记处书记、中央纪委副书记何勇陪同考察并主持监督检查工作汇报会。

八、回良玉现场指挥

4月14日地震发生后，国务院副总理回良玉当天赶赴玉树灾区，察看灾情，坐阵指挥抢险救灾。

4月16日下午，回良玉在灾区主持召开抗震抢险救灾工作联席会议，强调要切实抓好恢复重建的前期工作。

4月23—24日，回良玉到玉树地震灾区考察抗震救灾工作并主持召开抗震救灾联席会议，传达胡锦涛、温家宝关于抗震救灾的重要指示精神，重点研究部署灾后恢复重建前期工作。他强调，当前抗震救灾工作进入新的阶段，要把进一步安置好受灾群众、全面恢复正常秩序、开展灾后重建摆在突出位置，为灾区办实事、解难题，科学谋划、扎实推进恢复重建各项工作。回良玉来到受灾严重的结古镇禅古村、甘达村，走进村党支部临时驻地、受灾群众安置帐篷、村里的帐篷小学，详细了解他们的生活情况和学生的复课情况。在玉树供水水源地，他仔细询问供水系统修复情况。当得知救灾工作有序开展，受灾群众都住进了帐篷，日常生活用品保障充足时，回良玉十分高兴。他指着高高飘扬的党旗说，越是在灾难面前，越要充分发挥基层党组织和广大党员干部的先锋模范和战斗堡垒作用。当前要重点做好群众安居、伤员救治、卫生防疫工作，尊重民族习惯，妥善安排好过渡安置期群众生活。24日早晨，回良玉一行驱车翻越海拔4600多米的山脉，专程前往此次玉树大地震震中所在地，看望慰问受灾的农牧区群众，勉励他们振奋精神，重建家园。

考察期间，在抗震救灾指挥部临时搭建的帐篷里，回良玉主持国务院抗震救灾总指挥部和青海省抗震救灾指挥部联席会议，听取了青海省和国家有关部门的工作情况汇报。他强调，在中共中央、国务院和中央军委坚强领导下，经过各方面顽强努力，抗震救灾工作取得了重大阶段性成果。他强调，当前工作进入新的阶段，工作重点由前期以搜救、救治、临时安置群众为主转向以进一步安置好受灾群众、恢复正常秩序、开展灾后重建为主。他郑重指出，当前要重点抓好六项工作。一是着力安排好受灾群众生活，落实好各项补贴政策，尽可能让群众住得舒适一些，吃得热乎一些，就医方便一些。二是着力恢复灾区正常秩序，加快恢复商业网点和金融服务网点，保障道路运输畅通，尽快实现中小学校基本复课，安排好农牧业生产，抓好经济社会发展。三是加强卫生防疫工作，高度重视鼠疫和狂犬病防控，保障大灾之后无大疫。四是加强救灾资金物资的有序发放和监督管理，完善制度，加强管理，公开透明。五是确保灾区社会稳定，深入细致做好受灾群众心理安抚和思想疏导工作，加强社会治安管理。六是确保灾后重建前期工作顺利推进，抓紧进行灾害评估，尽快明确重建地点、重建时间表、重建形式、重建重点和先后顺序，及早提出基础设施重大建设项目，安排建材供应等具体事宜。回良玉最后强调，要及时报道和大力宣传在抗震救灾中涌现出来的先进集体、先进个人和模范事迹，认真学习和大力弘扬杜金玉不怕艰险、顽强拼搏的大无畏精神。要坚持以人为本，高度重视、关心爱护救援人员身体健康，搞好高原病的防治，尽力保障好、安排好救援人员的生活，保持可持续战斗力。

6月19日上午，回良玉又一次来到玉树地震灾区，进一步听取灾区各族干部群众对恢复重建工作的意见和建议，考察指导受灾群众生活安置和灾后恢复重建工作。他强调，玉树抗震救灾工作全面进入灾后恢复重建新阶段，要认真贯彻中央的决策部署，深刻认识灾后恢复重建的重大意义，切实增强使命感、责任感和紧迫感，进一步动员一切力量行动起来，组织协调各方力量，调动一切积极因素，掀起地震灾后恢复重建高潮。考察期间，他听取了有关方面的汇报，对灾后恢复重建各项准备工作进展予以充分肯定。回良玉强调指出，废墟清理和建材物资保障是玉树灾区恢复重建的两个基本条件，要进一步加快废墟清理进度，努力为恢复重建创造良好环境。在建材物资配送中心，回良玉仔细询问建材采购储备情况，要求统筹组织建材的采购和调运，努力保障供应、确保质量、降低成本。在实地察看禅古村恢复重建房屋规划、设计、施工情况，询问农牧民的看法和建议。他指出，规划和设计一定要体现民族特色、地域特点和时代特征，一定要充分尊重群众意愿。回良玉在中国铁建股份有限公司援建指挥部考察援建施工前期准备时强调，参加对口援建责任重大、使命光荣，要精心组织、科学管理、密切配合，保证高质量按期完成援建任务。回良玉还到军地联合指挥中心了解结古镇城镇总体规划及第一批开工民生项目设计情况。他指出，规划是灾后恢复重建的重要依据，必须自觉遵守并认真执行，要切实坚持民生优先的原则，首先建好居民住房和公共服务设施。玉树灾后重建涉及面广，参与单位多，各有关部门和单位要按照统一部署，服从领导，听从指挥，各司其职，通力协作。回良玉强调，要高度重视灾区生产恢复，促进灾区群众就业增收。要在保护生态环境的前提下，发挥资源优势，大力恢复发展生态畜牧业、设施农业、农牧产品加工和旅游业、商贸流通业、民族手工业等特色产业。在灾区恢复重建中，要尽可能多地吸纳受灾群众参与。各种公益性岗位要优先安置一批就业困难的人员。

第二章　灾后重建总体规划

第一节　规划编制

一、编制依据和原则

编制依据　鉴于玉树灾区高寒缺氧、施工期短、交通不便、生态脆弱和建筑资源严重不足等特殊困难，为了科学、依法、统筹、有力有序有效地推进恢复重建各项工作，国务院制定下发《关于做好玉树地震灾后恢复重建工作的指导意见》（以下简称“《指导意见》”），对玉树地震灾后恢复重建工作提出了总体要求、主要任务及保障措施。《指导意见》明确提出“科学重建、规划先行”。要求在认真做好灾害评估、资源环境承载力评价等前期工作，全面调研、科学论证、合理避让灾害隐患的基础上，确定适宜重建区域。综合考虑经济社会、自然地理、生态环境、民族宗教等各方面因素，依照国家有关法律法规，科学制定灾后恢复重建规划。坚持安全、实用、省地、节俭的原则，有计划、分步骤，因地制宜地开展恢复重建工作。《指导意见》提出力争用3年时间基本完成恢复重建主要任务，使灾区基本生产生活条件和经济社会发展全面恢复并超过灾前水平，生态环境切实得到保护和改善，又好又快地重建新校园、新家园，为建设生态美好、特色鲜明、经济发展、安全和谐的社会主义新玉树奠定坚实的基础。《指导意见》对玉树灾后恢复重建的主要任务从6个方面提出了要求，一是城乡居民住房建设，二是公共服务设施建设，三是基础设施建设，四是市场服务体系建设，五是地方特色产业发展，六是生态环境和防灾减灾工作；并提出了8个方面的保障措施。《指导意见》为玉树地震灾后恢复重建总体规划的编制指明了方向，勾画了蓝图。

为有力有序有效开展灾后恢复重建工作，国务院制定《关于支持玉树地震灾后恢复重建政策措施的意见》，从资金安排、税收、金融、土地、收费、教育特别资助、就业和社保、扶贫、援建援助9个方面规定了具体而优惠的政策。同时，从“统一认识、坚强领导；明确责任，密切配合；细化政策，完善办法；强化监督，明确效果”4个方面提出了严格的工作要求。

编制原则 根据《国务院关于做好玉树地震灾后恢复重建工作的指导意见》所提出的“科学重建，规划先行；统筹兼顾，突出重点；保护生态，体现特色；自力更生，多方支持”的原则要求，考虑玉树灾区实际，确定了编制的基本原则：“以人为本，民生优先；保护生态，体现特色；统筹兼顾，协调发展；保证质量，厉行节约；自力更生，多方支持。”

二、编制过程

组织工作 玉树地震灾后恢复重建规划编制协调工作由国家发展改革委负责承担。玉树地震发生后，青海省委、省政府在全力以赴组织开展抢险救灾的同时，着力谋划地震灾后恢复重建工作。4月20日，省人民政府成立玉树灾后重建领导小组和灾后重建规划协调小组。责成省发展改革委牵头，精心组织开展重建规划的编制工作。省发展改革委及时将规划编制任务交给省工程咨询中心，会同省级相关部门和玉树州人民政府，配合国家规划组，开展编制规划的前期工作。省工程咨询中心即刻抽调得力人员组成规划项目组，由咨询中心主任张贺全任组长，中心总工程师仲莲任常务副组长，开展规划前期工作。

前期准备 2010年4月16日，住房城乡建设部按照国务院抗震救灾总指挥部的部署要求和玉树灾区重建规划编制需要技术指导的实际，组织协调曾参加四川省汶川特大地震灾后重建规划编制工作的专家赶赴玉树灾区，在进行调研和相关资料收集取证完成后返回西宁，开始编制灾后重建规划。来自四川、陕西的8名规划设计人员，也于4月18日抵达西宁帮助开展玉树灾后重建规划编制工作。

4月15日，省委、省政府立即选派人员赶赴四川汶川实地考察，学习借鉴汶川灾后重建规划的编制经验。灾后第三天，部署启动灾后重建的前期工作。嗣后，省委书记、省抗震救灾领导小组组长强卫率团到四川省考察灾后重建工作。他说，四川一个重要的经验，就是规划制定非常科学、非常周全、非常超前，充分发挥了总体规划的统领作用、专项规划的支撑作用和行业规划的补充作用。强卫进一步为玉树灾后恢复重建规划的编制指明方向，鼓舞了编制组人员的决心和信心。

5月8日，骆惠宁在省玉树地震灾后重建工作第二次会议上作重要讲话，强调要加快编制灾后恢复重建规划。他严肃指出，这是一项引领性基础工作，要进一步把握以下几点：第一，把握好灾后重建的目标定位，增强规划的针对性。一是一定要全面体现胡锦涛关于“在灾后恢复重建过程中，不仅要让灾区人民生产生活上一个大台阶，而且要让三江源地区生态环境建设上一个大台阶”的思想。要把这一思想作为对灾后重建的总要求、重建规划的总纲领、衡量重建工作的总标准，必须在规划中得到全面贯彻。二是要把玉树州政府所在地建成“布局合理、功能齐全，设施完善、特色突出、环境优美的高原生态型商贸旅游城市、三江源地区的中心城市、青海藏区城乡一体化发展的先行区”的重建目标，在规划中得到明确表述。三是一定要把国家支持灾区重建政策与支持青海藏区发展政策紧密结合起来，与建设三江源国家生态保护综合试验区结合起来，同步推进。要统筹谋划、全面提升，实现跨越发展与科学发展的高度统一。第二，把握和处理好重大关系，增强规划的协调性。灾后恢复重建，必须把握和处理好以中央投资为主和统筹各方资金的关系；统建为主和分建为辅的关系；建设风格上体现时代特征和体现民族文化的关系；物质上的重建和精神家园建设的关系；当前与长远相结合的关系以及重视发挥政府主导作用与充分运用市场机制的关系。用“政府、市场”两手一起抓来推动重建。第三，把握好重建的范围和支撑项目，增强规划的有效性。一是重建范围是极重灾区、重灾区、一般灾区全覆盖，侧重极重灾区和重灾区。二是按照“上两个大台阶”的要求，搞好支撑项目，这是使规划发生作用的关键。对项目排出序列，优先建设城乡居民住房、基础设施和公共服务设施。三是要注意城乡统筹，既要高度重视结古镇的恢复重建，也要高度重视受损农牧区的恢复重建，加快城乡一体化发展的进程。四是注意统筹推进受灾地区重建项目和支撑重建与发展相关重大基础设施项目。五是省级、玉树州、县有关部门要全力配合规划的编制工作，在规划的可行性上下功夫；规划要充分征求灾区当地干部群众意见，确保有效、管用。

形成初稿　以省发展改革委为主体的玉树灾后恢复重建规划编制组，自 2010 年 4 月 16 日起，先后组织相关人员多次赶赴玉树地震灾区实地考察了解地震造成的灾损情况，深入现场了解并核查第一手资料，于 4 月 20 日前，完成了《玉树抗震救灾过渡安置用房和应急设施建设方案》，并移交给省住房城乡建设厅，为灾区群众临时住房和水、电供应保障发挥了积极作用。

为了尽快掌握玉树“4・14”地震灾害的实际灾损情况，以省工程咨询中心总工程师仲莲为带头人的规划项目组成员自 4 月 26 日起，配合省发展改革委有关处室核查各地上报的灾损数据，分地区、按行业，归类统计，一笔一笔地进行核算登记，经过三昼夜的奋战，完成了灾损报告的核查落实工作，经过层层把关核实终于形成了玉树地震灾害损失报告交付国家减灾委，为规划的编制、项目的落实打下了良好的基础。在此期间，规划项目组协同省发展改革委规划组拟写编制规划大纲，规划编制工作方案，并着手重建项目册的编排工作。4 月 29 日，省工程咨询中心规划项目组全体人员进驻西宁胜利宾馆封闭工作，配合国家发展改革委及省级各有关厅（局、委、办）的相关人员，依据规划编制大纲及方案要求，正式开始了玉树地震灾后恢复重建总体规划的编制工作。编制组于 5 月 4 日完成了《总体规划》（讨论稿）及重建项目册第一稿。后经多次对接修改，形成征求意见稿。

征求意见　5 月 12 日，省玉树地震灾后重建现场指挥部在玉树县结古镇召开灾后重建总体规划意见征求会，为进一步完善玉树地震灾后恢复重建总体规划方案广泛征求灾区州、县两级相关部门的意见。副省长、玉树地震灾后重建现场指挥部指挥长马顺清，副省长、玉树地震灾后重建指挥部第一副指挥长张建民出席会议并讲话。在听取玉树州、县两级主要领导及教育、卫生、水利、国土资源、交通等相关部门负责人对规划方案的意见和建议后，马顺清指出，在各类规划的编制中，一定要全面体现中央的要求和省委、省政府的目标定位，坚持科学规划，突出改善民生，促进可持续发展，把玉树县建成布局合理、功能齐全、设施完善、特色突出、环境优美的高原生态型商贸旅游城市、三江源地区中心城市、青海藏区城乡一体化发展先行地区，确保人民生活和生态环境保护建设都上一个大台阶。马顺清强调，在城乡规划设计中，一定要充分体现出民族特色、康巴风情、传统文化、地方风貌。在建设理念、景观设计、装饰装潢中，一定要充分考虑当地的自然和人文历史传承，让民族文化特色渗透其中，把结古镇建成一座集文化、旅游和环保于一体的新城市。他同时强调，灾后恢复重建是一项庞大、复杂、繁重的系统工程，规划编制部门要精心规划、精心设计，开门搞规划，广泛征求当地干部群众的意见，集中大家的智慧，精心编制设计，确保重建工作按计划进行。张建民在讲话中强调，相关部门在编制规划的过程中一定要把握好新玉树建设的指导思想、规模、定位，把新玉树建成功能齐全、具有文化品位的城市。在供水、供电、供暖、垃圾处理等基础公用设施的设计建设上坚持高标准，让群众的生活有质的提高，让当地基础设施有大的提升。新玉树还要体现出具有民族特色、景色优美的旅游城市的特点。在建设方式上充分尊重群众意见，科学决策，采用多种方式组合进行。张建民最后要求，在编制规划和建设中要注意集约利用土地，整合资源。规划编制组在广泛征求群众意见的基础上，对《总体规划》进行修改，补充完善，反复核定项目规模和投资金额，并多次与国家发展改革委衔接，使之不断臻于完善。

5月20日，国家发展改革委与青海省人民政府举行座谈会，研究讨论玉树灾后恢复重建规划编制工作。国家玉树灾后恢复重建组副组长、国家发展改革委副主任穆虹主持会议并讲话，国家发展改革委西部开发司司长秦玉才介绍《玉树地震灾后恢复重建总体规划》（征求意见稿）的编制情况，省委常委、常务副省长徐福顺反馈青海省对《总体规划》的编制情况的相关意见和建议。座谈中大家认为，建设生态美好、特色鲜明、经济发展、安全和谐的社会主义新玉树，是灾区群众的热切期盼，是全国人民的共同心愿。玉树灾后恢复重建工作，要结合玉树经济社会、自然地理、生态环境、民族宗教特点，充分借鉴汶川特大地震灾后恢复重建的成功经验，坚持以人为本、尊重自然、统筹规划、科学重建、政策支持、合力推进，切实做到灾后恢复重建与加强三江源保护相结合、与促进民族地区经济社会发展相结合、与扶贫开发和改善群众生活条件相结合、与体现民族特色和地域风貌相结合，统筹谋划，同步推进，用3年时间基本完成恢复重建主要任务，使灾区基本生产生活条件和经济社会发展全面恢复并超过灾前水平，帮助灾区实现跨越式发展与科学发展的高度统一。徐福顺指出，国家玉树灾后恢复重建组编制完成的《玉树地震灾后恢复重建总体规划》（征求意见稿），目标明确、任务清晰、特色鲜明、保障有力，把灾区恢复重建与长远发展相结合，坚持以人为本、尊重自然、科学布局、统筹兼顾的原则，充分体现了中共中央、国务院对灾区各族干部群众的深切关怀，充分体现了中共中央、国务院对贫困地区实现跨越式发展的高度重视，充分体现了社会主义制度的优越性。他还就灾后重建的目标定位、重建规模、重建项目、政策措施等重大问题提出了相关意见和建议。穆虹指出，玉树地震发生后，国家玉树灾后恢复重建组、规划编制组按照中共中央、国务院的部署，克服时间紧、任务重、要求高的困难，前后3次深入灾区开展实地调研，组织专家进行专题论证和专项评估，并广泛与青海省政府各部门面对面衔接，利用1个月时间完成了《玉树地震灾后恢复重建总体规划》（征求意见稿）。青海省对《总体规划》提出的意见和建议是经过深思熟虑的，双方将本着实事求是的原则，进一步协商，达成共识，使《总体规划》更加科学合理，具有更强的指导性和可操作性。规划编制组将根据青海省反馈的意见，继续细化、深化相关内容，提高效率，保质保量完成规划编制任务，为玉树灾区的长远发展奠定坚实的基础。

审议通过　5月24日下午，青海省委召开常委会议，讨论审议上午省人民政府常务会议通过的《玉树地震灾后恢复重建总体规划》和《玉树县结古镇（市）总体规划》。会议一致认为，玉树地震灾后恢复重建，事关灾区紧迫的民生问题和长远发展，事关三江源地区生态保护，事关民族团结和社会和谐稳定，意义重大。统筹做好灾后重建工作，必须坚持以科学发展观为指导。首先做好规划，这是做好灾后重建工作的前提。在中共中央、国务院及有关部委的正确领导和大力支持下，经过省有关部门的不懈努力，玉树灾后重建规划编制工作取得了阶段性成果。“两个规划”目标明确，思路清晰，重点突出，特色鲜明，充分体现了以人为本、民生优先，尊重自然、科学布局，传承文化、保护生态，统筹兼顾、协调发展，因地制宜、分步实施的精神和原则，很好地体现了胡锦涛和温家宝的指示精神，既切合玉树灾后重建实际，又符合灾区人民建设美好新家园的迫切愿望，将是指导玉树灾后重建工作的纲领性文件。

会议要求，要抓紧修改完善两个规划。规划起草小组要结合会议提出的修改意见和建议，进一步修改完善规划。特别是要加强规划与贯彻落实中央第五次西藏工作座谈会和国发34号文件的结合、与第二轮西部大开发战略的结合、与青海省“十二五”规划的结合，增强规划项目的前瞻性和可行性，不仅要满足实现重建目标所需，而且要突出长远发展所需，使规划能够更好地体现胡锦涛强调的“上两个大台阶”的要求，使规划成为玉树人民建设生态美好、特色鲜明、经济发展、安全和谐的新家园的宏伟蓝图。

会议强调，要抓紧两个规划的报批和规划体系的完善。两个规划在整个规划体系当中分别处于龙头地位和重中之重的位置。一方面，抓紧上报总体规划，争取国家尽快审批。另一方面，依次同步加快各专项规划的编制，专项规划要与总体规划相衔接，能够很好地体现总体规划的指导思想、基本原则和各项重建目标要求。坚持城乡统筹一体化的思想，不仅城镇重建有规划，每个农村重建也要有规划，体现使农牧民生活条件上一个大台阶的思想。

根据省委常委会议精神，规划组再次赴灾区广泛征求各部门及农牧民群众意见，按照省委、省政府的总体要求进一步修改完善《总体规划》，经过几上几下地反复修改、论证，于2010年5月30日将《玉树地震灾后恢复重建总体规划》（送审稿）上报国务院。

6月9日，国务院召开常务会议，审议通过《玉树地震灾后恢复重建总体规划》。同日，国务院下发《国务院关于印发玉树地震灾后恢复重建总体规划的通知》。《通知》指出，玉树地震灾后恢复重建工作事关灾区紧迫的民生问题和长远发展，事关三江源地区生态保护，事关民族团结和社会和谐稳定，具有重要和深远的意义。各地区、各部门要充分认识玉树地震灾后恢复重建的重要意义和特殊性，树立全局意识，切实加强组织领导，全面做好恢复重建各项工作。

三、核心内容

《总体规划》主体结构 《玉树地震灾后恢复重建总体规划》（以下简称“《总体规划》”）包括：前言、正文10章和结语。第一章，灾区概况和重建基础（设四节）；第二章，总体要求和重建目标（设三节）；第三章，重建分区和城乡布局（设五节）；第四章，城乡居民住房（设两节）；第五章，公共服务设施（设五节）；第六章，基础设施（设六节）；第七章，生态环境（设四节）；第八章，特色产业和服务业（设四节）；第九章，和谐家园（设四节）；第十章，支持政策和保障措施（设四节）。

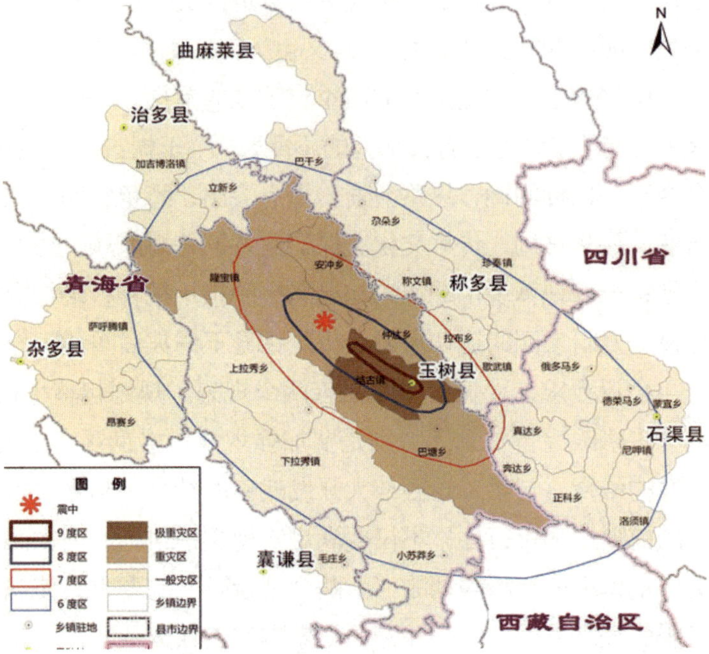

玉树地震灾区范围评估图

指导思想 充分认识玉树地震灾后恢复重建的重要意义和特殊性，以科学发展观为指导，发挥社会主义制度的优越性；切实从玉树实际出发，借鉴汶川地震灾后恢复重建的成功经验，坚持以人为本，把保障民生放在优先位置，尊重民族文化习俗和宗教信仰，注重生态环境保护；以灾区各级政府为主导、广大干部群众为主体，中央大力支持，各方积极援助；精心规划、精心组织、精心实施，又好又快地完成灾后恢复重建任务。

基本原则 以人为本，民生优先。把保障和改善民生作为恢复重建的基本出发点，优先恢复重建受灾群众住房和学校、医院等公共服务设施，抓紧恢复基础设施功能，改善城乡居民的基本生产生活条件。

保护生态，体现特色。充分考虑灾区生态环境的脆弱性和生态系统的重要性，按照构筑青藏高原生态安全屏障的要求，与三江源自然保护区生态保护建设统筹推进。要特别注重保护民族宗教文化遗产，充分体现当地民族特色和地域风貌。

统筹兼顾，协调发展。灾后恢复重建工作要与促进民族地区经济社会发展相结合，与扶贫开发和改善生产生活条件相结合，与加强民族团结和社会和谐稳定相结合，并为长远发展打下良好基础。

保证质量，厉行节约。城乡居民点和重建项目选址要避开重大灾害隐患点。严格执行抗震设防要求和建设规范，确保重建工程质量和安全。积极推广利用新技术、新能源、新材料。合理确定建设规模和标准，坚持安全、实用、省地、节俭，严格保护耕地和草地。

自力更生，多方支持。灾区各级政府要加强组织领导，动员广大干部群众自力更生、艰苦奋斗，努力建设美好家园。国务院有关部门大力支持，同时发挥社会各界援助的积极性，多方形成合力，共同推进灾后恢复重建。

重建目标　力争用3年时间基本完成恢复重建主要任务，使灾区基本生产生活条件和经济社会发展全面恢复并超过灾前水平，生态环境切实得到保护和改善，又好又快地重建新校园、新家园，为建设生态美好、特色鲜明、经济发展、安全和谐的社会主义新玉树奠定坚实基础。

具体目标分为五个方面：一是居民拥有新家园。全面完成城乡居民住房恢复重建，使灾区群众早日住上安全、实用、省地、节俭的放心房。灾区教育、卫生等基本公共服务水平明显提高。二是生态迈上新台阶。林草植被覆盖度和环境质量得到有效保护，防灾减灾能力明显增强，三江源地区生态建设和环境保护迈上一个大台阶。三是设施得到新改善。交通、水利、能源、通信等基础设施及市场服务体系功能全面恢复，服务和保障能力显著提高。四是城乡呈现新面貌。重点城镇市政功能完备，公用设施配套，农牧区水、电、路等设施得到恢复提高，城乡风貌特色鲜明，群众生产生活条件明显改善。五是社会和谐新局面。弘扬各民族共同团结奋斗、共同繁荣发展的主旋律，弘扬伟大的抗震救灾精神，在各民族团结协作、共建美好新家园中，进一步巩固和发展平等、团结、互助、和谐的社会主义新型民族关系。

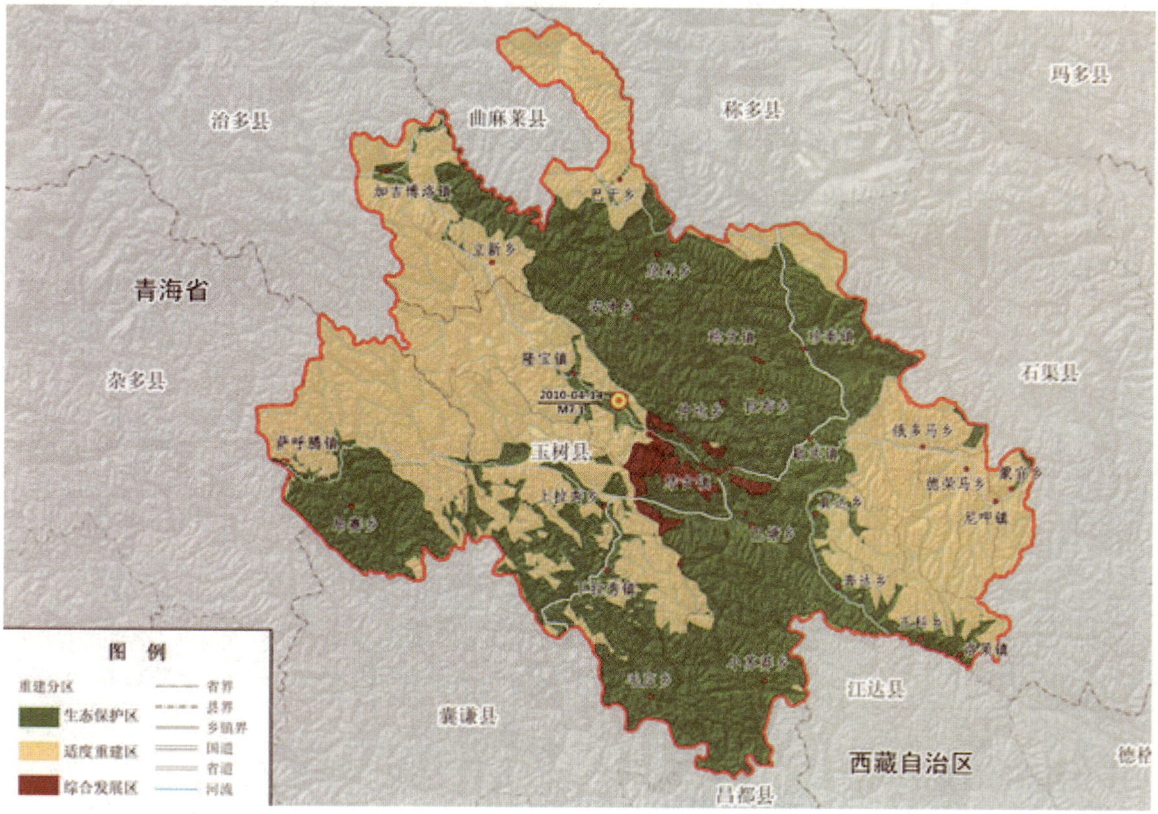

玉树地震灾区重建分区图

四、《总体规划》确定的恢复重建主要目标任务

住房 《总体规划》确定的农牧民住房灾后重建规划任务见表 1–1，确定的城乡居民住房灾后重建规划任务见表 1–2。

农牧民住房灾后重建规划任务一览表

表 1–1

省	县	新建		加固	
		户数	面积（平方米）	户数	间数
青海	玉树县	16138	1291040	125	625
	称多县	7796	623680	240	1200
	治多县	1237	98960	360	1800
	杂多县	1646	131680	80	400
	囊谦县	2074	165920	120	600
	曲麻莱县	524	41920	64	320
	合计	29415	2353200	989	4945
四川	石渠县	1593	127440	2681	9785
总计		31008	2480640	3670	14730

城乡居民住房灾后重建规划任务一览表

表 1–2

省	县	新建		加固面积（平方米）
		套数	面积（平方米）	
青海	玉树县	26199	2095920	8000
	称多县	1698	135840	54000
	治多县	476	38080	2000
	杂多县	845	67600	2000
	囊谦县	0	0	0
	曲麻莱县	0	0	0
	合计	29218	2337440	66000
四川	石渠县	0	0	52000
总计		29218	2337440	118000

公共服务设施

教育 恢复重建小学 41 所，初中 8 所。其中，石渠县小学 8 所，初中 1 所。高中阶段教育高中 3 所，中等职业学校 2 所，教师培训中心 1 个。特殊教育学校 1 所。学前教育幼儿园 27 所，

其中石渠县幼儿园1所。

医疗卫生　恢复重建综合医院6个，民族医院5个，乡镇卫生院26个（含乡镇计生站），妇幼保健机构6个，疾病预防控制机构6个，卫生监督机构6个，药品检验机构5个，其他医疗卫生机构10个，社区医疗卫生服务机构11个。其中，维修加固和重建石渠县县级医疗机构5个，乡镇卫生院7个。

文化体育　州级文化馆、图书馆各1个，县文化图书馆3个，恢复重建乡镇综合文化站27个，社区文化活动室5个，影剧场（团）和文化信息资源共享工程服务点。其中，石渠县乡镇综合文化站8个。州、县广播电视台站中短波发射台1座，无线广播电视发射台1座，监测系统1个，应急广播系统1个，有线电视前端1个，流动电影放映车4辆，以及广播电视村村通设施。州、县新华书店5处。体育场1个，赛马场1处，以及社区群众健身设施。

就业社会保障　恢复州级劳动就业和社会保障综合服务中心1个，县级劳动就业和社会保障综合服务中心4个。基层工作平台乡镇、社区（行政村）劳动就业和社会保障工作平台30个。人力资源和社会保障管理信息系统1个。

社会管理　在做好民生工程恢复重建的前提下，恢复重建各级党政机关、政法机构、监督监管机构的办公业务用房，以及党校教学、干部周转用房。恢复重建公检法司、消防、人防设施。党政机关用房的恢复重建，要严格按照国家相关建设标准和人员编制实施，整合资源，集中建设，共建共享，厉行节约。统筹村级公共服务，建设综合办公服务设施，为村级组织办公、党员教育、社会事业、警务等提供统一共用场所。恢复重建城镇社区办公场所及综合服务业务用房。

基础设施

交通　加快干线公路恢复重建，提高国道、省道干线公路技术等级和抗灾能力，构建“一纵一横两联”生命线公路通道，建设通县二级公路，提高西宁至玉树公路建设等级和保通能力。全面修复农村公路灾损路段，恢复建设便民桥梁，努力提高通达、通畅水平。修复重建客货运站场等设施。尽快修复玉树巴塘机场受损设施设备，建设目视助航灯光系统及市内保障基地等工程，建设航线通信工程等，提高机场吞吐能力和航空应急救援保障能力。为加强恢复重建物资运输保障，实施青藏铁路相关站场货运设施配套完善工程。恢复重建邮政业务用房及相关设施，完善邮政网点，配置相关设备，保障和提高邮政服务能力。

能源　配电网：修复和加固受损35千伏线路159千米，10千伏线路145千米。全面恢复重建城乡中低压配电网络1100千米和进户设施。6县联网工程新建110千伏线路589千米，变电站（开关站）7座，新增变电容量约22万千伏安，新建玉树地区电力调度中心。

水电：修复拉贡、禅古等11座受损水电站，重建西杭、当代2座水电站，新建查隆通、查日扣2座水电站。

光伏发电：修复光伏电站集束面积579平方米、设备6台、线路80千米。新建1万千瓦光伏电站1座。推广产用光伏电源4万户，共7200千瓦。

应急电源：新建3万千瓦应急燃油机组。建设成品油库1座，液化石油气罐装站1座。新

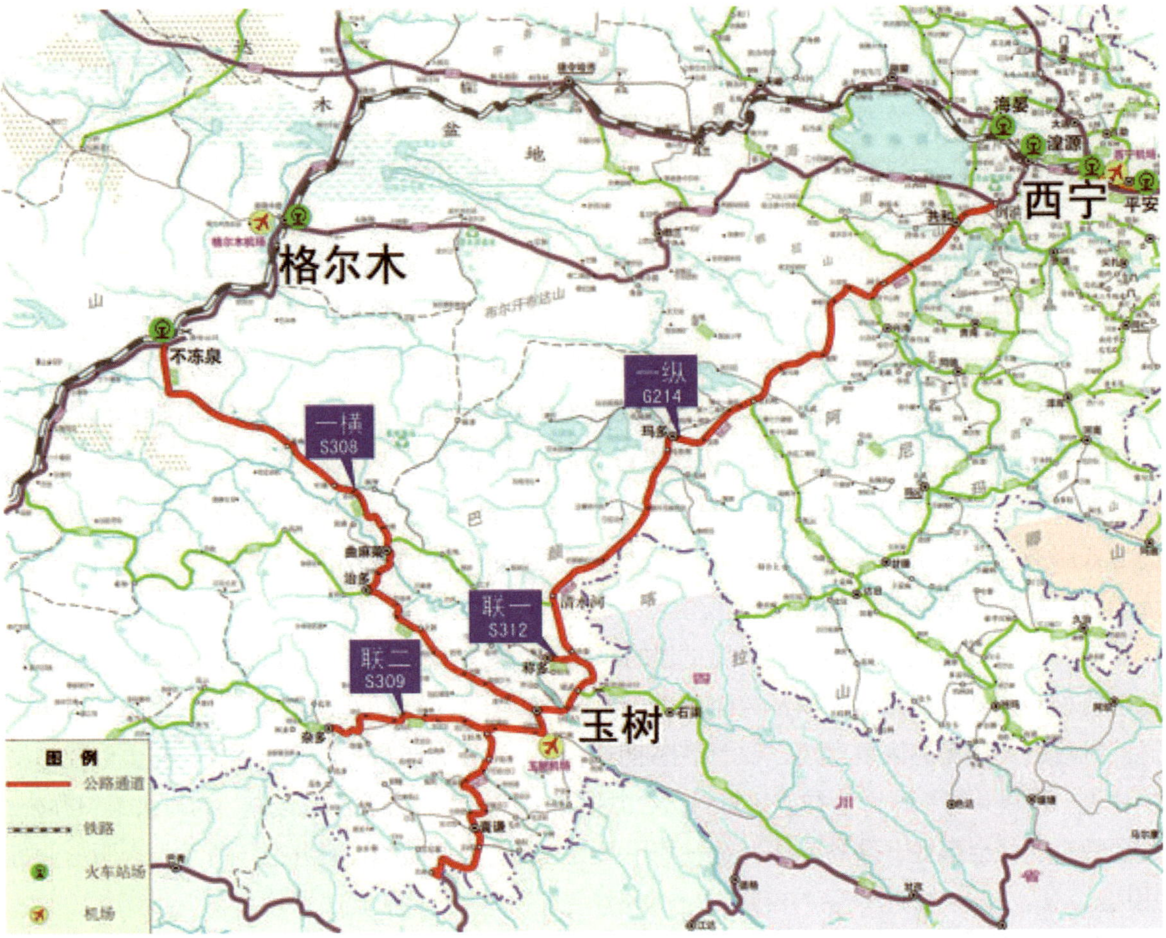

规划交通通道示意图

建结古镇封闭储煤场，占地6000平方米，储煤规模3万～5万吨。

通信 恢复重建国家电信网3.34万线，宽带网4.23万线，移动通信核心网设备7套、基站587个，通信光缆1.57万皮长千米、传输设备418套以及其他配套设施。建设卫星应急通信设备72套、短波电台10套和其他配套设施。

水利 恢复重建玉树、称多、囊谦3县农牧区水利灌溉设施，改造灌区配套设施，提高农牧业综合生产能力、建设结古镇防洪工程，加强河道综合治理，建设巴塘河和扎西科河堤防、北山排洪渠及沟道防洪工程。

市政设施 修复、新建城镇道路238千米、建设市政桥梁26座，新建公交场、站12处。改扩建自来水厂4座，配水管网450千米。建设排水管网，新建城镇污水处理厂4座，配套中水回用及污水管道。新建液化天然气供气站1座及配套管道，建设液化石油气供应站9处，贮存能力达到1500立方米。恢复重建城镇供热设施；新建垃圾处理厂1座，修复县城生活垃圾处理场3座及相应配套环境设施。

农牧民基础设施 恢复重建农牧民饮水工程1463处，受益人口12.96万人；新建饮水工程786处（含寺院饮水），受益人口4.66万人。恢复重建太阳能灶19886台，生物质炉64115台，修复农牧区小水电设施。恢复重建乡村道路柏油路1374千米，砂石路206千米；建设乡村清洁工程258处。

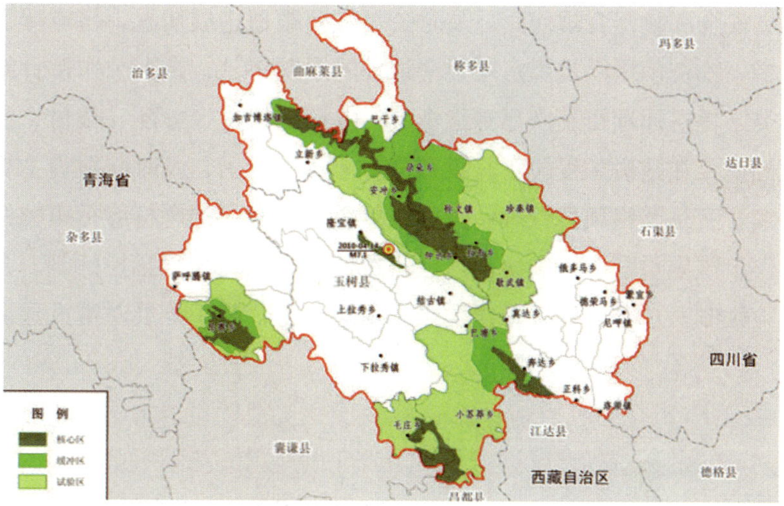

规划自然保护区示意图

生态环境　加强生态环境保护是恢复重建的重要内容。坚持尊重自然、尊重科学，加强三江源、隆宝自然保护区等建设，加大环境整治和土地整理力度，提高防灾减灾能力，努力实现高原生态系统良性循环。其主要内容有生态修复、环境整治、土地整治和灾害防治。

特色产业和服务业　以生态环境保护为前提，依托资源优势，适应市场需求，促进特色产业、服务业恢复和发展，夯实产业发展基础，扩大就业，提高群众收入水平，促进经济、社会、生态环境的持续协调发展。其主要内容为加强农牧业生产设施建设，修复旅游服务设施、完善旅游市场营销体系，开发历史文化、民俗风情、高原自然风光等特色旅游产品；恢复重建商贸流通设施、零售与批发市场、物流配送中心、服务网点、储备设施，以及农业银行、农发行、邮政储蓄银行、保险业分支机构，合理布局基层金融服务网点，方便群众生产生活，为灾区经济发展提供支持。

和谐家园　灾区恢复重建要体现人文关怀，加大扶贫开发力度，注重保护和传承民族优秀文化，落实民族宗教政策，构筑各民族和谐相处、和衷共济、和谐发展的美好家园。开展人文关怀，实施心理康复工程，采取积极心理干预措施，医治灾区群众心理创伤，促进身心健康；实施弱势人群特殊关怀工程，增强社会福利、社会救助和优抚安置服务能力。开展贫困村产业扶持、异地扶贫搬迁、劳动力转移培训的内容的扶贫开发工作。加强文化遗产保护和恢复因地表受损的寺院等宗教活动的场所。

支持政策和保障措施　支持政策，包括财政、税收、金融、土地、援助、援建等政策。保障措施，包括建材、运输、施工等方面的保障措施。

规划实施。由青海省人民政府负总责，建立强有力的领导机构和现场指挥调度系统，明确任务，落实责任，科学高效地组织实施，确保灾区社会和谐稳定。国务院有关部门要按照智能分工，加强领导，做好相关工作。《总体规划》是统筹和制定恢复重建各项规划的依据，灾区各级政府、国务院有关部门、各参建单位都要自觉遵守并执行，维护规划的严肃性。灾区省级人民政府要根据《总体规划》及各专项规划制订恢复重建年度实施方案，适时开展规划实施情况的中期评估。

监督检查。一是强化监督检查。加强对恢复重建资金和物资使用情况的监督检查，确保资金安全和物资合规使用。及时公布恢复重建进展情况，自觉接受社会监督。加强对恢复重建资金、物资使用以及重点项目全过程的跟踪审计，定期公布审计结果。二是建立档案制度。对各类恢复重建项目及恢复重建资金、物资的筹集、分配、拨付、使用情况要登记注册，建立健全档案，在建设工程竣工验收和恢复重建结束后，及时向建设主管部门或者其他有关部门移交档案。三是严格项目管理。灾后恢复重建项目必须严格履行审核程序，由灾区省做好相关审核工作。恢复重建项目实行项目法人责任制，认真执行招投标制、合同管理制、工程监理制和竣工验收制。加强对建设工程质量和安全监管，组织开展对重大建设项目的监察。

第二节　规划调整

一、调整原因

规划项目投资与国家确定的资金包干总差距较大。按照统筹兼顾、协调发展的原则，《总体规划》在编制中既考虑玉树地震灾后的恢复重建，又考虑苦干 3 年，跨越 20 年，实现藏区社会跨越发展和长治久安，为长远发展打下基础，所以在项目安排上规模偏大，《总体规划》和 10 个专项规划共安排恢复重建类和发展保障类项目 3230 个，资金总需求为 580.5 亿元。2010 年 7 月 5 日，财政部、国家发展改革委以财政建设〔2010〕355 号文明确了恢复重建资金为 316.5 亿元，按此资金量，相比《总体规划》建设项目，资金量相差甚远。

规划与鉴定结果有差距。《总体规划》是 2010 年 6 月 9 日经国务院审批印发实施，而青海省人民政府《玉树地震灾后城乡居民住房恢复重建专项规划》于 7 月 14 日正式颁布实施。由于地震灾区点多面广，灾区房屋安全鉴定工作难度大，到 7 月 30 日才基本结束，鉴定结果与上述两个规划所安排的城乡居民住房恢复重建任务不相符，有鉴于此，青海省根据房屋安全鉴定结果，对《总体规划》确定的城乡居民住房建设规模进行了调整。

根据青海实际和灾区群众意愿诉求，对灾区农牧民集中安置点进行调整。

根据灾区实际和总体资金包干安排，对《总体规划》基础设施建设内容作了个别调整，对性质相同、功能相近的项目进行了归并整合。

二、调整内容

调整项目个数　《总体规划》以及相配套的 10 个专项规划共安排建设项目 3230 个，总投资 580.5 亿元。根据国家下达的资金包干总数和分类控制目标要求，将《总体规划》的建设任务分解为恢复重建和发展保障两大类。恢复重建类项目是 3 年重建期按 316.5 亿元必须完成的，这部分安排项目 1579 个。在实施过程中，按照灾区实际情况和各县城总体规划，重新梳理了灾区恢复重建项目，从节约建设用地、便于归口管理的角度，在保持其服务功能、建设规模、投资和主要内容的前提下，对性质相同、功能相近的项目进行了归并整合，将省级发展改革委组织编制的《玉树地震灾后恢复重建总项目册（修订稿）》中 1579 个项目调整为 1364 个。2011 年《总体规划》实施中期评估后，发展保障类项目不再纳入灾区恢复重建范围。根据灾区恢复重建实际，2012 年 7 月，再次进行了调整，剔出发展保障类项目，最后将玉树灾区恢复重建项目锁定为 1248 个。

项目分类。按项目类型分：城乡住房 75 项，公共服务 424 项，基础设施 371 项，生态环境 93 项，和谐家园 238 项，特色产业和服务业 47 项。

按项目所属分：省级 129 项，州级 294 项，玉树县 473 项，称多县 130 项，杂多县 83 项，治多县 80 项，囊谦县 33 项，曲麻莱县 26 项。

具体调整情况

城乡居民住房　城乡居民住房总户数由原规划 60103 套（户）调整为 49131 套（户），调减 10972 套（户）。其中，农村住房重建由 29415 户调整为 16710 户，调减 12508（户）；维修加固由 989 户调整为 4584 户，调增 3595 户。城镇住房恢复重建由 29218 套调整为 22439 套，调减 6779 套；维修加固由 481 套调整为 5398 套，调增 4917 套。此外，拟将在重建中因场地特殊，需增加大规模土方开挖和挡土墙建设、草地补偿、冬季施工、运输补助，以及小高层和商住房结构差异等与城乡居民住房有关的因素统一融入城乡住房建设一并考虑。

安置点调整　《总体规划》中的农牧民住房由 126 个行政村集中安置调整为 292 个自然村，增加了 166 个安置点的配套设施建设内容，包括广播电视、通村公路、通电、通信、人畜饮水、乡村道路硬化、防洪设施等。这是因为编制《总体规划》时，农牧民住房安置点以《青海省行政区划简册（2007）》为依据，在 126 个行政村集中安置。但受自然条件和生产方式限制，农牧民住房大多数散落在山前坡地，在规划实施过程中，既尊重农牧民意愿，还要考虑生产生活的便捷，尽可能避开泥石流、洪水等自然灾害的威胁，结合自然村落的实际分布状态，将农牧民住房落实到 126 个村社、牧委会的 292 个自然村。由此，恢复重建农村住房中需增加 166 个安置点的配套设施建设。

公共服务　在公共服务设施恢复重建中仅对教育、医疗卫生两方面做如下调整：

——教育。根据行业总体布局，经与国家相关部委衔接后，拟将规划内的 1 所高中、1 所初中以及 1 所职业学校调整至西宁市建设，异地培养玉树人才。

——医疗卫生。原规划 3 所民营医疗机构作为发展类项目，不再纳入重建范围，今后通过市场运作逐步建设。

基础建设　交通：主要调整干线公路、农村公路、客运站场设施、邮政等项目。

——干线公路。原规划国道 214 线共和至玉树、囊谦至多普玛公路和省道 308 线玉树至曲麻莱，曲麻莱至不冻泉段公路不再纳入重建范围，而纳入到交通运输部“十二五”规划建设中，公路建设总里程减少 144 千米。同时拟增加国道 214 线，省道 308 线保通工程。

——农村公路。鉴于农村居民安置点的增加及安置点布局调整，原规划内的15座独立桥梁不再纳入重建范围，而增加农村公路建设73.7千米。

——客运站场的设施。受建设资金不足的影响，客运站建设确定为解决玉树州、隆宝镇、仲达乡、巴塘乡、安冲乡5个极重灾区和重灾区客运站，对一般灾区的4个客运站不再纳入重建范围。

——邮政。只解决玉树州邮政局，治多、称多、杂多3县邮政局及结古镇2个支局的重建，一般灾区的4处邮政业务用房和30处邮政网点不再纳入重建范围。

能源：只调整电网和新能源内容。

——电网。将原规划中110千伏安的6县联网工程调整为玉树、称多、囊谦3县110千伏安联网；新建110千伏安变电站（开关站）5座，建设110千伏安线路235千米，新增变电容量12.6万千伏安。其余2座变电站（开关站）、354千米线路以及9.4万千伏安变电容量不再纳入重建范围。鉴于农村安置点增加，需增加154个农牧民住房安置点电网延伸工程，需修复和重建35千伏线路547千米,比《总体规划》增加388千米；修复和新建中低压线路2362千米，比《总体规划》增加1117千米。

——新能源。由于农牧民集中安置点基本实现电网覆盖，故将原规划中4万户用光伏电源项目不再纳入重建范围。

水利：主要调整农田水利、防洪设施、水土保持和水文及水资源检测规划内容。

——农田水利。拟将原规划中涉及一般灾区的农田灌溉4项重建和3项改造工程、7项草场灌溉、5项设施农业水利配套工程不再纳入重建范围。调整为恢复重建1项农田灌溉工程，即新建6.27千米输水渠道，修建建筑物2座；改造6座农田灌溉工程，衬砌输水渠道14.4千米，相应建筑物25座。同时将原规划中结古镇前进渠、东风渠2个项目调整至农牧区基础设施中。

——防洪设施。本着重点建设极重灾区和重灾区项目的原则，拟将原规划中恢复重建的堤防7.6千米、排洪渠15.8千米、除险加固水库1座，不再纳入重建范围，结合新增农牧民安置点的实际，增加120个移民安置点防洪工程。规划调整为开展灾区应急防洪度汛除险加固及应急供水工程建设，结古镇两河河道治理工程，新建堤防44千米、排洪渠30.9千米，维修拦沙坝33座。

——水土保持。拟将原规划中涉及一般灾区的102座谷坊、35座拦沙坝、25.5千米沟岸防护不再纳入重建范围。规划调整为恢复重建谷坊2座、拦沙坝6座、沟岸防护23.5千米。

——水文及水资源监测。拟将原规划中涉及一般灾区的直门达水文站、下拉秀水文巡测站及相应监测设备建设任务不再纳入重建范围。规划调整为恢复重建玉树水文分局及新寨水文站，隆宝镇水文巡视站，配置相应的监测设备。

市政公用工程：主要调整城镇道路桥梁和公共交通系统、供排水系统、污水处理设备和城镇供热等规划内容。

——城镇道路桥梁和公共交通系统。城镇主干道调整为150千米，原规划中的26座市政桥梁，调整为新建22座；原规划中的12处公交场（站），调减为4处，其余8处公交场（站）

不再纳入重建范围。此外，根据结古镇总体规划，将新寨纳入城区作为新寨片区，原规划对该地工程建设是按农村人畜饮水，通村公路和村道硬化标准安排的，需调整为城镇基础设施项目。

——供排水系统。根据重建资金和工程实际情况，对供排水恢复重建项目进行了细化，实际改扩建输配水主管网 194 千米，其余部分与城区支路和小区配套的输配管网建设项目按实际核定量进行建设。

——污水处理设施。对一般灾区县城的 3 座污水处理设施项目不再纳入重建范围，对玉树县城污水厂建设项目由于中水回用的方向、水质标准难以明确，因此中水设施建设内容也不再纳入重建范围。

——城镇供热。原规划供热方案明确为建设太阳能供热系统，因玉树供电、天然气等清洁能源不足，故调整为以燃煤为主、燃气为辅的结古镇过渡供热方案，近期只安排 45 处热源建设项目。

农牧区基础设施：包括饮水安全、农村能源、乡村道路、清洁工程 4 项内容。

——饮水安全。鉴于农牧民安置点增加，拟将原规划调整为新建饮水工程 272 项（含寺院饮水工程 84 项），受益人口 16 万人。

——农村能源。结合灾区太阳能资源实际情况，拟将原规划中 19886 台太阳能灶不再纳入重建范围内，高效生物质炉由 64115 台调整为 66027 台。另将原规划中的新寨水电站调整至能源项目中。

——乡村道路。鉴于灾损核实情况及重建资金实际，将原规划中的通村油路 1374 千米调整为 144.5 千米，砂石路由 206 千米调整为 69.8 千米，村道硬化工程由 504 千米调整为 976 千米。

——清洁工程。鉴于农牧民住房总工程图中设计了垃圾箱等清洁设施，结合重建资金情况，拟将原规划中的 258 处清洁工程不再纳入重建范围内。

生态环境　包括生态修复、环境治理、土地整治、防灾减灾 4 项内容，具体调整内容如下：

生态修复：由于玉树地震灾害发生后，在结古镇湿地内及周边安置了大量的受灾群众，对湿地及周边植被有不同程度的破坏，急需治理恢复，拟在原规划中增加湿地生态修复及环境综合治理建设内容。同时，拟将原规划部分玉树县草场围栏项目调整至农牧业项目中。

环境治理：在玉树灾后重建中，结古镇、隆宝镇以及巴塘乡 3 个重点城镇街区形成大量的建筑、生活垃圾和土方堆积，在重建收尾阶段必须开展重点治理。因此，在原规划中需增加结古镇、隆宝镇、巴塘乡重点城镇环境综合治理工程。

土地整治：根据重建资金及灾损复核情况，原规划中一般灾区的 953 公顷灾毁土地治理不再纳入重建范围，实毁土地整理面积由 2139 公顷调整为 1186 公顷。

防灾减灾：根据重建实际，拟对救援救助和地质灾害治理两项内容进行调整。

——救援救助。为完善青海省救灾应急指挥系统，加强救灾设施和队伍建设，拟在原规划中增加青海省红十字会备灾救灾中心、玉树州红十字会备灾救灾仓库、省级减灾中心（省慈善总会备灾中心）、省应急指挥平台系统及应急指挥平台、减灾工作站以及相关的信息员队伍培训等项目。此外，原规划中涉及一般灾区的 4 座防汛仓库不再纳入重建范围，规划调整为新建防汛仓库1座。

——地质灾害治理。根据重建工作实际，拟将原规划中安排的138处崩塌应急治理和211处综合治理项目分别调整为81处和47处。

特色产业　主要调整农牧业、旅游业和市场服务体系内容。

农牧业：原规划的农作物良种繁育基地项目主要在一般灾区，经调整不再纳入重建范围，待今后通过其他渠道落实资金后再逐步实施。

——农牧场。鉴于农牧场生产设施与农牧区基础设施中相关内容有一定重复，而且玉树灾区多为一家一户的游牧方式，不宜建设统一的农牧场生产设施。故原规划中的农牧场项目不再纳入重建范围。

——生态畜牧业。根据农牧民安置点以及生产力布局调整情况，拟取消部分一般灾区的畜暖棚、畜圈和贮草棚项目，将原规划中的畜暖棚及畜圈数量由3630栋调减至1980栋，贮草棚数量由1551栋调整至775栋。其余项目今后根据其他专项资金情况逐步解决。

——日光节能温室。拟将原规划中的重建和维修温室1923栋调整为重建高标准日光温室14栋，重建普通日光室1215栋，维修日光温室556栋，同时为满足育苗需求，新建智能联栋育苗温室1栋；新增日光节能温室水电路配套工程。

旅游业：只调整旅游设施部分的内容。

——旅游设施。考虑重建资金等实际情况，拟将原规划中涉及一般灾区的旅游设施项目不再纳入灾后重建范围，待以后其他专项资金落实后再逐步解决。调整后的旅游设施项目为新建旅游道路1条、游客服务中心1个、游客接待点10个、景区环境整治2项、民俗旅游特色村落1个、停车场3个、厕所9处和部分旅游标识。

市场服务体系：主要调整加油站、金融机构、物流配送中心等相关内容。

——加油站。调整后规划内只保留新建4个国有加油站，对原规划中20个民营加油站和2个国有加油站不再纳入重建范围，待今后通过市场运作逐步实施。

——金融机构。根据人民银行和保监会在玉树地区的金融布局，拟将原规划中的12个金融机构调整为以下9个：建设银行、农业银行、农业发展银行、邮政储蓄银行、青海银行、农村信用社、人保财险、安邦财险和平安保险。

——物流配送中心。根据企业经营需求，在规划中增加玉树州烟草公司业务用房1处。

和谐家园　包括人文关怀、扶贫开发、文化遗产保护和宗教设施共4项内容。

人文关怀：根据捐赠者意愿，增加“壹基金儿童之家”项目。

扶贫开发：

——贫困劳动力转移培训。由原规划安排的培训劳动力3万人调整为8278人。其余劳动力培训不再纳入重建范围内，今后逐步分批培训。

——整村推进。受资金限制，拟将原规划安排的126个贫困村的整村推进调整为53个重点贫困村，其余贫困村不再纳入重建范围，待今后落实其他渠道资金后逐步解决。

——贫困村扶持产业发展。贫困村互助资金试点，拟将此两项内容整合至整村推进项目中合并建设，不再纳入总体规划中。

文化遗产保护：根据实际受灾情况，拟在原规划中增加4个项目：文成公主纪念馆和巴塘乡贝大日如来佛石窟寺及勒巴沟摩崖、囊谦县格萨尔三十大将军灵塔及达那寺、东仓《大藏经》珍藏馆文物修复项目。

宗教设施：根据灾损的进一步统计和余震影响情况，原规划需增加5所宗教活动场所的维修加固。

其他　包括拆危清墟、规划编制、地质勘查、基础测绘、信贷政策支持，征地拆迁以及燃油机组自发电、供水公司运行费用等内容。

由于《总体规划》和财建〔2010〕355号文无此项安排，但在恢复重建中又实际发生，拟将上述内容调增列入规划中。

拆危清墟、规划编制、地质勘查、基础测绘4项内容属灾后恢复重建的基础性工作，需增列入规划中。

信贷政策支持资金。发展灾区商贸和产业项目，投资主要通过企业个人自筹和贷款方式解决，需要政府一定的支持，应列入规划中。

征地拆迁。为开展大规模重建工作，需开展集中征地拆迁工作，由玉树州人民政府统一执行，由于项目建设中不含征地事项，需增列入规划中。

燃油机组自发电运行费用。由于燃油发电成本高，仅靠电费收入无法弥补成本，需增列运行费用，拟增列入规划中。

玉树供水公司运转费用。为了加快玉树供水正常投运，确保结古镇城镇住房及公共建筑设施达到使用条件，需增列运行启动资金，拟增列规划中。

第三节　实施效果评估

一、基本情况

根据《总体规划》关于“灾区省级人民政府要根据本规划及各专项规划制订恢复重建年度实施方案，适时开展规划实施情况的中期评估”的要求，青海省人民政府于2011年7月印发了《关于印发玉树地震灾后恢复重建总体规划中期评估工作安排意见的通知》（青政〔2011〕44号），对总体规划实施情况开展中期评估作出了详尽安排，同时，省政府办公厅印发了《关于印发玉树地震灾后恢复重建中期评估重点事项任务分解表的通知》（青政办〔2011〕217号），将中期评估重点任务分解安排到各有关地区和部门，抓紧组织开展评估工作。根据省政府安排部署，中期评估工作于2011年7月20日正式启动，由青海省发展改革委牵头、组织力量对《总体规划》实施情况进行自评估，灾区各级政府、省级相关部门负责完成各专项规划及所承担重建任务的自评估工作，并形成专项评估报告报省发展改革委。为加快中期评估工作进程，省发展改革委全权委托参与总体规划编制工作的省工程咨询中心，承担中期评估自评报告的编制任务。省工程咨询中心接受委托后，迅速组织力量成立中期评估项目组，全力做好评估的前期工作，一方面组织专业人员赴灾区重建现场实地勘察，一方面整理汇总各地各部门上报的专项评估报告，对照《总体规划》和《项目册》，一项一项核实情况，经过几个月的艰辛努力，数易其稿，于 2011 年 10 月 17 日完成了《玉树地震灾后恢复重建总体规划中期评估自评报告》及 10 个专项规划的自评估报告，报省人民政府。

中期评估的范围，是按青政〔2011〕44 号文件要求，为玉树州地震灾区恢复重建项目的实施情况，不包括四川省石渠县地震灾区。评估的重点是《总体规划》实施执行情况，反映实施中存在的问题，需要调整、修改的项目内容及提出的相关建议。

二、中期评估原则

全面与重点相结合的原则 在对规划实施情况进行全面评估的基础上，对规划提出的重建目标、重点任务和重大项目进行重点评估。

进度与结论相结合的原则 针对规划预期目标的进展情况分别提出评估结论。

评价与报告相结合的原则 既要实事求是，全面客观地评价规划实施过程中取得的成绩及存在的问题，又要总结好的经验和做法，顺应时势，着眼发展，明确提出进一步完善规划、解决问题、推进重建、实现规划目标的对策建议。

三、规划实施情况

任务完成情况 截至 2011 年 10 月底，累计开工建设 938 个项目，占重建规划总数的 69%，累计完成投资 199 亿元，占规划总投资的 63%。年底，累计完成投资超过 200 亿元。城乡住房累计开工 47269 套（户），开工率 96%，维修加固全部完成，绝大部分农牧民和部分城镇居民可搬入新居；绝大部分学校开工建设，进展顺利。

公共服务设施恢复重建包括教育、文化体育、广播影视、就业和社会保障、社会管理等 448 个项目。2011 年 10 月底，开工建设 328 项，占规划项目总数的 73%。其中，完成基础工程 135 个项目，完成主体工程 137 个项目，完成工程项目 4 项。完成投资 758980 万元，占总投资的 72%。

生态环境规划项目 83 项，规划总投资 51000 万元。2011 年 10 月底，开工 29 项，占规划项目数的 35%。其中，完成基础工程 20 个项目，完成主体工程 7 个项目，完成工程项目 2 项。完成投资 1715 万元，占总投资的 3%。

特色产业和服务业规划共安排 74 个项目，总投资 190000 万元。2011 年 10 月底，开工 12 项，占规划项目数的16%。其中，完成基础工程2项，完成主体工程8项，完成工程2项。完成投资16539万元，占总投资的9%。

和谐家园建设包含人文关怀、扶贫开发、文化遗产保护和宗教设施4部分内容，规划安排项目254个，总投资189756万元。2011年10月底，开工207项，占规划项目数的81%。其中，完成基础工程92项，完成主体工程86项，完成工程项目29项。完成投资55180万元，占总投资29%。

资金落实情况　中央财政安排的玉树地震灾区恢复重建资金总盘子为316.5亿元。按资金渠道划分：中央财政安排206.5亿元，地方企业自筹及贷款安排25亿元，居民个人贷款5亿元，省级安排20亿元，社会捐赠资金安排60亿元。

经统计分析，截至2011年10月底，实际到位恢复重建资金为301.1亿元，与财政建设〔2010〕355号资金方案相比，还有15.4亿元的差距。

具体到位情况如下：

——中央重建资金。中央财政建立了206.5亿元的玉树地震灾后恢复重建资金，拨付到位174.5亿元。

——省级财政资金。省级财政资金到位24.74亿元。

——社会捐赠资金。社会捐赠资金到位98.44亿元，超过了资金包干总比和分类控制规定60亿元的确定数。

——企业和个人自筹资金。个人自筹资金到位0.56亿元，企业自筹资金到位2.86亿元。

政策落实情况　一是规划政策措施实施得力。根据《国务院关于支持玉树地震灾后恢复重建政策措施的意见》要求，青海省委、省政府相继制定出台了财政、税收、金融、土地、产业、就业、社会救助等29项政策保障措施并积极得以贯彻执行，为《总体规划》的顺利实施和实现灾后恢复重建目标提供了有力保障。二是简化办事程序。实行急事急办、特急特办，为恢复重建赢得了时间，加快了工程进度。三是各项保障措施落实到位。省人民政府相继制定了灾区恢复重建建材供应保障、运输保障、施工保障、现场指挥调度等保障方案，由玉树地震灾后重建现场指挥部总体负责，统一指挥调度，指挥部下设的规划、项目协调、建材、运输、电力、施工等保障组分别负责相应的具体工作，为灾区重建有力、有序、有效进行发挥了重要作用。

主要成效　一是重建年度任务全面完成。截至2011年10月底，城乡住房建设中的维修加固任务全面完成，重建任务基本完工，大部分住户搬入新居；结古镇以外城乡居民住房建设任务基本完成；玉树州民族中学、玉树县第一民族中学等20所学校举行竣工仪式或实现主体工程封顶；民主路等市政道路实现通车，结古镇四横十六纵城市主、次干道年底将全面实现通车；结古镇城市供水厂、污水处理场、垃圾处理场等工程年内都可竣工并投入运营；全州87座受损寺院及宗教活动场所全部开工建设；结古镇产业恢复发展项目前期工作全部完成，部分项目开工建设；生态环境、地质灾害和防洪处理工程陆续实施；结古110千伏变电站工程、3万千瓦应急燃油机组投入使用，结古镇LNG（液化天然气）气化工程按计划建成，修复水电、光伏电站，新建水电站、州内6县联网工程以及农牧民安置点通电等也按计划开工建设。

二是明确主体作用和援建队伍主力军作用得到有效发挥。在玉树灾后重建中，灾区州、县、乡政府及建委会的主体作用，6家省外援建单位以及省内援建的4个州（市）和11家企业主力军作用，这两个“主”作用是玉树地震灾区重建的重要力量。在自然条件极为艰苦、各种要素难以保障、施工情况又十分复杂的情况下，他们克服重重困难、团结拼搏、夜以继日、超常态工作、高质量、快速度地推进了重建项目建设。

三是群众生活保障有力。在重建过程中，处处体现以人为本，以民生为重、积极有力的措施，确保了玉树物资供应的充裕和物价的稳定。在入冬前，就通过调研工作，为群众安全过冬做了充分准备，在发放帐篷、被褥、暖炉的基础上，又对1.8万灾区困难群众发放了取暖补助，使灾区群众的基本生活得到有力保障。

四是社会秩序井然有序。在灾后恢复重建中，始终坚持“稳定压倒一切”的工作方针不动摇，切实增强工作的责任感和使命感，进一步强化政治意识、责任意识和大局意识，把维护稳定作为重建工作一项重要政治任务摆上议事日程，坚持一手抓重建，一手抓社会稳定。采取有力措施，及时处理因征地拆迁、补偿安置、劳务纠纷所引发的各类矛盾，切实维护灾区群众和农民工的合法权益。加强对援建单位、施工现场、居民集中安置点的治安管理，该地区的治安和刑事案件与上年同期相比都有明显下降，为灾区重建工作的有序有效开展创造了和谐稳定的社会环境。

五是形成和谐重建局面。这是重建工作一个很重要的特点和亮点。几大主体之间，如指挥部和州县之间，指挥部和援建单位之间，援建单位同州县之间，指挥部、州县、援建单位和群众之间能做到和衷共济、相互支持，形成了心往一处想、劲往一处使的和谐重建局面。经过一年多的磨合和工作机制的不断完善，营造了各方配合、齐心协力、团结奋斗、携手共进、和谐重建的良好氛围，建立了较为完善的协调工作机制。

截至2013年年底，通过3年多的艰苦奋战，完成城乡住房、公共服务、基础设施、特色产业、和谐家园5大类共1248项重建项目，累计完成投资447.54亿元，全面实现灾后重建规划目标，灾区城乡整体功能大幅提高，实现了再生性大跨越。16710户农牧民住房和22439户城镇居民住房全部建成，入住率分别为91%和68.6%；完成292个农牧民住房集中建设点的基础设施配套工程，灾区群众的住房条件得到根本性改善。94个教育、63个医疗卫生、65个文化体育项目全部建成，建成玉树地震遗址纪念馆、格萨尔文化中心等一批重点工程，一批社会福利院、敬老院和儿童福利院投入运行；建成市政道路235千米、各类管网1482千米，112个水利项目全部完工，灾区基本公共服务和基础设施建设实现新跨越，服务和保障能力显著提高；8个旅游产业项目、6个独立商业区和两河景观商业区全面建成，产业聚集区的基础配套设施建设全面开工，商贸和特色产业设施优化提升，可持续发展能力增强；90座受损宗教活动场所新建和维修加固及公共用房全部完成，同步完成寺院通水、通路、通电、通信等配套设施建设。4个国家级文物保护项目和56个省级以下文物保护修缮项目完工。

基本经验　一是玉树地震灾后恢复重建要取得全面成功，关键在于要有愚公移山的气概。玉树灾后重建是迄今为止人类在高原高寒地区开展的最大规模的灾后重建，是在制约条件最为突出、生态保护最为重要、民族宗教工作最为繁重的地方开展的灾后重建，建设工作之难、群众工作之难都举世罕见。在全面推进重建工作中，时刻出现各类困难，可以说，困难一直伴随玉树灾后重建的整个过程，不同阶段有不同的困难、不同的矛盾，必须知难而进、迎难而上，不懈努力，才得以全面完成重建任务。这方面有很多成功的例子，如 2011 年 5 月，琼龙路住宅小区征地拆迁、群众意愿锁定工作都处在十分困难之中，后来州、县和援建单位一起聚焦这个地方，集中攻坚，通过深入耐心的政策宣传和思想教育工作，化解了矛盾、克服了困难、取得了成功。

二是玉树地震灾后恢复重建取得全面成功，取决于工作作风改进。灾后重建是最务实的事情，来不得半点水分和虚假的成分，牢固树立主动服务的意识，一切为重建工作大局服务，为援建大军服务，为灾区群众服务，主动发现和掌握重建中出现的各种问题，提出解决问题的办法。同时，要正视矛盾，解决具体问题，如一顶帐篷扎在哪里、一块土地权属的明确，都能影响整体工作，以勇于担当、敢于负责的态度，面对矛盾不回避、重解决。鉴于灾后重建任务的艰巨性和时间的紧迫性，打破常规，加快工作节奏，采取切合玉树重建实际的工作思路和方法，努力提高效率。

三是玉树地震灾后恢复重建取得全面成功，关键得益于进一步弘扬团结协作精神。玉树灾后恢复重建就是一个团结协作的过程，工作程序性强，衔接难点多，彼此依存度高，关联性大，可谓环环相扣。一个环节梗阻，下一个环节就无法推进，大家相互支持，相互协作，相互配合，环环相扣。

四是玉树地震灾后恢复重建要取得全面成功，关键在于正确处理了辩证统一的关系。统筹协调好速度和质量的关系。既加快工作进度，更注重工作质量。统筹协调好保基本和满足群众意愿的关系。既落实好重建的各项相关政策，严格按照国务院批准的总体规划进行，又要正确对待群众诉求，在两者之间找到最佳的平衡点。统筹协调好基础设施建设和管理服务水平的关系。

遇到的困难和问题　一是项目资金缺口大。中期自评估发现，由于《总体规划》编制时间紧，对灾区灾情的了解难以做到十分准确。分析判断影响恢复重建的各种不确定因素不够充分，应急处置保通工程项目考虑不周，造成了个别项目漏项，同时灾区农牧民集中安置点的增加及城镇居民住房配套设施项目的安排实施，再加之价格因素而需要调整等多方面原因，在规划实施中，根据陆续编制出台的各专项规划，结合建设场地外部配套条件，需对规划项目进行必要调整。根据恢复重建工作进展情况，梳理出资金缺口 920257 万元。具体情况如下：城乡居民住房配套设施资金缺口为 152682 万元。部分建设项目投资不足，缺口 481114 万元。其中，城乡居民住房资金缺 219800 万元，基础设施建设资金缺口 168661 万元，生态环境项目资金缺口 85063 万元，特色产业及服务业项目资金缺口 3000 万元，和谐家园项目资金缺口 4590 万元。个别建设项目漏项所缺资金 22836 万元。应急及建设安置项目支出资金 59946 万元。其中，供电项目资金 45000 万元，水利项目资金缺口 14946 万元。其他支出合计 119000 万元。其中，直接为灾后重建提供支持及辅助工作的房屋鉴定、拆危清墟、征地拆迁、规划编制、地质勘察、基础测绘等前期工作 99000 万元，群众住房贷款贴息 20000 万元。

二是灾区重建人才匮乏。由于历史原因和自然条件影响，灾区群众受教育程度普遍不高，地震灾害又使当地干部群众的身心遭到重创，加之重建项目点多面广，任务繁重，造成专业技术人员和高素质人才紧缺的问题更加明显，影响重建工作按计划推进。

三是部分重建项目建设用地难度大。结古镇受地形和生态条件的制约，用地规模相对有限，同时，由于历史遗留原因，建设用地性质复杂，国有土地、集体土地和私有土地并存，而且集体土地和私有土地占有较大比重，征地工作量大，拆迁政策落实难度大，造成有的项目因拆迁工作缓慢而推迟开工时间，影响项目进程。

四是项目使用单位对项目管理的参与度较低。结古镇重建项目实行分片包干制，具体由援建单位负责组织实施。使用单位对项目建设进展、存在问题等相关情况知之甚少，难以根据自身需求提出具体使用要求。

3 年灾后恢复重建，充分展示了党和人民的强大力量，弘扬了中华民族的伟大精神，彰显了社会主义制度的巨大优越性。在玉树地震灾后恢复重建中，涌现出一大批做出突出贡献的先进集体和先进个人。为表彰先进，弘扬正气，进一步激励全国各族人民奋力推进改革开放和社会主义现代化建设事业，经中共中央、国务院批准，人力资源社会保障部、国家发展改革委、国务院国资委、解放军总政治部决定，授予中国建筑第八工程局有限公司等 100 个集体“玉树地震灾后恢复重建先进集体”荣誉称号；授予才仁扎西等 150 人“玉树地震灾后恢复重建先进个人”荣誉称号，授予先进个人的同志享受省部级先进工作者和劳动模范待遇。100 个先进集体中青海省有 64 个；150 名先进个人中，青海省有 92 名。

第三章　中共中央、国务院政策与措施

第一节　支持政策

一、财税金融政策

以中央财政为主安排灾后恢复重建资金　中央财政安排的资金包括一般预算收入资金、车购税专项收入资金和中央国有资本经营预算收入资金。根据重建目标和任务，中央财政资金共安排 206.5 亿元。另外，中央财政安排的其他有关专项资金也要向受灾地区适当倾斜。中央有关部门及红十字会、慈善总会等接收的捐赠资金，要直接拨付到青海省，连同青海省接收的捐赠资金，统一纳入灾后恢复重建规划，由青海省统筹安排用于恢复重建。此外，加上居民和企业少量自筹资金，共同组成以中央财政为主的灾后恢复重建资金。

按照灾后恢复重建的主要任务，灾后恢复重建资金的使用主要采取项目投资、居民个人补助、资本金注入、贴息等方式，用于居民住房恢复重建、城镇建设、公共服务设施恢复重建、基础设施恢复重建、产业恢复重建、其他恢复重建 6 个方面。

税收政策　减轻企业税收负担：对受灾地区损失严重的企业，免征灾后恢复重建所在年度的企业所得税；对受灾地区企业取得的抗震救灾和灾后恢复重建款项和物资，以及与之有关的减免税金及附加收入，免征企业所得税；在 5 年内免征受灾地区农村信用社企业所得税；对受灾地区企业、单位或支援受灾地区重建的企业、单位，进口国内不能满足供应并直接用于灾后重建的大宗物资、设备等，在 3 年内给予进口税收优惠。

减轻个人税收负担：对受灾地区个人接受捐赠的款项、取得的各级政府发放的救灾款项，以及参与抗震救灾的一线人员，按照地方各级政府及其部门规定标准获得的与抗震救灾有关的补贴收入，免征个人所得税。

支持受灾地区基础设施、房屋建筑物等恢复重建：

——对政府为受灾居民组织建设的安居房建设用地，免征城镇土地使用税，转让时免征土地增值税。

——对地震中住房倒塌的农牧民重建住房占用耕地的，在规定标准的部分免征耕地占用税。

——由政府组织建设的安居房，对所签订的建筑工程勘察设计合同、建筑安装工程合同、产权转移书据、房屋租赁合同，免征印花税。

——对在地震中损毁的应缴而未缴契税的居民住房，不再征收契税；对受灾居民购买安居房，免征契税。

——经省级人民政府批准，对经有关部门鉴定因地震灾后损毁的房产、土地，免征灾后恢复重建期所在年度的房产税和城镇土地使用税。

鼓励社会各界支持灾后恢复重建：

——对单位和个体经营者将自产、委托加工或购买的货物，通过公益性社会团体、县级以上人民政府及其部门捐赠给受灾地区的，免征增值税、城市维护建设税及教育费附加。

——对企业、个人通过公益性社会团体、县级以上人民政府及其部门向受灾地区的捐赠，允许在当年企业所得税前和当年个人所得税前全额扣除。

——对财产所有人将财产（物品）直接捐赠或通过公益性社会团体、县级以上人民政府及其部门，捐赠给受灾地区或受灾居民所书立的产权转移书据，免征印花税。

——对专项用于抗震救灾和灾后恢复重建、能够提供由县级以上人民政府或其授权单位出具的抗震救灾证明的新购特种车辆，免征车辆购置税。符合免税条件但已经征税的特种车辆，退还已征税款。

促进就业：

——受灾地区的企业在新增加的就业岗位中，招用当地因地震灾害失去工作的人员，与其签订 1 年以上期限劳动合同并依法缴纳社会保险费的，经县级人力资源社会保障部门认定，按实际招用人数和工作时间予以定额依次扣减营业税、城市维护建设税、教育附加和企业所得税。定额标准为每人每年 4000 元，可上下浮动 20%，由灾区省级人民政府依据本地实际情况具体确定。

——受灾地区因地震灾害失去工作后从事个体经营的人员，以及因地震灾害损失严重的个体工商户，按每户每年 8000 元的限额依次扣减其当年实际应缴纳的增值税、营业税、城市维护建设税、教育费附加和个人所得税。

以上税收政策执行期限与国务院确定的灾后恢复重建期一致，适用范围为国务院确定的受灾地区范围。

金融政策 支持金融机构尽快全面恢复金融服务功能：加快修复基层金融网点，保障支付清单、国库和邮政汇兑系统的安全运营，鼓励受灾地区金融机构适当减免客户账户查询、挂失补办、转账等收费。

鼓励银行金融机构加大对受灾地区信贷投放：

——加大受灾地区金融机构的资金支持力度。根据受灾地区恢复重建的实际需求，增加对受灾地区的再贷款（再贴现）额度，并对支农再贷款执行优惠利率，在现行支农再贷款利率水平上再降低 1 个百分点。对受灾地区地方法人金融机构执行倾斜的准备金政策。允许受灾地区金融机构提前支取特种存款，增加信贷资金来源。

——对受灾地区实施倾斜和优惠的信贷政策。对灾前已经发放、灾后不能按期偿还的各项贷款延长还款期限，在 2011 年 6 月底前不催收催缴，不罚息，不作为不良记录，不影响其继续获得受灾地区其他信贷支持。

——加大对受灾地区重点基础设施、城乡居民住房、农牧业、中小企业和因受灾失业人员的信贷支持力度。对因灾失业人员和吸纳受灾群众就业达到一定比例的劳动密集型中小企业，参照下岗失业人员小额担保贷款政策执行。

加强受灾地区信用环境建设：

——保护受灾地区客户合法权益。加快整理核实受灾地区金融机构客户基本信息；对暂时无主客户的债权，另账保存；依法确认和保护遇难者账户资金、金融资产所有权和继承者；加快保险理赔进度，提高理赔效率。

——对于符合现行核销、重组和减免规定的贷款，按照相关政策和程序及时核销、重组和减免。

实行外债减免政策：对政府外债项目因地震造成的损失，给予债务减免、所需还款资金由中央财政承担。

二、土地利用政策

免收新增建设用地土地有偿使用费和土地出让收入　对受灾地区为安置受灾居民新建各类安置住房以及非地震受灾区为安置受灾居民新建各类安置住房；对受灾地区的行政机关、学校等事业单位，各类企业、人民团体、社会团体等单位，因地震造成房屋倒塌、毁损需要在原地区重建或迁至异地重建的，免收新增建设用地土地有偿使用费和土地出让收入。

土地划拨　凡利用政府投资、社会捐助以及自筹资金为受灾群众重建住房、基础设施、公益设施等，可采用划拨方式供地。对在原地重建的工业或其他经营性项目用地，无论投资性质，土地不再重新出让，可按原方式使用土地，对异地重建的工业企业和按规划需要整体搬迁的工业企业，县级人民政府在收回其原有土地使用权的基础上，可采取划拨方式供地；对异地重建或按规划需要整体搬迁的其他经营性项目用地，同一宗地只有一个用地意向者的，可采用协议出让方式供地。

降低地价　在未对因灾降低的地价标准进行调整之前，对投资规模大、促进地区经济发展作用明显的新建工业或大型商业设施等项目用地，可根据实际情况降低地价标准，报省国土资源管理部门备案。

保证灾后恢复重建用地 对灾后恢复重建需要的新增建设用地计划指标，在国家下达的土地利用年度计划指标中优先安排，指标不足的，可预先安排使用。对规划异地重建的城镇和村庄，凡废弃村庄和城镇具备复垦条件的，可以使用城乡建设用地增减挂钩周转指标。对抢险救灾和灾后恢复重建用地，可根据需要先行使用或安排供地。涉及农用地转用和土地征收的，可以边建设边报批；涉及占用耕地的，可以边占边补。

三、对口援建援助政策

中央企业要积极承担社会责任，充分利用自身在人才、技术、管理等方面的优势，提供规划编制、勘察、设计、施工以及人力培训等方面的支持。

东部省市和中央国家机关对口支援青海藏区工作要优先在玉树灾区启动实施。

原有东西扶贫协作支援省要重点做好支持玉树灾区工作。

青海省要组织省内财力、物力、人力支援灾区建设。

以上援建和援助项目除对口支援省市确认为自愿、无偿援助的项目外，按照市场运作，保本微利原则实施，所需资金由青海省从灾后恢复重建包干资金中解决。无论是中央企业还是援建省市，在组织实施援建及援助项目中，要尽量多吸纳灾区劳动者就业。受灾地区人民政府要做好就业指导和岗位培训等工作。

四、其他政策

除上述政策措施外，国务院在《指导意见》中还提出了教育特别资助政策、就业援助和社会保障政策、收费和基金减免政策、扶贫政策等，全面支持玉树地震灾后恢复重建工作。

教育特别资助政策 包括以下三个方面：

——对生源地为青海玉树地震灾区的高等教育阶段全日制在校生和高中阶段学生，从2010年4月至2011年7月，发放国家助学金或生活费补助，并免除一个学年的学费。所需新增资金由中央财政负担。

——对恢复重建期内迁出省外和玉树外就读的初中和高中阶段的重灾区学生，从2010年秋季学期起全部免除学费和住宿费，并发放生活费补助，所需资金以中央财政综合定额补助为主，迁入迁出地政府适当负担。

——对继续在灾区就读的义务教育阶段学生，执行现有的经费保障和补助政策。

就业援助和社会保障政策 加大就业援助：

——将省级人民政府确定的因地震灾害出现的就业困难人员，按规定及时纳入就业援助的对象范围，优先保证受灾地区零就业家庭至少有一人就业。

——将本地就业困难人员正在参与的抗震救灾相关工作，按规定纳入现有的新开发的公益岗位认定范围，时限为3个月。对从事公益性岗位工作的就业困难人员，按规定提供岗位补贴和社会保障补贴。

——对受灾地区企业在重建中吸收就业困难人员的，按规定给予相应的社会保障补贴。

——对从事灵活就业的就业困难人员，按规定享受社会保障补贴。

——对因灾中断营业后重新开业的个体工商户，按规定给予小额担保贷款扶持。

——省级人民政府在确保失业保险基金按时足额发放的前提下，对受灾地区企业采取适当降低失业保险费率等措施。

——按规定对受灾地区从事个体经营的有关人员 3 年内免收管理费、登记费和证照费等有关行政事业性收费。

——受灾地区企业恢复生产、公路和农田水利等基础设施以及对口支援项目建设，要优先吸纳当地受灾群众。要组织引导好受灾群众参加以工代赈和生产自救活动。

——对受灾地区实行就业援助所需相关资金，按规定从就业专项资金中列支，中央财政通过专项转移支付给予适当支持。

保障工伤保险待遇支持：

——为解决受灾地区工伤保险基金收不抵支问题，对参加工伤保险的职工伤亡的，在核实伤亡人数、伤残等级具体待遇标准的基础上，按规定支付相关待遇，所需资金通过地方尽快实行市级或省级统筹、动用历年结余、加大基金调剂力度解决。

——对未参加工伤保险伤亡职工的待遇支付，由职工所在企业（单位）负责解决，企业（单位）无力支付或已不存在，并符合救助条件的，可通过相关的社会捐助、社会救助制度予以帮助。

保障养老保险待遇支付：

——对受灾较重、暂停生产的企业，允许缓缴社会保险费；对因地震灾害无法恢复生产、经法院或有关部门宣告关闭破产企业欠缴的基本养老保险费，应按国家有关规定使用破产财产清偿，不足部分应按规定报批后予以核销。

——加大省级基本养老保险基金对地震灾区的调剂力度，确保地震灾区基本养老保险金按时足额发放。

——支持玉树藏族自治州全面开展新型农村社会养老保险试点工作，从当地试点启动之日起，政府对符合领取条件的参保人全额支付基础养老金，中央财政按照每人每月 55 元给予补助。参保农牧民因地震灾害造成缴费困难的，由本人向经办机构提出申请，经审核同意后，个人缴费可以缓缴。

保障受灾困难人员基本生活：对受灾地区符合《失业保险条例》规定的失业人员，按时足额发放失业保险金；符合享受城乡居民最低生活保障、农村“五保”供养、临时生活救助等条件的人员，按规定纳入相应保障范围，享受相关政策待遇。

收费和基金减免政策　在地震灾区恢复重建过程中，一律免收属于中央收入的各类行政性收费和政府性基金。其中，对在地震灾区建设安居房、廉租住房及原址重建住房和加固住房，免收的全国性行政事业性收费包括防灾地下室、易地建设费等项目；免收的全国性政府性基金包括城市基础设施配套费、散装水泥基金、新型墙体材料专项基金、城市教育附加费、地方教育附加、城镇公用事业附加等项目。

扶贫政策 中央财政进一步加大扶贫开发支持力度，在安排财政专项资金和财政扶贫贷款贴息资金时向灾区倾斜，由地方根据实际情况对灾区农村贫困群众予以支持，帮助其尽快恢复发展生产。适当提高贫困村基础设施建设、贫困户住房建设的补助标准，解决贫困家庭灾后恢复重建面临的突出困难。加大以工代赈力度，鼓励灾区群众投身灾后恢复重建，参与建筑废墟清理、住房建设、农牧区小型基础设施修复等灾后恢复重建任务。

第二节　保障措施

一、组织保障

青海省人民政府对玉树地震灾区的灾后恢复重建负总责，要建立强有力的领导机构和现场指挥调度系统，明确任务，落实责任，科学高效地组织实施，确保灾区社会和谐稳定。国务院成立国家玉树地震灾后恢复重建领导协调小组，协调有关部门大力支持，密切配合，及时帮助解决灾后恢复重建中的有关问题。

二、政策保障

鉴于玉树地震灾区的特殊困难，灾后恢复重建所需资金以中央财政安排为主，同时采取更加优惠的税收、金融、土地、环保、就业、扶贫、援建等政策措施，统筹使用社会各界捐赠资金，加大对恢复重建支持力度。受灾地区各级政府要统筹兼顾，合理安排，精打细算、节俭办事，管好用好各类资金，全力投入灾后恢复重建工作。

三、资金保障

为确保玉树地震灾后恢复重建总体规划的顺利有效实施，中央财政对灾后恢复重建资金实行“总量包干、分类控制”的管理办法，财政部和国家发展改革委联合下发了《关于下达玉树地震灾后恢复重建资金安排和中央财政资金包干总数和分类控制数的通知》（财建〔2010〕355 号），要求地方政府根据规划项目和轻重缓急，统筹做好中央财政资金、省级财政资金、捐赠资金和其他自筹资金的安排使用。为确保社会各类捐赠资金能合理配置、规范使用，国务院抗震救灾总指挥部颁布了《青海玉树抗震救灾捐赠资金使用管理监督办法》（国指发明电〔2010〕2 号），民政部、国家发展改革委、监察部、财政部、审计署联合下发了《关于印发〈青海玉树地震抗震救灾捐赠资金管理使用实施办法〉的通知》，对社会各类捐赠资金的使用原则、使用范围、运作方式、拨付方式、反馈要求、监督方式等作出了明确规定，要求青海省人民政府及有关部门遵照执行。

四、物资保障

国家玉树地震灾后恢复重建领导小组要求，青海省人民政府要做好恢复重建主要建材需求量测算，制订建材保障工作方案。根据灾区重建任务合理确定建材需求，统筹组织省内及周边地区建材生产供应，采取集中采购与自主采购相结合的方式，确保建材供应。国务院有关部门对恢复重建所需建材供应给予必要的指导和支持。要切实加强对恢复重建所需的各类建材物资质量的监督检查，防止哄抬物价，必要时对重建所需主要建筑材料将启动价格干预机制，青海省人民政府要会同国务院交通运输部门制订运输保障方案，科学统筹组织物资运输。

第四章　重建投资

第一节　国家专项投资

一、投资规模和渠道

中央财政安排的资金共206.5亿元。其中，在中央一般预算收入资金中安排186.5亿元，在车购税专项收入资金中安排15亿元，在中央国有资本经营预算收入资金中安排5亿元。

二、资金安排

按照灾后恢复重建的主要任务，灾后恢复重建资金的使用主要采取项目投资、居民个人补助、资本金注入、贴息等方式，用于以下几个方面。

一是城乡居民住房，中央财政资金安排73亿元；二是公共服务设施，中央财政资金安排了41.5亿元；三是基础设施，中央财政资金安排71亿元；四是生态环境，中央财政资金安排2.1亿元；五是特色产业和服务业，中央财政资金安排6亿元；六是和谐家园建设，中央财政资金安排12.9亿元。

以上6个方面的恢复重建工作，中央财政资金共安排206.5亿元。

对这些资金，中央财政于2010年、2011年、2012年分3年安排下达。其中，2010年安排90亿元，2011年安排93亿元、2012年安排23.5亿元。

第二节　社会捐赠

一、捐赠

玉树大地震发生后，举国上下发扬“一方有难，八方支援”的中华美德，社会各界纷纷伸出援手，积极捐款捐物，支援灾区人民尽快恢复重建家园。截至 2011 年 9 月底，民政部、中国红十字总会、中华慈善总会以及青海省民政厅、红十字会、慈善总会、财政厅等部门共接收国内外各界捐款的资金 99.25 亿元。

按接收渠道分：民政接收 34.45 亿元，其中民政部 28 亿元、省民政厅 6.45 亿元；红十字会接收 25.94 亿元，其中中国红十字总会 23.03 亿元、省红十字会 2.91 亿元；慈善总会接收 27.4 亿元，其中中华慈善总会 26.02 亿元、省慈善总会 1.38 亿元；省财政厅接收 11.46 亿元。

国际捐赠　玉树地震灾后恢复重建期间，得到世界许多国家和地区的无私援助，他们通过中国红十字总会、中华慈善总会等渠道捐赠资金。据统计，共接收国际捐赠人民币 4743.7 万元，认捐认建重建项目 22 个。

中国红十字总会接收捐赠（援建）项目统计表（境外部分）

表 1-3　　　　单位：万元

序号	捐款部门	援建项目	捐款金额
1	日本红十字会	拟建 8 个项目	3076.26
2	韩国红十字会	拟建 1 个项目	111.22
3	加拿大红十字会	拟援建四川石渠县项目 2 个	400.00
4	美国红十字会	拟援建四川石渠县项目 1 个	316.65
5	美国红十字会	援建项目 1 个	340.56
6	挪威红十字会	援建项目 1 个	213.72
7	越南红十字会	援建项目 1 个	13.56
8	土耳其红十字会	援建项目 1 个	3.38
9	新西兰红十字会	援建项目 1 个	99.28
10	澳大利亚红十字会	援建项目 1 个	62.34
11	非洲驻华使团	援建项目 1 个	10.00
12	法国驻华使馆	援建项目 1 个	60.71
13	日本花王公司	援建项目 1 个	36.02

续表 1-3

序号	捐款部门	援建项目	捐款金额
合计	13 家	援建玉树项目 18 个 拟援建石渠项目 3 个	4743.7（援建石渠县 716.65）

说明：1. 数据来源基于青海红十字网及《青海玉树地震灾后恢复重建捐赠项目书》（中国红十字总会编印）
2. 表中数据以万元为单位，小数点后保留两位（以四舍五入取值）
3. 表中单位及数据仅为当时掌握的资料

国内捐赠 玉树地震抗震救灾和灾后重建期间，全国各省份、各行各业慷慨解囊，捐款捐物。全力支持灾后重建，据统计，国内各省份人民政府、各企事业单位、社会各团体共捐赠人民币 126985.1 万元。

中国红十字总会接收捐赠统计表（国内部分）

表 1-4　　单位：万元

序号	捐款单位	金额	序号	捐款单位	金额
1	中国红十字会	36444	20	北京市红十字会	1811
2	浙江省红十字会	15115.93	21	山西省红十字会	2939
3	江苏省红十字会	7565.20	22	河南省红十字会	1420
4	青海省红十字会	5856	23	陕西省红十字会	1420
5	福建省红十字会	5800	24	海南省红十字会	1241
6	山东省红十字会	5230	25	安徽省红十字会	1337
7	广东省红十字会	4886.23	26	甘肃省红十字会	1078.30
8	内蒙古自治区红十字会	4200	27	江西省红十字会	837
9	湖南省红十字会	4131	28	黑龙江省红十字会	646
10	广西壮族自治区红十字会	3620	29	重庆市红十字会	586
11	天津市红十字会	4005	30	贵州省红十字会	573
12	香港特别行政区红十字会	3663.42	31	云南省红十字会	520
13	澳门特别行政区红十字会	4867.00	32	西藏自治区红十字会	525
14	中国台湾红十字会	707.60	33	上海市红十字会	356.12
15	湖北省红十字会	2516	34	沈阳市红十字会	202
16	吉林省红十字会	1918	35	新疆生产建设兵团红十字会	163.88
17	河北省红十字会	2264	36	中国驻赞比亚使馆	93.84
18	新疆维吾尔自治区红十字会	2264			
19	宁夏回族自治区红十字会	1851	合计	36 家单位	132653.52

中华慈善总会接收社会捐赠情况统计表

表 1-5　　单位：万元

序号	捐款单位	金额	序号	捐款单位	金额
1	广东省（广州、深圳、湛江市）慈善总会	61256.32	16	新疆慈善总会	4581.30
2	浙江省（杭州、宁波）慈善总会	15262.24	17	河北省（含唐山）慈善总会	3643.56
3	福建省（厦门、晋江、泉州）慈善总会	14349.72	18	山西省慈善总会	3372.73
4	辽宁省（大连市）慈善总会	10213.36	19	天津市慈善总会	3273.93
5	湖北省（蕲春市）慈善总会	10097.97	20	四川省慈善总会	3089.22
6	山东省慈善总会	10053.29	21	内蒙古慈善总会	2873.58
7	江苏省（含五个市）慈善总会	9168.28	22	新疆生产建设兵团慈善总会	1113.69
8	重庆市慈善总会	9080.13	23	贵州省慈善总会	741.81
9	上海市慈善总会	7938.91	24	陕西省慈善总会	700.43
10	河南省（含两市）慈善总会	7543.01	25	甘肃省慈善总会	594.04
11	黑龙江省（含哈尔滨市）慈善总会	6272.24	26	海南省慈善总会	558.25
12	北京市慈善协会	5664.92	27	广西慈善总会	522.74
13	安徽省慈善总会		28	宁夏慈善总会	395.46
14	江西省慈善总会	5197.82	29	云南省慈善总会	11.85
15	吉林省慈善总会	4845.75			
合计	以上 29 家共捐款贰拾亿柒仟玖佰贰拾玖万叁仟柒佰元整（207929.37 万元）				

说明：1. 此款项截至 2010 年 8 月 6 日，中华慈善总会汇缴的筹募数额，其尾数保留小数点两位（资料来源：青海省慈善总会）

2. 上述数额不含青海省慈善总会接收的款项数（具体接收情况尚缺资料）

3. 截至 2010 年 9 月 30 日，慈善总会共募集善款和专项资金 27.4 亿元，其中中华慈善总会接收 26.02 亿元、青海省慈善总会接收 1.38 亿元

二、认捐认建

为进一步弘扬中华民族"一方有难，八方支援"的优良传统，更加广泛动员全社会力量，吸引社会资金，推进玉树灾后恢复重建，如期实现恢复重建目标，省发展改革委根据《中华人民共和国公益事业捐赠法》等相关法律法规，结合玉树灾区实际，制定了《青海省玉树灾后恢复重建项目认捐认建办法》，经省人民政府同意，印发全省各地，各部门遵照执行。

灾后恢复重建项目认捐认建是指社会团体、机关、企事业单位或个人根据本办法规定自愿、无偿、合法认捐认建玉树灾后恢复重建项目建设的行为。

认捐认建工作要按照有序组织、尊重意愿、公开透明、加强监督的原则进行，由青海省人民政府玉树灾后恢复重建项目认捐认建工作协调小组统一组织，协调小组办公室负责具体工作。认捐认建主要包括教育、科学、文化、卫生、体育、居民住房、环境保护以及社会福利、城乡

基础设施等社会公共事业。认捐认建项目严格按照灾后重建总体规划、专项规划、各类建设标准及相关项目管理规定和基础建设程序组织实施，按照国家规定的勘察、设计规范和抗震设防标准进行项目设计和施工，采取统规统建方式，由灾区政府依照相关规定和办法统一组织施工。

认捐认建工作程序：由省人民政府玉树灾后恢复重建认捐认建工作协调小组向社会推荐灾后恢复重建认捐认建项目目录，由认捐认建单位或个人自行选择项目，确定的认捐认建项目，由认捐认建单位或个人与玉树州、县政府签订认捐认建协议书。认捐认建单位或个人对于认捐认建项目依据相关规定可以留名纪念，对做出突出贡献的认捐认建单位或个人，可在认捐认建项目地点立碑纪念。

第三节　投资运行

一、资金投放

重建资金总额　2010 年国家下达了重建包干总投资 316.5 亿元，2012 年国家又新增重建资金 50 亿元（含 9 亿元省内自筹资金），加之规划外新增用于重建的社会捐赠资金 27.3 亿元以及部分中央垂直管理单位资金 1.49 亿元，截至 2014 年 6 月 30 日，落实的玉树地震灾后重建资金共 425.29 亿元。

中央财政重建资金投放　自 2010 年 6 月 12 日至 2013 年 12 月 25 日，财政部先后 6 次给青海省下达玉树地震灾后恢复重建资金共计 250.5 亿元，具体如下。

2010 年 6 月 12 日，财政部以财建〔2010〕283 号文给青海省财政下达玉树地震灾后恢复重建专项资金预算 30 亿元。其中，城乡居民住房 25 亿元，公共服务 5 亿元。

2010 年 8 月 11 日，财政部以财建〔2010〕437 号文下达玉树地震灾后恢复重建专项资金地方包干资金预算 51.5 亿元。其中，中央一般预算收入 46.5 亿元（包括中央预算内基建投资 5 亿元），车购税专项收入 5 亿元。财政部要求此包干资金分别用于重建中的城乡居民住房 16.87 亿元，公共服务设施 0.08 亿元，基础设施 31.71 亿元，特色产业和服务业 1.49 亿元，和谐家园 1.35 亿元。

2010 年 10 月 9 日，财政部以财建〔2010〕710 号文提前安排 2011 年中央财政玉树地震灾后恢复重建专项资金地方包干资金 93 亿元。其中，车购税专项收入 10 亿元，一般预算收入 83 亿元（含中央预算内基建投资 5 亿元）。

2011 年 10 月 9 日，财政部以财建〔2011〕856 号文提前安排 2012 年中央财政玉树地震灾后恢复重建专项资金地方包干资金 20 亿元。

2012 年 8 月 3 日，财政部以财建〔2012〕535 号文加急通知青海省财政厅：“经国务院领导同意，为保证玉树地震灾后恢复重建工作顺利进行，对你省今年恢复重建资金缺口 50 亿元，按照中央财政负担大部分的原则，中央财政安排 35 亿元，你省统筹财力解决其余 15 亿元。对上述 50 亿元以外如还有资金缺口，待恢复重建结束并经审计后再实事求是解决。”

2013 年 12 月 25 日，财政部以财建〔2013〕911 号文通知青海省财政厅：“经国务院领导同意，确认你省玉树地震灾后恢复重建收尾阶段确需解决的资金缺口为 30 亿元，对此按照中央财政负担大部分的原则，由中央财政负担 70%，即中央财政负担 21 亿元，你省地方财政负担 9 亿元；今后如再出现新增支出，由你省自行解决，中央财政不再给予补助。”

二、资金监管

监管机构　玉树地震灾后恢复重建资金（以下简称“重建资金”），是指中央财政补助青海省的地震灾后恢复重建资金、省级财政和灾区各级财政按规定安排的灾后恢复重建资金，以及社会捐赠资金、银行贷款、居民和企业自筹资金和其他资金等。

2010 年 7 月 7 日，民政部、国家发展改革委、监察部、财政部、审计署联合印发了《青海玉树地震抗震救灾捐赠资金管理使用实施办法》（民电〔2010〕89 号），对社会各界捐赠的玉树地震抗震救灾资金的监督管理提出了具体要求：“灾区政府负责项目的规划、选址、招标、组织施工、质量监督、资金监管和监督检查等事宜，并定期向青海省民政厅、红十字会、慈善总会等提供项目进展情况。”

玉树大地震发生后，青海省委、省政府及时成立了青海省抗震救灾资金物资监督检查领导小组，其成员单位省监察厅、民政厅、财政厅、审计厅等部门关口前移，及时派员进驻灾区，加强对玉树抗震救灾资金物资管理使用情况的监督检查。

玉树州、县、乡（镇）也成立了相应机构，注重加强对灾区县、乡村、社和各物资接收点的监督检查，基本形成了横向到边、纵向到底的监督管理体系。同时，玉树州人民政府会同省民政厅、省红十字会、省慈善总会在玉树成立了玉树州灾后重建社会捐赠资金管理中心（以下简称“管理中心”）。省民政厅、省红十字会、省慈善总会分别在管理中心开设了 3 个资金账户，按照省发展改革委下达的年度投资计划，由省民政厅会同省红十字会、省慈善总会落实、平衡各类社会捐赠资金的来源和渠道，将社会捐赠资金拨付至管理中心。管理中心具体负责社会捐赠资金管理使用和相关信息反馈等工作，依照相关程序将社会捐赠资金拨付到项目县以及建设单位和实施单位。玉树地震灾后重建资金的管理使用要接受审计、监察等部门的审计和监督。

管理制度　为了加强灾后重建资金管理使用的监督检查，省玉树地震抗震救灾领导小组相继制定下发了《青海玉树地震灾区受灾群众补助物资发放管理办法》《青海玉树地震灾区遇难人员抚慰金发放管理办法》《青海玉树地震灾区紧急转移补助金发放管理办法》《青海玉树地震灾区“三孤”人员生活补助资金发放管理办法》《青海玉树地震捐赠物资统一登记管理办法》《青海玉树地震灾后恢复重建资金管理办法》《青海玉树地震灾后恢复重建资金跟踪审计实施办法》《青海玉树地震抗震救灾社会捐赠资金管理使用实施细则》等一系列监管制度，建立重大事项通报制度，健全审计监督制度，使监督检查工作有据可依，为科学重建、廉洁重建、高效重建提供了制度保障。

三、资金审计

为确实加强玉树地震灾后恢复重建资金和物资的筹集、分配、管理和使用，以及重点建设项目全过程的跟踪审计，充分发挥审计监督作用，促进灾后重建工作顺利有序实施，根据国家有关法律法规和审计署《玉树地震灾后恢复重建审计工作方案》要求，青海省人民政府办公厅制定了《玉树地震灾后恢复重建项目跟踪审计实施办法》和《玉树地震灾后恢复重建资金跟踪审计实施办法》，并于2010年7月12日印发各地贯彻实施。

《玉树地震灾后恢复重建项目跟踪审计实施办法》（以下简称“《办法》”）《办法》共6章27条，对灾后重建项目审计的范围、程序、内容、审计结果办理、审计注意事项等方面作了明确规定和要求，是对玉树地震灾后恢复重建项目跟踪审计的依据和方法。

对玉树地震灾后重建项目实行跟踪审计，就是指审计机构依据有关法律、法规、规章，按照规定程序，对重建项目从立项至项目建成竣工验收全过程实施的审计监督。

《办法》规定，跟踪审计的内容主要分项目前期阶段、建设实施阶段、项目竣工决算阶段，根据各阶段的实施内容，有针对性地开展审计监督。

项目前期阶段跟踪审计的主要内容有：对项目立项、可研报告、环评报告、初设概算、征地拆迁及开工报告等审批文件的合法性、合理性进行审计；看建设规划许可、建设用地批准及施工许可、环保及消防批准、项目设计图审核等文件是否齐全、有效；监督项目招投标工作或对招投标程序及咨询结果的完整性、合理性进行检查；检查各参建单位的企业法人营业执照，行业资格证书、有关技术人员职业资格证书、收费许可证等是否真实、合法、有效；检查项目资金的来源和到位情况，专项资金是否按要求专户存储、专款专用；征地拆迁补偿是否符合政策规定和标准，有无擅自扩大拆迁范围、提高标准或降低标准，有无弄虚作假等问题；监督检查各级政府及相关部门在资金、物资管理和项目建设工程中履行职责的情况。

项目建设实施阶段跟踪审计的主要内容：审计项目建设有关单位是否认真履行合同条款，有无违法分包、转包工程；检查施工现场原始地貌数据和各项目签证是否及时、完整、真实；监督重点隐蔽工程施工及其验收、重大设计变更及其程序是否合规，内容是否真实，手续是否齐全。进行工程价款结算审核，对工程中期的计量支付或阶段结算，要复核工程进度和工程质量，严格按合同约定进行审查，并出具审核意见。进行大宗设备、材料采购审核，检查所采购的设备、材料是否符合已经报批的设计文件和建设计划，是否按规定招投标，是否按照公平竞争、择优择廉的原则来确定材料供应方；检查购销合同中涉及设备和材料的规格、品质、质量、数量、单价等条款是否齐全，是否与招投标要求一致；检查工地现场实物是否与合同要求一致；检查设备和材料领用的内容与数量是否一致，领用手续是否完备；检查盘点制度及其执行情况、盈亏状况以及处理措施。

项目竣工决算阶段跟踪审计的主要内容：一是审核被审计单位报送的建设项目竣工决算及其竣工文件资料。主要包括建筑安装工程投资、设备投资、待摊投资、其他投资、项目财务管理及会计核算情况、竣工财务决算报表、项目概（预）算执行情况、项目基建收入、结余资金等情况，审查其合法合规性、完整性和真实性。二是审查对国家、省、州优惠政策的落实情况。三是对项目投资效益情况的分析，根据可行性研究报告及概算，依据有关的经济、技术、社会环境等指标，对项目建设以及建成后的效果进行对比分析，对项目投资决算的合规性、经济性、效益性、效果性以及环境因素等进行评价。跟踪审计结束后，审计机构应按规定出具审计报告。

跟踪审计结束后，由审计机构出具项目跟踪审计报告。该审计报告应有以下各项内容：基本情况；审计承诺和被审计单位承诺及相关法律责任；跟踪审计工作实施情况；工程结算和投资核实情况及审计评价意见；存在的主要问题、处理意见及整改情况；项目建设、运营效益分析；审计建议。

对审计发现的工程建设领域违规、违法行为，依法应当给予处理、处罚的，由审计机构在法定职权范围内作出审计决定；需有关行政主管部门处理的事项，应当移送有关行政主管部门处理；涉嫌严重违纪或经济犯罪的，应当移送纪检监察或司法机关处理。

《玉树地震灾后恢复重建资金跟踪审计实施办法》（以下简称“《办法》”）《办法》共 9 条。本《办法》所称灾后恢复重建资金，是指由中央和地方财政汇集、专项用于玉树地震灾区灾后恢复重建的资金，主要包括：中央财政下拨的灾后恢复重建资金，地方财政筹集的灾后恢复重建资金，接受捐赠用于恢复重建的资金，其他用于灾后恢复重建的资金。

灾后恢复重建资金跟踪审查的主要内容：

——账号管理情况。财政部门对各类灾后恢复重建资金是否全部纳入专户管理。

——资金运行情况。拨付下级财政和项目的灾后恢复重建资金是否实行封闭运行。

——支出拨付情况。拨出资金是否及时、足额，依据是否充分，程序是否合规。

——预算管理情况。各类用于灾后恢复重建的资金是否按规定进行预算管理。地方财政筹集的灾后恢复重建资金来源是否合规。

——核算情况。各类用于灾后恢复重建的资金收支核算是否及时、准确，灾后恢复重建的资金是否实行专项核算。

——定向捐赠资金使用情况。是否尊重捐款人的意愿使用定向捐款资金。

跟踪审计的重点环节是资金到账情况、资金拨付情况、资金的管理制度和运行机制是否完善，执行是否严格。

跟踪审计采取“动态跟踪，按季审计、分次公告”的方式进行。动态跟踪。即每月末由财政部门向审计部门报送或由审计部门收集、了解财政汇集、拨付资金的情况。按季审计。急、重事项应当进行实时跟踪。审计组在每季审计结束后，及时整理相关资料，向省审计厅恢复重建审计工作领导小组办公室提交审计结束报告。

每年审计的结果，根据审计署《玉树地震灾后恢复重建审计工作方案》的规定，依法进行公告。特殊事项可依法及时进行单项公告。

审计组对跟踪审计发现的一般管理性的问题，可以审计建议函或其他适当方式告知被审计单位，督促被审计单位及时整改。对于违规分配、转移资金、弄虚作假、虚报冒领、挤占挪用、损失浪费、有意滞留、截留和贪污等严重违规违法问题，要及时上报省审计厅灾后恢复重建审计工作领导小组办公室；依法应当给予处理、处罚的，由审计机关在法定职权范围内做出审计决定；需有关行政主管部门处理的事项，及时移送有关行政主管部门处理；涉嫌严重违纪或经济犯罪的，应当移交纪检监察或司法机关处理。

《2013年玉树地震灾后重建项目竣工决算审计评审工作方案》

工作目标 加强对竣工决算的审计、评审工作，规范和促进重建项目竣工决算工作顺利完成，提高竣工决算工作质量，准确核对工程费用、正确评价重建项目投资效益，总结重建经验，提高基本建设项目管理水平，确保项目建设符合建设程序，确保项目资金的规范使用和安全，确保审计评审工作的顺利完成。

对象范围 玉树州重建项目业主（建设）单位和援建单位为主要涉及评审对象，并延伸调查承建参建项目的勘察、设计、监理、咨询、建材（设备）供应等相关企业及单位，必要时可延伸至个人。审计、评审的范围涉及玉树州6县重建范围内的城乡居民住房、公共服务设施、基础设施、生态环境、特色产业和服务业、和谐家园以及其他项目等共7大类项目的竣工财务决算，以及与之有关的业主（建设）、勘察、设计、施工、监理、采购、供应等单位的财务收支。

内容和重点 一是项目资金来源及到位和使用情况审计评审；二是工程结算及竣工财务决算审计评审；三是资产建成及交付使用情况审计评审；四是项目收尾工程审计评审；五是项目

重建以后的玉树州城整体效果全景

资金节余情况审计评审；六是项目财务管理及会计制度执行情况审计评审。

审计评审程序　一是被审计单位应在项目竣工财务决算编制完成后的 15 个工作日内向省审计厅、省财政厅提出竣工财务决算审计评审申请。省审计厅、财政厅接到项目法人单位申请后 15 个工作日内作出审计安排意见。二是审计厅和财政厅联合组成审计评审组，并向被审计单位送达审计评审通知书。三是审计评审组对重建项目竣工财务决算审计评审结束后，要及时提交审计报告（评审报告）征求意见稿，并征求重建项目法人单位和援建单位意见。四是省审计厅、财政厅根据审计评审组的审计报告和评审报告以及被审计单位的反馈意见，出具玉树地震灾后重建项目竣工财务决算审计报告、评审报告。五是省审计厅根据审计报告下达审计决定；省财政厅根据评审报告进行竣工决算批复。被审计和评审单位必须严格执行决定和批复，并将执行情况分别报告省审计厅和省财政厅。

时间节点安排　根据玉树州灾后重建项目建设进展情况，重建项目竣工决算审计、评审分两阶段实施。

第一阶段：2013 年 1—9 月。完成对称多、曲麻莱、治多、杂多、囊谦 5 个县以及辽宁省援建的玉树县巴塘乡、海南省援建的玉树县上拉秀乡重建项目竣工决算审计、评审。

第二阶段：2013 年 10 月至 2014 年 12 月，完成对玉树州及玉树县剩余重建项目的竣工决算审计、评审。

第二篇 青海省实施重建

2010 年 4 月 20 日，青海省抗震救灾指挥部会议启动灾后重建工作。随后，省委、省政府成立青海省玉树地震灾后恢复重建工作领导小组、省玉树地震灾后重建现场指挥部。玉树州委、州政府相继成立玉树州玉树地震灾后恢复重建领导小组、玉树地震灾后恢复重建指挥部，下设 12 个工作组。2011 年 4 月，州委、州政府决定成立玉树州灾后重建党的基层组织建设领导小组等 16 个专项工作领导小组。按照省、州玉树地震灾后恢复重建指挥部的统一部署要求，玉树县委、县政府全力以赴开展灾后恢复重建工作。根据国务院《关于做好玉树地震灾后恢复重建工作的指导意见》，省政府组织省玉树地震灾后重建工作领导小组有关成员单位，按照《玉树地震灾后恢复重建总体规划》的安排，结合玉树灾区实际，编制了玉树地震灾后恢复重建《农牧区建设规划》《城乡居民住房建设规划》《基础设施建设规划》《公共服务设施建设规划》《生产力布局和产业结构调整规划》《防灾减灾和生态修复规划》《市场服务体系规划》《土地利用规划》《文化遗产恢复抢救规划》《玉树结古镇灾后重建总体规划》等 10 个专项规划，同时研究制定了涉及土地、财税、金融、教育、社会保障等一系列工作政策，为圆满完成重建任务、实现重建目标奠定了坚实基础。省玉树地震灾后重建现场指挥部对《总体规划》提出的目标任务分轻重缓急，制订年度工作计划，分解任务，对在重建过程中出现的新问题、重大疑难问题提出相关的对策措施，化不利因素为积极因素。同时，为营造良好的社会环境，从加强舆论宣传引导、社会治安管理、城镇交通秩序、城乡居民住房分配等方面入手，不断创新重建工作机制，保障了玉树灾后重建的有序、有力推进。

众志成城　抗震救灾

第一章　省灾后重建领导机构

第一节　领导小组

一、省玉树地震灾后恢复重建工作领导小组

2010年4月27日，青海省委、省政府决定成立青海省玉树地震灾后恢复重建工作领导小组，由省委副书记、省长骆惠宁任组长；省委常委、副省长徐福顺任第一副组长；省委常委、省军区司令员张书领，副省长邓本太、王令浚、高云龙、张光荣、马顺清、张建民，武警青海总队总队长谢才书，省政府秘书长高华，玉树州委副书记、州长王玉虎任副组长。成员由省委宣传部、省人民政府组成部门主要负责人及省有关企业负责人组成。成员名单如下：

王向明　　省委宣传部常务副部长
徐连生　　省政府副秘书长
姚海瑜　　省政府副秘书长
曹文虎　　省发展改革委主任
张守城　　省经委主任
王予波　　省教育厅厅长
解　源　　省科技厅厅长
普日哇　　省民宗委主任
李东平　　省国家安全厅厅长
张文林　　省监察厅厅长
更　阳　　省民政厅厅长
毋法祥　　省司法厅厅长
程丽华　　省财政厅厅长

纪仁凤　　省人力资源社会保障厅厅长
刘山青　　省国土资源厅厅长
赵浩明　　省环境保护厅厅长
匡　湧　　省住房城乡建设厅厅长
杨伯让　　省交通厅厅长
于丛乐　　省水利厅厅长
曹　宏　　省农牧厅厅长
何少民　　省商务厅厅长
曹　萍　　省文化新闻出版厅厅长
苏　宁　　省卫生厅厅长
张进京　　省人口计生委主任
张国生　　省审计厅厅长
解小平　　省外事办主任
党明德　　省地方税务局局长
侯碧波　　省统计局局长
鲍玉璋　　省工商局局长
李三旦　　省林业局局长
周忠诚　　省质量技术监督局局长
刘建青　　省安全生产监管局局长
刘伟民　　省人防办主任
罗松达哇　省扶贫开发局局长
冯建平　　省体育局局长
吴大伟　　省旅游局局长
杨俊岭　　省测绘局局长
马忠孝　　省供销联社主任
刘江民　　省消防总队总队长
王　勇　　玉树州委常委、副州长
饶　勇　　省国家税务局局长
陈晓光　　省气象局局长
张新基　　省地震局局长
宋海宁　　省邮政管理局局长
章建良　　省通信管理局局长
王小平　　人行西宁中心支行行长
冷云竹　　青海银监局局长
赵衍亮　　青海保监局局长

王怀明　　省电力公司总经理
宗贻平　　中石油青海油田公司总经理
胡红斌　　民航青海监管办主任
程珠祖　　西宁机场公司总经理
卢永忠　　青藏铁路公司总经理

领导小组办公室设在省发展改革委，曹文虎兼办公室主任。

同时，成立省玉树地震灾后重建规划协调小组。规划协调小组向灾后重建工作领导小组负责，主要任务是组织专项考评、编制灾后重建规划、研究提出政策建议。规划协调小组组长由徐福顺兼任，省发展改革委、省住房城乡建设厅、玉树州政府负责人任副组长，省政府相关部门为成员单位。

二、省玉树地震灾后重建后续工作协调领导小组

2012 年 12 月，省委、省政府决定成立青海省玉树地震灾后重建后续工作协调领导小组，取代原青海省玉树地震灾后重建工作领导小组，行使灾后重建后续工作的协调领导职责。

后续工作协调领导小组的组成：由省委副书记、省长郝鹏任组长，副省长马顺清任常务副组长，副省长张建民、程丽华任副组长。领导小组成员由省政府有关委（办、厅、局）、玉树州、省红十字会、省慈善总会主要负责人共 23 人组成。

重建后续工作领导小组工作职责：按照省委、省政府关于 2014 年全面完成玉树地震灾后重建后续工作的总体要求，继续发挥“四个一体化”的工作机制，采取有力有效措施，加强组织协调，推进工程质量整改、工程验收及移交，加强工程项目审计、资金清算及决算、工程资料收集归档、设施运营管理等重建后续重点工作。

重建后续工作领导小组下设办公室，由匡湧兼任办公室主任，王玉虎、沈传立、晁海军任办公室副主任。办公室内设综合部、项目协调组、工程协调组、资金清算组、审计评审组、生态修复组等机构。

第二节　现场指挥部

一、省玉树地震灾后重建现场指挥部成立与调整

为全面保障玉树地震灾后重建规划的组织实施和各项工作的有力、有序、有效开展，经省委、省政府研究决定，成立省玉树地震灾后重建现场指挥部。2010 年 5 月 9 日，省委办公厅、省政府办公厅印发《关于成立省玉树地震灾后重建现场指挥部的通知》，明确指挥部主要职责及工作关系，指挥部组成人员以及指挥部下设的各工作组的职责，根据重建工作需要，经省玉树地震灾后重建工作领导小组研究，于同年 7 月 5 日，对省重建现场指挥部所管辖机构、内设机构及职责分工作了必要的调整，成立了城乡规划委员会和对口援建协调委员会，为省现场指挥部所辖机构，将原 15 个工作组归并为 9 个工作组。与此同时，玉树州及各县也相应成立重建工作领导机构，负责本区域的重建工作。

二、现场指挥部主要职责及工作关系

玉树地震灾后重建工作在省委领导下，由省人民政府负总责（通过省玉树地震灾后重建工作领导小组实施），省玉树地震灾后重建现场指挥部对重建工作领导小组负责，按照国务院及省政府决策部署，承担玉树灾后重建投资实施的组织协调、督促检查和现场指挥等职责。

参与灾后重建的部队、武警参加灾后重建实行军地联动。

玉树州委、州政府参与灾后重建现场指挥部领导工作，并承担灾后重建项目业主职责，具体承担和落实灾后重建的主要任务。

省玉树地震灾后重建工作领导小组办公室负责协调省现场指挥部提请省玉树地震灾后重建工作领导小组研究的重大问题。

三、现场指挥部组成人员

指　挥　长：马顺清　　省政府副省长
第一副指挥长：张建民　　省政府副省长
副 指 挥 长：党国际　　省军区参谋长
　　　　　　贾应忠　　玉树州委书记
　　　　　　王玉虎　　玉树州委副书记、州长
成　　　员：指挥部下设的各工作组组长、副组长

四、现场指挥部下设机构（下设15个工作组）

清墟工作协调组（工作结束后撤销）

组　长：王玉虎　　玉树州委副书记、州长

副组长：姚宽一　　省住房城乡建设厅副厅长

　　　　陆宁安　　省交通厅副厅长

　　　　昂旺索南　省军区副参谋长

　　　　江永俄色　玉树州副州长

职　责：负责协调危房鉴定、拆除、废墟清理、可利用建材回收利用等工作。

过渡安置工作协调组（工作结束后撤销）

组　长：王玉虎　　玉树州委副书记、州长

副组长：姚宽一　　省住房城乡建设厅副厅长

　　　　孙　林　　省民政厅副厅长

　　　　丹　增　　省军区玉树军分区副政委

　　　　才仁丁沛　玉树州副州长

职　责：负责协调群众安置用地与重建施工用地及受灾群众过渡安置期间基本生活保障等工作。

规划实施协调组

组　长：沈传立　　省发展改革委副主任

副组长：姚宽一　　省住房城乡建设厅副厅长

　　　　赵念农　　省农牧厅副厅长

　　　　冯兴禄　　省文化新闻出版厅副厅长

　　　　他扎西　　省教育厅副厅长

　　　　孙　林　　省民政厅副厅长

　　　　张世丰　　省水利厅副厅长

　　　　李志勇　　省国土资源厅副厅长

　　　　陆宁安　　省交通厅副厅长

　　　　王晓勤　　省卫生厅副厅长

　　　　张永军　　省商务厅副厅长

　　　　文化堂　　省民宗委副主任

　　　　徐　浩　　省旅游局副局长

　　　　全生明　　省电力公司副总经理

　　　　王　勇　　玉树州委常委、副州长

职　责：负责协调灾后重建期间规划统筹、政策研究、计划投资及重大建设项目安排等方面工作。

资金管理组

组　长：程丽华　　省财政厅厅长

职　责：负责灾后重建资金的统筹、拨付和管理等工作。

建材供应保障协调组

组　长：陈志忠　　省经委副主任

副组长：姚宽一　　省住房城乡建设厅副厅长

童光毅　　玉树州副州长

职　责：负责协调灾后重建所需钢材、水泥等大宗建材的省内生产、组织供应。

运输保障协调组

组　长：陆宁安　　省交通厅副厅长

副组长：刘爱民　　兰州军区联勤部 25 分部副部长

陆元庆　　省公安厅副厅长

朱华新　　青藏铁路公司副总经理

邹展业　　西宁机场公司副总经理

杨志峰　　玉树州副州长

职　责：负责协调落实灾后重建期间灾区道路通畅和所需重建物资运力保障。

土地利用协调组

组　长：李志勇　　省国土资源厅副厅长

副组长：江永俄色　玉树州副州长

职　责：负责协调落实灾后重建期间用地安排、土地整理、地质灾害防治等工作。

城乡住房建设协调组

组　长：匡　湧　　省住房城乡建设厅厅长

副组长：姚宽一　　省住房城乡建设厅副厅长

范士伟　　省安全生产监督局副局长

毛育生　　玉树州副州长

江永俄色　玉树州副州长

王森林　　西宁市建委主任

职　责：负责协调城乡住房建设的规划设计、施工力量调配、建筑质量、施工安全等工作。

公共服务设施建设协调组

组　长：匡　湧　　省住房城乡建设厅厅长

副组长：姚宽一　　省住房城乡建设厅副厅长

文化堂　　省民宗委副主任

他扎西　　省教育厅副厅长

孙　林　　省民政厅副厅长
冯兴禄　　省文化新闻出版厅副厅长
李卫平　　省人口计生委副主任
范士伟　　省安全生产监管局副局长
高大伟　　省广电局副局长
郭玉京　　省体育局副局长
王晓勤　　省卫生厅副厅长
周洪源　　玉树州副州长

职　责：负责协调公共服务设施建设的规划设计、施工力量调配、建筑质量、施工安全以及寺院恢复重建和重点文物保护重建等工作。

基础设施建设协调组

组　长：沈传立　　省发展改革委副主任
副组长：张世丰　　省水利厅副厅长
陆宁安　　省交通厅副厅长
郭臻先　　省环境保护厅副厅长
范士伟　　省安全生产监管局副局长
贾连青　　省通信管理局副局长
全生明　　省电力公司副总经理
尚龙庆　　中油燃气青海销售分公司总经理
朱长青　　中石油青海销售分公司副总经理
王　勇　　玉树州委常委、副州长

职　责：负责协调基础设施建设的规划设计、施工力量调配、工程质量、施工安全等工作。

农牧业、旅游业等产业恢复发展协调组

组　长：赵念农　　省农牧厅副厅长
副组长：沈传立　　省发展改革委副主任
陈志忠　　省经委副主任
钟海育　　省扶贫开发局副局长
徐　浩　　省旅游局副局长
毛育生　　玉树州副州长

职　责：负责协调农牧业、旅游业等产业恢复发展以及生产力布局、产业结构调整等工作。

市场服务体系建设协调组

组　长：李志刚　　省商务厅副厅长
副组长：达建宁　　省工商局副局长
王　成　　省供销联社副主任
孙海伟　　省邮政管理局副局长

石海城　　人行西宁中心支行副行长
乔正善　　省粮食局副局长

职　责：负责协调灾后重建中商贸流通、市场管理、金融服务等市场体系建设工作。

防灾减灾和生态修复协调组

组　长：沈传立　　省发展改革委副主任
副组长：任铁生　　省地震局副局长
王　莘　　省气象局副局长
李志勇　　省国土资源厅副厅长
郭臻先　　省环境保护厅副厅长
张世丰　　省水利厅副厅长
党晓勇　　省林业局副局长
布　尕　　玉树州副州长

职　责：负责协调各种次生灾害的防治和生态修复等工作。

监察审计组

组　长：党少云　　省监察厅副厅长
副组长：王继卿　　省审计厅副厅长

职　责：负责对灾后重建资金和物资的筹集、分配、拨付、使用和效果的跟踪审计；负责对灾后重建工作机构、工作人员廉政及履职情况的监督监察。

综合组

组　长：巨　伟　　省政府副秘书长
副组长：王全进　　省军区玉树军分区政委
夏学平　　省委宣传部副部长
付东明　　省总工会副主席
王　勇　　玉树州委常委、副州长
贾小煜　　省政府法制办副主任
龚国平　　省档案局局长
李洪卫　　省接待办副主任
夏吾杰　　省信访局副局长

职　责：负责现场指挥部各类文字材料、档案、管理、会务组织、公务接待、信访工作和对外宣传工作；负责军地及外援力量的协调联系工作；负责职工维权、劳动竞赛等工作；负责现场指挥部后勤保障工作；负责指挥部交办的其他工作。

另：聘请民族建筑、历史文化、工艺美术、旅游、生态环境保护等方面的专家作为省玉树地震灾后重建现场指挥部顾问。

五、现场指挥部调整

2010 年 7 月，为进一步适应全面开展灾后重建工作的需要，经省玉树地震灾后重建工作领导小组研究，决定对省玉树地震灾后重建现场指挥部所辖机构、内设机构及职责分工作了调整：

一是将省玉树地震灾后重建工作领导小组于 6 月 22 日决定成立的省玉树地震灾后重建城乡规划委员会作为省玉树地震灾后重建现场指挥部所辖机构。其主要职能是，组织审查灾后重建各乡镇总体规划、详细规划、专项规划、城市设计及其他重要的建筑工程设计方案；依据重建规划，提出并下达有关设计任务，确定重大重建项目选址，审核重建项目的规划和建设标准；确定不同地区各类建筑的风貌风格，组织制定建筑、景观与各类工程设计的指导原则和指导思想；承担省玉树地震灾后重建领导小组及省玉树地震灾后重建现场指挥部指派的其他任务。

二是将省玉树地震灾后重建工作领导小组于 6 月 28 日成立的玉树地震灾后重建援建协调委员会作为省玉树地震灾后重建现场指挥部所辖机构。负责协调解决各援建单位在重建过程中遇到的困难和问题。

三是将省玉树地震灾后重建现场指挥部原内设的 15 个工作组调整为 9 个工作组。

9 个工作组：综合组，规划、项目管理协调组，建材、运输、电力、施工保障组，产业恢复发展及生态恢复协调组，寺院重建文化遗产保护组，监察审计组，清墟组，过渡安置组，维稳组。

第三节　州、县工作机构

一、玉树州委领导指挥机构

为确保科学依法统一、有力有序有效地推进玉树地震灾后重建工作，早日实现“苦干三年、跨越二十年”的重建目标任务，玉树州委、州政府按照省玉树地震灾后恢复重建领导小组和省玉树灾后重建现场指挥部的要求，相继成立了玉树州玉树地震灾后恢复重建领导小组、玉树地震灾后恢复重建指挥部，下设综合组，规划、项目管理组，建材、电力运输施工保障组，产业恢复发展及生态修复组，防灾减灾组，寺院恢复重建和文化遗产保护组，资金监管和审计组，城乡住房建设组，基础设施建设组，清墟组，过渡安置组和维稳组 12 个工作组。

二、玉树州灾后重建专项工作领导小组

随着玉树地震灾后重建工作的深入开展，为扎实推进灾后重建各项工作，州委、州政府于

2011 年 4 月决定成立玉树州灾后重建党的基层组织建设领导小组等 17 个专项工作领导小组。各领导小组人员组成及职责分工情况如下：

玉树州灾后重建党的基层组织建设领导小组

副组长：李玉森　　州委组织部副部长

　　　　才　玉　　州委组织部副部长

　　　　索吉元　　杂多县委常委、副县长

成　员：共 16 名，由州委组织部、州属有关单位组织部干部组成。领导小组下设办公室、综合组、宣传组、后勤组、赴县工作组，承担对州、县及相关部门党的基层组织建设的宏观指导、综合协调、督查考评、宣传教育和后勤保障等工作。

玉树州灾后重建政策宣传领导小组

第一副组长：邓尔平　　州委常委、州委秘书长

副　组　长：周洪源　　州政府副州长

　　　　　　昂　嘎　　州政协副主席

领导小组下设办公室，由邓尔平兼办公室主任，卓华夏、马生成、朱学义、朱红光、东治、扎西错毛、王英任办公室副主任。办公室下设综合、政策宣传、新闻协调、对外宣传、文艺活动、文学文艺影视 6 个工作小组。

玉树州宗教活动场所灾后恢复重建工作领导小组

组　长：东坝阿宝　　州委副书记

副组长：罗松仁青　　州委常委、统战部部长

成　员：共 11 人，由州纪委、州发展改革委、州财政局、州审计局等单位、有关领导和州佛教学校校长等人员组成。

领导小组下设办公室，由州佛教学校校长文群兼办公室主任。办公室下设玉树县、称多县、杂多县、囊谦县、曲麻莱县 5 个赴县工作组以及法检、综合、文秘、总务 4 个工作小组。分别承担在寺院恢复重建中的工程质量监督、组织协调对接、公文及各种资料处理、归档以及后勤保障等工作。

玉树灾后重建项目协调对接暨结古地区党政机关事业单位建设项目管理工作领导小组

组　长：王　勇　　州委常委、副州长

副组长：黄立明　　州政府副秘书长

成　员：共 14 人，由州发展改革委、州建设局、州财政局、州水务局、州政协等有关部门干部组成。

领导小组下设办公室，黄立明兼办公室主任。办公室下设综合协调组、项目规划建设组、项目前期衔接组、土地管理组 4 个工作小组。承担灾后重建项目的规划衔接、项目前期工作，负责衔接结古地区党政机关事业单位重建项目用地手续的落实及项目建设的有关事宜。

结古镇产业恢复发展领导小组

组　长：毛育生　　州委常委、副州长

副组长：尕　桑　　曲麻莱县委副书记、县长

　　　　索南多杰　州经济贸易委员会主任

　　　　高　波　　玉树县委常委、常务副县长

领导小组下设综合办公室和 4 个业务小组，主要负责结古镇工业、商贸、运输、电力、电信、建筑、石油、金融、物流、粮油、餐饮服务等行业企业基本情况的调查统计核实工作；负责做好与有关部门和各领导小组办公室之间的协调，促进灾区产业恢复和发展。

结古镇灾后重建商住房及商业用房建设分配工作领导小组

组　长：白加扎西　州委常委、州政府副州长

副组长：董晓淇　　州委常委、州纪委书记

　　　　才仁公保　玉树县委副书记、县长

　　　　弋旺尕　　玉树县政协主席

　　　　更尕松保　州编办副主任

　　　　魏建雄　　州政协提案委员会主任

成　员：共 32 人，由玉树州政府各部门、州农行、州建行、州人行负责人，玉树县及结古镇领导以及 11 个建委会党工委书记组成。

领导小组下设综合协调组、规划技术组、政策研究组、资金管理组、督察督办组、商住房建设分配组、商业用房建设分配组 7 个工作小组。

德卓滩机关及驻地居民过渡安置点管理工作领导小组

组　长：邓尔平　　州委常委、州委秘书长

副组长：海　波　　州政府秘书长

　　　　寇双义　　州直属机关党委副书记

成　员：共 5 人，由州委办公室、州政府办公室、州统计局、州残联、州妇联有关领导组成。

领导小组下设管委会，组成人员：

主　任：寇双义　　州直属机关党委副书记

副主任：格　登　　州统计局调研员

　　　　张常江　　州残联副理事长

　　　　吕国庆　　州政府办公室副主任

　　　　旦增巴毛　州妇联副主席

　　　　张志清　　州委办公室副调研员

成　员：共 10 人，由州委、州政府各部门抽调人员组成。

管委会下设综合组、协调服务组、公共管理组 3 个职能工作小组。

玉树州道路交通环境整治工作领导小组

组　长：仁青才仁　州委常委、政法委书记

副组长：胡居正　　州政府副州长

石华杰　　武警青海省总队副参谋长、武警玉树州支队支队长

潘志刚　　玉树州公安局局长

成　员：共38人，由州委、州政府抽调有关单位干部及结古地区11个建委会党工委书记共同组成。

领导小组办公室下设指挥中心、出租车管理、交通整治、市政、宣传、纪检督查6个小组。分别负责组织开展交通环境整治法律宣传教育工作；开展对6县出租车营运市场的清理整顿；开展拆除镇区主要街道两侧违章建筑，清理马路市场，取缔占道经营；开展交通整治工作，查处执法部门工作人员的违纪违法行为。

玉树州灾后重建政策调研工作领导小组

组　长：布达哇　　州人大常委会副主任

副组长：姚圣刚　　州人大常委会党组成员

成　员：共8人，由州人大、州政协、州司法局、州国土资源局等部门抽调人员组成。

领导小组下设办公室、由州人大常委会法工委主任周新伟兼办公室主任。

玉树州灾后市场保障卫生防疫工作领导小组

副组长：索南多杰　州经济贸易委员会主任

东　噶　　州农牧局局长

潘志刚　　州公安局局长

尕玛朋措　州建设局局长

肖久尕　　州卫生局局长

冉庆坤　　州工商局局长

刘聚民　　州质监局局长

彭哇才仁　州食品药品监管局局长

巴桑旦周　州发展改革委副主任

张琨明　　州卫生局副局长

成　员：共11人，由州食品药品监管局、州价监局、州林业环保局、州卫生局、州人口与计生委等部门抽调干部组成。

领导小组下设办公室，由张琨明兼办公室主任。办公室下设市场供应组、物价管理组、卫生防疫救治组、市场监测组、食品药品卫生监督组5个工作小组。

结古镇灾后重建震前集资房安置、保障性住房建设工作领导小组

组　长：江永俄色　　州政府副州长

副组长：曲江尼玛　　州建设局副局长

成　员：共16人，由州交通局、州科协、州民政局、州水务局、州统计局、州社保局、州审计局、州经贸委、州教育局等部门抽调干部组成。

领导小组下设综合办公室和业务组，曲江尼玛兼综合办公室主任。

玉树灾后重建工程质量安全监督工作领导小组

组　长：江永俄色　州政府副州长

副组长：尕玛朋措　州建设局局长

　　　　李景禄　　州人大财经委主任

　　　　索昂旺毛　共青团州委书记

成　员：共 17 人，由州老干部局、州环保局、州发展改革委、州质监局、州民政局、州财政局、州国土局、州委统战部等部门选调干部组成。

领导小组下设综合办公室和工程质量监督巡查室，由才仁当智兼综合办公室主任。

玉树州金融支持灾后重建工作领导小组

组　长：胡居正　　州政府副州长

副组长：刘宝珊　　州政府副秘书长

　　　　魏　平　　中行玉树州中心支行行长

成　员：共 11 人，由州财政局、州人行、州审计局、州银监分局以及治多、杂多、曲麻莱、囊谦、称多各县财政局抽调干部组成。

领导小组下设办公室，由州财政局预算科科长任立新兼任办公室主任。办公室下设综合科、银行卡、信用体系建设科、担保与保险科。

玉树州灾后重建地材市场监管和生态保护工作领导小组

组　长：才仁丁沛　州政府副州长

副组长：阿　更　　玉树县委常委、副县长

成　员：共 23 人，由州、县政府各部门抽调干部组成。

领导小组下设办公室，由州农牧局副调研员袁生杰兼任办公室主任。

玉树地震灾后文物抢救保护工程建设工作领导小组

组　长：周洪源　　州政府副州长

副组长：旦周才仁　州文体广电局局长

　　　　昂文格来　州文体广电局副局长

成　员：共 12 人，由州人事局、州建设局、州广电局、州群艺馆、州公安局、州文管所、州图书馆等部门抽调干部组成。

领导小组办公室设在州文体广电局，由昂文格来兼办公室主任。领导小组下设督察组、项目组、协调组、安保组、档案组 5 个工作小组。

结古地区回迁安置工作领导小组

组　　　长：吴德军　　州委常委、玉树县委书记

常务副组长：才仁公保　玉树县委副书记、县长

副　组　长：仁　青　　玉树县政府副县长

　　　　　　昂格来　　州综治办副主任

　　　　　　尕玛才仁　共青团州委副书记

成　员：共 25 人，由结古地区 11 个建委会主任及玉树县有关部门抽调干部组成。

领导小组下设办公室，由尕玛才仁兼办公室主任。

结古镇区居民住房建设工作领导小组

组　　　长：吴德军　州委常委、玉树县委书记
常务副组长：才仁公保　玉树县委副书记、
副　组　长：高　波　玉树县委常委、常务副县长
王　仲　中国城市规划设计研究院规划技术负责人
范　渊　中国城市规划设计研究院规划技术负责人
杨宗涛　玉树县委常委、副县长
葛明林　称多县委常委、玉树县房屋评估组组长
张国强　玉树县人大常委会主任
弋旺尕　玉树县政协主席、风貌特色打造组组长
拉巴才仁　玉树县人大常委会副主任
公保才仁　州国土局副局长
仁　青　玉树县政府副县长
卜宗举　中铁建援建指挥部副指挥长
聂玉成　中铁工援建指挥部副指挥长
程胜利　中建援建指挥部基地党委工作部部长
张　宏　中水电援建指挥部副指挥长
孟　捷　北京市对口支援青海玉树指挥部工程建设处处长
冯　毅　北京市政指挥长

成员：共 46 人，由玉树县政府各分管副县长、县长助理、结古镇镇长、结古镇区 11 个建委会主任、玉树县各部门负责人共同组成。

领导小组下设办公室，仁青兼办公室主任。

三、玉树县灾后重建工作机构

灾后重建管理委员会　根据极重灾区结古镇的实际情况，经州委第十五次常委会研究，组建成立了西杭、扎西大同南、扎西大同北、当代、红卫、团结、解放、民主南路、民主北路、扎西科 10 个片区灾后重建管理委员会（以下简称“管委会”）。

管委会为玉树县委、县政府的派出机构，在县委、县政府的直接领导下开展工作，行使本辖区内党的建设和行政管理职能。

主要职责：

一是负责基层党组织建设、党风廉政建设和精神文明建设，灾后重建、科学发展工作，有效开展统战、宣传、人民武装、社会治安综合治理，目标管理等方面的工作；加强对民族宗教

事务、信访、工青妇群团组织的管理和服务。

二是宣传党和政府的各项方针政策，特别是灾后重建、科学发展的一系列政策法规，牢牢把握舆论导向，为全面展开灾后重建各项工作、推进科学发展营造良好的社会氛围。

三是扎实开展辖区内拆危清墟、群众过渡安置、宣传规划政策、服务援建队伍、强化治安管理、调解矛盾纠纷、统计各类数据、土地置换等重建基础性工作，为灾后重建各项规划落地铺平道路。

四是承担民政、人口和计划生育、流动人口管理、文化教育、医疗卫生、社会救济、残疾人事业、劳动和社会保障、环境保护、社区建设管理、消防安全等方面的职责。

五是负责协调与州县相关部门、援建单位、各片区管委会之间的关系，确保灾后重建各项工作有力有序有效进行。

六是加强与省、州有关部门及援建单位的联系协调，有序组织灾区群众通过投工投劳等形式参与恢复重建，开展生产自救，增加经济收入。

七是完成省、州和县委、县政府安排的其他工作。

主要工作关系：

管委会和结古镇党委、政府并行在县委、县政府的直接领导下开展工作；实行行政不隶属、业务不分家的管理模式。结古镇党委、政府主要对结古镇外围 6 个村按原有管理模式进行管理，并对 10 个管委会辖区土地规划、人员户籍管理等工作予以协助。镇区 5 个村实行结古镇和管委会按照工作性质和职能采取双重领导和管理。县直各业务部门负责对灾后重建管委会的业务指导，并协助开展相关工作。

各管委会领导和干部配备是按以下原则实施：各管委会配置副县级党工委书记 1 人并兼管委会主任，配备党工委副书记兼任纪委书记 1 人；配置正科级副主任 2 ～ 4 人；管委会辖区原则上每 500 户设一个社区，每个社区配备工作人员 3 ～ 5 人、协管员 5 ～ 10 人开展工作。各管委会主任或副主任人选从玉树县、州直机关和各县选调。其中，管委会主任兼综治维稳工作中心主任，负责开展社会治安综合治理和维稳工作；副书记兼纪委书记，人选从州、县组织部门选调，并分管党群宣传组、开展管委会党群宣传工作；规划建设组组长人选从州、县国土、城建等相关业务部门选调，负责开展规划建设工作。其余工作人员也从玉树县、州直机关和各县富有基层工作经验和能力的干部中抽调。同时，为解决工作人员不足的问题，还可聘用管区内有一定影响的人士、积极分子担任协管员。

管委会组成人员实行主任提名制和责任制，其副职及工作人员由管委会主任选调，县委、县政府审核把关确定。

建立州级干部联点和县级干部包片制度，定期深入联系点开展工作，主要负责政策性问题的研究指导，重大项目的落地和突出问题的协调解决。

灾后重建建设委员会　随着玉树灾后重建的大规模启动，玉树州委、州政府审时度势，适时转移工作重心，调整工作职能，决定组建结古镇区 11 个灾后重建建设委员会（下称“建委会”），以进一步整合工作力量，举全州之力圆满完成结古镇区灾后重建任务。于 2011 年 3 月 23 日在结古镇隆重举行建委会成立暨决战2011年灾后重建誓师大会。

建委会是在原管委会基础上，调整职能，强化力量，由原10个管委会调整为灾后重建建设管委会，同时新成立新寨灾后重建建设委员会和玉树县过渡安置管理委员会，从州直机关和各县抽调工作人员，进一步充实建委会工作力量。转型后的11个建委会在延续原管委会组织机构模式的基础上，对其内设机构及其职能亦作出相应调整，突出全面建设职能，使建委会真正成为灾后重建的组织者、群众意愿的锁定者、规划设计的执行者、民族风格的打造者、科学施工的管理者、工程质量的把关者、利益矛盾的调处者、新玉树建设的指挥者，是有力推进灾后重建重要的组织保证和人才支撑。

第二章　专项规划与地方政策

第一节　专项规划

一、《玉树地震灾后农村牧区建设规划》

《玉树地震灾后农村牧区建设规划》由青海省农牧厅、玉树州人民政府牵头，农业部发展规划司、省扶贫开发局、省水利厅、省交通厅、玉树州农牧局共同参与编制完成的，经青海省人民政府批准于2010年7月9日以青政〔2010〕52号文件印发相关部门组织实施。

规划在详细介绍玉树地区地震灾害前农牧业发展基本情况和地震灾损情况的基础上，提出了恢复重建的目标、重建项目、投资估算、实施时间进度及保障措施等。重建重点是全面恢复灾区、农牧业和农牧区基础设施，农牧业技术服务体系，努力使灾区农牧业综合生产能力、公共服务能力、基础设施保障能力明显提高，农牧民生产生活、生态保护和建设上一个大台阶。恢复重建的任务主要是牲畜暖棚及畜圈3630处，储草棚1551处，日光节能温室1325栋，动物防疫注射栏760个，生态畜牧业养殖小区5个，州、县、乡农牧业服务中心7个，购置生物质炉5080台、太阳能灶19886台，人工草地建设6.2万亩，草场围栏修复1223万米。上述项目总投资估算为5.513亿元。

二、《玉树地震灾后城乡居民住房恢复重建专项规划》

《玉树地震灾后城乡居民住房恢复重建专项规划》在住房城乡建设部的指导下，由青海省住房和城乡建设厅、玉树州人民政府牵头主编，省发展改革委、省财政厅、省民政厅、省农牧厅、省国土资源厅等部门共同参与编制完成。经青海省人民政府批准于2010年7月14日以青政〔2010〕61号文件印发有关部门贯彻实施。

规划实施范围是《玉树地震灾后恢复重建总体规划》确定的极重灾区、重灾区、一般灾区的 6 个县 19 个乡镇。按《总体规划》的要求，确定了恢复重建的规模、年度任务、建设标准、建造要求、建设方式等规定要求。对《总体规划》确定的玉树地震灾区城乡居民住房重建和维修加固的规模年度进行了任务分解。规定属维修加固的任务必须在 2010 年当年完成；新建住房任务到 2012 年全面竣工，配套设施进一步完善，居住环境优化提升。规划对城乡居民住房恢复重建投资作了测算，提出约需资金 96.18 亿元。其中，城镇住房恢复重建共需资金 47.91 亿元，农牧区住房恢复重建共需资金 48.27 亿元。

三、《玉树地震灾后恢复重建基础设施建设专项规划》

《玉树地震灾后恢复重建基础设施建设专项规划》由青海省发展改革委、玉树州人民政府牵头，省住房城乡建设厅、省交通厅、省水利厅、省农牧厅、省通信管理局、省电力公司、青海机场公司、青藏铁路公司等部门共同参与编成，具体编制任务由隶属于省发展改革委专司项目前期咨询业务的青海省工程咨询中心承担。该中心接受任务后，即刻成立了由中心主任张贺全为组长、总工程师仲莲为副组长的重建项目组，挑选专业技术骨干若干名实行封闭办公，多次赴玉树调研掌握第一手资料，在充分掌握灾损实际的基础上分析整理各有关职能部门提供的资料，以高度的责任感编制本规划，经过多次征求意见、修改完善，于 2010 年 6 月下旬完成编制任务，提交省政府审议。经省人民政府批准于 2010 年 7 月 12 日以青政〔2010〕55 号文印发玉树州人民政府和相关部门贯彻实施。规划根据玉树地震灾区实际以及未来发展的需要，从恢复重建和发展保障两方面安排了建设规模和重点建设项目。主要涉及交通、能源、通信、水利、市政设施、农牧区基础设施等领域。对 3 年恢复重建基础设施建设项目总投资进行估算，按恢复重建类与发展保障类两大类估算：一是恢复重建类项目总投资估算 105.22 亿元，其中交通 35 亿元、能源 11.06 亿元、通信 10.08 亿元、水利 3 亿元、市政 40.08 亿元、农牧区基础设施 6 亿元；二是发展保障类项目总投资估算 223.1 亿元，其中交通 145.5 亿元、能源 47.8 亿元、通信 14.8 亿元、水利 3.6 亿元、市政 6.2 亿元、农牧区基础设施 5.2 亿元。

四、《玉树地震灾后恢复重建公共服务设施建设专项规划》

《玉树地震灾后恢复重建公共服务设施建设专项规划》由青海省发展改革委牵头、省教育厅、省民政厅、省卫生厅、省人力资源社会保障厅、省文化新闻出版厅、省计划生育委员会、省广播电视厅、省食品药品监督管理局、省体育局、省残疾人联合会等部门参与编制、共同完成。省发展改革委委托青海省唯一具有综合类甲级工程咨询资质的青海省工程咨询中心承担该专规的编制工作。经青海省人民政府审议批准，于 2010 年 7 月 12 日以青政〔2010〕56 号文件印发。规划涉及教育、医疗卫生、计划生育、文化、新闻出版、广播影视、体育、社会服务、就业和社会保障、社会管理等 10 多个行业领域，主要内容包括地震灾害损失情况、恢复重建的指导思想和基本原则、规划目标、主要任务、投资估算及政策措施等。规划范围为玉树州6个县19个乡镇。共安排建设项目615个，其中恢复重建项目603个、发展建设项目12个，项目估算总投资74亿元。

五、《玉树地震灾后恢复重建生产力布局和产业结构调整专项规划》

《玉树地震灾后恢复重建生产力布局和产业结构调整专项规划》由青海省发展改革委牵头，省经委、省农牧厅、省商务厅、省旅游局、玉树州人民政府参与编制共同完成。省发展改革委委托青海省工程咨询中心具体承担编制任务。2010年7月12日，青海省人民政府批准并以青政〔2010〕57号文件印发实施。规划涉及高效生态农牧业、特色加工业、高原生态旅游业、商贸流通业、金融服务业等相关领域。围绕“让灾区人民生产生活上一个大台阶”的要求，立足于灾后恢复重建，统筹未来，产业发展；立足于生态保护，统筹产业布局；立足于发挥玉树产业比较优势，统筹产业结构调整。按“突出一镇，带动两线、兼顾多点”产业布局，以发展高效生态农牧业、特色加工业、高原生态旅游业为产业结构调整方向，促进商贸流通和金融服务业发展，推进城乡一体化进程，建设生态美好、特色鲜明、经济发展、安全和谐的社会主义新玉树。安排资金22.335亿元，其中高原生态旅游业投资14.335亿元（恢复重建类项目1亿元，发展保障类项目13.335亿元）、特色加工业项目8亿元（恢复重建类项目1.618亿元，发展保障类项目6.382亿元）。

六、《玉树地震灾后恢复重建防灾减灾和生态修复专项规划》

《玉树地震灾后恢复重建防灾减灾和生态修复专项规划》由青海省发展改革委牵头，省民政厅、省国土资源厅、省环境保护厅、省水利厅、省农牧厅、省林业局、省地震局、省气象局、省测绘局等部门给予积极配合和支持。省发展改革委委托青海省工程咨询中心承担具体任务。2010年7月12日，青海省人民政府批准并以青政〔2010〕58文件印发实施。规划涉及灾害防治、监测预警体系建设、应急指挥、综合减灾、环境整治和生态修复等方面，安排的建设项目分为恢复重建类项目和发展提升类项目。要求恢复重建项目必须严格按照《总体规划》确定的重建范围和项目组织实施，力争用3年时间基本完成灾后恢复重建任务。发展提升类项目，结合贯彻国家支持灾区发展、西部大开发等政策措施，多方争取，逐步落实。安排总投资为3.33亿元。其中，防灾减灾总投资1亿元，环境整治总投资1亿元，生态修复总投资（不含水土保持和草地植被建设）1.33亿元。以上估算投资仅为恢复重建项目投资，发展提升类项目投资未进行估算。

七、《玉树地震灾后恢复重建市场服务体系规划》

《玉树地震灾后恢复重建市场服务体系规划》由青海省商务厅牵头，中国人民银行西宁市中心支行、省粮食局、玉树州人民政府、中商商业发展规划院参与共同编制完成，是玉树地震灾区商贸服务、粮食流通、金融服务与市场服务体系恢复重建的重要依据。2010 年 7 月 4 日，青海省人民政府、商务部、中国人民银行、国家粮食局四部门以青政〔2010〕51 号文件联合发布实施。

规划提出的恢复重建目标是：2010—2012 年，完成市场服务体系恢复重建的主要任务，市场服务体系的功能得到恢复和提升，商业实施功能和辐射能力得到显著提升；粮食流通重点恢复重建省级和州级粮食储备库，完善粮食流通网络；金融服务重点恢复重建银行、保险等网点，积极为灾后重建提供金融服务。2013—2014 年，提升和完善灾区市场服务体系，逐步形成布局合理、设施齐全、功能配套、结构优化、特色突出的市场服务体系，实现传统商圈的恢复与重塑、特色商业的继承与发展、现代商业技术的应用与推广，把玉树打造建设成为区域性的商贸物流中心，服务于生态优美、生活富裕、和谐宜居的高原生态商贸旅游城市建设。建立完善符合玉树经济社会发展需要的多层次金融服务体系。

规划以优化布局、着力完善和提升市场体系服务功能为依托，提出了建设商品零售网络、生活服务网络、金融服务网络、商贸批发体系、物流配送体系、屠宰加工体系、粮食流通体系、市场监督体系八方面的主要任务。估算总投资为 11.65 亿元。其中，商贸服务恢复重建共需资金 7.14 亿元，粮食流通恢复重建共需资金 1.73 亿元，金融服务恢复重建共需资金 2.78 亿元。

八、《玉树地震灾后恢复重建土地利用专项规划》

《玉树地震灾后恢复重建土地利用专项规划》由青海省国土资源厅牵头，中国土地勘测规划院、国土资源部土地整理中心、青海省国土规划研究院、青海省土地统征整理中心等单位参与编制完成。2010 年 7 月 2 日，青海省人民政府与国土资源部联合以青政〔2010〕53 号文件印发实施。

规划根据《总体规划》提出在 3 年重建时间内努力实现土地利用目标：

一是保障灾后重建必需建设用地。统筹重建期间各类用地需求，合理安排用地规模。规划期间，安排城镇、村庄、基础设施等各类新增用地 1585 公顷。

二是节约集约利用土地。各类重建项目要充分利用原有建设用地和废弃地，尽量不占用牧草地、林地和耕地等农用地，优化用地结构和布局，恢复提升土地利用功能，促进城乡建设用地集约利用水平的提高。

三是大力推进土地整治。3 年重建期内要完成土地整治总面积 2139 公顷，其中复垦耕地 1160 公顷。

四是加强土地生态保护与修复。严格保护牧草地、林地、水域、耕地等具有重要生态功能的土地，积极修复三江源、隆宝国家级自然保护区受损土地生态功能，稳妥有序做好保护区核心区的退耕还林还草安排。

估算预测土地整治重大工程总投资为 1.2678 亿元。其中，极重灾区结古镇 0.8172 亿元，

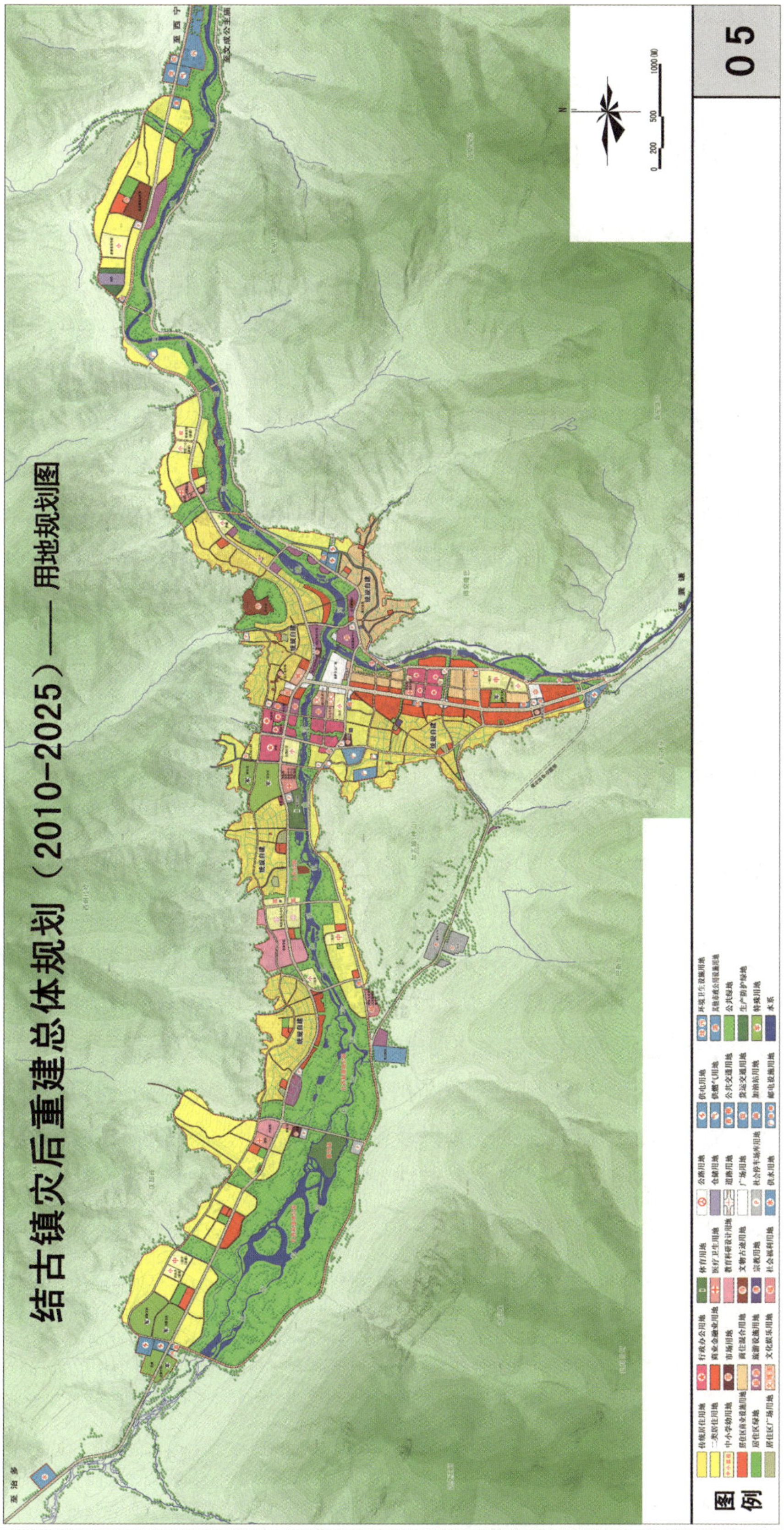

结古镇灾后重建总体规划图

占重大工程总投资 64.46%；重灾区隆宝镇、仲达乡、安冲乡、巴塘镇 0.4506 亿元，占重大工程总投资 35.54%。

九、《玉树地震灾后文化遗产恢复抢救规划》

《玉树地震灾后文化遗产恢复抢救规划》由青海省文化和新闻出版厅、青海省民族宗教事务委员会共同编制完成。2010 年 6 月 3 日，青海省人民政府批准并以青政〔2010〕47 号文件印发实施。

规划按照《总体规划》要求提出了对玉树地震灾后文化恢复抢救及宗教活动场所恢复重建的两大目标。一是通过灾后文物抢救保护修复工作，基本消除玉树灾区各级文物保护单位及文物遗存点现存的安全隐患，基本恢复灾区各级文物保护单位的历史原貌。二是要让灾区受损的宗教活动场所基本达到震前规模。对部分损毁僧舍、佛殿、经堂进行修复，对危房进行改造。恢复受损的水、电、路、广播电视、通信等基础设施，并统筹考虑相关配套设施，进一步改善僧侣生活条件。宗教活动场所恢复重建的最终目标是保护宗教文化遗产，维护民族团结，促进民族地区和谐稳定发展。

规划安排的恢复重建项目共 136 个，建设规模 221872 平方米。其中，文物恢复抢救 50860 平方米，宗教活动场所重建 171012 平方米。估算总投资 14.9 亿元。其中，文物恢复抢救投资 5 亿元，宗教活动场所恢复重建资金 9.9 亿元。

十、《玉树县结古镇（市）灾后重建总体规划》

《玉树县结古镇（市）灾后重建总体规划》由中国城市规划设计研究院编制，2010 年 6 月 19 日，青海省人民政府批准实施。规划包括城市建设用地、城市绿地系统、历史文化名城保护、城市综合交通、城市基础设施、城市环境保护、综合防灾体系等专题研究。在这一规划的指导下，根据结古镇恢复重建实际，玉树州人民政府相继组织编制了城市控制性详细规划、道路专题规划、城市市政专项规划、修建性详细规划以及给排水工程、燃气工程、供热工程、电力工程、电信工程、环卫工程、防灾减灾工程等专项研究，为科学有效有序实施《灾后重建总体规划》、实现恢复重建目标提供了有力的科技支撑。

第二节　地方政策

一、财税金融政策

财政政策　统筹安排各类重建资金。省财政和灾区各级财政通过调整支出结构，增加预算资金投入，与国家灾后恢复重建专项资金、社会捐赠及其他各类资金统筹安排，按国家批准的总体规划分年实施。根据重建目标和任务，中央和省级财政将分3年安排灾后恢复重建补助资金。2010年安排120亿元，其中中央财政安排90亿元、省财政统筹安排30亿元。2011年和2012年根据资金筹措情况再作安排。中央和省级财政在安排其他有关专项资金时，向灾区适当倾斜。

建立过渡期财力补助政策。恢复重建期间，在继续加大对玉树均衡性转移支付力度的基础上，建立过渡期财力补助政策。从2010年起，省财政分3年对玉树州每年安排过渡期财力补助3000万元，由玉树州统筹安排，保障机关事业单位正常运转和履行基本公共服务职能等。

支持融资平台建设。加大对玉树灾区的投入倾斜力度，进一步支持公益性项目政府信用担保、中小企业融资担保、创业小额担保、支农信用担保等融资平台建设。

明确恢复重建资金使用范围。按照灾后恢复重建任务，通过项目投资、居民个人补助、资本金注入，贴息等方法将恢复重建资金主要用于以下几个方面：一是城乡居民住房恢复重建；二是基础设施建设；三是公共服务设施恢复重建；四是宗教活动场所恢复重建；五是产业恢复重建；六是其他恢复重建。

税费政策　对灾区的企业、个人负担的税收，以及与抗震救灾和灾后恢复重建，促进就业等相关税收，按照国家有关规定予以减免，并从实际出发尽最大可能予以优惠。

对灾区企事业单位和个人，在恢复重建期间，一律免征各类行政性收费和政府性基金。具体政策措施由省财政厅牵头，省国税局、省地税局、省发展改革委等部门配合制定。

根据省政府要求，省财政厅、省国税局、省地税局、省发展改革委于2010年7月联合制定了《关于支持玉树地震灾后恢复重建税费政策的实施意见》。明确规定通过以下5条措施要减轻企业和个人负担：一是对受灾地区因地震造成严重损失的企业，免征灾后恢复重建期所在年度的企业所得税。二是对受灾地区企业取得的抗震救灾和灾后恢复重建款项和物资，以及与抗震救灾有关的减免税金及附加收入，免征企业所得税。三是在5年内免征受灾地区在农村信用社的企业所得税。四是对受灾地区企业、单位或支援受灾地区重建的企业、单位，进口国内不能满足供应并直接用于灾后重建的大宗物资、设备等，在3年内给予进口税收优惠。五是对受灾地区个人接受捐赠的款项、取得各级政府发放的救灾款项，以及参与抗震救灾的一线人员所取得的相关补贴收入，免征个人所得税。

支援灾区房屋建筑物等恢复重建的 5 项措施：一是政府为受灾居民组织建设的 80 平方米保基本的安居房建设用地，免征城镇土地使用税，转让时免征土地增值税。二是对地震中房屋倒塌的牧民重建住房占用耕地的，在规定标准内的部分免征耕地占用税。三是由政府组织建设的安居房，对所签订的建筑工程勘察设计合同、建安合同、产权转移书据、房屋租赁合同，免征印花税。四是对在地震中损坏的应缴未缴契税的居民住房，不再征收契税；对受灾居民按相关规定异地购买安居房和经济适用房的，免征契税。五是对有关部门鉴定因地震灾害损毁的房产、土地，免征灾后恢复重建期所在年度的房产税和城镇土地使用税。

鼓励社会各方支持灾后恢复重建的 4 项措施：一是对单位和个体经营者将自产、委托加工或购买的物资，通过公益性社会团体、县级以上人民政府及其部门捐赠给受灾地区的，免征增值税、城市维护建设税及教育费附加。二是对企业和个人通过公益性社会团体、县级以上人民政府及其部门向受灾地区的捐赠，允许在当年企业所得税前和当年个人所得税前全额扣除。三是财产所有人将财产（物品）直接捐赠或通过公益性社会团体、县级以上人民政府及其部门捐赠给玉树地震灾区或受灾居民，所书立的产权转移书据，免征印花税。四是对专项用于抗震救灾和灾后重建，能够提供由县级以上（含县级）人民政府或其授权单位出具抗震救灾证明的新购特种车辆，免征车辆购置税。符合免税条件但已经征收税的特种车辆，退还已征税款。

促进就业和再就业的政策措施：一是受灾严重地区企业在新增加的就业岗位中，招用当地因地震灾害失去工作的人员，与其签订一年以上期限劳动合同并依法缴纳社会保险费的，经县级人力资源社会保障部门认定，按实际招用人数和实际工作时间，予以定额依次扣除经营税、城市维护建设税、教育费附加和企业所得税。定额标准为每人每年 4800 元。二是对受灾地区因地震灾后失去工作后从事个体经营的人员，以及因地震灾后损失严重的个体工商户，按照每户 8000 元的限额，依次扣减其当年实际应缴纳的增值税、营业税、城市维护建设税、教育费附加和个人所得税。同时规定，在地震灾后恢复重建过程中，对灾区企事业单位和个人一律免收属于中央和省级收入的各类行政收费和政府性基金。

金融政策　加快恢复基层金融网点。受灾地区金融机构适当减免客户账户查询、挂失和补办、转账等收费。

加强受灾地区信用环境建设。保护受灾地区客户合法权益，对于符合现行核销、重组和减免规定的贷款，按照相关政策和程序及时核销、重组和减免。

建立奖补机制。鼓励银行企业金融机构加大对受灾地区信贷投放和网络建设。从恢复重建资金中安排部分资金专项用于支持受灾地区城乡居民建设和恢复生产的贷款贴息或担保。

对政府外债项目造成的损失给予债务减免。所需新增资金通过中央财政补助解决。

鼓励和支持在灾区新设小额贷款公司为灾区提供优质服务。对服务灾区“三农”事业和中小企业贡献突出的小额贷款公司，其缴纳的营业税及附加、印花税及其缴纳的所得税地方留成部分，3 年内予以返还，在灾区新增小额贷款公司，视其设立规模给予 10 万元至 50 万元的补贴。

二、土地政策

坚持土地公有制，保护公民财产权，维护土地使用者权益。对单位和个人在灾前使用的土地，凡没有权属争议纠纷，四邻确认并经公示无异议的，使用权原则上按原状予以确定。

对受灾居民安置住房及机关企事业单位，因地震造成房屋倒塌、损毁需要在原地重建或迁至异地重建的，免收新增建设用地土地有偿使用费和土地出让收入。

对利用政府投资、社会捐助以及自行集资等为受灾群众重建住房、基础设施、公益设施等用地可采用划拨方式供地。在原址重建的工业或其他经营性项目用地，无论投资性质，土地不再重新出让，可按原方式使用土地；异地重建的工业企业和按规划需要整体搬迁的工业企业，县级人民政府在收回其原有土地使用权的基础上，可采取划拨方式供地，并挂牌公示；对异地重建或按规划需要整体搬迁的其他经营性项目用地，同一宗地只有一个用地意向的，可采用协议出让方式解决。

在未对因灾降低的地价标准进行调整之前，对投资规模大、促进经济发展作用明显的新建工业或大型商业设施等项目用地。可根据实际情况降低地价标准出让。凡工业项目用地低于工业用地出让最低标准、商业等项目用地低于原评估地价的，报省级人民政府备案。

玉树灾后重建需要的新增建设用地。玉树州国土资源管理部门在省级下达的土地利用年度计划中优先安排，指标不足的，本着节约集约用地的原则，可预支安排，省国土资源管理部门在国家下达计划指标中给予追加认定。符合计划异地重建的城镇和村庄，凡废弃村庄和城镇具有复垦条件的，可以使用城乡建设用地增减挂钩周转指标。

对于纳入灾后重建规划、利用原建设用地的城镇村和配套基础设施用地以及受灾企事业单位搬迁用地。由县级人民政府按国家用地定额标准先行安排供地。灾后重建基础设施及其他用地涉及新增用地的，依法征用；涉及农用地转用和土地征收的，可以按规定边建设边报批；涉及占用耕地的，可以边占边补。对于灾后重建的土地进行确权登记时，用地手续齐全的，给予确权登记并颁发土地证书；用地手续不完备的，先确权登记，暂缓发证。

三、教育资助政策

特别资助范围及对象　特别资助范围是玉树地震的极重灾区和重灾区。特别资助政策的资助对象是生源地为玉树地震灾区中的极重灾区、重灾区的高中阶段及高等教育阶段学生；恢复重建期内迁出省外和玉树州外到省内其他地区就读的地震重灾区的初中和高中阶段学生。

资助政策的主要内容　一是对生源地为玉树地震极重和重灾区的高中阶段和高等教育阶段学生，从 2010 年 4 月至 2011 年 7 月，全部发放国家助学金或生活费补助，免除一学年的学费。新增资金全部由中央财政负担。资助政策具体内容为：免除 2010 年秋季学期至 2011 年春季学期，生源地为玉树地震极重和重灾区的高中阶段学生、普通高校全日制本专科在校学生的学费。对接收上述范围学生的中等职业学校和普通高中，中央财政分别按一学年每生 2000 元和 900

元的标准一次性安排补助资金；中央财政对接收上述全日制本专科学生的高校给予补助，其标准为年人均4200元。对上述范围的学生给予生活费补助，2010年4月至2011年7月。对普通高中学生补助每人每年1000元，所需资金从中央集中的彩票公益金中安排，通过中国教育发展基金会发放；中等职业学校学生继续执行现行国家助学金政策，年生均标准仍为1500元；对高校全日制本专科在校生，发放国家助学金，平均资助标准为年生均2000元，所需资金全部由中央财政负担。

二是对恢复重建期内迁出省外和玉树州外到其他地区就读的初、高中阶段的极重灾区、重灾区学生，从2010年秋季学期起全部免除学费和住宿费，并发放生活费补助，所需资金以中央财政综合定额补助为主，迁入迁出地政府适当负担。中央财政综合定额补助标准为初中每人每年4500元，普通高中每人每年5500元，中等职业学校每人每年6500元。

三是继续在灾区就读的义务教育阶段学生，执行现有的经费保障和补助政策。全面免除城乡义务教育阶段学生学杂费，免费提供教科书，对家庭经济困难寄宿学生补助生活费。

省玉树地震灾后重建现场指挥部要求全省各地区、各有关部门和学校要高度重视对玉树地震灾区实施教育特别资助政策的工作。对高中阶段学校在校生、普通高校全日制本（专）科在校生以及2010年秋季新入学的学生，要实行“绿色通道”制度，即先办理入学注册手续，再根据核实的受灾情况，落实好有关资助政策，确保地震灾区的学生顺利、安心就学。

四、社会保障政策

2010年7月4日，省政府办公厅转发了省人力资源社会保障厅、省财政厅联合制定的《关于支持玉树地震灾后恢复重建就业和社会保险政策实施意见》，主要涉及两个方面：

加大就业培训援助力度　一是扩大就业援助范围。将玉树灾区城镇登记失业人员、未就业高校毕业生、因灾就业转为失业人员、失去生产资料的农牧业劳动者等全部纳入就业援助范围。二是开发公益性岗位。在地震灾后恢复重建期间，当地政府可根据需要开发卫生防疫、环境治理、交通协管、社区服务、治安管理等公益性岗位，给予不超过3年的岗位补贴和社会保险补贴。三是鼓励自主创业。就业援助对象在灾后初次自主创业或在灾后从事个体经营重新开业的，按规定享受税收减免和3年免收管理费、登记类和证照类等有关行政事业性收费优惠政策。同时。给予初次自主创业人员一次性开业补助费2000元。四是鼓励企业吸纳就业。在恢复重建过程中，省内各类企业凡吸纳灾区劳动就业，签订一年以上期限劳动合同并缴纳社会保险费的，按照劳动合同期限给予不超过3年的社会保险补贴和岗位补贴，社会保险补贴标准按单位缴纳的基本养老保险、基本医疗保险和失业保险费计算，实行先交后补。岗位补贴按每人每月200元计算。同时，按每人1000元的标准给企业一次性奖励。五是鼓励转移就业。鼓励和扶持灾区农牧民异地转移就业。提高职介补助标准，凡介绍灾区人员务工满6个月以上的，按省内200元／人、省外300元／人的标准给予职介补贴。就业援助对象到省内外就业的，按省外500元／人、省内150元／人（州内不补贴）的标准发给一次性交通补助。六是促进高校毕业生就业。鼓励和引导灾区高校毕业生积极报名参加服务基层的项目，在同等条件下优先录取玉树灾区高校毕业生。省内国家机关考录公务员、事业单位和街道社区招聘工作人员时，在同等条件下优先录(聘)用灾区毕业生并免收报名费和体检费。七是鼓励开展各类培训。恢复重建期间，对组织玉树灾区就业援助对象参加订单、定向和劳动预备制培训的，给予相应的培训补贴。组织玉树灾区初、高中毕业后回乡的“两后生”、复退军人、未就业大学生进行一年期以上的职业技能培训，培训期间按每人每月300元标准给予生活费补贴。

拓展社会保险政策扶持范围　一是免缴失业、城镇居民医疗保险费。恢复重建期间，玉树灾区凡参加失业保险的单位和个人免缴失业保险费、免缴期为1年。灾区凡2009年参加了基本医疗保险的城镇居民，2010年视为连续参保，并缴纳2010年度城镇居民基本医疗保险个人缴费。个人缴费所需资金从城市医疗救助资金中解决。二是缓缴城镇职工基本养老、基本医疗、工伤保险费和所有保险个人缴费，缓缴期限为1年。用人单位因地震灾害停产、歇业期间，可缓缴基本养老、基本医疗、工伤保险费，缓缴期间不征收滞纳金、不计利息。三是保障失业人员基本生活。参加失业保险的企业因地震灾害停产、歇业期间，对其暂时失去工作岗位的职工进行失业登记并发放失业保险金。对正在领取失业保险金的失业人员，适当延长发放失业保险金期限，延长期暂定为12个月。四是核销养老保险欠费。对因地震灾害无法恢复生产，经人民法院或有关部门宣告破产、关闭企业欠缴的基本养老保险费，在按国家有关规定使用破产财产清偿后，除企业缴费中应划入职工个人账户部分外，不足部分按有关规定报省人民政府批准后核销。五是落实地震灾害致残参保人员养老保险待遇。凡参加了职工基本养老保险的人员因地震灾害非因公致残，医疗期满经劳动能力鉴定委员会鉴定完全丧失劳动能力且缴费达到规定年限的，可办理退休手续。六是做好工伤认定和因工伤亡人员的工伤待遇发放。符合下列情形之一的应规定为工伤：参加抗震救灾的职工在抗震救灾中造成伤亡的；职工在工作时间、工作场所内因履行工作职责，由于地震原因造成伤亡的；职工因公外出期间由于工作原因受到地震伤害造成伤亡或下落不明的；在工作时间参加用人单位组织的与工作有关的活动等因地震造成伤亡的。对职工参加工伤保险伤亡的，在核实伤亡人数、伤残等级及具体待遇标准的基础上按规定支付待遇，所需资金使用玉树州统筹基金储备金，动用省级调剂金予以解决，确保灾区工伤职工待遇支付。职工未参加工伤保险伤亡的，其待遇由所在单位负责解决；单位无力支付的或不存在的，通过相关的社会捐助，社会救助制度予以解决。七是落实受灾人员医疗保险待遇。因地震受伤人员在紧急救助阶段实行免费医疗。对于后续医疗费用，凡参加了城镇职工(居民)基本医疗保险和新农合的，按照相关政策规定核报；未参加医疗保险和新农合的，从城乡医疗救助资金中给予适当补助。

五、伤残人员康复救助政策

实施因灾致残人员康复救助　一是对因地震截肢或原佩戴假肢在地震中受损的残疾人，紧急安装符合标准的国产普及型假肢。对因地震伤残或原配发的辅助器具在地震中受损的残疾人，视其实际需要免费配发轮椅、拐杖、坐厕椅、助听器等辅助器具。二是对受灾地区患白内障的视力残疾人免费实施复明手术，对低视力患者免费验配助视器。灾后恢复重建期对灾区 0 ~ 6 岁贫困残疾儿童实施抢救性康复救助，每人每年救助 1 万元。三是灾后恢复重建期间，每年为灾区残疾人综合服务中心配备价值 10 万元的伤残人员功能恢复训练器材。对灾区伤残人员开展康复训练和辅助器具适配工作，对因地震导致心理、精神障碍的人员免费提供心理康复治疗，发放治疗药品。

扶持残疾人教育和就业创业 一是对因灾致残的中小学生在灾后恢复重建期全部实行免费教育。对考入高等院校的残疾大学生，从省贫困大学生救助基金中一次性给予每人 4000 元补助。二是将受灾地区残疾人优先纳入就业援助范围。在政府开发的公益性岗位中优先安置因灾失业的残疾人就业。三是免征恢复重建期受灾地区用人单位残疾人就业保障金。四是对灾区残疾人免费开展就业和实用技术培训。每年举办 3 期，连续举办 3 年。

六、产业恢复和发展扶持政策

2010 年 7 月 15 日，省政府办公厅行文转发了由省经委、省商务厅、省农牧厅、省旅游局联合制定的《关于玉树地震灾区产业恢复和发展扶持政策意见》（青政办〔2010〕160 号文），提出产业恢复和发展的重点领域及扶持政策。

扶持产业发展的重点领域 一是发展生态畜牧业和种植业。二是扶持农畜产品加工业发展。三是推动民族手工业发展。四是支持建筑材料业的恢复和发展。五是加快区域商贸流通中心建设步伐。六是恢复重建和提升重点旅游景区景点。

扶持政策措施 一是对玉树灾区内符合国家产业政策，符合重建规划的产业发展建设项目，在积极争取国家各类扶持专项资金的同时，优先考虑和安排省级各类扶持产业（企业）发展的专项资金，通过贴息的方式进行支持，促其发展壮大。在恢复重建资金中安排一定的贴息、补助资金帮助在地震中房屋、厂房和设备等损毁严重的企业恢复重建。二是省级产业结构调整和振兴扶持资金。中小企业发展专项资金优先对符合条件的灾区农畜产品加工业、民族手工业和建材业等特色工业企业恢复重建项目进行贴息和补助，并加大对灾后重建特色工业项目前期费用的支持力度。三是结合国家中小企业银河培训工程。积极组织开展生产现场管理、信息化、人力资源、创业等专业培训工作，加大企业人员培训力度。恢复重建期间，安排玉树灾区企业管理、技术等人员免费参加相关培训 300 人次以上；培训旅游行政管理人员、旅游从业人员 2000 人次。四是鼓励和支持青海省中小企业服务、科研和中介服务机构在玉树灾区设立分支机构或开展相关服务。提供技术、管理、信息、培训等一揽子综合性服务。五是鼓励省内中小企业信用担保机构等融资性担保机构面向灾区企业，积极开展免费或低收费融资性担保服务。对灾区企业开展的融资性担保服务收费低于同期银行贷款利率 50% 的差额部分，从中小企业发展专项资金中给予适当补助。六是在玉树灾后恢复重建期间，对企业和个人，全部免收企业注册登记费、个体工商户注册登记费、特色加工业产品生产许可证费。七是积极支持少数民族特需商品和民族手工艺品生产企业进入全国少数民族特需商品定点企业名录。对进入名录的企业，人民银行给予流动资金贷款贴息。八是从省级农牧业产业化扶持资金安排一部分资金，重点支持农畜产品深加工企业恢复重建。对符合条件的玉树灾区州级农牧业产业化龙头企业，优先认定为省级农牧业产业化龙头企业，并给予资金支持。九是扶持商贸企业和市场发展。“双百市场工程”“万村千乡市场工程”等商贸服务和市场建设的财政性资金向灾区市场服务体系恢复重建重点项目和商贸物流等倾斜；在灾后市场服务体系建设中，对恢复重建批发市场、农贸市场、储备库、屠宰场等准公益性项目，由财政给予补贴。十是开展以高原生态旅游目的地为重点的旅游宣传推介活动。紧扣“三江源”生态旅游主题，支持开发“思源之旅”“感恩之旅”“探险之旅”等旅游产品，做精、做优玉树旅游市场。对旅游企业组团进玉树旅游的给予适当奖励。十一是对灾区原有的旅游企业。采取项目投资由财政补贴、贷款贴息等支持方式，加快恢复重建进程，并给予玉树地区旅行社暂退全额质量保证金 5 年的支持。十二是安排省内其他地区的旅游星级宾馆饭店，开展对口支援活动，积极帮助分流玉树地区宾馆饭店服务人员，在安排好工作岗位和按规定支付其劳动报酬的情况下，解决好食宿问题。

第三章　工作措施

第一节　工作方案

一、审查审批工作方案

总体要求　为进一步优化重建项目规划管理流程，确保规划审查质量，严格规划实施审批程序，明确工作职责，有序推进玉树地震灾后重建规划工作，省玉树地震灾后重建城乡规划委员会根据《中华人民共和国城乡规划法》、省人民政府《关于印发规范玉树地震灾后恢复重建项目审核管理工作的意见》（青政〔2010〕45 号）等法规政策的要求，制定了《玉树地震灾后重建规划审查审批工作方案》（以下简称“《方案》”）。提出玉树地震灾后重建规划工作，要全面贯彻落实科学发展观，坚持以人为本、尊重科学、尊重自然的原则；要充分把握政府主导、专家领衔、群众参与、科学决策的原则；要坚持统一部署、分级负责、相互衔接、规范有序、依法推进的原则。规划审查工作要严把评审关，方案评选要优中选优，充分体现时代特征、地域风貌和民族特色。规划审批工作要坚持属地管理、简化手续、严格把关、规范管理的原则。

城乡规划的审查、审批　一是城镇总体规划的审查、审批。玉树州 6 个县城所在地的城镇总体规划由省规委会组织技术审查。县人民政府组织公示，征求意见，修改完善，报请同级人大审议通过后，报玉树州人民政府，由州人民政府报省人民政府审批。其他镇的总体规划由镇人民政府组织公示，征求意见，修改完善，经镇人民政府研究同意，报请同级人大审议通过后，报所在县人民政府审查、审批。其中，重灾区隆宝、巴塘、安冲、仲达乡镇的总体规划由省规委会组织技术审查。二是城镇控制性详细规划的审查、审批。县人民政府所在地镇的控制性详细规划，由县人民政府城乡规划主管部门根据镇总体规划的要求组织编制，经县人民政府批准后，报本级人民代表大会常务委员会和州人民政府备案。其中，玉树县结古镇控制性详细规划需报州人民政府批准。其他镇人民政府根据镇总体规划要求，组织编制本镇的控制性详细规划，报县人民政府审查、审批。三是城镇修建性详细规划的审查、审批。镇区的修建性详细规划由当地的城乡规划建设行政主管部门审查、审批，报县人民政府和县人大备案。四是乡规划的审查、审批。乡人民政府组织编制乡政府所在地乡规划，经同级人大审议通过后，报县人民政府审查、审批。五是村庄规划审查、审批。乡镇人民政府组织所辖区域内村庄规划编制，报县人民政府审查、审批。村庄规划在报送审批前，应当经村民会议或者村民代表会议讨论同意。六是规划成果备案。鉴于在玉树地震灾后重建时期所编制的各项规划均属重建规划，因此，城镇总体规划和控制性详细规划批准后，由县政府将批准文件及规划成果报省规委会办公室备案。乡规划及村庄规划批准后，由县规划主管部门将批准文件及规划成果报省规委会办公室备案。

重建项目设计方案的规划审查　一是审查机构及程序。重建项目设计方案审查实行分级审查。分别由省规委会和州、县专家技术组进行审查。一般项目由玉树州政府组织成立的专家技术组进行设计方案规划审查，审查同意后，由州或县规划主管部门将方案及审查意见报省规委会办公室备案。重点项目由省规委会进行设计方案规划审查（详见表 2–1）。由省规委会审查的项目设计方案，须先经州或县专家技术组进行初审，初审同意后由州或县规划主管部门报省规委会审定。二是审查的重点内容。省规委会及州政府、各县政府对重建项目设计方案进行规划审查，其审查重点为：投资、规模是否超计划批复；规划用地范围、开发强度、日照要求、绿地率以及建筑物退让红线、避让四邻建筑物等规划强制性条件执行情况；建筑形体与形象是否符合城市设计等规划引导性条件要求，是否能够体现时代特征、地域风貌和民族特色。三是报送资料的要求。报送的规划成果应满足规划设计条件、设计任务书的要求，符合规定的建设规模、投资规模，并由设计单位盖章认定。应将规划设计条件、设计任务书作为附件同时报送。报审的规划设计方案应达到修建性详细规划设计要求，图纸应包括：规划用地红线图、规划用地现状分析图、规划总平面图、建筑单体平面布置图、立面图、剖面图、透视效果图、鸟瞰图以及竖向设计和日照分析报告。报送资料应包括纸质文本 6 套、电子文件 1 份。

重建项目规划审批工作　玉树州各县县城所在地镇规划区内地震灾后恢复重建项目规划审批依法实行选址意见书、建设用地规划许可证、建设工程规划许可证制度等。按照属地管理的原则，由县规划主管部门负责审批和发证管理。规划和审批、办证统一使用灾后恢复重建规划行政审批信息化系统进行。该信息化系统由省住房城乡建设厅负责建立并具体指导使用。其他镇、乡规划区内地震灾后恢复重建项目规划审批由玉树州建设局按照《中华人民共和国城乡规划法》，根据当地实际情况，制定具体的审批办法、程序后实施审批。一是选址意见书的核发。县城所在地镇规划区内的重建项目，建设单位向县城乡规划主管部门申请核发选址意见书。县人民政府城乡规划主管部门依据控制性详细规划，会同相关部门共同进行项目建设选址初选，项目建设地址拟定后报县级政府确定。其中，玉树县结古镇内的重建项目需报玉树州政府确定。二是建设用地规划许可证的核发。县城所在地镇规划区的重建项目，建设单位在申请办理用地审批前，持建设项目批准、核准、备案文件和 1∶500 地形图（电子版），向县城乡规划主管部门申请核发建设用地规划许可证。已取得国有土地使用权的原址恢复重建项目也需办理建设用地规划许可证。受理申请的城乡规划主管部门，依据控制性详细规划提出规划条件，并划定用地红线图；属规委会审查项目，交由规委会技术组提出规划条件、规划用地红线图。规划条件应当对地块的位置、范围、使用性质、地块的容积率、建筑密度和建筑高度，交通出入口方位、停车场、疏散通道、绿地、公共服务设施的配置以及建筑空间环境控制要求等内容提出具体要求。三是建设工程规划许可证的核发。县城所在镇规划区内的重建项目，建设单位在取得国有土地使用权证后，持项目国有土地使用权证、项目建设总平面图、建设设计方案向项目所在地县城乡规划主管部门申请核发建设工程规划许可证。受理申请的城乡规划主管部门，按照分级审查的原则，属州、县政府审查的项目，由州、县城乡规划主管部门进行审定，发放建设工程设计方案批准书。属省规委会审查的项目，先经州政府或县政府进行初审，同意后由州、县规划主管部门交由省规委会组织专家进行审查，提出审查意见。建设单位按审查意见修改完善后，省规委会技术组进行审定，发放建设工程设计方案批准书。四是重建项目实施规划的监督管理工作。施工单位在建设工程开工前，应在施工现场公示规划许可内容和建设工程设计方案。建设单位在开工前，应邀请建设工程规划许可证的发证机关进行验线，否则不得开工。建设单位在基础工程或者隐蔽工程完工后，应邀请建设工程规划许可证的发证机关进行验线。建设工程竣工后，建设单位持建设工程竣工相关资料，向建设工程规划许可证发放机关申请规划核实。经核实符合建设工程规划许可证要求的，许可机关应当核发建设工程规划核实确认书。未经核实或者经核实不符合许可要求的，建设单位或者个人不得组织竣工验收，不得交付使用。建设单位应当在工程竣工验收后 6 个月内向工程所在地县城乡规划主管部门报送有关竣工验收资料。

省规委会审查重点项目一览表

表 2-1

序号	项目名称	规划设计单位
1	康巴艺术中心	中国建筑设计研究院
2	玉树州博物馆	华南理工大学建筑设计研究院
3	玉树州城市中央湿地公园	中国城市规划设计研究院
4	玉树结古镇两河景观规划	中国城市规划设计研究院
5	玉树州行政中心	清华大学建筑设计研究院
6	新寨嘉那嘛呢石经城规划（含石经城申遗核心区）	清华大学北京中联环设计公司
7	玉树州文成公主纪念馆	中国建筑西南设计研究院
8	地震遗址博物馆	深圳市建筑设计研究总院
9	格萨尔广场	周恺工作室
10	游客服务中心	中科院建筑设计研究院
11	城市核心区城市规划	
12	红卫路景观规划	
13	胜利路景观规划	
14	民主路景观规划	

续表 2-1

序号	项目名称	规划设计单位
15	牦牛广场商业区	
16	唐蕃古道商街	
17	康巴风情商街	

二、"四保障""四控制"工作方案

"四保障"工作方案　青海省人民政府于 2010 年 7 月 2 日印发了《玉树地震灾后恢复重建建材供应保障方案》《玉树地震灾后恢复重建运输保障方案》《玉树地震灾后恢复重建施工保障方案》《玉树地震灾后恢复重建现场指挥调度方案》4 个保障工作方案（以下分别简称"《建材供应保障方案》""《运输保障方案》""《重建施工保障方案》""《重建现场指挥调度方案》"），为全面实施《总体规划》，顺利开展大规模灾后重建奠定了坚实基础。

《建材供应保障方案》　该《方案》明确重建建材供应的原则：一是坚持以灾后重建所需建材总量为依据，做好重建主要建材需求量测算，提前组织，加强储备，保障供应。二是统筹组织青海省及周边省区建材生产供应。三是集中采购坚持按法定程序进行，做到公开、公平和公正。四是加强对重建建材质量的监督和检查，确保各类建材安全、合格；加强对建材市场价格的监督检查，制止哄抬物价。五是积极引进国内外利用玉树资源和地震废墟材料生产新型环保节能建材的技术、设备和企业，扶持本省现有的建材企业扩大生产能力。该《方案》详细预测后提出重建期间总的建材需求量：三年重建约需水泥 590 万吨、钢材 100 万吨、木材 16 万立方米、新型墙砖 25 亿块、墙体砌砖 60 万立方米、门窗 300 万平方米、墙地砖 660 万平方米、玻璃 220 万平方米、砂石料 3200 万立方米、沥青 40 万吨、石灰 130 万吨。同时，还需数量不等的管材、洁具、电线电缆及五金制品等小宗材料。经过对青海省符合产业政策的建材生产企业的调研，省内仅能为玉树灾区提供少量水泥、钢材、墙体材料等。鉴于砂石料需求量大、附加值较低、远途运输成本极高、费效比倒置的实际，必须在保护生态环境的前提下，立足玉树，就地解决。经调查测算，重建所需的大宗建材大多数要从周边省区调入。总的缺口是：水泥 490 万吨、钢材 98 万吨、木材 14 万立方米、门窗 300 万平方米、标准砖 20 亿块、墙体砌砖 55 万立方米、墙地砖 660 万平方米，以及青海省企业不能生产的管材、洁具、电线电缆及五金制品等其他小宗建材。通过对青海周边省区建材生产能力调查，提出由甘肃、陕西、四川、河南、宁夏等省区有关生产企业定质、定量、定价、定时生产供应的分配计划，在工业和信息化部的指导协调和支持下，玉树灾区重建建材保障工作由省玉树地震灾后重建现场指挥部总体负责，指挥部下设的建材、运输、电力、施工保障组负责具体的建材保障工作。

《运输保障方案》　该《方案》预测三年灾后重建物资运输总需求将达 2300 万吨以上（不含本地采取的砂石料）。其中，水泥 590 万吨，钢材 100 万吨，标准砖 25 亿块（约 625 万吨），砌砖 60 万立方米，木材 16 万立方米，门窗 300 万平方米，玻璃 220 万平方米，瓷砖 660 万平方米，沥青40万吨。前2年每年预计运输1000万吨左右，高峰期日均运输量将达到10万吨左右。第三年运输400万~500万吨，以门窗、玻璃、瓷砖、洁具为主。至于客运方面，据预测，重建高峰时段灾区施工人员将达到10万人左右，大规模建设带来人员运输量的大幅增长，每年4—5月和9—10月会有两个单向运输的客运高峰，每年建设施工期间的客运量预计将超过65万人次。上述物资和客运任务，几乎所有的货物和95%以上的客流通过公路运输来完成，公路运输还承担为铁路、民航提供集疏运任务，其运输任务十分繁重。为确保重建运输保障方案的顺利实施，省玉树地震灾后重建工作领导小组决定由省玉树地震灾后重建现场指挥部总体负责，指挥部下设的建材、运输、电力、施工保障组负责具体的运输保障工作。西宁市、玉树州、海西州政府及省级有关厅（局、委、办），按省委、省政府统一部署。履行好各自的职责，全力以赴做好重建期间的运输保障工作。

《重建施工保障方案》 该《方案》指出，为确保玉树地震灾后重建工作顺利实施，力争用3年时间完成重建主要任务，必须坚持统一领导，分级分部门负责，在省玉树地震灾后重建现场指挥部的领导下，各协调组和省外两级政府及相关部门各负其责，确保工程施工顺利实施。该《方案》就玉树灾后重建施工的供电、供水、供油、医疗、施工临时住地、施工队伍、施工机械、资金、技术、应急、社会治安、后勤服务等方面的保障作了详细安排。同时，制定了相应的工作报告制度、协调会议制度、信息沟通制度、监督检查制度、宣传培训制度，以推进重建施工保障方案的全面落实。

《重建现场指挥调度方案》 鉴于玉树地区自然条件恶劣，平均海拔高，高寒缺氧；物资保障能力低，建筑材料缺乏；运输通道少，运输难度大；施工场地狭小，作业条件差；设计、施工等专业人才短缺，组织管理能力弱；灾后重建任务艰巨，时间紧迫，给灾后重建工程施工带来很大难度的实际情况，必须重视和加强重建工程现场指挥调度，以保障重建工程的有序、有效实施。该《方案》明确了现场指挥调度的原则：一是政府主导，统一指挥。省玉树地震灾后重建现场指挥部通过科学规划，统筹安排，合理确定工程实施的空间布局和时序安排，引导工程施工相对均衡有序进行，并统一负责重建工程现场的指挥调度。二是市场调节，减少干预。行政措施和市场机制相结合，并主要通过经济手段实施现场指挥调度，充分发挥市场对资源调配的决定性作用，尊重企业经营自主权，不干预企业的内部安排和管理工作。三是以人为本，科学指挥。重建工程现场指挥调度要充分考虑当地的气候特点，科学合理安排重建任务，保障参建人员的身体健康。四是加强协调，督促检查。按照安排部署，协调地方政府、对口援建单位、灾后重建部队、武警等的关系，组织灾后重建规划的实施，督促检查重建项目的落实。该《方案》要求各对口援建单位、大型企业、军队和武警在玉树地区要设立办事处或指挥部等机构，作为现场指挥调度的平台。参与重建的主要规划编制单位、勘察设计单位等也必须在玉树地区派驻技术人员，负责相应的衔接协调工作，现场处理必要的规划调整、设计变更事项，解决现场出现的技术问题。

省玉树地震灾后重建现场指挥部通过实行协调会议、计划调度、登记备案、集中审核、监督检查、信息沟通、应急保障等制度，确保发挥重建施工现场指挥调度的权威性和实效性，促进重建工程的顺利实施。

“四控制”工作方案　省玉树地震灾后重建现场指挥部于2011年6月6日印发《进一步加强玉树灾后重建工程项目“四控制”的实施意见》。“四控制”工作方案提出了对灾后重建工程项目的质量、进度、施工成本、安全4个方面的动态管理和有效控制。主要有以下措施：一是加强灾后重建工程的质量控制。工程质量的控制。岗位教育和技术交底是保障工程质量的前提，各参建单位要通过岗位教育和技术交底树立全员的质量意识，形成人人关心质量、个个重视质量的风气。通过落实竞争机制、激励机制和奖惩机制，确保达到保证工程质量的目的。原材料的质量控制。确保建筑材料按质、按量地供应和使用是项目质量控制的重要内容。要求各参建单位落实建筑材料供应人员把关、技术质量检验人员把关、操作使用人员把关的“三把关”控制和检验规格、检验品种、检验质量、检验数量工作的“四检验”质量控制制度。机械设备的质量控制。各援建施工单位要选用先进的、可靠的、适用的、符合技术要求的设备，要定期进行检查和维护保养，特别是对带有计量性的设备，更需勤检查、勤维护，使其达到额定的性能，以满足工程质量检测的要求。施工工序的质量控制。工序质量控制就是发现偏差和分析影响工序的制约因素,并及时消除制约因素,以确保每道工序的质量。各援建企业必须强化对每道工序，每个工作面都实施监督操作、检验把关、预防和检测检验相结合的管理控制方法，切实做好工程质量控制。成品保护养护的质量控制。分项工程的完成对单位工程来说仅仅是成品完成过程中的一个工序，对已完成的分项工程的保护、养护，对整个工程有着决定性的作用，各援建施工单位必须按照规范及操作规程保护、养护好已完成的分项工程。二是加强灾后重建项目的进度控制。编制各阶段的进度计划。为确保总工期目标，必须实行分段控制。各援建单位要严格根据总进度计划制订月计划、旬计划（周计划），用旬计划（周计划）保月计划，用月计划保总计划。制订计划时一定要考虑全面，留有余地。实施动态控制。在项目实施过程中，要根据施工进度的实际情况，不断将实际进度与计划进度进行比较。出现进度滞后时要在不影响总进度的前提下，对进度计划及时进行修正、调整。提高劳动效率。各援建企业项目经理部必须采取一切能够调动职工积极性，提高功效的激励措施，并对提高功效的职工给予一定的奖励。同时，合理调配人力和物力，尽量做到分层次流水作业。三是加强灾后重建项目的成本控制。控制人工费用。各援建企业要制定内部劳动定额，根据工程量套用公司内部劳动定额，计算出各工种人工总量，从而达到有效控制人工费、控制工程成本的目的。控制材料。各施工项目部要加强材料管理，严格用料制度，对施工现场耗用较大的辅材实行专人包干，及时归库；同时要随时掌握市场材料价格变化情况，抓好材料进货渠道，减少进货环节，以降低进货成本。制定先进的、经济合理的施工方案。为达到缩短工期、提高质量、降低成本的目的，各援建企业要正确选择施工方案，在施工过程中努力寻找各种降低成本、提高功效的新工艺、新技术、新材料，不断总结经验，并形成创新机制。严把质量关、减少返工浪费。各援建企业在施工中要切实做到按图施工、按合同施工、按规范施工，严把质量关，确保工程质量，减少返工造成的人工和材料的浪费。四是加强灾后重建项目的安全控制。建立安全责任制。各援建企业要认真贯彻“安全第一，预防为主”的安全方针，明确各级各职能部门及管理人员安全生产责任。企业法人代表是公司安全生产第一责任人，项目经理是项目安全生产第一责任人，对安全工作负有重要责任。公司、项目经理部、班组都要签订相应的安全生产责任书，以确保生产者在施工作业中的安全和健康。确保安全技术措施费到位。各援建企业要坚持“安全是第一效益”的理念，根据单位工程实际提取安全技术措施费，并保证工程安全技术措施费的落实到位和专款专用，确保工程安全生产的顺利进行。安全员要落实到位。项目部要配备专职安全员，班组要配备兼职安全员，每个工地至少配备1名专职安全员，工程规模在10000平方米以上的应配置2～3名专职安全员。安全员切实履行职责，加强对项目的安全监管，深入工地，定期检查，并对施工安全实行一票否决制度。加强安全培训教育。各参建企业要加强职工的安全思想教育、劳动纪律教育、安全知识教育和安全技能的教育，提高工人自我保护意识。同时班前要进行安全交底并做好记录。对新工人或转岗的工人应进行岗前培训教育。抓好关键人员、关键部位、关键设备的安全。对特殊工种等关键人员要加强培训，做到持证上岗；对临边、洞口等关键部位要加强安全防护措施；对大型机械设备，安全员应认真检查，发现问题及时处理。五是加强灾后重建工程项目监管的协调工作。加强灾后重建工程的“四控制”是灾后重建项目监管的核心。省玉树地震灾后重建现场指挥部要求玉树州各级政府及相关部门加大协调力度，及时解决建设、规划、设计、勘查、施工、监理等相关单位在重建中沟通不顺畅的问题。建设单位严格基本建设程序，及时向勘查、设计、施工、监理等单位提供与工程有关的原始资料，并牵头做好各相关单位的协调工作。监理单位应严格执行监理规范，根据自己的职能以独立的身份，客观、公正、公开、科学地做好各类协调工作。施工单位必须健全各项保障制度，严格按照工程设计图纸和施工技术标准组织施工，切实做好项目工程质量、进度、成本、安全生产控制的管理工作，优质高效完成灾后重建各项任务。

三、一体化工作方案

一体化工作模式　一体化工作是玉树地震灾后重建中独具特色且行之有效的一种领导体制和工作机制。是省、州、县及各援建单位上下协调、左右对接、明确任务、全程监督、反馈信息，努力为实现灾后重建目标而齐心协力、共同奋斗的工作机制。省玉树地震灾后重建现场指挥部根据省重建工作领导小组的统一部署，创新工作机制，提出实施一体化工作模式，即党政一体、州县联动、统一指挥、任务打包、责任捆绑、有效监督、奖惩分明。要求指挥部各工作组、各援建单位指挥部结合各自工作职责和任务，制定相应的一体化工作方案，省玉树地震灾后现场指挥部定期召开联合指挥部联席会议，研究灾后重建中出现的新情况、新问题，加强相互间的对接，建立内部运行机制和信息通报反馈机制，有力有序有效推进灾后重建各项工作。3年多的灾后重建实践证明，各部门一体化工作方案的实施，成效显著，工作效率明显提高，确保了玉树地震灾后重建总体规划的顺利实施。

《寺院重建和文化遗产保护组一体化工作实施方案》　按照“全面推行一体化的领导体制，建立完善一体化的工作机制，形成一体化的督查力量，彰显一体化的工作效率”的要求，为确保在 2012 年玉树宗教活动场所恢复重建项目全面竣工验收并交付使用，寺外统规统建的建设项目全面竣工，省玉树灾后重建现场指挥部于 2012 年 8 月 20 日制定了《寺院重建和文化遗产保护组一体化工作实施方案》(以下简称“《实施方案》”)。《实施方案》明确提出加强组织领导，寺院重建和文化遗产保护组正副组长分别由省民宗委、省文化新闻出版厅、州委统战部主要领导担任。按照省现场指挥部“关口前移、力量下沉、上下联动、服务一线”的要求，结合工作实际，进一步加强和充实项目质量、资金管理、项目督查、工程验收 4 个专项工作组和各县工作组的力量，按照工作职责分工指导协调服务寺院重建工作，形成强有力的一体化领导体制和工作机制。《实施方案》总体工作分为 4 个阶段实施。一是动员发动阶段。省、州和各县分别召开宗教活动场所灾后重建“百日攻坚战”动员大会，分层签订目标责任书，明确责任人、工作任务、时间节点，把工作重心延伸到每一座寺院，把工作力量下移到第一现场。二是组织实施阶段。结合各县实际，逐寺梳理存在的问题，研究制订攻坚方案，按照“一寺一策”的工作要求，把存在的问题分析到乡镇和工作组，限定时间节点，明确工作措施，落实工作责任。三是检查总结阶段。主要任务是对寺院恢复重建和“百日攻坚战”工作，组织一次“回头看”，围绕各自工作职责，依据寺院恢复重建工作验收办法，检查项目程序是否合格、项目手续是否完备、解决方法是否完善、阶段目标是否实现，综合分析，制订整改方案，形成总结报告。四是检查验收阶段。该阶段分两步进行，先由州宗教活动场所灾后恢复重建监理单位组织工程初步验收，对初验不合格的提出整改意见，并报领导小组备案登记；再按照整改一项验收一项的原则，邀请相关专家和部门专业人员组织验收。《实施方案》规定的具体工作措施，一是加强领导，明确责任。严格落实“县委书记是第一责任人，统战部长是直接责任人，寺院民管会是责任主体”的工作责任制，各县宗教活动场所恢复重建领导小组、赴县工作组、监理单位、寺院民管会、施工单位要各司其职，各负其责，坚持全面排查和专项排查相结合、定期排查和不定期排查相结合的原则，认真查找重建中的问题，不断改进工作措施，对苗头性、倾向性、涉及群众利益的问题，做深入细致的研究，超前谋划，超前化解，对疑难复杂问题实行领导责任制，层层落实包调查、包处理、包办结、包稳定的“四包”责任。二是加强协调，通力配合。充分发挥指导和协调的职能作用，指导州宗教活动场所恢复重建领导小组加强同发展改革、城建、交通、财政、电力、水务、文体广电、消防等部门的协调配合，形成工作合力，及时沟通，达成共识，共同解决重建中出现的新情况、新问题。三是强化督查，整体推进。寺院组和州、县重建领导小组要认真履行职责，切实把寺院重建纳入到整个重建范围，统筹安排，定期督促检查，不定期或突出抽查，把管理协调、指导、监督的工作延伸到基层，延伸到一线，每半个月召开一次督查情况汇报会，一个问题一个问题地协调解决，使寺院重建工作整体推进，彰显一体化的督查督办力量，确保按照时间节点完成重建任务。

四、城乡住房建设攻坚战方案

“百日攻坚”活动　为全力推进城乡居民住房重建工作，顺利完成全年“三个确保”(确保完成农牧民住房建设任务，确保完成大部分城镇居民住房建设任务，确保大部分公共服务设施和基础设施项目开工建设，实现 150 亿元的工程实物量）的目标任务，省玉树地震灾后重建现场指挥部研究决定：从 8 月开始到 11 月利用 3 个多月的时间在全州范围内集中开展城乡居民住房建设“百日攻坚”活动。要求玉树州、县、建委会及各参建单位树立高度的责任意识、大局意识和政治意识，积极查找自身不足，查漏补缺，抢时间，赶进度，保质量，全力推进玉树重建工作。

8 月 7 日，省现场指挥部在结古镇召开援建工作协调会，号召开展“百日攻坚”活动，完成“三个确保”目标。会议要求各参建援建单位制订“百日攻坚”活动的详细实施方案，加强对“百日攻坚”活动的专项督查和宣传工作。狠抓目标责任书的落实，按照 4 月 1 日各援建单位与省、州政府签订的目标责任书，细化全年工作目标，制定项目进度一览表，加强对重建项目的全程动态监督，实行重建进展情况通报制度。省现场指挥部成立了 6 个督察组，对省外 6 家援建单位的重建工程项目进行全方位督导，要求各参建援建单位千方百计充实设计力量、现场施工力量和技术力量，做好施工调度，制订合理有效的施工计划，确保项目工程质量，有效推进工程项目进度。省政府决定采取重建资金垫付借支制度，并于同年 8 月 15 日前全面兑现，以确保农民工工资的及时足额支付。省现场指挥部加大统筹协调力度，加强上下沟通，主动搞好服务，解决实际问题。8 月 19 日，省现场指挥部召开省直厅局支持重建工作会议，要求各地区、各部门加大对玉树重建的支持力度。

为全力以赴开展好“百日攻坚”活动，省现场指挥部要求玉树州、县具体做好 6 个方面的工作：一是州领导要带头深入一线，每个建委会必须有一名州级联络点领导蹲点督查指导工作，形成州、县、建委会三级联动。二是玉树州组建工作组，进驻各建委会切实解决拆迁征地等影响住房建设推进的突出问题。三是玉树县要召开专门会议，层层分解住房建设目标任务，严格确定工作期限，责任落实到人。四是落实县级领导联点制度，强化工作考核，做到分工明确、专项推进。五是继续严把建材质量关，从源头把好质量监督第一关，消除质量隐患。六是各建委会要坚持住房建设进度日报制，州、县每 15 日汇总上报一次住房建设进度，省现场指挥部每 15 日以情况专报的形式上报结古镇住房建设进度。

各参建援建单位按照省现场指挥部的部署安排，纷纷召开本单位誓师动员大会，制定实施“百日攻坚”活动的详细方案。紧紧围绕“加强重建步伐，确保完成年度重建工作任务”这一主线，不断加大工作力度，充实工作力量，突出工作重点，明确工作责任，细化工作目标，创新工作措施，狠抓工作落实，正排工序、倒排工期，抢开工率、争竣工率、保入住率，以超常规的付出、超常规的工作效率，有力有序地推进灾后重建工作的深入开展，按期保质保量完成了各项月度工作任务。

在“百日攻坚”活动的日日夜夜里，无论是玉树州、县、建委会，省外 6 家援建地区和单位，还是省内 4 个援建地区和 11 家援建企业，严格执行“四个节点”（8 月 31 日前完成农牧民住房建设任务，9 月 15 日前实现重建项目开工率 100%，9 月 30 日前完成大部分城镇居民住房建设任务，入冬前灾区大多数城镇居民和全部农牧民住进新家园）苦干实干，攻坚克难，到 2011 年 11 月底农村住房建设任务数 16670 户全面开工，全面完工。城镇住房建设任务数

21094户，开工20577户，开工率91.7%；完工15528户，完工率69.2%。大部分农牧民和部分城镇居民实现入住新居。一大批学校、医院等民生工程陆续完工。据统计，平均每天完成大约1亿元的投资量。

玉树灾后重建城乡住房建设“六月大会战”及质量整改攻坚战工作方案 2013年6月6日，省玉树灾后重建现场指挥部印发《玉树灾后重建城乡住房建设“六月大会战”及质量整改攻坚战工作方案》。《方案》提出总体目标任务。在2013年6月30日前，全面完成玉树地震灾后重建的城乡住房建设任务和质量整改工作，为群众入住创造基本条件。通报玉树全州城乡住房建设总任务47325户，截至2013年6月上旬，除极重灾区玉树县以外的其他5县城乡住房建设任务完成。玉树县灾后重建住房总任务数为25277户（结古镇区为13726户，其他各乡镇为10929户），截至6月上旬，开工24606户，完工21520户，未完工3086户，未开工49户。经排查，玉树县城乡居民住房建设存在质量问题的有8640户，其中结古镇区6890户、外围各乡镇1750户；截至6月初，整改3867户，其中结古镇区3372户、外围各乡镇495户；还有4773户亟待整改，其中结古镇区3518户、外围各乡镇1255户。工作原则。一是坚持分类指导，集中攻坚。对总体遗留住房建设任务按照结古镇区、下拉秀镇和小苏莽乡三大块任务分别指派专门力量现场指挥，实地推进；重点对结古镇区住房建设工作任务按照统规统建、统规自建、联户自建三大类全力集中攻坚。二是坚持现场办公，一线工作。进一步落实一线工作法，要求所有参与住房建设的各级领导干部带头深入一线，蹲点工作，现场办公；在一线发现问题，在一线对接工作，在一线解决问题。三是坚持一户一法，综合施策。实行领导联点、干部包户制度，针对每一个点和每一户不同的具体情况，分别提出具体推进办法，落实到点，具体到户，分类对待，综合施策，确保实效。四是坚持依靠群众，全面推进。加强组织动员，进一步增强主体意识，充分调动群众参与重建、坚持重建、服务重建的积极性，着力营造全社会大力支持，参建各方积极推动的大会战、大场面、大态势。组织机构。组建成立住房建设“六月大会战”及质量整改攻坚现场推进指挥部。其主要职能是依托省、州、县督查力量和各联合指挥部工作平台，具体负责推进结古镇区住房建设及外围乡镇住房建设工作，统筹部署，加快推进住房建设质量整改工作，确保在6月30日前全面完成剩余住房建设任务、质量整改工作任务，为群众入住新居创造条件。现场推进指挥部下设7个工作组：

结古镇联户自建住房建设推进工作组 具体负责该镇区联户自建工作，采取有力措施，全力破解制约住房建设推进的各类问题，抢时间、抓进度、保质量、确保在“6·30”时间节点内全面完成结古镇区116户未完工联户自建住房建设任务。

下拉秀镇住房建设推进工作组 具体负责现场指挥，统筹安排工作，抢时间、抓进度、保质量、确保在“6·30”时间节点内全面完成下拉秀镇924户未完工住房建设任务。

小苏莽乡住房建设推进工作组 具体负责现场指挥，统筹安排工作，采取有力措施，抢时间、抓进度、保质量，确保在“6·30”时间节点内全面完成小苏莽乡598户未完工住房建设任务。

央企援建住房建设推进工作组 由中国建筑工程总公司、中国中铁股份有限公司、中国铁建股份有限公司、中国水利水电集团总公司4家央企各自负责所援建的住房建设工程，统筹安排，加强组织施工力量，全力破解制约住房建设推进的各类问题，确保在“6·30”时间节点内全面完成1448户未完工住房建设任务。其中，中国建筑26户，中国中铁604户，中国铁建93户，中国水电725户。

两河景观、八片住房建设推进工作组 具体负责现场指挥，统筹安排工作，采取有力措施，抢时间、抓进度、保质量，确保在“6·30”时间节点内全面完成两河景观核心区四片区和外围四片区住房建设任务。

新寨住房建设推进工作组 负责现场指挥，采取有力措施，抢时间、抓进度、保质量，确保在“6·30”时间节点内全面完成新寨215户未完工住房建设任务。

住房建设质量问题整改工作组 具体负责进一步排查梳理建成住房的质量问题，并根据排查结果，督促相关援建单位组织力量进行针对性的质量问题整改，达到质量规范要求，确保在“6·30”时间节点内全面完成剩余4773户住房建设质量问题的整改任务。

工作措施 在前期工作的基础上，按照“科学布局、整体推进、集中攻坚”的要求，集中人力，采取有效措施，全力攻坚结古镇区、下拉秀镇和小苏莽乡遗留的住房建设任务，确保按期圆满完成住房建设任务。一是加强组织领导，充实工作力量。抽调210名干部充实各工作组，确保每一户联户自建住房至少有2名干部包点敦促；严格落实灾后重建义务工制度，组织动员群众投工投劳参与住房建设，保证每一户在建户至少有两名群众参与重建、服务重建，力所能及地为推进重建做贡献。二是加强工作对接和督查保障工作。在坚持各个联合指挥部原有对接机制的基础上，要求各个住房建设推进现场工作组和各个联合指挥部建立健全每日对接工作制度，全面落实定期对接、系统梳理、全面汇总、综合反馈的工作机制；所有发现和反馈的问题必须确保在24小时内进行答复，提升工作效率；要求各建委会坚持现场对接工作机制，随时对接、实地答复、及时解决。进一步整合省、州、县督查力量，组建成立大会战督查工作组，每3天全面循环督查一次，重点督查央企援建住房及联户自建住房进展情况及住房质量问题整改落实工作。根据督查情况，认真落实督查销号工作制度，完善一户，销号一户；整改一户，销号一户，并以督查专报的形式进行通报并反馈，确保全面掌握工作情况。公安、综合执法部门要确实加强服务保障，对阻挠施工等影响推进的问题要加大查处力度，要求接警后一个小时内到达现场，当日内确保解决。三是加强总结表彰。住房建设大会战及质量问题整改攻坚战结束后，及时召开专题会议及时进行总结评比表彰，奖励先进，鞭策落后，要兑现落实结古镇100万元和下拉秀镇、小苏莽乡50万元住房建设奖励基金，对按期圆满完成建设任务的施工企业，给予表彰。

为确保《方案》的顺利实施，省现场指挥部要求切实加强工作指导，每5天定期召开会议听取各个推进工作组汇报，协调解决推进工作中出现的新情况、新问题。

通过6月大会战，圆满完成了预期目标任务，取得了显著成效，为表彰在重建工作管理和质量上取得优异成绩的参建单位，省玉树地震灾后重建现场指挥部决定，授予中国建筑工程总公司援建的玉树州人民医院等39个项目“2013年度玉树地震灾后重建工程管理奖”，授予北京市援建的结古镇污水处理厂等39个项目“2013年度玉树地震灾后重建工程质量奖”。号召各参建单位以获奖单位为榜样，学习他们创新管理、注重质量的理念，继续弘扬伟大的抗震救灾精神，锐意进取、真抓实干，为全面完成玉树重建任务做出新的贡献。

五、收官行动工作方案

2013年是玉树地震灾后三年重建的决胜收官之年，其重建工作的总体目标是：全面完成住房建设，基础设施建设，公共服务设施建设，特色产业恢复发展、生态恢复、和谐家园建设任务，确保三年重建任务全面完成。具体讲，就是在2013年重建工作中，首先要加快剩余住房建设工作，保证6月底全部完成任务和配套设施的建设。同步推进城市的市政建设，以水、电、暖、路、通风为重点，确保9月底全面完成所有市政基础设施建设，实现城镇正常运转。强力推进公共服务设施建设，促进基本公共服务均等化，确保9月底全面完成所有公共服务设施建设任务。其次要加快商贸区、产业建设、生态治理修复、城镇化造林以及城市管理运转等方面的建设，确保于9月底前实现结古镇区城市管理及运营步入正轨，为群众安居乐业和社会长治久安奠定良好基础。

为保证决胜收官之年目标任务的顺利完成，省玉树灾后重建现场指挥部要求各成员单位进一步明确工作责任、理顺工作机制，强化督促检查，严格责任追究制度，以高度责任心和使命感，进一步转变工作作风，抓紧抓好各项重建工作。一要切实发挥联合指挥部的关键作用；二要强化工程质量安全的联合监管，切实维护社会大局和谐稳定；三要充分调动广大群众参与重建的积极性和主动性；四要进一步完善和落实指挥部工作责任制；五要进一步加强督促检查工作力度；六要进一步加强宣传工作。

按照省委党的群众路线教育实践活动领导小组《关于“建立八个方面制度，开展八项行动”的任务分解方案》精神，为贯彻落实玉树灾后重建收官行动工作部署，圆满完成玉树灾后重建收官任务，结合玉树灾后重建工作安排，省现场指挥部研究制定了《玉树灾后重建收官行动工作方案》(以下简称“《方案》”)，并于8月18日印发落实。《方案》提出全力以赴，攻坚克难，统筹推进灾后重建各项任务，确保完成两个重要节点的收官任务，即8月30日前全面完成灾后重建项目建设任务；9月30日前全面完成灾后重建项目工程验收和移交任务，并确定了责任单位。《方案》要求，一是统一思想认识，加强组织领导。各单位、各部门要从全局和政治的高度充分认识玉树灾后重建工作的重要性、艰巨性和紧迫性，按照“把最强的领导压在一线、把最强的干部放到一线”的要求，强化工作措施、量化工作任务，做到目标明确、责任清晰、分工负责、专项推进。二是树立工作意识，确保工作实效。大力弘扬狠抓落实之风、执行之风，把精力用在落实上，做到真抓落实、敢抓落实、善抓落实，以创新精神、科学方法、有效举措、严格的要求集中力量抓落实、抓突破，以实际行动确保出实招、办实事、见实效。三是加强群众工作，创造有利环境。进一步改进工作方法，优化工作手段，主动下沉工作重心，积极解决群众实际困难。围绕环境整治、乱搭乱建、阻碍施工等问题，积极疏导、反复疏导、有效疏导，通过卓有成效的群众工作，为工程建设、环境整治创造和谐的施工环境和工作条件。四是严格工作纪律，强化督查力度。严格各项工作制度和工作纪律，积极倡导主动工作、积极工作、自党工作的作风。严格落实“马上办、立刻办、现在办、坚决办”的工作要求，按照省、州一体化督察督办机制，以铁的纪律确保各级领导到位、干部到岗，问题解决、任务销号。

《玉树灾后重建收官行动工作方案》重要任务和责任单位一览表

表 2-2

序号	重要任务	要求	责任单位
1	全面完成住房建设任务	玉树州县各级党委、政府和各援建指挥部高度重视，对照各自任务认真梳理，强力推进，确保“8・30”之前完成所有住房建设任务，达到入住条件	玉树州委、玉树州政府、中国建筑、中国中铁、中国铁建、中国电建
2	加强推进公建项目建设进度	各援建单位加强施工力量，创新施工方法，优化建设时序，千方百计加快工作进度。同时，按照工程管理法的要求，抓紧完成在建公建项目的收尾工程（除游客服务中心和玉树州、县行政中心之外），确保所有公建项目及基础设施建设任务在“8・30”之前完成	省现场指挥部督察组（牵头）、中国建筑、中国中铁、中国铁建、中国电建
3	全力推进市政配套设施建设工作	在 6 月大会战的基础上，全力以赴推进市政工程建设，重点加大对市政工程供水、排水、供热、电力、通信等市政设施的运行调试，确保各项设施正常运行，抓紧实施结古镇小区硬化工程和扎曲河两岸的道路硬化工程，所有市政配套工程建设在“8・30”之前全面完工	结古镇市政工程攻坚领导小组，各援建单位
4	全面完成质量整改工作	各承建单位及时解决存在问题，确保在“8・30”之前全面完成质量整改任务	省现场指挥部工程验收组、中国建筑、中国中铁、中国铁建、中国电建
5	全力加速工程验收工作	严格工程验收标准，坚持验收程序，规范工程验收资料，及时整改验收工程中出现的新问题，确保灾后重建工程验收工作在“9・30”之前全面完成	省现场指挥部工程验收组，各援建单位
6	做好工程项目的交接工作	做好工程项目的交接工作。要求玉树州政府对全州重建项目接管工作进行总体安排，制订相关方案，明确责任单位，落实相关责任人，确实做好对已验收项目的顺利接管	玉树州政府、玉树州三江源投资建设有限公司、玉树县通天河投资建设有限公司
7	扎实推进环境治理工作	对目前正在开展的以结古镇为中心的环境整治工作，要求在 8 月 15 日前初见成效，8 月 30 日前使结古镇城市环境得到根本改观	玉树州委、玉树州政府、玉树县政府
8	加大资金收缴力度	玉树州县政府进一步强化资金收缴措施，继续加大对重建共建项目建设资金的收缴力度，确保“8・30”之前资金收缴大头落地	玉树州政府、玉树县政府
9	加快寺院重建收尾工作和文物修缮接收工作	对主体工程大部分完成的寺院，抓紧进行外立面装饰装修和基础配套，抓紧僧舍建设，确保在“8・30”前全面完成，并全面完成文物修缮验收和工程交付使用工作	省现场指挥部寺院重建和文化遗产保护组、玉树州民宗局

续表 2-2

序号	重要任务	要求	责任单位
10	全面推进结古镇自建项目建设	玉树县政府要采取有力措施，加强监督管理，纠正存在的问题，8 月 30 日前基本完成自建户建设任务	玉树州政府、玉树县政府
11	加强重建资金清算项目审计工作	在 2014 年一季度之前完成省内援建单位的重建审计任务，2014 年年底完成全部省外援建单位的重建审计工作。省现场指挥部审计评审组会同资金监管组等有关省直部门，尽快研究制定审计工作方案。同时，加强重建项目结余资金管理	省现场指挥部审计评审组
12	生态修复工作	按照“保护与建设并重、生产与恢复同步”的原则，加强对地材企业的管理，督促地材企业开展生态修复工作，确保年内全面完成各地材生产企业生态修复工作	省现场指挥部生态保护与修复组
13	做好重建庆祝大会工作	按照隆重、热烈、喜庆、节俭、富有特色和充分表达灾区群众对党和国家的感恩之情、感谢之意的要求，制定庆祝大会筹备方案并全面启动。治多、杂多、称多 3 县庆祝大会相关工作方案报州委、省现场指挥部审定后，于 9 月底先行举办	玉树州委、州政府
14	做好收官前的宣传工作	根据省委、省政府的总体安排部署，结合收官之年重建工作目标，加大宣传工作力度，充分调动各种媒体力量，重点对城乡居民住房、市政设施运营管理、项目接收管理，环境卫生整治等工作的宣传，为“9·30”全面完成重建任务营造声势，切实掀起收官前宣传工作的小高潮	省现场指挥部宣传组、玉树州委宣传部
15	撤县建市工作	按照 7 月 20 日省委书记骆惠宁在玉树灾后重建工作汇报会上的重要指示精神，进一步创新工作方法，充实工作力量，加强沟通协调，全面完成撤县建市前期工作，继续探索开展相关运营工作，确保年内完成玉树县撤县建市工作	玉树州委、州政府，玉树县委、县政府

第二节　疑难问题及对策

一、宅基地权属

玉树藏族自治州结古镇灾后重建土地权益处置规定　玉树地震灾后重建工作涉及面广，难度大，其中城乡居民住房重建，特别是极重灾区居民住房重建是整个灾后重建工作的重中之重。城乡居民住房的重建，涉及宅基地权属的认定和处置问题，这也是灾后重建工作中极其复杂，而且难度极大的重点问题，必须严格遵守国家有关法律、法规和政策规定。既要确保公民财产权，维护土地权利人的权益，更要坚持土地公有制、坚持土地权属属地管理和节约、集约用地等基本原则。为切实做好玉树地震灾后重建工作，玉树藏族自治州人民政府于2010年8月9日颁布了政府第一号令《玉树藏族自治州结古镇灾后重建土地权益处置规定》。

宅基地权属认定 明确提出关于宅基地权属认定应遵照以下3条：一是凡持有国土、城建部门颁发的相关权证，以及世居、集中统一安置的三江源生态移民，其宅基地用地面积均按震前原状给予认定。二是凡持有村社证明材料、私下交易取得、在承包土地上建房的，以及未经批准挖山、填河建房的宅基地用地，面积按震前原状给予认定，但在办理土地使用证时，根据违法违规程度，给予一定的处罚。三是未经批准，在党政机关、企事业单位内部和公共设施用地中私人建房、未缴纳土地有偿使用费的，宅基地不予认定。

另外，《规定》还对特殊问题的处理规定如下："对有多处宅基地的，其宅基地均予以认定。但对有多处宅基地或既有宅基地同时又有住房的，住房补助按青海省住房城乡建设厅关于《玉树地震灾后城乡居民住房恢复重建及维修加固补助政策意见》中补助方式第一条的规定执行。"即："每个灾区城乡居民家庭经确认需要重建住房的，不论其震前拥有几套（宅）自有产权住房，只享受一套安居房（保障面积80平方米）补助。在城镇和农牧区同时拥有自有产权住房的，可自愿选择地点，享受1套安居房补助。住房补助作为工程款直接支付给施工单位。"

土地权益处置 根据玉树灾后重建城镇总体规划，结古镇灾后重建土地权益按不同类型分别处置。

基本规定。根据重建规划，按照保持最小干预的原则，宅基地总体稳定。重建小区内为居民服务的道路和公共设施统一建设，所需用地，依据重建规划由小区内的每个宅基地使用权人共同承担，不实施征地，但原宅基地面积在200平方米以下的可不参与承担。具体承担面积及办法由玉树县人民政府制定。国道、省道、城镇道路以及大型公共设施用地需占用宅基地的，采取以地换房或货币补偿方式进行处置。规划规定的特定商业区内，个人宅基地面积不得超过450平方米。原宅基地面积在450平方米以下的，按原面积核定；原宅基地面积在451平方米以上的，按450平方米核定，对超出部分的宅基地面积采取以地换房或货币补偿方式处置。鼓励个人交回宅基地，重建区内申请交回个人宅基地的，按以地换房或货币补偿方式处置，同时按交回宅基地面积的3%奖励政府补助建设的安居房（以下简称"安居房"）面积。

处置方式。根据玉树灾区实际，结合重建规划，个人宅基地处置采取原址重建、以地换房、货币处置、换地权益书4种方式进行：一是原地重建。凡原地重建的宅基地，由规划建设部门和国土资源部门定位测图并公示。经公示无异议后，宅基地使用权人方可按城镇建设详规，进行建设。每户可享受80平方米的建房补助，具体按青海省住房城乡建设厅《关于玉树地震灾后城乡居民住房恢复重建及维修加固补助政策意见》（青建房〔2010〕522号）中补助标准第二条城镇自建住房的补助政策执行。即："灾区城乡居民（重建户）选择统规自建住房的，按照80平方米保基本的原则，城镇自建住房可享受13.5万元/户的住房补助，农牧区可享受12.5万元/户的住房补助。同时，政府统一配套必要的基础设施，城乡居民户均可享受1万元的基础设施配套费用。"二是以地换房。凡个人宅基地使用权参与置换住房的，由个人向政府申请交回原宅基地使用权，政府提供 80 平方米安居房，并从原宅基地面积中相应扣除 80 平方米后，剩余宅基地面积经折算，置换等价安居房面积。具体标准为：一级地：5 平方米宅基地换 1 平方米安居房；二级地：7 平方米宅基地换 1 平方米安居房；三级地：9 平方米宅基地换 1 平方米安居房；四级地：18 平方米宅基地换 1 平方米安居房。置换安居房面积若与选定的安居房有面积差时，按安居房成本价以货币方式处置。三是货币处置。对既不参与原地重建，也不选择以地换房的，可以货币补偿方式处置。宅基地使用权人交回原宅基地使用权后，对经确认的宅基地面积按征用城镇建设用地土地补偿标准给予补偿。二级地：每亩 7 万元；三级地：每亩 5.3 万元；四级地：每亩 2.7 万元。四是换地权益书。原宅基地使用权人若在规定期限内不好确定安置方式，可向政府提出书面申请，交回原宅基地使用权，经政府审核确权登记后，同宅基地使用权人签订换地权益书，保留其宅基地权益。在灾后重建 3 年期限内，宅基地使用权人确定安置方式后，政府再行安置。换地权益书应包括原宅基地所处的位置、面积、使用权人、用途、价值等内容。在重建规划区内，原宅基地使用权人因死亡、搬迁、废弃等原因，造成无人申请宅基地权益的，由政府建档备案，在重建期内，保留宅基地产权人权益。重建结束后仍未主张权益的，转为政府储备用地。

土地确权登记发证　为维护土地使用权人的合法权益，建立规范有序的土地市场秩序，重建后应进行土地确权登记发证。重建后所有单位和个人用地必须重新进行土地确权、登记。依据重建规划，由玉树县人民政府发布确权登记公告。按国家《土地登记办法》规定，凡用地手续齐全的，确权登记并颁发土地证书；凡用地手续不完备的，先确权登记，暂缓发证。

为及时妥善解决关于宅基地权属纠纷问题，《规定》决定由玉树县人民政府成立土地权属调处领导小组，负责灾后土地权属协调工作，建立土地确权和权属纠纷快速处置机制，及时化解和裁决权属争议。

二、公建征地

青海玉树地震灾后恢复重建土地利用专项规划　为有力、有序、有效做好灾后恢复重建各项工作，统筹保障各项恢复重建任务在土地利用上的落实，合理利用土地和加强土地生态保护，青海省人民政府与国土资源部共同制定了《青海玉树地震灾后恢复重建土地利用专项规划》（以下简称“《规划》”）。《规划》明确提出要优先保障恢复灾区群众的基本生活生产条件和基本公共服务设施等用地。突出保障重点，对重建总体规划确定的项目给予重点支持，对各类专项规划确定的重点项目给予必要保障。区分轻重缓急，针对恢复重建和跨越式发展目标进行各类、各区域土地利用的有序安排。《规划》安排临时用地 654 公顷，用于恢复重建过程中救灾抢险用地、过渡性安置用地、施工临时用地等。其中，救灾抢险临时用地 23 公顷，过渡性安置用地 541 公顷。《规划》安排重建新增用地 1585 公顷。其中，城镇用地 500 公顷，农村居民点用地 70 公顷，各类基础设施用地 960 公顷，宗教设施用地 20 公顷，旅游设施及其他用地 35 公顷。

政策措施　一是保证灾后重建用地计划指标。对纳入灾后重建规划的城镇、农村居民点、基础设施、公共服务设施等新增建设用地，在国家下达的土地利用年度计划指标中优先安排。2010年计划指标不足的，可根据当地实际预先安排使用；2011年后按本规划结合重建用地需求，确定土地利用年度计划。二是及时提供临时用地和灾后恢复重建用地。对于灾区交通、电力、通信、供水等抢险救灾设施和应急安置、医疗、卫生防疫等急需使用土地，可根据需要先行使用；使用结束后恢复原状，交还原使用者，不再补办用地手续。过渡性安置房及配套设施的用地，可根据需要先行使用，及时补办临时用地手续；使用期满不需转为永久性建设用地的，由当地政府组织复垦，按规划和需要转为永久性建设用地的，及时依法完善用地手续。三是建立建设用地绿色通道。对于灾区恢复重建项目及增强防灾抗灾能力的新增基础设施和重点工程项目，需报国土资源部预审的，委托省级国土资源管理部门预审，报国土资源部备案。对于控制工期的单体工程，经省级国土资源管理部门审核同意，可先行用地。四是实行划拨用地政策，降低用地成本。凡利用政府投资、社会捐助以及自行筹资等的受灾群众重建住房、基础设施、公益设施等，可采用划拨方式供地。在原址重建的工业或其他经营性项目用地，无论投资性质，土地不再重新出让，可按原方式使用土地；异地重建的工业企业和按规划需要整体搬迁的工业企业，县级人民政府在收回其原有土地使用权的基础上，可采取划拨方式供地，并挂牌公示；对异地重建或按规划需要整体搬迁的其他经营性项目用地，同一宗地只有一个用地意向的，可采用协议出让方式供地。

土地公有制 严格遵守《中华人民共和国土地管理法》规定的“中华人民共和国实行土地的社会主义公有制”政策，禁止任何单位和个人非法买卖土地。坚持灾后重建适当补贴政策。地震是人类无法抗拒的自然灾害，在灾后重建中，政府没有赔偿责任，重建中涉及征用土地的，可给予适当补偿。

三、尊重群众意愿

由国务院批准实施的《玉树地震灾后恢复重建总体规划》强调指出：针对城乡居民住房建设的不同特点，在统一规划的指导下，采取统建、分建相结合的方式，充分尊重群众意愿，加强技术指导和服务，选择适宜的重建形式和模式。青海省人民政府在《关于发挥群众主体作用充分运用市场机制加快推进玉树地震灾后重建的指导意见》（以下简称“《意见》”）中，强调“畅通群众利益表达渠道，妥善解决热点难点问题”。《意见》指出：灾后恢复重建涉及面广，是一项复杂的系列工程，需要兼顾各方面的利益。对重建规划编制、项目布局、政策制定等重要事项都要广开渠道，通过建立意见征集和政策咨询中心、召开座谈会、走访基层群众等形式，鼓励群众建言献策，合理表达自己的诉求。特别要认真梳理吸收群众在住房、基础设施和公共服务设施、文化宗教设施建设，以及涉及灾区群众的意见和愿望，不断优化完善重建规划和政策措施，确保充分体现民智、反映民意。加强矛盾纠纷原因的排查，建立信访接待大厅，关心体察群众意愿，及时调查了解群众反映突出的敏感问题，妥善处理好群众关切的热点，难点问题，切实避免因政策措施实施不到位而引发重大矛盾纠纷，确保灾区社会稳定。

上述指导意见在玉树地震灾后重建过程中得到了贯彻落实，取得了明显成效。玉树地震灾后恢复重建总体规划及各专项规划在编制过程中，规划编制人员多次到灾区调研，对接项目，广泛听取群众意见，数易其稿，在涉及灾区群众切身利益的城乡住房重建、基础设施及公共服务设施建设中，对每一项决策都要事先征求群众意见。在城乡居民住房建设中，就房屋建设选址、户型设计、建筑风格、房屋朝向等细节问题都广泛征求群众意见后才能确定下来。因为城乡居民住房建设分统规统建区、统规自建区等几种情况，为保证不误施工期，必须提前做好群众选择意向的统计测算等基础工作，这是一项繁琐而又细致的工作，玉树灾后重建现场指挥部的领导和工作人员不辞辛苦，一家一户进行对接，征询群众意见，进行登记造册，有的群众家要多次登门，耐心讲解灾后重建相关政策规定，反复做群众的思想工作才能奏效。政府工作人员不厌其烦，一次又一次深入群众，了解群众意愿，倾听他们对重建工作的诉求，直至最后锁定意愿为止。

四、撤帐入住

召开动员大会　2012 年 10 月 10 日，结古镇“入新居、撤帐篷”动员大会在玉树藏族自治州政府举行。省委常委、省玉树灾后重建现场指挥部指挥长、玉树州委书记旦科出席会议并讲话。会议对撤帐入住工作进行了全面部署，确保 11 月底前结古镇地区所有居民入住永久性安居房。会议要求玉树州、玉树县各建委会和省现场指挥部有关工作组，各援建单位紧密配合，团结协作，全面推进“入新居、撤帐篷”工作稳步、有力、有序、有效开展。要把“入新居、撤帐篷”作为 10 月份最重要、最紧迫的一项工作任务来抓，以感恩的姿态、领恩的心态，打好、打赢“入新居、撤帐篷”这场决胜之战，为 2012 年的灾后重建画上一个圆满的句号。会议还颁布了《结古镇地区入新居撤帐工作方案》，州政府与各建委会签订了“入新居、撤帐篷”目标责任书。州委宣传部组织举办“入新居、撤帐篷、清环境”工作义务宣传员培训班，为顺利实施撤帐入住新居工作方案奠定了基础。

摇号分配住房　2012 年 11 月 6 日，在玉树县第一民族中学礼堂举行玉树结古镇商住组团住房摇号分配仪式，228 名拟安置住房代表参加，随着透明摇号机的旋转，一户户拟安置的居民喜获新居房号，他们高兴地说，这种分配方式很公平，十分满意。从 11 月 6 日至 11 日的 6 天里，对 1775 套房屋全部通过摇号分配完毕，体现了公开、公正、公平的分配原则。2012 年 11 月 12 日，玉树州结古镇琼龙居住组团摇号分配大会在州中学礼堂举行，该组团将安置来自解放、扎北、扎南、民主南、民主北、扎西科、团结、红卫、当代 9 个建委会的 956 户集资楼住户和 531 户回迁安置户。经过一天的摇号分配，结古镇琼龙居住组团总建筑面积为 26.78 万平方米的 1487 套新房各获其主。

撤帐入住新居　截至 2012 年 8 月，玉树州囊谦县、曲麻莱县、称多县 3 县受灾群众全部入住新居。其中，囊谦县 1060 户，曲麻莱县 1089 户，称多县 2216 户。为鼓励农牧民群众尽快入住新居，省现场指挥部出台鼓励政策，对 2011 年 10 月 30 日前搬入新居的群众每户发放鼓励金 1000 元。截至 2011 年 10 月底，玉树州结古镇区实现入住新居的有 3582 户。

第三节　社会环境保障

一、舆论引导

在玉树地震灾后重建工作中，玉树州委、州政府按省灾后重建现场指挥部的统一部署，始终突出政策宣传和舆论引导工作，奠定了重建工作的思想基础和群众基础。出台宣传工作方案，组建了 120 多个州、县、乡、村（社区）、企业五级宣传教育活动工作机构，抽调 540 名干部，推进政策宣传进村社、进寺院、进学校、进机构、进社区、进农牧户，保证了群众对重建政策的知情权，让重建规划和各项政策深入千家万户，做到家喻户晓，为重建规划的顺利实施奠定了扎实的群众基础。

在玉树地震灾后恢复重建的全过程中，宣传舆论工作始终发挥着正确的舆论导向、凝聚正能量的先导作用。按照中央和省委的统一部署和要求，省委宣传部和玉树州委宣传部精心组织，深入灾区重建第一线，围绕中心，服务大局，按照“及时准确，公开透明，有序开放，有效管理，正确引导”的原则，集成资源，集中力量，集聚优势，形成宣传报道合力，为灾后重建营造良好的舆论氛围和社会环境。

一是全面做好灾后重建宣传报道。各级党委宣传部门坚持团结鼓劲，正面宣传，充分利用报纸广播、电视网络、干部宣讲、英模事迹报告会、新闻发布会、形式报告会等多种形式，宣传中共中央、国务院和省委、省政府对抗震救灾、恢复重建的一系列决策部署和规划安排，宣传灾后重建的各项优惠政策和新举措、新进展、新成效；宣传广大建设者克服重重困难、勇挑重担的突出贡献；宣传灾区人民携手共建美好家园的顽强意志；宣传各地各部门和社会各界向灾区人民送温暖、献爱心的社会主义协作精神；宣传各民族群众包括民主党派人士、爱国爱教僧侣同舟共济、团结互助的感人事迹，进一步把各个方面的力量引导好、团结好、凝聚好，形成重建美好家园的强大合力。

二是深入挖掘灾后重建的先进典型。通过深入重建第一线采访挖掘，推选了一批急群众之所急、想群众之所想，舍小家、顾大家的各级党组织、广大党员的先进典型；发现了一批不怕困难，敢于牺牲，与人民群众血肉相连的人民子弟兵的先进典型；发掘了一批服从并服务大局。团结互助的各行各业职工、各族干部群众的先进典型。通过深入宣传他们的感人事迹，传递正能量，进而激励斗志，坚定信心，在全社会形成弘扬“大爱同心、坚韧不拔、挑战极限、感恩奋进”的玉树抗震救灾精神，形成万众一心、众志成城、重建家园的良好氛围。

三是有效发挥宣传优势做好群众工作。各级党委和政府把宣传动员群众贯穿于灾后重建全过程，深入宣传《玉树地震灾后恢复重建总体规划》提出的建设社会主义新玉树的宏伟目标以及相关政策，宣传群众关心关注的生活保障、就业援助等政策措施，使党的好政策家喻户晓，深入人心，凝聚重建家园的力量。通过舆论引导，坚定群众信心，挖掘并报道灾区群众奋起自救、自力更生、重建家园的典型，细致入微地做好群众工作，激发群众积极性和创造性，使灾区人民成为建设新家园和灾后各项事业发展的主体力量。在恢复重建中，充分尊重群众意愿，积极服务群众，坚持公开、公平、公正的原则，及时公开灾后重建重大决策信息，保障群众的知情权、参与权、监督权。通过实施心理救治和文化抚慰工程，促使灾区群众尽快走出困难阴影，坚定建设新家园、享受美好生活的决心和信心。

二、治安管理

强化社会治安管理，构建平安玉树是确保玉树地震灾后重建规划顺利实施的必然要求。在玉树地震灾后恢复重建的 3 年多时间内，由于各级党委和政府高度重视地区的维稳和治安管理工作，防患于未然，加强社会治安管理和监控工作，发现事故苗头，及早解决，消灭在萌芽状态，有力遏制了不安定因素的滋长蔓延，为重建工作的顺利开展创造了良好的社会治安环境。

一是及时妥善处理突发事件　2011 年 10 月 8 日，在玉树州结古镇施工援建的中建指挥部发生一起因农民工讨薪而引发的纵火案，事件发生后，省玉树地震灾后重建现场指挥部（下称“省现场指挥部”）迅速组织医疗、消防、公安等部门，全力开展伤员抢救工作，要求各级各部门整体联动，为伤员转运、救治提供一切便利；并及时安排相关部门对受伤人员亲属和现场民工进行安抚，稳定情绪，引导其积极配合相关部门做好善后工作。与此同时，省现场指挥部，玉树州委、州政府迅速成立 4 个工作组，赴各援建单位督促做好民工工资结算，严防事态扩大而形成连锁反应。10 月 21 日，国务院地震灾后恢复重建协调小组办公室、国务院国资委组成联合调查组，赴玉树开展事件调查和民工工资发放情况督查工作。省现场指挥部全力以赴，协调配合，组织相关部门、企业、民工代表、受伤人员亲属问询谈话，安排调查组深入基层，广泛走访、现场勘查、查阅资料等工作，提供真实、客观的事件发生原因、过程和结果。对该事件的处置由于行动果断及时，措施有力，受伤人员得到及时有效治疗，民工情绪稳定，事态得到有力控制，各援建单位在较短时间内筹集资金，兑现民工工资，促进社会和谐稳定。

“前事不忘，后事之师”。为了吸取教训，杜绝今后此类事件的发生，省现场指挥部及时下发《关于切实做好民工工资发放工作的紧急通知》《关于切实加强对玉树灾后重建工程分包企业管理的通知》，要求各援建单位加强企业管理，特别是加强对分包企业的管理，减少因劳资纠纷和拖欠民工工资而造成的社会不稳定因素；要求各援建单位对自身承建的所有工程项目开展全面自查，重点检查民工工资及时足额兑现情况，对存在问题和矛盾主动协商处理，用实际行动和扎实有效的工作成果杜绝民工聚集上访事件的发生；要求各援建单位制定应对民工工资问题引起突发事件的应急预案，并安排相应资金作为紧急情况下解决民工工资专项应对资金。

二是加强玉树地震灾后重建社会维稳综合治理工作　在玉树地震灾后重建的日日夜夜里，

省现场指挥部始终把维护社会稳定、创建平安城市放在首要位置，高度重视、综合治理，时刻牢记稳定是改革和发展的前提，充分认识到维稳工作“名为自评无事，实有不测之忧”，不能掉以轻心，不能放松维稳这根弦。按照“要抓紧、抓早、抓小、抓苗头，多用心、多操心、多尽责”的“四抓三多”要求，做到维稳工作常态化，防患于未然。在日常工作中保持高度警惕，在落实中体现具体化，确保社会稳定可防可控。为加强玉树结古镇平安城市建设，建设玉树州和玉树县两级治安维稳指挥平台，为灾后重建总体规划的顺利实施提供了良好的社会治安环境。

三、生活保障

2010年8月初，青海省人民政府制定贯彻落实《国务院〈关于做好玉树地震灾后恢复重建工作的指导意见〉的安排意见》（以下称“《安排意见》”），在《安排意见》的保障措施中明确提出由省商务厅、省粮食局分别做好后勤保障物资和粮油调控，组织粮、油、蔬菜等食品、生活用品供应。省商务厅结合灾区实际制定了灾后重建主要生活必需品供应方案并组织实施。整个重建期间，玉树地震灾区商业网点正常运营，人民群众所需的粮、油、菜、肉、蛋基本生活必需品供应充裕，满足各路援建大军的生活需求，从而有效保障了重建规划的顺利实施。

为保障玉树地震灾区群众和广大援建大军安全过冬，省现场指挥部每年临近冬季都要精心安排群众的过冬安置工作。2011年11月，省现场指挥部开展宣传动员引导工作，鼓励群众入住新居。一是协调督促援建单位加强施工力量，加快工程进度，加快小区水、电、路、市政配套建设，提高竣工率，为灾区群众入住新居提供基本条件。二是组织州县各级干部、各建委会开展宣传动员，引导群众投亲靠友、借宅入住、迁往新居，努力减少在帐篷里过冬的群众数量，对在11月20日前通过上述3种方式入住的结古镇城乡居民，由州、县政府共同筹措资金，每户发放鼓励金1000元，通过鼓励政策，结古镇区当年年底入住群众达到3582户，结古镇以外的18个受灾乡镇的城乡住房均举行了入住仪式。三是全面落实城乡低保救助政策，妥善安排灾区困难群众生活。对特困户、“三无”人员和“三孤”人员实施了临时救助，共发放粮食150万千克、补助金150万元、衣物万余件以及各种生活用品。四是全力做好保障服务工作，确保灾区群众安全过冬。安排州县公安、消防、建设、城管、卫生、工商、经贸、电力等部门，对集中安置点的供水、供电、消防设施进行全面排查检修，配齐、配足安置点各类配套设施。五是根据市场价格适当提高冬季取暖补助标准，确保灾区群众安全过冬。同时，加强对水、电、暖、物业运营管理工作，制订工作方案，确实保障城乡居民住房、学校、医院供水、供电、供暖等市政设施正常运行，满足灾区群众基本生活需求。

四、交通保障

省现场指挥部根据重建工作实际需要，强化交通保障。按照“保畅通、包运输、保安全”的要求，加强道路整治，在国道214线和省道308线修建167个临时停车港湾、增设12条桥涵便道，实施了国道214线通天河大桥和省道308线曲治通天河大桥的加固工程，并在国道

214线设立4个车辆服务保障点，提高了道路的通行运输能力。

交通管理工作贯穿于玉树地震灾后重建的全过程，有力地保障了重建工程各类物资材料的安全运输和城市交通的有序运行，尤其在清墟拆危阶段，玉树州、县各级交通管理部门，切实执行《玉树地震灾后恢复重建运输保障方案》。对州、县城镇交通运输严格实行管理，在施工高峰期采取划定单行道，限制部分机动车辆在一定时段、一定路段的通行等交通管制措施，保障重建工程施工物资运输畅通。省现场指挥部按照“保畅通、保运输、保安全”的要求，成立专门工作班子，加强对重建交通道路状况的综合调研、评估和研判工作，制定了《玉树州道路交通环境整治工作方案》。为了严防发生重大道路交通事故和严重道路交通堵塞，确保灾后重建工作顺利开展，省现场指挥部于2011年11月初下发了《关于进一步加强道路交通安全工作的紧急通知》，要求灾区各级党委政府、各援建单位务必牢固树立“以人为本，安全第一”的理念，加强领导，采取有力措施，防止发生道路交通事故。要求交通管理部门严格规范管理，对司乘人员提出明确要求，增强安全意识，杜绝酒后驾驶和无证驾驶；加强对车辆的检查，排查安全隐患，防止车辆“带病”上路，确保行驶安全。加强道路安全整治，相关部门要及时掌握道路通行状况，对因冰雪造成的道路、桥梁、隧道、涵洞的损毁等道路交通安全隐患，及时排查、通报，并抓紧抢修整治，一时难以整治的，必须设置警示牌，严防事故发生。

五、医疗保障

玉树地震灾后重建工作伊始，省现场指挥部就编制印发了《玉树地震灾后恢复重建施工保障方案》，提出鉴于玉树地区原有医疗力量相对薄弱，在地震中又遭受重创，在玉树各医院恢复重建完成之前，现有一些抗震救灾医疗机构要继续提供医疗保障。同时要先行建设高压氧舱等设施，为重建人员提供医疗服务。施工企业要利用宣传画、板报、宣传小册子等多种形式宣传预防高原病知识，提高自我保护意识，并在每个施工现场配备必要的医疗设备和应急药品。各重建单位要建立人员轮换休整或疗养制度，确保参建人员的身体健康和生命安全。与此同时，省现场指挥部责成省卫生厅编制《玉树灾后重建医疗保健和卫生防疫方案》，切实做好援建人员医疗保健工作，从六个方面加强灾后重建人员健康保障工作：

一是高度重视重建人员健康保障工作。高度重视重建人员特别是农民工的身心健康保障和劳动保护工作，将此作为一项首要和长期工作，进一步强化领导，完善措施，深入推进，常抓不懈。二是加强灾后重建安全施工管理。健全和完善安全施工保障机制，严格落实安全施工责任制度和责任人，加强对工程建设设备的维护保养，严格遵守安全施工规程。科学安排施工力量，建立重建人员定时轮换班工作制度，避免超时间、超强度、超负荷工作。三是强化医疗卫生保障服务工作。健全高原病防治体系，继续实行省、市级医疗机构对口支援灾区州、县、乡三级医疗机构工作制度，以灾后重建农民工为重点对象，通过建立灾后重建建设人员健康档案，开展流动性施工人员健康监测、定期体检、定期义诊、设点医疗、巡回医疗等方式，完善省、州、县施工队伍三级医疗网络，实现医疗服务全覆盖。四是加强传染病等疫病防控工作。省级地方病防治机构全力指导配合玉树灾区有关部门，严格落实鼠疫防控目标管理责任制，全面开展疫情监测和保护性灭獭工作，确保了卫生防疫覆盖所有乡镇、村、群众集中安置点和重建人员。五是保障灾区食品和公共场所卫生安全。加强对餐饮服务环节监管，确保食品安全责任制落实到每个单位。加强对临时安置点和医疗机构医疗废弃物处置的卫生监督检查，依法、合理处置医疗废弃物，维护灾区环境卫生。六是完善重建人员身心健康状况信息通报制度。严格执行24小时值班制度，及时、规范、准确报送各类突发公共卫生事件相关信息，做到信息畅通、高效运转。

高原医学专家组赴玉树灾后重建第一线全力开展高原病救治工作。2013年5月8日至6月27日，国际知名高原医学专家、青海大学教授格日力带领高原病防治专家组，在玉树结古地区及玉树县下拉秀镇、称多县清水河镇等地区进行了高原病预防、治理、教学科研工作。50多天里，专家组深入各援建单位、牧民定居点以及玉树八一医院进行相关医疗工作，特别是针对援建人员如何在高原缺氧环境下提高自我保护意识，举行了全面、简洁的科普知识讲座。同时，定期组织各援建单位的医务人员，讲授急慢性高原病的症状及应对措施等相关医务处理知识。在玉树工作期间，先后对各援建单位现场指挥部人员、省现场指挥部和玉树州干部200余人次进行了高原病筛查，抢救急性高原肺气肿、脑水肿38例，成功率为100%。对2例高原脑水肿、1例消化道出血的重病人，及时与玉树机场联系转入西宁治疗，挽救了病人的生命。专家组在玉树八一医院、清水河镇中心卫生院设立专家门诊，共接待门诊病人1100余人次，对牧民常见的疾病如肺结核、寄生虫感染、心脏病等给予及时的诊疗。同时，对玉树八一医院及清水河镇中心卫生院的医务人员进行业务技术指导，受到广大医务人员的称赞。

在3年多的玉树地震灾后重建期间，省现场指挥部高度重视对广大援建人员和灾区群众的医疗保障工作，根据玉树灾区实际，为确保灾区群众和广大援建人员身心健康，责成青海省卫生厅制定了《玉树地震灾后重建卫生防疫工作方案》。总体目标是确保灾区不发生鼠疫等重大传染病疫情，确保各类突发公共卫生事件得到及时有效处置。按照分片包干、明确职责、规范管理、协调一致、注重实效的原则，省、州、县各级卫生行政管理部门牵头，对口负责灾区各县、乡镇、村的卫生防疫和医疗保障服务工作。

在玉树地震灾区实施恢复重建项目工程的省内外各援建单位，也十分重视医疗保障工作，各单位都组建了自己的医疗队，投入资金购置医疗器械和药品，开展高原病防治等知识宣传教育，培训医务人员，组织医护人员赴工区进行巡诊。如中国铁道建筑工程总公司在指挥部建立卫生所，配备医护人员，而且率先建立高压氧舱急救室，不仅负责本单位7000多名援建人员的疾病救治，还帮助北京城建等其他援建单位的数千名员工开展医疗保健工作。3年共救治病人3万多人次，抢救高原性肺水肿、脑水肿病例300多例，无一死亡病例，无一鼠疫传播病例，实现了“保障有力，身心健康”的目标。在玉树地震灾后恢复重建期间，由于各级政府和援建单位高度重视医疗保障工作，没有发生大的疫情，确保了重建工作的顺利开展。

在玉树地震灾后重建中，西宁市人民政府承担了玉树州杂多县恢复重建任务的援建工作。为顺利完成援建任务，西宁市援建指挥部从改善工作环境和生活环境入手，加强保障能力建设，积极开展巡回医疗服务，为援建人员及施工企业送医送药，解决援建人员看病就医问题。3 年中，由西宁市卫生局定期派出巡回医疗队为施工企业和指挥部工作人员提供医疗服务，建立健康档案，深入重建施工现场巡回诊治 17866 人次，抢救诊治 31 人次，医疗处理 240 人次，建议遣返西宁的 246 人，免费发放药品价值 8 万多元；西宁市红十字会积极开展工地急救培训，为援建指挥部及施工企业送来药品及医疗设备，慰问伤病员，先后发放了价值 24 万元的药品，组织现场救护培训 67 次，改善了工作人员生活医疗环境，为援建工作的圆满完成提供了有力的医疗保障。

第四节　工作机制创新

一、五大工作机制

在玉树地震灾后恢复重建中，省玉树灾后重建现场指挥部不断创新工作机制，建立了五大工作机制，确保重建工作科学依法统一，有力有序有效地推进。一是四级联动机制。实行省、州、县、乡（镇）四级联动，省上负总责，州、县、乡（镇）是责任主体、实施主体和工作主体，形成“统一指挥、条块结合、上下联动、运转高效”的工作格局。二是专家规划委员会机制。对所有建设项目实行技术总负责。三是援建总承包机制。由省外援建央企和援建省份、本省援建州（地、市）对建设项目实行总承包，适时召开有关援建会议和工作协调会议，解决存在的困难和问题。四是项目管理机制。围绕援建任务，建立省、州、县三级联合办公机制，简化审批环节，严格依法办事，提高工作效率。五是民主监督机制。在充分发挥纪检监察、财政、审计等部门专项监督作用的同时，由人大代表、政协委员、群众代表、专家等组成监督委员会，开展工程全程参与监督。

二、工作模式和方法

随着灾后重建工作的深入推进、工作步骤的加快，重建实践中遇到一些新问题：如何有效利用短暂的施工期，妥善解决重建中群众诉求和意愿，协调好重建的各种利益关系，处理好重建与保护生态、发展稳定的关系等。省现场指挥部要求投身于灾后重建的各个单位和人士务必增强工作的协调性和规范性，不断创新工作机制，依靠制度来保障灾后重建这样一个庞大的系统工程，以铁的纪律保障重建规划和各项政策规定的严格执行，确保重建各项工作“不留遗憾、不留败笔、不留骂名”。在 3 年多的玉树地震灾后恢复重建，建设者们不断总结经验，创新工作机制，总结出了一套管理有序、行之有效的重建工作模式和方法，其中的一线工作法、当面对接法和工程管理法就最具代表性和可行性。

一线工作法 灾后重建一线，是指重建工作现场、工程施工现场、群众工作现场和解决实际工作的现场。一线工作法，要求广大干部尤其是党员领导干部，克服文山会海的官僚主义，走出办公室、走出板房、走出帐篷到重建一线，到施工现场，到建设小区，到群众最需要干部的地方，到矛盾和问题突出的部位，现场办公，跟班作业，联合解决问题，形成工作协调机制。一线工作法体现的是一种求实和实干精神。面对异常繁重的任务和特殊时期的要求，要形成领导在重建一线指挥、决策在重建一线落实、矛盾在重建一线化解、工作在重建一线对接、干部在重建一线锻炼、能力在重建一线提高、成绩在重建一线检验的格局。

灾后重建一线工作法，就是在重建工作中以“领导在一线垂范，干部在重建一线锻炼，工作在重建一线落实，问题在重建一线解决，能力在重建一线提高，典型在重建一线发现，成效在重建一线体现”为主要内容的工作方法。

具体方法是，以领导干部联点工作制度为主线，以抓基层、打基础、强一线为抓手，以重点工程“百日大会战”活动为载体，健全干部一线工作的制度机制和纪律保障，领导力量下沉、工作重心下移，在重建一线解决问题、推动工作。要求做到协调对接在一线、质量监管在一线、矛盾化解在一线、干部办公在一起、干部管理在一线、服务群众在一起、政策宣传在一线、组织建设在一线。

省玉树地震灾后重建现场指挥部结合重建工作实际创新工作机制，玉树州成立由州级领导干部牵总挂帅的 17 个专项工作领导小组和工作班子，深入重建现场第一线，做到宣传党的重建政策和重建规划在一线、开展工作在一线、落实政策在一线、解决问题在一线。省、州、县、建委会逐级签订目标责任书，实行严格的工作目标责任制，形成纵向提升、横向衔接、平面对接、责任到人的网格化工作格局。同时，现场指挥部建立了“周例会”“半月报”“月总结”制度，每周一听取各工作组上周工作情况的汇报，安排当周的重点工作；各工作组每半月汇报一次重点工作进展情况，并针对存在问题具体安排后半月工作；每月向省重建工作领导小组汇报本月工作进展情况，按重建工作总体部署，结合重建工作实际制订下月重建工作计划。实践证明，一线工作法是玉树灾后重建工作中独具特色且行之有效的好方法。

当面对接法 以援建单位项目建设进度为纵线，划分出现场勘查、设计审批、开工建设、施工进度等若干时间段，倒排工作时限，把征地拆迁、群众意愿锁定、各类保障等地方工作横向对接，形成工作节点，然后紧扣工作节点，狠抓工作落实。在玉树灾后重建实践中，省现场指挥部各工作组、各援建单位和玉树县坚持“当面对接法”，面对面沟通、衔接，坚持联合办公，并联审查审批机制，让每一个项目都逐项逐条落实责任人和完成时限，加强各单位间的项目对接。主动协调解决存在的问题。

在开展重建征地拆迁这一难度极大的工作中，省现场指挥部联合督查组赴玉树现场督查征地拆迁工作，重点了解掌握拆迁难度最大的地区和部分“钉子户”的实际情况，在认真分析原因的基础上提出了工作措施。督查组与玉树县委、县政府建立了“点对点”的协调机制。特别是对影响项目正常开工的问题，与玉树县主要领导直接对接，“一对一”地解决问题，从而在督查组与县委、县政府主要领导之间建立了快速协调解决突出问题的“直通车”，及时解决相关问题，促进了征地拆迁工作有力有序有效开展。

在 2013 年 6 月开展的城乡住房建设大会战和市政工程、质量整改两个攻坚战期间，为在“6・30”时间节点前完成住房建设、市政配套建设和质量整改任务，强力推进重建各项工作，省现场指挥部整合加强督查组力量，从省纪委、省委督查室省指各专项工作组、州县机关单位抽调 35 名政治过硬、责任心强的干部，组成了 1 个综合小组、5 个督查小组。针对 6 月大会战中影响和制约工程推进的各类问题，加大督查力量，延伸督查范围，加强当面协调对接，强力推进了住房建设、市政建设和质量整改工作，取得了明显成效。督查组根据自身工作安排和省现场指挥部有关领导的批示精神，由组长亲自带领小组成员赴问题一线，就存在各类问题中难啃的硬骨头、主要症结和矛盾，与援建项目负责人、工程推进专项工作组、建委会及州县相关业务部门主要负责人召开现场督办协调对接会，逐次对接督办存在的问题。要求问题涉及单位当面把问题讲清楚、查根源、对情况、明责任，从宏观上把握问题的关键，客观分析判断解决问题会产生哪些负面影响，并拿出解决问题的果断措施和建议，限期解决存在的各类问题。通过当面对接和现场督办，彻底理清了思路、找准了根源、明确了责任、拿出了对策、打开了死结、化解了矛盾、解决了问题、推进了工作进度。

工程管理法　推行一个方法，狠抓两个环节，全力打造灾后重建工程质量监督管理的“玉树模式”。

大力推行一线工作法。省重建现场指挥部要求州、县、乡各级领导及援建单位各级干部到重建一线、到施工现场、到灾区小区、到原材料供应点、到群众最需要的地方、到问题最集中的地方、到矛盾最突出的地方、到工作最薄弱的环节，通过深入实地发现问题，通过现场办公解决问题，切实把隐患排除在一线，把措施落实在一线，把质量保证在一线。要求州级质检人员深入建设工地开展质检巡查每月不少于 1 次，县级质检人员深入乡镇重建工地巡查每月不少于 2 次，各级党政领导深入工程建设点督促工作质量每月不少于 2 次，各级联点干部到联点地区项目建设点督促工作质量每周不少于 1 次，乡镇（建委会）干部和工程监理人员确保始终坚守工程一线蹲点督查工程质量，确保任何时间、任何地点、任何施工工地始终有领导干部和工作人员督查工程质量。

狠抓两个环节。首先，严把地材产品质量关。由玉树州地材市场监管和生态保护工作领导小组总负责、总牵头，通过落实以下 6 条措施对全州范围内所有砂石料生产企业和制砖企业的产品质量实施最严格的管控，确保在源头上把好灾后重建工作质量关。具体有 6 条措施：一是由州质监局负责对结古地区砂石料生产企业和制砖企业的产品质量每月进行一次全面检查，其中对制砖企业的产品质量专业检查面达到 100%，实现材料质量检查全覆盖。二是由州地材市场监管和生态保护工作领导小组相关人员每月对结古地区所有地材生产企业进行两次以上巡回检查，及时发现问题，随时整改落实。三是由 1 名副州长负责抽调州、县专门机构工作人员组成工作组，按照交叉检查的方式，对各县辖区范围内所有地材生产企业和生产点的地材质量每月巡回检查 1 次，在及时通报相关情况的同时，还要加强针对具体整改措施落实情况的督促检查，确保检查工作的时效性。四是注意地材产品质量检查结果的运用，对不合格的产品有组织地实施就地集中销毁并通过新闻媒体等渠道进行曝光。五是通过每月定期召开至少一次有关各方参加的联席会议，及时互通情况，发现问题，及时整改落实，确保地材产品质量。六是高度重视妥善处理社会层面反馈和投诉的地材质量问题，对经过核查确认属实的违规现象和质量问题，坚决按照“一警告、二处罚、三取缔”的程序进行严肃处理。

其次，严把施工管理质量关。这项工作是由州工程质量监督工作领导小组牵头负责。州督办工作领导小组协调配合，组织引导工程质量监督各工作组认真履行职责，一方面要积极督促援建单位发挥央企在工程建设和质量监管方面的制度优势、组织优势和管理优势，进一步健全内部质量控制体系，切实夯实工程质量监督管理的基础；另一方面要认真监督参建各方责任主体严格遵守勘察设计、施工图审查、工程实施、工程监理、设备材料采购、竣工验收等各个环节的有关规定，采取强有力的审查制度和监管措施，坚决防止无资质单位参与工程建设，坚决防止假冒伪劣产品进入建设环节，坚决防止施工过程中偷工减料，坚决防止工程层层违规转包、分包。

全力打造灾后重建工程质量监督管理的“玉树模式”。主要由3个保障体系组成：一是在北京、辽宁及四大央企按照工程总承包模式对工程项目实施全过程总承包的同时，为保证援建工程的质量、安全、工期而建立的自上而下对工程质量、安全、进度等各个环节实行的分级管理、分级负责、分层监管的工程质量企业内部控制体系；二是地方政府依据《中华人民共和国建筑法》《建筑质量管理条例》以及相关法律法规，牵头组织的专业质量监督、工程监理、党政干部、民主监督代表和业主“五支队伍”为主的政府监督和社会监督并行的工程质量管理体系；三是由砂石、砖等地材质量保障制度支撑的一系列规范管理、强制管控措施和各种检测相关技术手段配套组成的原材料质量保障体系。这3个体系相辅相成、优势互补，构成了重建项目工程质量安全监督管理“玉树模式”的完整体系。

在整个玉树灾后重建实践中，省现场指挥部各专门工作组，与州、县各部门及各援建单位，按照“工程管理法”的要求，明确和细化重建项目实施的最佳结合点，纵排工序、横排任务，明确解决问题的时间节点和完成时限，一项一项抓落实，为玉树灾后重建工程质量提供了有力保障。

第三篇 城乡住房建设

城乡住房建设是玉树地震灾后恢复重建工作的重中之重。在玉树地震灾后恢复重建城乡居民住房建设中，坚持以人为本、保护生态，尊重科学、尊重自然，体现民族文化、体现宗教政策，坚持把改善生活条件与转变发展方式紧密结合起来的理念。在先行试点和探索的基础上，经过4年的奋战，全面完成39149户城乡居民住房建设任务，震前土木结构房屋全部改为框架砖混结构，抗震能力达到7.5级以上，生活服务设施完备，灾区住房条件得到根本改善。

众志成城　抗震救灾

第一章　农牧区居民住房建设

第一节　政策标准与项目实施

一、补助政策与造价标准

2010年7月26日，青海省住房和城乡建设厅（以下简称“省住房城乡建设厅”）、青海省发展和改革委员会、青海省财政厅联合印发《玉树地震灾后居民住房恢复重建及维修加固补助政策意见》，明确补助对象、补助标准和补助方式。农牧民住房补助标准：为统规统建住户提供80平方米安居房，每户享受12.5万元的住房补助；统一配套社区基础设施，户均享受1万元的基础设施配套费用；提高社区公共服务设施标准，户均享受3.5万元的公共服务设施配套费用。统规自建的，按每户80平方米保基本的原则，可享受12.5万元的住房补助，户均可享受1万元的基础设施配套费用。住房补助作为工程款直接支付给施工单位。对超过每户80平方米的住房需求，也作出了相应的规定。选择在玉树州之外异地自购住房的灾区城乡居民，可一次性享受14.5万元的住房补助。此外，还对廉租住房、经济适用房、公共租赁住房和救助类住房建设作出相应规定。

2010年7月27日，省住房城乡建设厅印发《玉树地震灾后恢复重建城乡住房工程造价指导标准》，依据住房城乡建设部《关于玉树地震灾后重建执行建筑抗震设防标准的复函的通知》，明确玉树地震灾后恢复重建居民住房抗震设防及建设标准。抗震设防标准：居民住房砖混结构，抗震设防7度，地震加速度值0.15g，抗震设防类别为标准设防，浆砌毛石基础，墙体用黏土多孔砖。建筑标准：农牧民住宅采用单层砌体结构，基础优先考虑浆砌毛石基础，设钢筋混凝土地圈梁及构造柱，墙体选材为水泥多孔砖；层高2.8米，墙厚240毫米；屋面优先选用现浇钢筋混凝土结构，采用挤塑板保温；防水采用SBS卷材系统。装饰标准：外墙采用聚苯板（EPS，80毫米）保温层；铝塑复合窗或单框双玻中空玻璃平开窗；进户门设防盗门，其余门为夹板门。

起居室、卧室墙面、天棚混合砂浆抹灰，刮腻子两遍，普通涂料刷白。普通装修房卫生间、厨房墙、地面贴普通瓷砖、地砖，贴砖高度1.5米；简易装修不贴砖。室内水、电、暖配套标准：农牧民住房给排水条件具备时配UPVC排水管、PPR给水管，无采暖，配电箱及暗配PVC线管，管内穿BV线，电话、电视。室外配套标准：农牧民住房院落内水、电、路、电视、电话“五通”。不包括院落围墙、大门及附属用房等项目。

二、重建规模与实施

在抢险救灾阶段中，青海省政府、玉树州政府决定先期开建一批农牧民住房重建示范项目。2010年5月4日上午，受灾最严重的结古镇禅古村、甘达村灾后重建隆重奠基。6月28日，省玉树地震灾后重建现场指挥部安排由省统计局牵头，争取用20天时间完成玉树州灾区19个乡镇、126个村、11个社区城乡居民倒塌房屋、加固房屋的普查核实。7月10日，省玉树地震灾后重建现场指挥部召开玉树灾后重建万人誓师大会暨第一批项目开工仪式，玉树县20个村的农牧民住房重建列入第一批开工项目。

2010年7月30日，省现场指挥部作出第二批恢复重建计划，安排重建89个行政村，投资299000万元。主要建设内容包括农村住房、供水、供电、通信、有线电视、农村公路、村道硬化、便民桥梁、道班工区等配套设施。8月15日，省现场指挥部指挥长马顺清提出：第

由中国中铁援建的下拉秀镇农牧民住房又快又好。图为建设中的岗青扣牧民村

二批恢复重建计划以后的开工项目由县政府提出、州政府审核，规划设计和开工准备等工作由州、县两级政府统筹安排，现场指挥部不再统一安排。8 月 19 日，国务院在西宁召开全国抗震救灾表彰大会，国务院副总理回良玉代表中共中央、国务院，对玉树灾后恢复重建提出了年底完成大部分农牧民住房重建、大部分城镇居民住房开工建设、全面完成可修复住房维修加固的目标任务，即“两个大部分、一个全面”。9 月 12—13 日，青海省省长骆惠宁赴玉树调研，发出“大干五十天，坚决打赢农村住房攻坚战”的动员令。9 月 30 日至 10 月 1 日，中共青海省委书记强卫到灾区考察，发出“搞好 10 月建设大会战，打赢住房建设攻坚战”的号召，灾后重建农牧民住房全面进入攻坚战阶段。11 月 10 日，重建 126 个行政村 299 个居住点的规划设计全面完成。至 2012 年 8 月底，地震灾区 6 县 19 个乡镇 126 个行政村 299 个居住点的农牧民住房全部建成，入住率达 88.7%。共重建 17031 户，维修加固 3556 户，总投资 323234.31 万元。

第二节　玉树县农牧民住房恢复重建

一、规模与进度

玉树县共 8 个乡镇，恢复重建农牧民住房 9978 户，维修加固 1439 户，总投资 198661.81 万元。

2010 年 7 月 10 日，第一批开工建设 20 个重灾村：隆宝镇的措多、措桑、措美、君勤、德勤 5 个村；安冲乡的吉拉、拉则、叶吉、来叶、布朗 5 个村；仲达乡的电达、唐达、歇格、尕拉 4 个村；巴塘乡的岔莱、当托、相古、老叶、上巴塘、下巴塘 6 个村。现场指挥部要求每个村要统一规划，统一建筑风格，突出民族特色，对每村设计多套不同建筑方案，供农牧民选择。安排一家设计单位设计一个村，保证一村一景，防止千村一面。

第二批开工建设 25 个村：结古镇的代格村；隆宝镇的杂涅、哇龙、甘宁、云塔、岗日 5 个村；下拉秀镇的钻多、高强、尕麻、当卡麻、野吉尼玛 5 个村；上拉秀乡的加巧、多拉、玛陇、沙宁、曲新、玻荣 6 个村；小苏莽乡的西扎、本江、扎秋、让多、协新、江西、莫地、草革 8 个村。

至 8 月 15 日，第一批安排开工的 20 个行政村中，开工建设 11 个村，分别是隆宝镇的措多、措桑、措美、杂涅 4 个村；巴塘乡的老叶、下巴塘、铁力角、岔莱 4 个村；仲达乡的歇格村；安冲乡的拉则、叶吉 2 个村。有 9 个村未能开工，其原因是：巴塘乡的上巴塘、当托、相古 3 个村，少数村民对 CL 体系和村庄集中建设有不同意见；仲达乡的电达、唐达、尕拉 3 个村的规划完成，征求意见时，部分村民要求在新建住房的同时保留原有住宅；安冲乡的吉拉、来叶、布朗 3 个村的规划还在征求村民意见和施工前的准备工作，拉则、来叶、布朗 3 个村道路不畅，施工车辆出入困难。

至 2010 年年底，玉树县开工建设农村居民住房 11655 户，占年计划的 98.9%。

二、结古镇农牧民住房

总体规模　结古镇恢复重建农牧民住房 1076 户，总投资 21569.49 万元。其中，中央一般预算收入 10110.16 万元，中国红十字会捐赠资金 5700.33 万元，民政部捐赠资金 5759 万元。

代格科技示范村恢复重建　代格村位于结古镇东边，紧邻国道 214 线。地震前，代格村有 5 个合作社，192 户，822 人；耕地面积 200 公顷；牲畜存栏 3160 只；2009 年年底，人均收入 2398 元。主要从事种植、畜牧、建材、运输业等。灾后重建的新村位于原村落的西侧。2010 年 4 月 30 日，青海省科学技术厅充分发挥科学技术在灾后重建中的支撑与示范作用，提出“重建社会主义新玉树科技引领行动计划”，代格村被确定为科技示范第一村，在科学技术部的支持下，由青海省科学技术厅、玉树州科学技术局负责实施。针对灾后生产、生活、公共服务能力及生态重建的关键问题和核心技术需要，主要实施太阳能建筑一体化、农牧区多元化清洁、经济型能源体系示范、现代高寒农业实用技术示范、远程信息化服务示范项目。

农牧民住房示范。2010 年 10 月 15 日开工，新建 110 户 CL 体系与太阳能采暖建筑一体化的民居。每户设客厅、经堂、卧室、卫生间、厨房；配备上下水、主动式太阳能集热系统、生物质节能炉、地板辐射采暖系统、三网合一宽带接点等设施；卫生间配置陶瓷蹲便器、洗脸盆及淋浴。2011 年 5 月 30 日主体完工，10 月 23 日向代格村交付。新建的民居满足农牧民冬季采暖需求及全年热水需求，采暖期室内温度不低于 16℃。

太阳能沼气技术示范。建成 500 立方米太阳能沼气工程，解决人畜粪便的收集处理和生活燃料问题，其沼渣、沼液作为有机肥还田使用，达到生态循环利用的示范效果。

双模式太阳能光伏电站示范。建成 1 座 60KWp 双模式光伏示范电站和数字化高频耦合路灯系统，储能系统 10230 千瓦时，具有电压源和电流源两种功能，年发电量 9 万千瓦时，可以满足本村生产、生活用电需求，富余电能向电网输送。

微动力生化污水处理系统示范。建成 1 吨 / 小时分散式全地埋微动力生化污水处理系统，日处理污水 20 立方米，处理后达到国家《污水综合排放标准》（GB 8979—1996）一级排放标准。采用具有自动切换、报警功能的自动控制系统，无须专人管理。

设施蔬菜种植技术集成示范。建成 18 栋日光节能示范温室，经过玉树的严冬考验，完全达到周年生产能力，成为玉树州生产效率最高的温室。本项示范带动种植温室 100 余栋，占结古镇种植温室总量的 50%。

大田种植示范。种植 1500 亩青稞、马铃薯等 7 大类大田作物，8 个品种当年喜获丰收，其中青稞单产 215 千克，是玉树青稞种植史上最高亩产。露地种植蔬菜 100 余亩，达到日产蔬菜 500 余千克，全年生产蔬菜 350 吨，成为结古镇主要的蔬菜种植和供应基地。

村民委员会办公场所示范。建成村委会办公用房 360 平方米，采用节能建筑 CL 体系，配备太阳能采暖系统和太阳能屋顶、太阳能集热系统、节能效率从 45% 提高到 60% 以上，能源利用效率大幅度提高。配置低成本健康体检床、三网融合视频播放系统、设施农业远程监控系统等设施，村委会享有宽松舒适的办公环境，功能齐全，社会化管理服务水平得到大幅度提升。建筑外形具有藏族民居的传统风格，可为超前20年提升农牧区居民生活水平提供示范样板。同期完成代格村给排水管网铺设，建设1个远程基础教育示范点、1个基层党员远程教育示范点、1个数字化医疗示范点、1个生态旅游服务点。

科技示范项目带动了代格村蔬菜种植、服务业（宾馆及餐饮）等新型产业的发展，2011年，代格村人均收入比2009年提高700元，达到3100元。代格村的整体重建理念和科技示范工程，开创了玉树灾后科技重建的先河，提供了高原村镇跨越20年的发展样板。

禅古、甘达灾后重建先行示范村　青海省政府及早谋划灾后重建，决定先期开建一批农牧民住房重建项目，借以提振灾区人民战胜灾难和重建家园的信心，结古镇禅古村、甘达村被列为灾后重建先行示范村。

2010年4月24日，北京清华城市规划设计研究院承接禅古、甘达两村重建规划设计任务。5月3日，该院提交两村重建规划初稿，随后提交规划、施工相关图纸。5月4日上午，在震后的废墟上，结古镇禅古村、甘达村新社区灾后重建奠基。国务院扶贫开发办公室、住房城乡建设部、中共青海省委、省政府、省纪委、省军区、武警青海总队、兰州军区政治部和玉树州委、州政府的领导出席奠基仪式，中共青海省委副书记、省长、省玉树抗震救灾指挥部总指挥骆惠宁讲话："这场强烈地震几乎把禅古、甘达两村夷为平地，但摧不垮我们的精神和意志，一个布局合理、设施完善、特色鲜明、环境优美的农村新社区，即将在废墟上站立起来；禅古、甘达两村的重建，不是简单的恢复，而是全面的提升；在规划与设计中，坚持了以人为本、保护生态，尊重科学、尊重自然，体现民族文化、体现宗教政策，把改善生活条件与转变发展方式紧密结合起来的理念；我们有理由相信，这两个村的先行试点和探索，必将为全面启动灾后重建提供成功范例。"

5月13日，两村重建规划遇到新情况，禅古村最新灾评报告显示原规划范围内部分用地不适宜建设，用地不足以容纳所有受灾村民；禅古寺活佛及僧侣欲搬迁至禅古村规划范围内，增加了规划变数；村民意愿发生改变，对住宅朝向、宅基地形态等方面提出修改要求。甘达村原规划用地甘达沟受地质灾害影响较大，村民提出将全村242户人口中的212户集中安置在甘达村东滩。同日，北京清华城市规划设计研究院踏勘重建两村的新址。5月15日，最终确定规划方案，通宵绘制出总平面图、竖向规划图、院落放线图。5月16日上午在禅古村、下午在甘达村场地指导施工人员放线。5月20日，现场指挥部召开专题会议，部署加快推进禅古、甘达示范村建设工作。会议研究中国建筑设计研究院、青海人防设计院等单位提供的建设规划方案和14套城镇居民住房户型，并邀请州、县部分人大代表、政协委员及城镇居民代表座谈，征求对住房建设方案的意见和建议。现场指挥部指挥长马顺清在会上强调：禅古、甘达两村灾后重建是国务院确定的示范建设村，是灾后重建的样本，对于整个玉树地震灾后农村规划及住房建设起着引导、示范和推动作用，意义重大，必须加快施工进度，以超常规的措施全速推进。会议要求，禅古村110户选址问题，由各级国土资源部门拿出意见；对影响禅古村建设的高压线1个月内完成改线迁移；玉树州建设局要尽快和建筑施工单位签订施工合同，核定工程造价。5月25日，现场指挥部第一副指挥长、副省长张建民，在禅古、甘达两个示范村建设工地主持召开现场会，要求玉树州政府尽快完成甘达、禅古两个示范村小区配套设施建设规划，完善道路、供水、供电、排水明沟、村委会等基础设施建设内容；在建设过程中，玉树州政府、玉树县政府要广泛宣传灾后重建工作的相关政策，做好群众工作，通过以工代赈等多种方式，增加农牧民收入，使甘达、禅古在农村风貌、民族风格、建筑质量、群众满意度、农牧民生活水平等方面，真正起到示范引领作用。

禅古村原址位于结古镇以南机场路巴塘河东岸，地震中村落损毁严重。2010年5月8日，在禅古村地质灾害危险性评估会商会议上，省住房城乡建设厅提出了“安全、宜居、自然、功能配套”的重建原则。经勘察论证，禅古村原址存在泥石流、洪水和危岩体威胁，决定在距离原址1千米处重新选址建设。6月19日，结古镇党委、政府组织专门力量，对禅古村上报的228户农牧户实况进行复核，经村、社两级干部和群众认可，最终确定为205户772人，灾后人口674人。重建的禅古村布局在巴塘河东岸沿线1.5千米的范围内，对原有4个社的农牧民按照相对集中、适度分散的原则安置，住房按Ⅷ级地震烈度设防标准设计，充分利用地形，依山就势形成错落有致的空间形态。配合修建泄洪沟、防洪堤等设施，将自然灾害对村落的威胁降到最低限度。

规划结构“一轴三心四组团”，即1条交通中轴线，配套传统文化中心、居民活动中心和风景展示中心，4个居住组团。在传统文化中心扩大佛塔、转经筒等宗教文化景点，在村落东南侧增设嘛呢堆等文化设施；在居民活动中心建一个展览馆，4个台阶式广场，还有运动场所和配套的商业经营场所；风景展示中心位于村落南侧，依托机场路的显著交通优势，可以俯瞰玉树机场的山水全景。

禅古村重建原计划施工周期1年，由成都市大邑一建工程公司和四川安泰建设有限公司承建。10月18日，历时167天，205户重建住房全部建成。每户80平方米，有客厅、卧室、储藏间、卫生间和厨房，上下水、用电、通信入户。新村落由浅黄色外墙、红色坡屋顶构成整体风貌。10月28日，新房交付给村民。10天后，有52户村民住进新房。64岁的村民生纳丁珠说：“地震发生后，我家的房子全震塌了，除了一个炉子外，什么东西都没有了，一家人特别绝望。现在住进了新房子，这几天，是我这一辈子最开心的日子，这要感谢党和政府。”

甘达村地处结古镇以西26千米处。全村以畜牧业为主，有4个牧业合作社，村民242户，1032人。5月20日，现场指挥部召开专题会议，要求省、州、县三级国土资源部门于5月22日18时前，拿出甘达沟东滩212户集中安置点选址方案。甘达村新社区灾后重建，根据当地地域宽阔、适宜牧业村发展的实际，采用小组团布局，规划为“三轴三区”。由主要道路、次要道路和宅前路形成路网，根据村庄人口的数量和规模建设公共服务设施，充分满足村民的物质文化生活需要。农牧民住房建设，集中建设219户，分散建设19户，共238户，采用统一建设与自建相结合的方式，注重民族特色。户型设计满足农牧民的多样化选择，普遍提高住房舒适度，引导农牧民改变传统生活习惯，降低生活成本，提高生活质量。利用当地太阳能资源丰富的有利条件，突出节能环保，实现水电入户。设有阳光房、浴室和室内储藏设施。11 月 15 日，甘达村农牧民住房建成，举行入住仪式，219 户入住新房，首次实现结古镇农牧民大规模入住灾后重建新房。村民巴桑扎西说："新房舒适、暖和，而且炉子等东西都是用政府补助的钱买的。"村民琼才仁高兴地说："感谢党、感谢政府，给我们盖了这么好的房子，还给我们发了钱、米、面等，我们特别开心。"

新寨村农牧民住房 2010 年 8 月 4 日，现场指挥部指挥长马顺清要求北京市援建单位于 8 月中旬提交经规划委员会审查后的新寨村整体规划设计方案。提出新寨整体风貌控制，要为促成世界级旅游胜地的形成，尽可能创造一些基本的硬件条件。主导思想是保护第一，传承历史文化；发展民生，展现地域特色；政府扶助，引导居民参与。以"外素内华，淳朴敦厚"为基调，不搞虚假单薄的石膏、水泥、树脂等替代构件。建设目标是在全面提升基础设施的同时，还原传统自然村落质感，可以理解为"设施向前一大步，风貌回归一小步"。设计策略上以新寨古老民居为素材，以发挥材料自身美学效应为原则，结合现代施工工艺，在建筑外立面的处理上达到还原传统建筑语言的目的。建筑表面处理采用拉毛肌理，外墙采用涂料，既能表达传统风貌又比较经济。在民居建筑外立面细部处理上，选用实木材料制作，表面以藏茶着色，再用清油防腐的传统手法，为新寨保留传统记忆，并且在一定程度上还原地域建筑文化。

新寨村统规统建居民住房位于结古镇寄宿制小学北侧山坡上，呈阶梯形分布 4 排，共 45 套，占地面积 18500 平方米。由北京中联环建文建筑设计有限公司设计，分为 3 种户型。其中，"一"型 18 户；"L"型 26 户，每户建筑面积 80 平方米；"L+ 一"型 1 户，每户建筑面积 116 平方米。毛石混凝土条形基础、砖混结构，现浇平屋顶结构，室内净高 3.0 米，檐高 4.17 米。室内设起居室、经堂、卧室、卫生间、阳光廊等房间，有线电视、宽带、电话、上下水等一应俱全，自供暖取暖方式。公共服务用房，用地处于特殊风貌街区控制范围内，南至新寨规划纬二路。包括新寨派出所业务用房 453 平方米、社区综合服务站 300 平方米、公共服务用房建筑面积 400 平方米。2011 年 9 月 15 日奠基开工，2012 年 8 月 30 日验收，9 月 30 日交付使用。其余 1000 余户按统规自建方式建设。

卡孜村农牧民住房 农牧民住房，每户 80 平方米，共计 100 户。地上一层，砖混结构，建筑高度 4.35 米，建设工程等级Ⅱ级，抗震设防烈度Ⅶ度，使用年限 50 年。江苏金厦建设集团有限公司承建，2010 年 10 月 14 日开工，2012 年 10 月 23 日主体完工，2013 年 10 月 9 日竣工验收。

国有牧场农牧民住房 每户建筑面积 80 平方米，统一用玉树州设计院的图纸，3 套户型方案，共建 63 套，总建筑面积 5040 平方米，单层砖混结构，层高 2.8 米，现浇屋面，铝塑中空窗户，免漆防盗门，外墙聚苯板保温。抗震按 7.8 级设防。在整体布局上灵活排列，局部采用不同建筑线条体现出民族特色。针对冬季散水部分积雪，容易将外墙保温冻胀的情况，采用地梁上坪拔出 12 厘米，砌三匹砖再铺保温材料的工艺，很好地解决了这一问题。青海西部建业有限责任公司承建，2010 年 10 月 23 日奠基开工，2012 年 11 月竣工验收。

果青村农牧民住房 位于结古镇扎西科布庆达，重建农牧民住房 261 套，总建筑面积

20880平方米，单层砖混结构，层高2.8米，现浇屋面，铝塑中空窗户，免漆防盗门，外墙聚苯板保温。抗震按7.8级设防。在整体布局上灵活排列，局部采用不同建筑线条体现出民族特色。针对冬季散水部分积雪，容易将外墙保温冻胀的情况，采用地梁上坪拔出12厘米，砌三匹砖再铺保温材料的工艺予以解决。青海西部建业有限责任公司承建，2010年10月23日奠基开工，2012年11月竣工验收。

三、隆宝镇农牧民住房

重建农牧民住房1916户，每户80平方米住房1套及配套设施，维修加固192户。总投资37931.16万元。其中，中央一般预算收入798.68万元，中国红十字会捐赠资金26692.67万元，中华慈善总会捐赠资金10439.81万元。每套主体80.53平方米，共1084个单位工程。采用砖混结构和CL体系结构。砖混结构采用砖砌条形基础，地上一层。CL体系采用钢筋混凝土独立柱基础，地上一层，外墙厚360毫米，采用100毫米厚CL钢丝网架板两边喷射C20混凝土。室内外高差0.60米，建筑檐高4.12米。外装修一次到位，涂料粉刷，全部精装修。本工程采用多种新材料、新工艺，具有节能环保等特点，尤其CL体系结构具有良好的抗震效果，是地震后CL体系结构建设的示范区，也是独栋住宅最集中的地点之一。2010年7月8日开工，2012年8月15日竣工验收。北京住总集团有限责任公司承建。

四、巴塘乡农牧民住房

总体规模及特色 重建农牧民住房1132户，每户80平方米住房1套及配套设施，砖混结构，地上一层。总投资25892.79万元。其中，中央一般预算收入2628.60万元，省慈善总会捐赠资金6443.53万元，中国红十字会捐赠资金12492.98万元，辽宁省红十字会捐赠资金4090万元，民政部捐赠资金232.19万元，省财政厅捐赠资金5.49万元。农牧民住房体现民族特色和地域风貌，与当地环境及民族习俗相协调，现浇女儿墙，在建筑檐口处增加藏式线条。原有的石膏预制藏式线条的材质在地震时出现过砸死、砸伤人等事件，从安全性考虑，改为具有安全性的PE预制藏式线条，采用当地建筑特有的红褐色及米黄色外墙涂料，局部配以灰色涂料，与屋檐相呼应，凸显建筑地域特色和时代特征。从设计的整体性考虑，将门窗设计标准改为单框双玻铝塑窗及防盗门。辽宁省建筑设计研究院承建。

八吉生态示范村 八吉，原属玉树县巴塘乡的上巴塘村，地处巴塘草原，距离巴塘机场约4千米，周边有文成公主庙、禅古寺、勒巴沟等人文和自然景观。凭借临近巴塘机场的地理优势、交通优势和旅游资源优势，玉树州将八吉村列为玉树灾后重建的样板工程之一，按现代化新型农村来建设，打造成玉树新牧区示范村，以此带动玉树牧区的产业转型和跨越式发展。在设计上以山水草原、门户区位、康巴文化、旅游为主题；以充分尊重自然环境、凸显区位优势、挖掘民族文化、注入产业功能为发展理念；以体现新发展模式、新产业结构、新能源支撑、新形象特色、新生活方式为发展策略。新建的八吉村具有玉树牧区旅游文化观光产业、传统畜牧业转型、牧民新生活、新型科技应用、生态环境保护五大示范作用。社区按“吉祥八宝图”布局，将85户居民分为8个组团，每个组团代表一个图形，中间位置是服务中心，由公共卫生服务中心、旅游接待中心、公共服务用房、民俗文化展览中心、图书室等组成。农户户型的设计和装饰充分考虑结合发展旅游业。在发展模式上将以前分散的畜牧方式转型为合作社形式，发展集中养殖，走产业化发展路子，以此带动其他产业的发展，最终形成一个健康的、循环的、可持续发展的产业链条。2011 年 9 月 15 日开工建设，完成投资 1638.8 万元。

五、安冲乡农牧民住房

安冲乡地处玉树县北部通天河畔，海拔 3900 米，距结古镇 130 千米。地震前农牧民住房多用泥土、片石堆砌而成，极少使用石灰、水泥、砖块等建筑材料。2010 年 7 月进入灾后恢复重建阶段，乡党委、乡政府坚持一切围绕重建、一切服从重建、一切服务重建的原则，深入群众沟通协调，逐户调查登记住房灾损情况，按“大集中、小分散”原则引导群众适度集中建房。全乡 758 户，恢复重建 669 户，维修加固 89 户，另因公建项目征地拆迁货币安置 6 户。总投资 13457.32 万元。其中，中央一般预算收入 6135.32 万元，省民政厅捐赠资金 7322 万元。重建的农牧民住房分布在 5 个行政村 17 个社的 16 个集中安置点，每户 80 平方米住房 1 套及配套设施，毛石混凝土基础，设地圈梁、构造柱，小型混凝土八孔砖砌体，全现浇混凝土楼板，屋面防水采用 4 厚 SBS 高聚物改性沥青卷材。每村建村委会办公用房 1 处。具有康巴特色藏族建筑风貌。同步建设社区道路、完成水电安装等。其中，吉拉村尕查社 67 户住房于 2010 年 7 月 20 日开工，10 月 30 日竣工交付，历时 72 天，于 2011 年 8 月 1 日验收。其他村社于 2010 年 8 月 20 日开工，10 月 20 日主体封顶，2011 年 10 月 30 日竣工，全部达到入住条件。2012 年 6 月 20 日验收。中国建筑工程总公司第八工程局有限公司援建、承建。

安冲乡各村社援建点相距 5 ～ 20 千米。在没水、没电、没有通信网络信号、语言不通、人烟稀少的高原上，施工管理人员徒步往来于各援建点取得联系。山路崎岖，交通极为不便，悬崖峭壁经常塌方，多有水毁路段，大型运输车辆无法通行，建设物资只能用小型车辆倒运，部分路段则用人工搬运。在布朗村，一位藏族老爹找到施工管理人员时锴，比划着要求给他家盖房子的混凝土中多放水泥、少放沙石，认为这样才坚固。时锴表示不能同意，随之发生争执，老人家竟拔出藏刀逼着时锴去跟工人说。情急之下，时锴在村里找到一名年轻人作翻译，向老人解释混凝土配比的科学依据，讲明他坚持原则的理由，此事始得平息。

六、仲达乡农牧民住房

重建仲达乡农牧民住房 688 户，每户 80 平方米住房 1 套及配套设施，维修加固 13 户，总投资 13689 万元。其中，中央一般预算收入 4529 万元，民政部捐赠资金 9160 万元。2011 年 5

月开工，2012 年 8 月竣工验收。由中国铁建兰州铁道设计院设计，中铁二十一局第四工程有限公司承建。

七、小苏莽乡农牧民住房

重建小苏莽乡农牧民住房 1551 户，每户 80 平方米住房 1 套及配套设施。总投资 30426.28 万元，其中中央一般预算收入 15118.28 万元，中华慈善总会捐赠资金 7920 万元，民政部捐赠资金 7388 万元。小苏莽乡农牧民住房重建原定施工单位力量不足，2010 年 10 月 18 日现场指挥部决定调整中水电为援建单位，建设农牧民住房 407 户，由玉树县安排村社及集中建设点，其余由青海第一建筑公司援建。

八、下拉秀镇农牧民住房

下拉秀镇位于玉树县南部山区，东与四川省和西藏自治区毗邻，平均海拔高度 4200 米。重建下拉秀镇农牧民住房 1771 户，每户 80 平方米住房 1 套及配套设施，维修加固 699 户。总投资 35049.64 万元，资金来源于中华慈善总会捐赠资金 30278.39 万元、中央一般预算收入 4771.25 万元。

2010 年 10 月 14 日，因原定施工单位力量不足，现场指挥部决定由中国中铁紧急援建下拉秀镇及所辖村社近千套牧民住房的任务，其余由青海方正公司援建。中国中铁援建指挥部连夜研究落实任务方案，决定由中铁二局和中铁建工集团各承担 500 套住房建设任务。15 日，分 4 路完成现场 33 个牧民安置点的实地踏勘，并提出施工调查报告。16 日组建管理团队进场，4 天内从成都调入 400 余人和 30 套施工设备，开始安摊建点、放线布点、图纸算量、准备建筑材料等前期准备工作。各施工点距离玉树县城 170 千米以外，多数牧民村距离下拉秀镇很远，最远的可达 70 多千米。原有道路多为松软土路，或泥泞或冰雪，交通状况极差，材料运输车辆难以通行，施工主材需用小车二次转运。许多施工点需先行修筑道路。除集中居住点外，散户分布点广，有些户间距离在 1 千米以外，且无水、无电、无通信信号，需使用大量机械设备，施工及管理极其不便。由于高寒缺氧和频繁的雨雪天气困扰，施工人员难以适应，劳动力替换频繁，施工组织非常困难，严重影响施工效率，导致建设费用大幅提高。重建的牧民住房共 3 种户型，住户可按自己意愿选择户型。单层砖混结构，墙厚 240 毫米，混凝土小型多孔砖砌筑，外墙、屋面采用聚苯保温板。安装 70 系列中空双玻平开窗。檐口四周装饰藏式风格线条。室内装修同步完成，可以直接入住。凡集中安置点根据现场地形布置，分散户大多靠山临河而建。总体达到了采光充分，交通便利，居住舒适，住户满意的要求。2010 年 10 月 20 日起陆续开工，28 日第一栋民房主体工程封顶，2012 年 11 月 3 日全部竣工。青海方正建筑安装工程有限公司承建的住房位于下拉秀镇各村，2010 年 10 月 1 日开工，2012 年 7 月 10 日主体完工，2013 年 6 月 25 日竣工、6 月 30 日验收。

九、上拉秀乡农牧民住房

上拉秀乡 1963 年建政，2001 年前乡党委、政府驻地多拉科玛村，处在国道 214 线沿线。全乡平均海拔 4500 米，属纯牧业乡，辖 7 个村，20 个牧业合作社，1 个加吉娘移民社区，草场总面积 379.76 万亩，可利用草场面积 345.49 万亩。2001 年 214 国道改线后，不经过上拉秀乡政府驻地，使乡政府处于偏远，最远的两个村距乡政府驻地 70 千米。乡政府驻地多拉科玛村距县政府 78 千米。2009 年，全乡总户数 2525 户，10800 人，牧民人均纯收入 2518 元。有 5 座寺院。同年，乡机关用房得到改建，建筑面积 1000 余平方米，同时对学校、兽医站、卫生所等业务用房进行了修缮。地震中各类办公用房严重损毁，无法继续使用。灾后重建中，玉树州政府在充分调查研究的基础上，将上拉秀乡党政机关整体搬迁至位于玉杂公路沿线的加乔村加沙同。加沙同处于全乡的中心位置，距最远的村委会 30 千米，交通便利，辐射半径比原来缩小，可实现服务功能最大化。重建农牧民住房 1090 户，每户 80 平方米住房 1 套及配套设施，维修加固 446 户。总投资 19007.21 万元。其中，中华慈善总会捐赠资金 17799 万元，中央一般预算收入 1208.21 万元。

上拉秀乡年平均气温 −5℃，是玉树县海拔最高、气候最恶劣、环境最艰苦、降水量最多、施工条件最差的一个乡。2010 年 8 月 30 日，省发展改革委印发的《玉树地震灾后恢复重建总项目册（修订稿）》（青发改投资〔2010〕1247 号），及此前印发的“重建项目册”，均确定上拉秀乡牧民住房重建任务为 665 户。2010 年 9 月 16 日，省玉树地震灾后重建现场指挥部下发《关于印发 2010 年玉树灾后农牧民房屋重建目标责任考核任务的通知》（青震重指〔2010〕98 号），将上拉秀乡农牧民住房灾后重建目标任务调整为 1090 户下达。根据《玉树县上拉秀乡总体规划》，按 7 个村的村级规划，在 16 个集中居住点建设农牧民住房，集中建设率达到 100%，是省内 4 个援建地区农牧民住房建设任务最重的一个地区。远离公路干线，距离乡政府所在地 75 千米以上的集中建设点就有 10 个，日玛村卡夏吾玛集中居住点建设 33 户，距离上拉秀乡政府所在地 93 千米，施工条件极为艰苦。

在 16 个集中建设点中，9 个采用 CL 体系建设，其余为砖混结构。采用现代建筑与藏式建筑相结合的风格，外立面涂米黄色、白色与高原红，勒脚以深灰色面砖表现明暗、虚实对比，建筑物立体感增强，富有现代特点和藏式的文化气息。于 2010 年 8 月 25 日陆续开工建设，2012 年 6 月 10 日进行附属设施安装，7 月底达到交工条件，9 月 29 日进行初步验收和分户验收，1090 户住户全部签字验收，后通过竣工验收交付使用。由青海海南州援建，青海省建业公司、青海世翔、湖北楚雄、四川煜顺、西宁市湟源二建 5 家建筑施工企业承建。

第三节　称多县农牧民住房重建

一、称文镇农牧民住房

称文镇重建农牧民住房420套，每户80平方米住房1套及配套设施，地上一层，砌体结构，设有卧室、客厅、厨房、卫生间，给排水系统齐全。维修加固163户。总投资民政部捐赠资金7087.17万元。2010年9月开工，2011年9月竣工验收。芒查村、赛河村、阿朵村、者贝村住房距离县城较远，建设点分散，道路不畅，运输成本大，施工困难。在称文镇雪吾村建设过程中由于发生交通事故，施工队负责人不幸殉职，其妻子忍着失去亲人的悲痛承担起未完成的施工任务，确保了住房按期完工。称文镇农牧民住房重建由青海煤矿设计院设计，海东地区援建，青海盛邦建筑有限公司、青海东兴建筑工程有限责任公司、海东地区振兴建筑有限责任公司、青海秦旺水利水电工程有限公司、民和县第三建筑工程公司、四川元顺建筑工程有限责任公司、青海三江建筑安装有限责任公司、青海伊达建设有限公司、青海泰丰建筑工程有限责任公司等10家施工企业承建。2011年9月16日，称文镇农牧民住房全部建成，在尼格滩赛马场举行了城乡居民住房重建入住仪式和庆祝活动。

二、歇武镇农牧民住房

歇武镇重建农牧民住房520套，每户80平方米住房1套及配套设施，维修加固201户。总投资8750.31万元。其中，中央一般预算收入271.31万元，中华慈善总会捐赠资金8479万元。设计有多种户型，地上一层，砖混构造柱结构，混凝土现浇顶板，抗震设防达到7级以上。2010年10月15日开工，2012年6月20日竣工。中国电建集团玉树重建现场指挥部第三、四、五工区承建。

三、拉布乡农牧民住房

拉布乡重建农牧民住房658套，每户80平方米住房1套及配套设施，维修加固63户。总投资民政部捐赠资金11019.74万元。2011年7月12日，玉树州灾后重建首个社会主义新农村示范点，在拉布乡拉司通村开工建设。拉司通村是拉布乡政府所在地，属半农半牧区。这个村百年规划的民宅村落别致古朴，独具康巴民俗特色，以独特的自然人文景观和丰厚的藏文化内涵享誉玉树，是三江源地区典型的“古藏村”。

四、珍秦镇农牧民住房

珍秦镇重建农牧民住房 900 套，每户 80 平方米住房 1 套及配套设施，维修加固 878 户。总投资民政部捐赠资金 15710.54 万元。

五、尕朵乡农牧民住房

尕朵乡重建农牧民住房 1727 套，每户 80 平方米住房 1 套及配套设施，维修加固 39 户。总投资 28643.20 万元。其中，民政部捐赠资金 27803.21 万元，中央一般预算收入 693.58 万元，省财政厅捐赠资金 146.41 万元。

第四节　其他四县农牧民住房恢复重建

一、治多县农牧民住房

治多县加吉博洛镇恢复重建农牧民住房 71 户，每户 80 平方米住房 1 套及配套设施，维修加固 142 户，投资中央一般预算收入 1460.17 万元。立新乡重建农牧民住房 276 户，每户 80 平方米住房 1 套，加固 46 户，投资中央一般预算收入 5186.45 万元。由青海鼎正建筑设计研究院设计，青海海西州援建，河南省豫西建设工程有限责任公司、青海方圆工贸有限责任公司、西宁城中区建筑工程公司、四川园古等 19 家施工单位承建。2011 年 8 月开工，2012 年 11 月竣工验收。

二、杂多县农牧民住房

杂多县萨呼腾镇重建农牧民住房 884 户，每户 80 平方米住房 1 套及配套设施，总投资 16297.19 万元。其中，中华慈善总会捐赠资金 10392.06 万元，中央一般预算收入 2971.37 万元，中国红十字会捐赠资金 1871.44 万元，民政部捐赠资金 175.85 万元，省慈善总会捐赠资金 886.47 万元。2012 年 9 月 10 日竣工验收。由青海省土木设计院有限公司设计，西宁市援建，四川新蜀、江苏一建、重庆七建、青海方圆建筑公司承建。

昂赛乡重建农牧民住房 595 户，每户 80 平方米住房 1 套及配套设施，维修加固 69 户。总投资 11206.77 万元。其中，中华慈善总会捐赠资金 9542 万元，中央一般预算收入 1664.77 万元。

2010年8月开工，2012年4月主体完工，10月15日竣工验收。由青海省土木设计院有限公司设计，青海春辉建筑工程有限公司、四川新蜀建筑工程公司、青海金安建设工程有限公司承建。

三、曲麻莱县农牧民住房

曲麻莱县重建巴干乡农牧民住房17户，维修加固510户。总投资879.60万元，资金来源于中央一般预算收入。项目单位为曲麻莱县项目公司。

四、囊谦县农牧民住房

囊谦县重建毛庄乡农牧民住房985户，每户80平方米住房1套及配套设施，维修加固75户。总投资18331.36万元。其中，中央一般预算收入18205.89万元，民政部捐赠资金75.66万元，中国红十字会捐赠资金37.43万元，中华慈善总会捐赠资金12.38万元。毛庄乡毗连玉树县，设计了6套户型方案供住户选择。主体一层，层高2.90米。平面布置有阳光暖廊、客厅、卧室、厨房、经堂。墙体砌240毫米厚普通烧结砖，外墙贴60毫米厚挤塑聚苯板保温层，门窗采用70系列铝塑复合保温节能窗。通过对建筑色彩、墙面、屋檐的处理，体现藏式风格及地域特色。

农牧民住房恢复重建任务及投资计划统计表

表3-1

所在乡镇	总投资（万元）	重建（户）	加固（户）	备注
玉树县	198661.81	9978	1439	
结古镇	21569.49	1076		含禅古、甘达447户，国营牧场63户，2010年冬季施工措施补助138.34万元
隆宝镇（哈秀）	37931.16	1916	192	含2010冬季施工措施补助费798.68万元
巴塘乡	25892.79	1132		含2010冬季施工措施补助费588.29万元
安冲乡	13457.32	669	89	含2010冬季施工措施补助费470万元
仲达乡	13689.12	688	13	含2010冬季施工措施补助费411.48万元
上拉秀乡	19007.21	1090	446	含2010冬季施工措施补助费201.45万元
下拉秀镇	35049.64	1771	699	含2010冬季施工措施补助费205.76万元
小苏莽乡	30426.28	1551		含2010冬季施工措施补助费523万元
八吉生态示范村	1638.80	85		

续表 3-1

所在乡镇	总投资（万元）	重建（户）	加固（户）	备注
称多县	71210.96	4225	1344	
称文镇	7087.17	420	163	
歇武镇	8750.31	520	201	含 2010 冬季施工措施补助费 166.49 万元
拉布乡	11019.74	658	63	含 2010 冬季施工措施补助费 119.56 万元
珍秦镇	15710.54	900	878	
尕朵乡	28643.20	1727	39	含 2010 冬季施工措施补助费 164.95 万元
囊谦县	18331.36	985	75	
毛庄乡	18331.36	985	75	含 2010 冬季施工措施补助费 669.14 万元
杂多县	27503.96	1479		
萨呼腾镇	16297.19	884		原加固 164 户未实施，资金退回县财政；含 2010 冬季施工措施补助费 463.1 万元
昂赛乡	11206.77	595	69	含 69 户加固，每户补助 9000 元；含 2010 冬季施工措施补助费 432.76 万元
治多县	6646.62	347	188	
加吉博洛镇	1460.17	71	142	含 2010 冬季施工措施补助费 220.63 万元
立新乡	5186.45	276	46	
曲麻莱县	879.60	17	510	
巴干乡	879.60	17	510	含 2010 冬季施工措施补助费 90 万元
合计	323234.31	17031	3556	

第二章　城镇居民住房恢复重建

第一节　规模与标准

一、规划规模及调整

按照国务院2010年6月9日颁布实施的《玉树地震灾后恢复重建总体规划》，青海省人民政府2010年7月14日颁布实施的《玉树地震灾后城乡居民住房恢复重建专项规划》，玉树州地震灾区新建城镇居民住房29218套，维修加固481套。安排重建资金47.91亿元。玉树地震灾区房屋安全鉴定工作难度大，到7月30日才基本结束，实际鉴定数与规划数有差距。玉树州核定并实施的重建规模为：新建22439套，比国家规划调减6779套；加固5398套，比国家规划调增4917套。

城镇居民住房重建规划2010年调整情况统计表

表3-2　　单位：套

	新建			加固		
	国家规划	调整后	调整情况	国家规划	调整后	调整情况
玉树县	26199	14621	−11578	59	1926	+1867
称多县	1698	3525	−1827	398	199	−199
杂多县	845	735	−110	12	3252	+3240
治多县	476	1687	+1211	12	17	+5
曲麻莱县	0	1072	+1072	—	0	—
囊谦县	0	31	+31		0	
预留计划	—	768	+768	—	4	+4
合计	29218	22439	−6779	481	5398	+4917

二、基本标准

2010 年 7 月 27 日，省住房城乡建设厅印发《玉树地震灾后恢复重建城乡住房工程造价指导标准》，依据建设部《关于玉树地震灾后重建执行建筑抗震设防标准的复函的通知》和《建筑工程抗震设防分类标准》（GB 50223—2008），明确玉树地震灾后恢复重建城镇居民住房抗震设防及建设标准。

抗震设防标准：居民住房砖混结构，抗震设防Ⅶ度，地震加速度值 0.15g，基础形式浆砌毛石基础，墙体用黏土多孔砖，抗震设防类别为标准设防。

建设标准依据《玉树地震灾后恢复重建城乡住房建设指导标准》。

建筑标准：城镇居民住宅采用多层砌体结构。基础优先考虑浆砌毛石基础，设钢筋混凝土地圈梁及构造柱，墙体选材水泥多孔砖；层高 2.8 米，墙厚 240 毫米；屋面优先选用现浇钢筋混凝土结构，采用挤塑板保温；防水采用 SBS 卷材系统。装饰标准：外墙保温采用聚苯板（EPS、80 毫米）；铝塑复合窗或彩板单框双玻中空玻璃平开窗；进户门设防盗门，其余门为夹板门。起居室、卧室墙面、天棚混合砂浆抹面，刮腻子两遍，普通涂料刷白。普通装修房卫生间、厨房墙、地面贴普通瓷砖、地砖，贴砖高度 1.5 米；简易装修不贴砖。室内水、电、暖配套标准：UPVC 排水 PPR 给水管，普通洁具。采暖分采暖、不采暖两种。电气配套配电箱、暗配 PVC 线管，管内穿 BV 线、电话、电视、网络。室外配套标准：围墙、大门、值班室，水、电、道路、电视、电话、网络“六通”和绿化等。

第二节　玉树县城镇居民住房

一、结古镇居住组团、小区

规模与建设模式　结古镇恢复重建城镇居民住房 11964 户，每户 1 套 80 平方米住房及配套设施；维修加固 2643 户。总投资 253408.44 万元。其中，中央一般预算收入 163530.60 万元，中华慈善总会捐赠资金 22685.40 万元，民政部捐赠资金 57852.64 万元，中国红十字会捐赠资金 4218.12 万元，省慈善总会捐赠资金 5121.68 万元。

2010 年 6 月 6 日，灾后重建现场指挥部将结古镇地区划分成 5 个勘察片区，由 5 家勘察单位分片包干进行工程地质勘察会战，工程地质勘察先期开展。6 月 20 日前基本完成建设场地工程地质初步勘察并提供初勘报告。重建项目的建筑方案设计，实行“一个漏斗”管理制度。项目建筑设计方案在招标前由规划单位提出规划技术条件、发展改革部门提出建设规模内容、建设单位提出基本使用功能要求，为方案设计提供可靠依据。采取设计招标和总承包管理模式，一般性重建工程项目（总体规划中确定的统规自建项目、统规共建项目），其设计方案经负责该区域总体规划单位组织专家审定后，直接进入施工图设计；重要和极重要项目（总体规划中确定的统规统建项目），可采取建筑方案设计代初步设计的方式，经中国城市规划设计研究院组织专家初审后，报省玉树灾后重建规划设计专家委员会审定，即可开展施工图设计。施工图由建设单位报经具有相应资质的审查机构审查合格并备案后，抓紧开工建设。

胜利路商住组团（一） 胜利路商住组团（一）由广场社区和大众社区组成。广场社区位于结古镇胜利路东侧，地震前原址居民住房全是土房，地震中尽毁。重建中规划为商业居住用地，共建11栋商住楼，一层商铺，二层住宅。占地面积2.65公顷，建筑面积41190平方米，其中商业建筑面积9783平方米、住宅31367平方米，建筑容积率1.43。主要建设内容有：主体结构、室内外装修、安装工程、室外工程（锅炉房、停车场、室外道路、室外市政工程等）。建筑外观体现民族风情，以灰、黄、白色为主，镶嵌藏式线条。

2011年8月启动拆迁，22日奠基，9月6日开工。时值雨季，在基础开挖中遇到持力层分布不均匀、地下水位高等情况，项目部采取放坡护坡形式以及井点强降水方法开出工作面。9月17日进入独立式框架柱基础和墙下条形基础结构施工，因基础埋深高度超过6米，从便利施工和安全角度出发，采用满堂架支撑体系。11月1日，对基坑进行回填防冻。2012年2月8日进行回填处理，每40厘米压实一层。4月1日正式复工，进入主体结构抢工阶段，24小时轮流作业，在1号楼施工中创造了两天一楼层的新玉树速度。5月9日主体封顶。5月13日进入室外工程和室内装修抢工阶段。9月28日举行竣工典礼，青海省副省长徐福顺等对本项目建设给予了高度评价。11月21日验收。中铁建工集团二分部承建。大众社区地上4～5层，独立基础，主楼框架结构，建筑高度15.35米，总建筑面积43258平方米，抗震设防裂度Ⅶ度，设计使用年限50年。2011年9月8日奠基，9月10日开工，2012年4月30日主体封顶，2013年7月30日竣工验收。中铁建工集团有限公司西北分公司承建。胜利路商住组团(一)由中铁工程设计院有限公司设计，铁科院（北京）工程咨询有限公司监理。

胜利路商住组团（二） 胜利路商住组团（二）是集中组团式商住楼。总用地面积47593平方米，分为4个地块，共22栋商住楼，4～5层建筑，总高度16.8米，框架剪力墙结构，退台形式。建筑密度35.6%，容积率1.33，总建筑面积66739平方米。一层为商铺，二层局部商铺，面积17130平方米，商铺面积占总建筑面积的25.7%；住宅面积49609平方米，安置户数363户。建筑结构安全等级为二级，抗震类别Ⅱ类，抗震设防烈度Ⅶ度，框架抗震等级四级，剪力墙抗震等级三级，设计使用年限50年。外立面饰以藏式线条和藏式图案，富有民族特色。

2011年全国纪念“4·14”玉树地震一周年大会，在胜利路商住组团（二）建设工地举行。国务院副总理回良玉带领全国人大、全国政协、中央军委等组成的检查团，对胜利路商住组团（二）工程建设的前期准备工作给予高度评价。5月25日，中铁二局四公司玉树项目部，接到承建胜利路商住组团（二）共计6.6万平方米商住楼、年底前全部主体封顶的任务，工程建设时间紧迫。当时建设用地临时安置着大量受灾群众，搬迁拆迁难度大。项目部与当地政府积极沟通协调，在最短时间内完成拆迁工作，6 月 10 日奠基，同日开工建设。同期开展“大战一百天”劳动竞赛活动，推行施工现场标准化管理，成立 QC 技术攻关领导小组，向当地群众发放施工工艺明白卡，主动让群众监督施工。9 月 14 日，第一栋楼主体封顶。2012 年在最紧张的工程抢工期间，工区长陈富友针对夜间温度低、混凝土成品不易保护的情况，晚上在各个混凝土浇筑点巡查，连续 43 天工作到凌晨，所采取的低温条件下混凝土保护措施收到了良好的效果。由中铁二局集团勘测设计院有限责任公司设计，中铁二局第四工程有限公司承建，铁科院（北京）工程咨询有限公司监理。2012 年 9 月 28 日竣工，可利用施工期不足 10 个月。由玉树县通天河投资建设有限公司验收。

胜利路商住组团（三） 胜利路商住组团（三）共建 8 栋商住楼，建设内容包括主体结构、装饰装修、水电暖安装、设备安装、室外工程。1 号～ 4 号楼共 4 栋单体楼，地上 6 层，框架结构，柱下独立基础和墙下条形基础，一层商铺，2 ～ 5 层住宅。建筑高度 19.5 米。抗震设防烈度Ⅶ度，按Ⅷ度加强抗震措施。总建筑面积 15520 平方米。因地势高差大，场地小，周边环境复杂，土方开挖及回填量大，施工道路既陡且窄，施工材料运输非常困难，每个单元之间 ±0.00 标高落差大，结构相对同类别建筑复杂；工期任务紧张，施工与管理难度较大，建设中创造了结古镇同类工程中施工难度最大、工期最快的项目。2011 年 5 月 10 日奠基，5 月 15 日开工，8 月 21 日主体封顶，2013 年 8 月 30 日验收交付。5 ～ 8 号楼是灾后重建第一批开工建设的居住组团项目，采用独家独院的设计风格，大多数户型都有露台，每层结构均有差异，安装电梯。地上 6 层，一、二层商铺，三层以上住宅，总高度 21.10 米。总建筑面积 23529 平方米。其中，住宅面积 10068 平方米，商业建筑面积 13461 平方米。独立基础、墙下条形基础，框架剪力墙结构，建筑抗震设防烈度Ⅶ度，按Ⅷ度加强抗震措施，框架抗震等级三级，剪力墙抗震等级二级。2010 年 8 月 16 日奠基，8 月 22 日开工，2011 年 7 月 11 日主体封顶，2012 年 11 月 9 日竣工验收。由中铁工程设计院有限公司设计，中国中铁建工集团有限公司西北分公司、西南分公司承建。

西杭商住组团 西杭商住组团是结古镇胜利路南出口的重要建筑群落。分为 A45、A47 和 A48 三个地块，共 21 栋 4 ～ 5 层的单体建筑。底层和部分二层为商铺，采用错台建筑形式，局部设跃层。框架剪力墙结构，独立基础。丙类建筑抗震设防，设防烈度Ⅻ度，框架抗震等级四级，剪力墙抗震等级三级。结合当地民俗，立面设计图腾彩绘和藏式线条，在胜利路沿街形成一道独特的藏式风景线。总建筑面积 91000 平方米，其中住宅 410 套。2011 年 7 月 15 日开工，2012 年 6 月 20 日主体封顶，2012 年 9 月 28 日竣工，10 月 24 日验收，成为玉树重建第一批竣工的商住组团工程。由中铁二局集团勘测设计院有限责任公司设计，中铁二局集团建筑有限公司承建。施工中推广钢筋直螺纹机械连接技术、粘贴式外墙外保温隔热系统施工技术、管线综合布置综合平衡技术、消防管道卡箍连接技术等“四新”技术。项目部成立 QC 小组进行全面质量管理，采取施工过程控制、关键工序控制、分部分项工程预控等措施，对每一道工序均实行三检制度，对重要部位的隐蔽验收报请设计院、质监站等进行现场检查与验收，确保了每一个环节的施工质量。在项目经理黄晖带领下，制定专项方案，灵活运用“P-D-C-A”循环展开质量控制活动，混凝土冬季施工质量得到了有效的控制，质量等级合格。本项目部的“高寒地区冬季施工质量控制”，荣获 2012 年度四川省优秀 QC 成果二等奖。

扎南商住组团 扎南商住组团位于玉树县结古镇胜利路。地震中，原地块 80% 以上的房屋坍塌，其余成重度危房。本组团是打造结古镇南大门的重点工程，集中组团式商住楼，由 A26 地块和 A27 地块组成，共建设 18 栋商住楼，地上 4 ~ 5 层，建筑高度 15.1 米，总建筑面积 74089 平方米。一层商铺，二层局部商铺，商铺面积 25628 平方米，住宅面积 48461 平方米，安置 348 户。采用退台形式以满足居民院落式生活习惯。框架剪力墙结构，安全等级二级，框架抗震等级四级，剪力墙抗震等级三级，乙类建筑抗震设防，抗震设防烈度Ⅶ度，设计使用年限为 50 年。立面饰以藏式线条和藏式图案，体现民族特色。由中铁二局集团勘测设计院有限责任公司设计，中铁二局第四工程有限公司、中铁二局建筑有限公司承建。2011 年 10 月 8 日奠基，10 月 25 日开工，2012 年 6 月 16 日第一栋楼主体封顶，9 月 28 日竣工，10 月 30 日验收。入住后的扎南商住组团，成为拥有服装、建材、装潢等商铺 230 余家的新兴商业街区，显现出灾后重建新家园的繁华景象。

2011 年 9 月，中铁二局四公司及建筑公司接到建设扎南商住组团的任务，开展“决战百日”劳动竞赛，迅速组织最精干的力量抢晴战雨赶工期。针对高原冬季施工的混凝土保温难题，组织科技攻关，在零下十几摄氏度的深夜连续做了 11 次混凝土试验，获得了基础数据，解决了这一难题。本组团 2 号楼由于土质问题基础开挖深度达 6 米左右，时逢雨季，为抢工期和保障安全，项目部严格控制挖掘标高，分层削土不超过 2.5 米，基坑底部 0.3 米处人工捡底，创造了分段分层挖掘的高原施工新方法。2012 年 5 月 27 日，玉树州建设局和州建筑协会，组成玉树灾后重建安全文明工地观摩团，组织青海省内 11 家援建单位及 40 余名入住群众代表等近百人，到扎南商住组团 A26 地块建设工地，进行现场管理及文明施工的观摩活动。观摩会上，项目经理田小东从项目精心规划设计、工序沟通协作、严控工程质量、推进和谐重建等 4 个方面，介绍了管理经验，得到了观摩团的肯定。

920 台居住组团 位于结古镇南片区半山坡上，共 3 个地块计 12 栋楼，全部住宅，总建筑面积 40080 平方米。建设内容包括主体结构、装饰装修、水电暖安装、设备安装、室外工程。其中，A02 地块建 1 ~ 5 号楼，A04-1 地块建 6 ~ 12 号楼，A04-2 地块建锅炉房及配套用房。住宅楼地上 4 层，建筑总高度 17.5 米，框架剪力墙结构，独立基础。2012 年 6 月 28 日奠基。由于地势高差，住宅楼单元之间标高落差大，结构处理比同类建筑复杂；施工道路坡陡狭窄，土方开挖及回填量大，材料运输非常困难。11 月 10 日主体封顶，2013 年 8 月 30 日竣工验收。本项目从开工到结束，实际施工工期 7 个月，在场地狭小、周边环境复杂、施工管理难度大的条件下，创造了结古镇同类工程中最快的施工速度。由中铁工程设计院有限公司设计，中国中铁建工集团有限公司西北分公司承建。

民主路南商住组团 地处结古镇繁华商业地段，共有 23 栋单体建筑，沿街 4 层，其余 5 层，总高度 14.50 米，框架结构，柱下独立基础，持力层为 2-2 卵石层。住宅面积 53000 平方米，商铺面积 12700 平方米，进行了独具康巴特色的“铂礼朶丛”风貌打造。本商住组团是玉树灾后重建保障民生工程，也是青海省玉树地震灾后重建现场指挥部 2012 年度“9·30”目标项目，计划工期仅有 147 天。2012 年 5 月 20 日奠基，5 月 26 日开工建设。基础开挖阶段，地下埋有许多嘛呢石，引来当地群众的争相捡拾。为尊重当地风俗习惯和保证安全，施工人员用挖掘机撒开土方，方便群众捡拾嘛呢石。7 月 19 日主体封顶，10 月 24 日通过竣工验收。由中国市政工程西北设计研究院有限公司设计，中国建筑工程总公司第八工程局有限公司承建。

琼龙路住宅小区　位于结古镇红卫路，ABD 区 1768 套住房。2011 年 7 月 25 日开工，9 月 30 日主体完工，2012 年 9 月 30 日验收。C 区建设 366 套及配套设施。2011 年 9 月 7 日开工，C9 号楼 2011 年封顶，其余 19 栋楼 2012 年封顶。由铁道第一勘察设计院设计，中国铁建援建，中铁二十一局二公司承建。

琼龙旅游区商住组团　琼龙旅游区商住组团，位于红卫路，总建筑面积 14572 平方米，商业住宅楼，民居 20 户，其中 2 户自建。框架剪力墙结构，一层商铺，二层、三层住宅。不锈钢玻璃地弹商铺门。墙体砌 200 毫米厚加气混凝土块，外墙贴 50 毫米厚挤塑聚苯板保温层，采用铝塑复合玻璃窗，屋面防水采用 SBS 两遍。藏式装修部分，一层外墙贴蓝灰色文化石，女儿墙彩绘；二层女儿墙用水泥雕花；三层饰以成品挂件。2012 年 9 月 15 日开工，2013 年 6 月 3 日主体封顶。由中铁第一勘察设计集团有限公司、山东技高设计有限公司设计，中铁二十一局集团第四工程有限公司承建。

粮油公司地块居住组团　原粮油公司地块居住组团，位于结古镇南片区一完小以南，胜利路以西。总建筑面积 11547 平方米。全部为住宅，框架剪力墙结构，独立基础、墙下条形基础。建设内容包括 1 ~ 3 号楼及锅炉房主体结构、装饰装修、水电暖安装、设备安装、室外工程。其中，1 号、3 号楼地上 6 层，建筑高度 18.3 米；2 号楼地上 5 层，建筑总高度 15.5 米。2012 年 6 月 28 日奠基，8 月 1 日开工，10 月 8 日主体封顶，2013 年 8 月 30 日竣工验收。由中铁工程设计院有限公司设计，中国中铁建工集团有限公司西北分公司承建。

烟草公司地块居住组团　烟草公司地块居住组团系扎西科河南居住组团的一部分，属于二类用地。东西长 108 米，南北长 47 米，总占地面积约 5350 平方米，总建筑面积 8620 平方米，由 4 栋五层的单体建筑组成半围合的院落空间，共 70 套住房。框架结构，层高 2.8 米，建筑高度 14.9 米，局部退台。1 号、3 号、4 号楼一梯 4 户，2 号楼一梯两户，户型面积分为 100 平方米、120 平方米和 140 平方米 3 种。户内空间分隔充分考虑功能性和舒适性原则，实现了动静分离、主客分离、干湿分离。多数厅、房均可直接采光通风，有开敞的室外平台。室内采用可视对讲系统，供暖、供水、供电均采用插卡式计量表，集中供热方式。外墙采用 240 毫米厚混凝土空心砌块，外侧加 80 毫米厚挤塑聚苯板保温层。立面设计结合康巴藏式建筑特点与现代建筑特点，以白色和浅黄色为主，一、二层采用真石漆喷涂，临河一侧底层贴棕红色文化石面砖，细部装饰藏式符号构件，融入滨水藏式建筑风貌。2012 年 4 月 26 日奠基，5 月 1 日开工建设，6 月 25 日主体封顶，9 月 21 日竣工验收，建设周期约 100 天。9 月 26 日举行竣工仪式。由中国市政工程西北设计研究院有限公司设计，中国建筑工程总公司第八工程局援建、承建。

扎村托弋住宅区　位于结古镇扎曲河北岸，西邻德宁格村，东侧与民主村相邻，分两期工程建设。一期工程由21栋楼组成，采用伐板基础和独立基础，部分采用条形基础，钢筋混凝土框架剪力墙结构。总建筑面积82766平方米，其中住房1270套共74190平方米、商铺8576平方米。1号、2号楼于2010年9月15日开工，2011年10月28日竣工验收。二期工程位于民主路以南原玉树州职业学院居住区，由1号地块和2号地块组成。其中2号地块由住户自建。1号地块共建9栋楼，计划安置居民433户，实际建455套居民住房，其中有80平方米、100平方米、120平方米、140平方米、160平方米、180平方米等多种户型。总建筑面积26144平方米。2012年7月12日开工，2013年6月30日竣工。由中国城市规划设计研究院北京国城建筑设计公司设计，中国电建集团玉树第三工区承建一期工程、第一工区承建二期工程。

扎村托弋北住宅区　扎村托弋北住宅区位于结古镇北环路以北，扎村托弋一期北面。占地面积49170平方米，建筑面积8640平方米，共计108套住房。地上一层或两层，砖混结构。2012年4月1日开工，2013年6月30日竣工。由中国水电顾问集团华东勘测设计研究院设计，中国电建集团玉树第四工区承建。

扎西科组团（一、二）　扎西科组团（一）和扎西科组团（二）是保障性住房建设工程。共建有33栋楼，砖混结构，地上6层。扎西科组团（一）分布于北环路的路北、路南，共建26栋楼，建筑面积60255平方米，其中商铺1155平方米，住房面积59100平方米。扎西科组团（二）北临北环路，南邻民主路，共7栋楼，建筑面积18096平方米，其中商铺2786平方米、住房面积15310平方米。建筑外立面采用传统的红白灰色，表现强烈的民族特色及地域特点；墙檐采用传统的装饰造型，体现玉树康巴独特的建筑风格与艺术审美；门窗采用上小下大的黑色梯形门窗围，与建筑本身的竖向立面风格相互呼应。2011年9月23日开工，2013年9月30日正式交工并投入使用。由中国水利水电顾问集团华东勘测设计研究院设计，中国电建集团玉树重建第二、三、六工区承建。

扎西科组团（三）　扎西科组团（三）位于结古镇城西片区，东邻德宁格，西侧是扎西科组团(二)。场地标高在3730～3850米，高差较大。小区道路设置了一条纵向贯穿南北的主干道，用于缓解组团外围环路的交通压力，内部交通结合地形采用纵向之字形道路。藏经阁位于场地的视觉中心，依高低起伏的地势，错落有致地布局院落式的民居，还原村落的自然风貌，形成了藏经阁美丽的周边景观。组团内原有建筑总户数190户，设计总户数1020户，总用地面积48.097公顷，绿地率31.7%。每户建筑面积91平方米，大部分地上一层，局部二层，砖混结构。2012年4月1日开工，2013年6月30日竣工。由中国水电顾问集团西北勘察设计研究院设计，中国电建集团第二、五、六工区共承建793户，总建筑面积63440平方米。

扎西科河南居住组团　扎西科河南居住组团是保障性住房工程，位于扎西科河南侧红旗路与扎西科路交叉口。共建42套住房，每套80.02平方米，砖混结构一层，砖砌女儿墙，拐角处设构造柱，建筑总高度4米，大于4米的加设构造柱。在女儿墙四周彩绘吉祥八宝图，体现出藏族民居风格。总建筑面积3400平方米，同时建设小区道路。在统一规划格局下，室内标高由建设单位和设计单位现场确定，户型图采取每户确认制，尽量达到住户的要求，保证住户能住上满意的房子，使本居住组团成为和谐重建的小区。原场地高低不平，旧房基础清除、场地平整挖填土方量巨大，增加了施工成本。2011 年 6 月 12 日奠基，6 月 15 日开工建设，9 月 25 日主体封顶，2012 年 7 月 26 日竣工交付。由中国市政工程西北设计研究院有限公司设计，中国建筑工程总公司第八工程局援建承建。

民主北居住组团　民主北居住组团，位于结古镇城北片区。住户分属两个建委会，其中民主北建委会 482 户、解放建委会 162 户，毛石混凝土基础，外墙厚 37 毫米。新建小区市政道路 12.5 千米，修筑挡墙 12 万立方米，喷浆护坡 10000 平方米。

民主北居住组团内的居民都有自己的宅基地，大小不一，对户型需求多样多变，很难锁定意愿，直接影响开工。援建单位创造出了人性化设计、人性化施工的援建工作新方法。在施工准备阶段，及时与设计人员、管委会沟通，制作列有五项群众意愿的表格，从征地公摊到院落锁定，再到户型选择，逐户进行沟通，完成一项，住户签字按一个手印锁定。设计人员充分尊重住户的意见，采取“一对一”的菜单式设计方案，甚至在锁定设计图纸和施工方案的情况下，明天要施工，住户头天晚上又提出要求，也尽量修改图纸和施工方案，直至住户满意。在这个意愿锁定过程中，援建单位、设计人员从工程结构、使用功能等方面对住户反复解释。施工中，在造价既定的情况下，也尽量满足住户的一些要求，如基础超深、增加钢筋、改变门窗尺寸、增设台阶踏步、为后续扩建甩出搭接钢筋等。援建单位虽有满腹委屈和彷徨，但出于对藏族同胞失去家园和亲人感同身受的心情，在不违背国家规范及使用功能的前提下，尽力满足住户的意愿。由中国市政工程西北设计研究院有限公司设计，中国建筑工程总公司援建、承建，2011

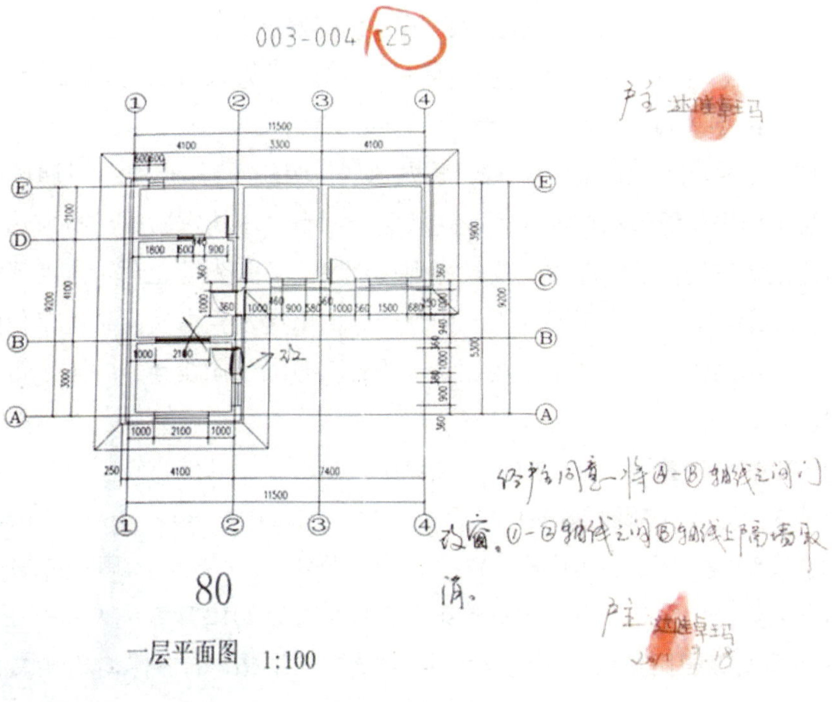

住户确认的户型图变更意见图

年5月10日开工，8月25日主体完工，2012年6月30日竣工验收。

折龙达城镇居民住房 折龙达城镇居民住房位于解放村环城北路两侧，Ⅱ类用地。住房依山坡作阶梯状分布，共建319套住房，均为单体建筑。其中砖混结构264套、框架结构55套，总建筑面积约27000平方米。C20毛石混凝土基础，±0.00上下均用M7.5混合砂浆小型混凝土八孔砖砌筑，全现浇混凝土楼板。建筑总高度4米。外墙、屋面保温选用80毫米厚挤塑聚苯保温板。结合旅游观光需要，对建筑进行民族风情打造。外墙镶贴特制文化石，以青色为基调，间以黄色，沿袭了玉树藏区土石结构民居特色，敦实庄重。有些窗棂装饰用玉树传统民居“珀礼尕从”和中式古典木雕窗棂元素，均采用新型轻便材料。门窗上口及女儿墙四周镶嵌木椽子装饰线条，体现出“康巴风情”与中国古典建筑风格的完美融合，被誉为“最美石头城”，成为结古镇风格独特的新型民居群落。对户型实行个性化设计。项目部提供了5套基本户型，由住户选择并采纳变更意见。住户班久认定施工图后，从自家房屋基础完成到房子建成，又先后变更大门、客厅、卧室等。他说：“每次我要改图纸，施工人员都满足我的要求，他们是好人。”藏族群众把援建住房看成他们世代居住的房屋，但总是拿不定主意，最多的一户出了6套施工图纸。援建者面对这样的改来改去不急不躁，只要在设计及施工规范允许的情况下，住户想建什么样的房子，就盖什么的房子。083号宗地住户卓玛文毛是双烈士家属，父亲是抗美援朝烈士，大哥是公安二级英模。因西邻活佛房屋为加固户，其院落围墙不愿参加公摊，影响卓玛文毛家的住房施工。眼看冬季即将来临，邻居的房子逐渐建完，一家人很着急。项目部为照顾双烈士家属，及时调整优化设计方案，进行抢工建设。自2011年9月6日开工建设，10月12日达到入住条件。10月28日，卓玛文毛一家住进了新房，全家到中国建筑工程总公司援建指挥部赠送锦旗表示感谢。铺筑小区道路6.5千米，砌筑道路、院落浆砌毛石挡墙7430立方米，用高原地区锚杆、挂网喷浆技术支护山体护坡8690平方米。2011年4月23日奠基，5月12日开工建设，10月5日主体封顶。

2012年6月4日下午，徐福顺视察折龙达居住组团工程。6月23日通过竣工验收。6月26日，中国建筑玉树援建前线指挥部在折龙达片区，举行“玉树灾后重建折龙达、民北片区、扎西科河南居住组团统规自建住房竣工仪式暨现场观摩会”。张光荣、旦科、匡湧等领导出席，玉树州委、州政府，北京市、辽宁省、中铁工、中铁建、中电建及青海省内援建单位的40余位代表参加。折龙达居住组团由中国市政工程西北设计研究院有限公司设计，中国建筑工程总公司第八工程局承建。

加吉娘集中安置区 加吉娘农牧民集中安置区，南邻结古镇赛马场，西临物资大库，占地面积20635平方米，新建居民住房38户，每户建筑面积80～160平方米，地上一层或二层，砖混构造柱结构。社会服务中心132平方米，公厕60平方米，停车位20个。由上海大境建筑设计事务所设计，中国水电玉树重建第一工区援建，2012年5月9日开工，9月30日竣工。

下西同城镇居民住房 下西同城镇居民住房西邻德宁格村，东邻民主村，是结古镇最大的城镇居民住房项目和统规自建试点项目。总占地面积40200平方米，共分A、B、C、D、E 5个片区，共安置居民601户，其中住户自建的140户。由援建单位承担施工的461户，分布在A区123户、B区115户、C区48户、D区52户、E区123户。地上1层或2层，层高3.2米，均按2层设计。墙下毛石条形基础，基础持力层为卵石层。室内布置客厅、卧室、经堂、厨房、卫生间。外部风貌打造采用东玛等藏式装潢，民族风格浓郁。在建筑朝向、建筑构造等方面突出节能功能。项目区内住房分布点多面广，本着和谐重建的理念，设计、施工中充分尊重民族习俗和住户意愿，主要是户型、楼梯、建筑朝向等不同要求，601套房子设计要听取601家住户的意见，加大了现场管理的难度。援建单位主动联系民主南路管委会给予协调，同时耐心地向住户做解释、说服工作，以保证施工正常进行。由上海大境设计研究院设计，中国水电玉树重建第一工区承建，2011年4月24日破土动工，2012年7月30日竣工，10月27日首户居民入住。

扎西大同北居住区　位于结古镇扎西大同北片区，震前皆为土坯房，地震中95%以上房屋倒塌。震后安排原址统规自建，共1022户，每户建筑面积80平方米。多为单体单层建筑，层高3米，个别户型局部二层，最大建筑高度6.3米。砖混结构，外墙用混凝土多孔砖砌筑，现浇混凝土梁、板、柱。结合当地民族风俗，在建筑主体上首次使用PU藏式风情装饰线条。屋面采用泡沫混凝土保温新技术。该技术是用泡沫剂与水泥或添加粉煤灰、砂石、炉渣等集料混合搅拌注模成型后，经自然养护而成的一种新型轻质多孔保温节能材料。其保温隔热性能优良，强度、抗裂性、吸水率都要远远优于其他屋面保温材料。2011年4月14日奠基，同日开工。由于是统规自建项目，住户意愿诉求较多，施工进展时常受阻。片区内80%以上住户因邻里边界不确定而导致基础放线无法进行；砌筑过程中，有的户主以没有按他们要求在砂浆中增加水泥为由阻挠施工；有些户主随意更改门窗位置及大小，否则就要求停工；部分户主因自家院落过大，要求增加房屋面积，因此阻挠施工；还有的户主在外墙涂刷完毕后要求更改涂料颜色；在平整院落时，个别户主要求对其不是施工范围内的工程进行施工，被拒绝后私自扣留施工人员，甚至谩骂殴打施工管理人员，造成多次停工；还有的随意改变厨房卫生间位置，造成预留水管电线管无法安装。对这些问题，项目管理人员及时协同建委会、监理单位在施工现场为群众进行科普讲解和协调，尽可能满足户主的合理要求，尽力保证施工进行。由中铁工程设计院有限公司设计，中国中铁玉树灾后重建现场指挥部二分部承建，2012年7月15日封顶，10月20日竣工验收。

德宁格居住组团　德宁格居住组团南接扎曲河旅游景观带，西侧毗邻德宁格村，东侧与民主村相邻。场地标高在3700～3800米，组团设计保留原来的自然肌理，尊重原有的邻里关系，采用居民公摊的方式为新增公共设施和市政道路提供土地。砖混结构，采用混凝土实心砖，墙下毛石混凝土条形基础。多数住房一层，层高3米，少量二层。与建筑物基础相邻的边坡水平距离小于2.5米的院墙均设挡土墙。本组团建设达到了安全保障满足重建要求，设施配套满足改善要求，业态升级满足提升跨越要求。中国城市规划设计研究院北京国城建筑设计公司设计，中国电建玉树重建第二、四、六工区共承建753户，总建筑面积60240平方米。2012年9月10日开工，2013年6月30日竣工。

德宁格南组团　德宁格南组团原规划设计共137户住房，自建118户，中国电建集团承建其中19户和市政道路工程，建筑面积1595平方米。采用墙下毛石混凝土条形基础，置于角砾层上，地上砖混结构，采用混凝土实心砖，一期多数住宅为一层，少量为二层，二期二层由住户自行设计。与建筑物基础相邻边坡水平距离小于2.5米的院墙均设挡土墙。2012年5月1日开工，2013年6月30日竣工。由中国水电顾问集团西北勘测设计研究院设计，中国电建集团玉树重建第四工区承建。

德宁格南组团总结出“1655”项目管理工作模式：一个路线——“自下而上”的群众路线；六位一体——6个主体的工作框架，省相关部门、州县政府、片区、基层群众、援建方、设计单位为一体的工作主体；五级动员——自上而下的五级组织机制，以州委书记为主的州级领导、以县委书记为主的县级领导、以片区管委会为主的基层组织、以社区负责人为主的积极分子、广大社区群众在内的五级动员机制；五个手印——住户充分参与的5个手印，现状产权确认、大公摊比例确认、院子划分认可、户型确认、户型施工方案认可。

结古寺居住组团 位于结古镇红卫路团结村，744套住房，包括土建及附属设施，由中国铁建兰州设计院设计，中国铁建二十一局二公司承建。2011年4月14日开工，2012年5月30日主体完工，10月5日竣工验收。

当代组团 80平方米单体住宅，砖混结构，片石基础，地上一层，局部两层，共833户，总建筑面积66640平方米。由中国铁建兰州铁道设计院设计，中国铁建二十一局第四工程有限公司承建，2011年4月18日奠基开工，2013年6月30日竣工验收。

康巴风情街北区商住楼 位于红卫路结古寺对面，商业住宅楼，用地面积21267平方米，40个单体建筑共54户，钢筋混凝土框架结构，总建筑面积15889平方米。由中铁第一勘察设计集团有限公司、北京华诚博远设计有限公司设计，中国铁建二十一局第四工程有限公司承建。2012年9月15日开工，最后一个单体建筑2013年6月3日封顶。

巴塘滨水休闲组团 位于结古镇城南巴塘河畔，占地面积6.74万平方米，共建19栋商住楼，建设内容包括主体结构、装饰装修、水电暖安装、配套建设室外水暖电工程。地上6层，一、二层商铺，三层以上住宅，框架剪力墙结构，独立基础和墙下条形基础，结构总高度21.10米。总建筑面积23530平方米，其中住宅面积10068平方米，商业建筑面积13461平方米。是结古镇独具康巴风情的滨水休闲街区，建筑物外观设计凸显康巴民族特色，外墙门窗小檐下悬红白蓝三色条形布幔，黑色窗套，屋顶女儿墙的脚线及其转角采用表达吉祥愿望的红、白、蓝、黄、绿五色布条，使之成为与自然环境、宗教和康巴文化相融的特色建筑。组团周边全部保留现有树木，以自然草坡驳岸替代现状整形驳岸，使建筑与自然景观和谐相融。2012年6月19日奠基开工，2012年9月30日主体封顶，2013年10月18日竣工验收。由中铁工程设计院有限公司设计，中铁建工集团有限公司玉树四分部承建。

结古镇统规统建区城镇居民住房建设情况统计表

表 3-3

<table>
<tr><th>援建单位</th><th>组团名称</th><th>建设套数</th><th>回迁安置户数</th><th>保障房套数</th><th>开工套数</th></tr>
<tr><td rowspan="8">中国中铁</td><td>胜利路商住组团（一）</td><td>424</td><td>424</td><td>—</td><td>424</td></tr>
<tr><td>胜利路商住组团（二）</td><td>371</td><td>371</td><td>—</td><td>371</td></tr>
<tr><td>胜利路商住组团（三）</td><td>172</td><td>172</td><td>—</td><td>172</td></tr>
<tr><td>西杭商住组团</td><td>394</td><td>394</td><td>—</td><td>394</td></tr>
<tr><td>扎南商住组团</td><td>214</td><td>214</td><td>—</td><td>214</td></tr>
<tr><td>百货批发市场</td><td>30</td><td>30</td><td>—</td><td>—</td></tr>
<tr><td>920 地块</td><td rowspan="2">291</td><td rowspan="2">291</td><td rowspan="2">—</td><td>—</td></tr>
<tr><td>粮油公司地块</td><td>—</td></tr>
<tr><td>中国铁建</td><td>琼龙居住组团</td><td>2025</td><td>1400</td><td>625</td><td>2025</td></tr>
<tr><td rowspan="2">中国建筑</td><td>民主路南组团</td><td>267</td><td>267</td><td>—</td><td>—</td></tr>
<tr><td>烟草公司地块</td><td>112</td><td>112</td><td>—</td><td>—</td></tr>
<tr><td rowspan="4">中国水电</td><td>扎村托弋一期</td><td rowspan="2">1075</td><td rowspan="2">445</td><td>630</td><td>1075</td></tr>
<tr><td>扎村托弋二期</td><td>—</td><td>—</td></tr>
<tr><td>扎西科组团（一）</td><td>942</td><td>—</td><td>942</td><td>—</td></tr>
<tr><td>扎西科组团（二）</td><td>844</td><td></td><td>844</td><td>844</td></tr>
<tr><td>合计</td><td>15 个组团</td><td>7161</td><td>4120</td><td>3041</td><td>5519</td></tr>
</table>

在结古镇居住组团小区的住房、部分公共服务设施、道路的山坡地，共修筑挡土墙 59 处，其中 4 处护坡。总投资中央一般预算收入 116968.38 万元。其中，含安冲乡、仲达乡、下拉秀镇农牧民住房挡墙工程和道路工程，投资约 13880 万元。至 2013 年 10 月底，结古镇建成 46 处，建筑结构分别有毛石、素混凝土、钢筋混凝土、毛石混凝土、锚索、预应力锚索框架等挡墙和喷浆护坡。由各片区援建单位承建。

二、隆宝镇城镇住房

隆宝镇（哈秀）恢复重建城镇居民住房 818 户，每户 80 平方米住房 1 套及配套设施。总投资 17732.28 万元，资金来源于中央一般预算收入。

三、下拉秀镇城镇住房

下拉秀镇恢复重建城镇居民住房 180 户，每户 80 平方米住房 1 套及配套设施。由中华慈善总会捐赠资金 3772.80 万元。

第三节　其他五县城镇居民住房

在称多县、治多县、杂多县所辖的乡镇政府所在地，以及曲麻莱县巴干乡、囊谦县毛庄乡，重建城镇居民住房5363户，每户80平方米住房1套及配套设施。

称多县5个乡镇重建城镇居民住房3525户，维修加固199户。称文镇城镇居民住房恢复重建共1446户，其中统归统建916户、统归自建530户，维修加固187户。重建的居民住房砌体结构，地上一层，设有卧室、客厅、厨房、卫生间，给排水系统齐全。2010年9月开工，2011年6月主体完工，2011年9月竣工验收。由青海煤矿设计院设计，青海盛邦建筑有限公司、青海东兴建筑工程有限责任公司、海东地区振兴建筑有限责任公司、青海秦旺水利水电工程有限公司、民和县第三建筑工程公司、四川元顺建筑工程有限责任公司、青海三江建筑安装有限责任公司、青海伊达建设有限公司、青海泰丰建筑工程有限责任公司等10家公司承建。芒查、赛河、阿朵、者贝等村距离县城远，建设点分散，道路不畅，住房建设运输成本大，施工困难。在雪吾村建设过程中，由于发生交通事故，施工队负责人不幸牺牲，其妻子主动承担未完成的施工任务，确保了城镇居民住房按期完工。歇武镇重建城镇居民住房723户，维修加固7户。珍秦镇重建城镇居民住房1297户，维修加固3户。拉布乡重建城镇居民住房48户，维修加固2户。尕朵乡重建城镇居民住房11户。

治多县加吉博洛镇重建城镇居民住房1687户，维修加固17户。

杂多县萨呼腾镇城镇居民住房，恢复重建628套，加固4110户。昂赛乡重建城镇居民住房共107套。2011年4月开工，2012年5月主体封顶，2012年11月竣工，11月3日验收。青海省土木设计院有限公司设计，青海春辉建筑工程有限公司承建。

囊谦县毛庄乡重建城镇居民住房共31套。建于囊谦县香达镇，主体一层，层高2.90米。平面布置由阳光暖廊、客厅、卧室、厨房、经堂等部分组成。共计6套方案，藏式建筑风格，墙体为240毫米厚普通烧结砖，外墙外贴60毫米厚挤塑聚苯板保温层。窗户采用70系列铝塑复合保温节能窗。2010年10月开工，2011年10月主体完工，2012年9月竣工。青海省人民防空工程设计研究院设计，青海省土木建筑实业公司承建。

曲麻莱县巴干乡重建城镇居民住房共1072户。

至2013年10月底，玉树灾后重建共建成城镇居民住房18334套，每户80平方米住房1套及配套设施，维修加固6969户。

城镇居民住房恢复重建完成情况统计表

表 3-4

序号	乡镇名称	重建（套）	加固（户）	总投资（万元）	备注
1	玉树县结古镇	11964	2643	253408.44	其中州电力公司住房 94 户，投资 1970.24 万元
2	玉树县隆宝镇	818	—	17732.28	含 2010 年冬季施工措施补助费 587 万元
3	玉树县下拉秀镇	180	—	3772.80	
4	称多县称文镇	1446	187	25691.19	含 2010 年冬季施工措施补助费 160.14 万元
5	称多县歇武镇	723	7	12905.38	含 2010 年冬季施工措施补助费 140.86 万元
6	称多县拉布乡	48	2	849.42	
7	称多县珍秦镇	1297	3	22691.62	
8	称多县尕朵乡	11	—	195.48	
9	杂多县昂赛乡	107	—	2100.78	
10	杂多县萨呼腾镇	628	4110	15035.09	其中维修加固资金 2705.25 万元
11	治多县加吉博洛镇	1687	17	34186.92	含 2010 年冬季施工措施补助费 269.37 万元
12	曲麻莱县巴干乡	1072	—	20996.67	
13	囊谦县毛庄乡	31	—	604.11	
合计		20012	6969	410170.18	不含土方平衡和挡土墙工程投资

第四节　周转房

一、干部职工周转房

干部职工周转房及配套设施，重建资金来源于中央一般预算收入。

玉树州干部周转房建在 3 处，共 920 套，每套 50 平方米，总建筑面积 46000 平方米，投资 16730.19 万元。分别建于扎村托弋居住组团一期内的 3 ~ 9 号、21 号楼，扎西科组团（一）的 25 ~ 27 号楼，2012 年 9 月 5 日开工，2013 年 9 月 30 日竣工；扎西科组团（二）的 12 ~ 15 号楼，其中 14 号、15 号楼地上 11 层，钢筋混凝土框架剪力墙结构，其余地上 6 层，砖混结构。2011 年 10 月 1 日开工，2013 年 6 月 30 日竣工。由中国水电顾问集团华东勘测设计研究院设计，中国电建集团玉树灾后重建第五工区承建。

玉树县干部职工周转房位于结古镇琼龙路，包括土建及附属设施，每套45平方米，共建996套，总建筑面积44847平方米，投资15450.4万元。2011年7月25日开工，2012年5月20日主体完工，2013年9月28日竣工验收。由中铁第一勘察设计院设计，中国铁建股份有限公司援建，中铁二十一局二公司承建。

结古镇干部职工周转房位于琼龙路，包括土建及附属设施，每套35平方米，共27套，总建筑面积945平方米。完成投资333.63万元。2011年7月25日开工，2012年5月20日主体完工，2013年9月28日竣工验收。由中铁第一勘察设计院设计，中铁二十一局二公司承建。

隆宝镇干部职工周转房建筑面积588平方米，完成投资208.78万元。

安冲乡干部职工周转房建筑面积400平方米，完成投资156.79万元。

仲达乡干部职工周转房建筑面积443平方米，完成投资223.47万元。

小苏莽乡干部职工周转房建筑面积400平方米，完成投资160.04万元。

上拉秀乡干部职工周转房建筑面积420平方米，完成投资110.33万元。

巴塘乡干部职工周转房建于铁力角村，建筑面积420平方米，地上二层，总高7.35米。一层设宿舍、盥洗室、卫生间，二层设套间及宿舍，完成投资148.33万元。2011年4月15日开工，2011年9月20日主体完工，2011年11月8日竣工，2012年9月15日验收。由辽宁省城乡建设规划设计院设计，成都市明志建筑工程有限公司承建。

下拉秀镇干部职工周转房建于尕玛村，砖混结构，地上两层，建筑面积420平方米，建筑总高度6.6米。完成投资116.83万元。2011年7月4日奠基，8月10日开工。2012年7月9日主体完工，2013年9月25日竣工，9月30日验收。由青海省规划设计研究院设计，青海方正建筑安装工程有限公司承建。

称多县、称文镇干部职工周转房，建于称文镇查拉沟开阔场地，共修建周转房11栋及附属设施，地上5层，砌体建筑结构。占地面积28997平方米，总建筑面积36420平方米，投资10524.91万元。2011年5月开工，2012年7月主体完工，2012年11月竣工。由青海恒兴工程设计有限公司设计，青海盛邦建筑有限公司承建。歇武镇干部职工周转房建筑面积278.96平方米，总投资33.93万元（维修加固），2013年8月竣工验收。珍秦镇干部职工周转房建筑面积481平方米，总投资115.58万元，2013年10月竣工验收。拉布乡干部职工周转房维修加固164.41平方米，投资22.72万元，2013年8月竣工验收。尕朵乡干部职工周转房建筑面积460平方米，其中新建260平方米、维修加固200平方米，总投资104.89万元，2013年9月竣工验收。

治多县干部职工周转房，建筑面积21600平方米，完成投资6723.99万元。由甘肃省建筑设计研究院设计，四川蓬溪县第五建筑工程公司、河南豫西建设工程有限责任公司承建。加吉博洛镇干部职工周转房建筑面积735平方米，完成投资197.65万元。由甘肃省建筑设计研究院设计，青海宏厦建设工程有限公司承建。立新乡干部职工周转房建筑面积420平方米，完成投资98.96万元。

杂多县干部职工周转房建筑面积22050平方米，投资6968.93万元。2013年1月10日竣工验收。分别建于滩上 1 ~ 13 号楼、滩下 1 ~ 12 号楼。由北京中外建设计，成都明志建筑工程有限公司、玉树州建设工程有限责任公司、四川新蜀建筑有限公司、四川省南充市嘉陵建筑工程总公司、四川南部县第八建筑公司承建。萨呼腾镇干部职工周转房 756 平方米，投资 181.53 万元。昂赛乡干部职工周转房 400 平方米，投资 98.07 万元。

曲麻莱县巴干乡干部职工周转房建筑面积 420 平方米，地上二层，砌体结构，藏式建筑风格。外立面采用米色、白色与高原红相结合，勒脚以深灰色面砖进行明暗虚实对比。屋面采用康巴藏式线条处理。完成投资 107.03 万元。2010 年 9 月 15 日开工，2011 年 9 月 15 日竣工。由青海东亚工程建设管理咨询有限公司设计，四川新蜀建筑有限公司承建。

玉树州、县、乡镇干部职工周转房建设情况统计表

表 3-5

序号	项目属地名称	建筑面积（平方米）	套数	总投资（万元）	备注
1	玉树州	46000	920	16730.19	每套 50 平方米，分解到各组团，不单计数
2	玉树县	44847	996	15450.40	每套 45 平方米，分解到各组团，不单计数
3	隆宝镇	588	—	208.78	
4	下拉秀镇	420	—	116.38	
5	上拉秀乡	420	—	110.33	
6	巴塘乡	420	—	148.33	
7	安冲乡	400	—	156.79	
8	小苏莽乡	400	—	160.04	
9	仲达乡	400	—	223.47	
10	结古镇	945	27	333.63	每套 35 平方米，分解到各组团，不单计数
11	称多县	36420	—	10524.91	称多县和称文镇干部职工周转房
12	歇武镇	278.96	—	33.93	新建、维修加固
13	珍秦镇	481	—	115.58	新建、维修加固
14	尕朵乡	460	—	104.89	新建 260 平方米，维修加固 200 平方米
15	拉布乡	164.41	—	22.72	新建、加固
16	杂多县	22050	—	6968.93	
17	昂赛乡	400	—	98.07	
18	萨呼腾镇	756	—	181.53	
19	治多县	21600	—	6723.99	
20	加吉博洛镇	735	—	196.65	
21	立新乡	420	—	98.96	
22	巴干乡	420		107.03	
合计		179025.37	1943	58815.53	

驻玉树的中央、省垂直管理单位干部职工周转房在规划用地内自行建设。

二、教师周转房

玉树县结古镇教师周转房建设，包括土建、附属设施及设备购置。建筑面积 25480 平方米，总投资 8757 万元。采取在学校就近居住组团内建设和学校内建设两种方式。有 9 所学校在就近居住组团内共建设 316 套周转房，每套 45 平方米，建筑面积 14420 平方米。有 6 所学校在校内共建设 244 套，每套 45 平方米，总建筑面积 11260 平方米。其中，玉树州民族中学 40 套，每套 52 平方米。

结古镇教师周转房重建情况统计表

表 3-6

序号	项目	建筑面积（平方米）	套数	总投资（万元）	备注
1	玉树州八一职业技术学校	1800	40	618.6	在学校就近居住组团内建设
2	玉树州红旗小学	1800	40	618.6	
3	玉树州八一孤儿学校	450	10	154.6	
4	玉树州特殊教育学校	180	4	61.8	
5	玉树县第一民族中学	2430	54	835.2	
6	玉树县第二民族中学	2160	48	742.4	
7	玉树县第二完小	1800	40	618.6	
8	玉树县第三完小	1800	40	618.6	
9	玉树县第四完小	1800	40	618.6	
10	玉树州民族中学	2080	40	714.9	在学校内建设
11	玉树州第二高级中学	2160	48	742.4	
12	玉树州幼儿园	360	8	123.7	
13	玉树县民族寄宿中学	2700	60	928	
14	玉树县第一完小	1800	40	618.6	
15	玉树县结古中心寄校	2160	48	742.4	
合计		25480	560	8757	

结古镇以外的地震灾区 18 个乡镇教师周转房由各县项目公司实施，其中称多县的珍秦镇、囊谦县的毛庄乡教师周转房与中心寄宿制学校合建，建筑面积与投资额未单列。

玉树县巴塘乡建教师周转房，2011 年 4 月 8 日奠基，4 月 15 日开工，9 月 20 日主体封顶，11 月 8 日竣工验收。下拉秀镇教师周转房位于尕玛村，地上 3 层，砖混结构，2011 年 7 月 4 日奠基，8 月 10 日开工，2012 年 7 月 5 日封顶，2013 年 9 月 30 日竣工验收。

称多县称文镇教师周转房，建两栋宿舍楼，共40间，可容纳教师40人。2011年10月开工，2012年8月主体完工，2012年10月竣工验收。歇武镇教师周转房建筑面积1034平方米、拉布乡教师周转房建筑面积466平方米、尕朵乡教师周转房建筑面积466平方米，2012年9月竣工验收。

治多县加吉博洛镇教师周转房建筑面积2687平方米。2011年9月开工，2013年7月竣工验收。

曲麻莱县巴干乡教师周转房建3栋单层建筑，每栋3户联建，每户设客厅及2个卧室。总建筑面积466平方米。2010年9月15日开工，2011年9月15日完工。

结古镇以外乡镇教师周转房建设情况统计表

表3-7

序号	所属县	所在乡镇	建筑面积（平方米）	总投资（万元）	备注
1	玉树县	下拉秀镇	1194	324.09	省红十字会捐赠资金
2		隆宝镇	260	117.26	中央一般预算收入
3		上拉秀乡	749	363.27	中央一般预算收入
4		巴塘乡	570	161.51	省财政厅捐赠资金
5		安冲乡	232	108.49	中央一般预算收入
6		小苏莽乡	698	206.22	中央一般预算收入
7		仲达乡	246	143.97	中央一般预算收入
8	称多县	歇武镇	1034	235.63	中央一般预算收入
9		珍秦镇	—	—	与镇中心寄宿学校合建，未单列
10		拉布乡	466	118.67	中央一般预算收入
11		尕朵乡	466	110.46	民政部捐赠资金
12		称文镇	1343	399.58	中央一般预算收入
13	囊谦县	毛庄乡	—	—	与乡中心寄宿学校合建，未单列
14	杂多县	昂赛乡	172	52.88	中央一般预算收入
15		萨呼腾镇	4976	1240.82	中央一般预算收入
16	治多县	立新乡	112	37.74	中央一般预算收入
17		加吉博洛镇	2687	787.68	中央一般预算收入
18	曲麻莱县	巴干乡	466	143.13	中央一般预算收入
合计			15671	4551.4	

第三章　社会管理用房建设

第一节　州级行政管理用房

一、玉树州行政中心用房

玉树州行政中心　位于玉树县结古镇民主路，是结古镇灾后重建十大重点工程之一。由州委、州政府、州人大、州政协及各部门、各事业单位业务用房和接待、会议用房及附属用房等组成，共 11 个单体工程，最高 11 层。项目占地 6.33 公顷，总建筑面积 73529 平方米，其中地上 68074 平方米，地下 4000 平方米。总投资 59123.58 万元，资金来源于中央一般预算收入 56072.58 万元、中华慈善总会捐赠资金 2186 万元、省民政厅捐赠资金 82 万元、省慈善总会捐赠资金 153 万元。

玉树州行政中心项目由中国建筑总公司援建。2011 年 7 月 31 日奠基，2012 年 4 月 1 日开工，4 月 7 日起陆续开始基槽验收，4 月 29 日开始到 5 月 8 日完成基础分段验收。5 月 16 日上午，青海省和玉树州建设主管部门，组织 60 余名海东援建称多县的施工单位代表，现场学习观摩玉树州行政中心援建项目。7 月 10 日，强卫一行到工地视察指导工作，详细了解玉树州行政中心项目的建设情况。7 月 23 日，“全国重点网络媒体青海行”走进玉树，深入施工现场进行采访报道。9 月 30 日主体结构封顶。10 月 4 日，州接待用房、老干部活动中心、州人大用房主体工程外观通过质量验收。2013 年 10 月底竣工。州委综合业务用房、州政府北区办公楼主楼为框架剪力墙结构，抗震设防等级框架三级，剪力墙二级。其他单体工程框架结构，抗震设防框架三级，结构安全等级二级，乙级地基基础设计，丙类抗震设防。

玉树州行政中心重建项目是高海拔地区建设的小高层建筑，也是玉树州第一个、唯一设计人防地下室的建筑。采用两项新技术：应用大体积混凝土计算机自动测温技术，解决了高寒地区大体积混凝土工程因散热降温引起的冷缩比干缩开裂难题；在地下室剪力墙施工中应用新型节能对拉螺杆工艺，在简便施工操作、节约建材、节约能源方面成效显著，提高施工效率 20 倍。本项目由清华大学建筑设计研究院有限公司设计，中国建筑总公司第八工程局有限公司承建。

玉树州行政中心重建内容统计表

表 3-8

序号	建设内容	建筑面积（平方米）	总建筑面积（平方米）	总投资（万元）
1	州级四大班子及组成部门、事业单位用房	36054	73529 平方米。其中，地下 4000 平方米	合计 59123.58 万元。其中，中央一般预算收入 56072.58 万元，中华慈善总会捐赠资金 2186 万元，省民政厅捐赠资金 82 万元，省慈善总会捐赠资金 153 万元
2	州政府政务大厅	5000		
3	州级政务信息公开用房	1500		
4	州综合信访接待用房	1800		
5	州招生办报名、办证大厅	300		
6	州政府接待用房	5000		
7	州会议业务用房	5000		
8	州社会救助管理中心	300		
9	州社会保障服务设施	6000		
10	可可西里管理局办事处	120		
11	州城建档案馆	2000		
12	车库、食堂、库房、锅炉房和附属设施	5000		

玉树州行政中心单体建筑工程统计表

表 3-9　　　　单位：平方米

序号	单位工程名称	建筑面积	建筑结构	层数
1	州委综合业务用房	17694.1	框架剪力墙	地下一层，地上 11 层
2	州会议业务用房	3056.8	框架	地上 3 层
3	州政协业务用房	2000.5	框架	地上 3 层
4	州人大业务用房	2039.5	框架	地上 3 层
5	老干部活动中心	2503.2	框架	地上 5 层
6	州接待用房	5916.99	框架剪力墙	地下 1 层，地上 6 层
7	州政府办公楼北区——西配楼	8682.2	框架	地上 3 ~ 6 层
8	州政府办公楼北区——主楼	15733.3	框架剪力墙	地下 1 层、地上 9 层
9	州政府办公楼北区——东配楼	8854.8	框架剪力墙	地下 1 层，地上 3 ~ 6 层
10	州政府办公楼南区	15968.5	框架	地上 2 ~ 4 层

二、玉树州运输管理处用房

玉树州运输管理处 位于结古镇扎西科滩路西侧，占地面积 520 平方米，建筑面积 1678 平方米，综合楼地上 4 层，钢筋混凝土框架结构。内部功能包括业务办公、餐厅、办证大厅、多媒体会议室等。总投资中央一般预算收入 750.85 万元。2012 年 5 月 1 日开工，2013 年 6 月 30 日竣工。由中国水电顾问集团西北勘测设计研究院设计，中国电建集团玉树重建第三工区承建。

三、玉树州综合服务中心用房

由玉树州职工综合服务中心、玉树州法律援助中心、玉树县工商局、青海广播电视中心、玉树农村信用联社、中国人民保险公司玉树支公司、安邦财产保险公司青海分公司、玉树机场票务中心、商铺组团 9 个单体项目组成建筑群落。位于结古镇民主路中段 3 号地块，用地呈不规则多边形，东西长 197 米，南北宽 107 米，规划建设用地面积约 32.38 亩。建筑物外墙采用石材幕墙。同步建设市政公用配套设施，给水由市政供水管网供给，场地内干管管径 150 毫米，管点位于用地中段。排水管道位于东侧结曲路，管径 800 毫米。供电电源由市网引入一路 10 千伏高压进线。取暖由玉树州行政中心锅炉房供热。2012 年 7 月起陆续开工建设，至 2013 年 9 月 30 日建成玉树州法律援助中心、玉树县工商局、玉树农村信用联社，其余仍在建设中。由中国市政工程西北设计研究院有限公司设计，重庆市佳信建设（集团）有限公司承建。其中，玉树县工商局用房由新天一集团公司承建。

玉树州综合服务中心分项建设情况统计表

表 3-10

序号	项目名称	建筑面积（平方米）	投资额（万元）	资金来源	备注
1	玉树州职工综合服务中心（含玉树县）	6926	3362.54		
2	玉树州法律援助中心	700			
3	玉树县工商局	3346	835.19	中央一般预算	
4	青海广播电视中心	850			
5	玉树农村信用联社	1600			
6	中国人民保险公司玉树支公司	700			
7	安邦财产保险公司青海分公司	300			
8	玉树机场票务中心	150		自筹	
9	商铺组团	400			
合计		14972			

第二节　县级行政管理用房

一、玉树县用房

玉树县行政中心　位于结古镇胜利路东侧，原属行政办公用地，重建规划为政府建设用地，由玉树县统一划拨。按国家相关规范和标准确定建设规模，共由 6 个子项组成 6 栋单体建筑。总用地面积 3.38 公顷，总建筑面积 43232 平方米。建设内容包含主体结构、装饰装修、水电暖安装、设备安装。玉树县委、县人大、县政府、县政协和各组成部门、事业单位业务用房，平面布局由中间主楼和两侧裙楼组成，筏式基础，基坑深度达 7 米，建筑物通过抗震缝分开。主楼框架剪力墙结构，地下局部一层为储藏室、设备用房，地上 10 层办公用房，建筑面积 18445 平方米，建筑高度 39.8 米。两侧裙楼地上 3 层，局部 4 层，框架结构，建筑高度 16 米。政务大厅、党校、救助站用房地上 5 层，框架结构，建筑高度 20.6 米，政务大厅、救助大厅、办公室和会议室在一、二层，3 ~ 5 层是县党校教室、办公室和宿舍。南、北区事业单位用房总建筑面积 8526 平方米，框架结构，地上 3 层，局部 4 层，建筑高度 16 米，外墙采用玻璃幕墙。县人民武装部用房集办公、宿舍、库房为一体，建设内容包括主体、二次结构及内外装修，框架剪力墙结构，筏式基础。地上 3 层，地下一层库房，建筑高度 13.5 米。以中国城市规划设计研究院牵头民俗专家参与的风貌打造组，从规划设计开始即注重建筑立面设计，体现地方特色、民族风貌和时代特征。2012 年 5 月 5 日，南、北区事业单位用房先期奠基开工，5 月 9 日其余单体建筑奠基，同日开工建设。8 月 8 日南、北区事业单位用房主体封顶，9 月 14 日武装部楼主体封顶，10 月 20 日行政大厅楼主体封顶，2013 年 5 月 2 日县委、县政府大楼主体封顶。8 月 30 日，6 栋建筑全部竣工验收。总投资 27258.21 万元。由清华大学建筑设计研究院有限公司设计，中国中铁建工集团有限公司华北分公司玉树项目部承建。

玉树县公安看守所、行政拘留所　玉树县公安看守所及行政拘留所建设内容包括看守所行政办公楼、看守所建筑、拘留所及附属设施。用地面积 51014.48 平方米，总建筑面积 5434 平方米，其中行政拘留所 1296 平方米。道路及场地硬化面积 4830 平方米，绿地率 32.4%。设置围墙 956 米，监墙 405 米，岗楼 2 座，机动车停车位 45 辆。建筑高度 6 ~ 7.5 米，地上主体 1 层，局部 2 层，框架结构。总投资中央一般预算收入 4929.88 万元。2012 年 5 月 1 日开工，2013 年 6 月 30 日竣工。由中国水电顾问集团西北勘测设计研究院设计，中国电建集团玉树重建第六工区承建。

玉树县消防大队　玉树县消防大队位于结古镇公园西路西侧，单体办公楼，主要用于消防办公、训练及食宿。占地面积 1143 平方米，建筑面积 3400 平方米，钢筋混凝土框架结构，建筑高度 12.65 米。总投资中央一般预算收入 1542.56 万元。2011 年 10 月 6 日开工，2013 年 5

月30日竣工。由中国水电顾问集团西北勘察设计研究院设计，中国电建集团玉树重建第四工区承建。

玉树县社会救助与社会管理服务中心 位于结古镇胜利路，建筑面积200平方米，总投资140万元，其中省慈善总会捐赠资金119万元、中央一般预算收入21万元。2012年8月22开工，2013年5月28日竣工验收。由清华大学建筑设计研究院有限公司设计，中国中铁二局承建。

二、称多县用房

称多县行政中心 位于称文镇。合并建设称多县政府、人大、政协业务用房13420平方米，称多县会议中心服务用房3000平方米，称多县司法局业务用房1000平方米，称多县就业和社会保障综合服务平台设施2590平方米，称多县残疾人综合服务设施1000平方米，辅助用房778平方米及附属配套设施。维修加固面积1660平方米，主要加固称多县委及直属部门用房。地上停车位236个及道路地坪、绿化、大门、化粪池、供电线路、监控、管网、热网、检查井等室外配套工程。总建筑面积23448平方米，投资6790万元，资金来源于中央一般预算收入和中华慈善总会捐赠资金。2011年10月奠基开工，2012年9月主体完工。由青海省人民防空工程设计研究院设计，海东地区援建，青海伊达建贸有限公司、青海伊虹建设有限公司、循化建筑股份总公司承建。

其他单位 在行政中心以外选址建设的单位有5家：称多县公安技侦业务用房及附属设施，建筑面积2389平方米，钢筋混凝土框架结构，地上3层。完成投资746万元。2011年6月开工，2012年7月主体完工，10月竣工。称多县公安看守所、行政拘留所业务用房及附属设施，含武警用房，建筑面积1547平方米，总投资592万元。2011年10月开工，2012年7月主体完工，2012年10月竣工。称多县检察院技侦业务用房建筑面积2550平方米，钢筋混凝土框架结构，地上主体3层。完成投资744万元。2012年7月主体完工，2012年9月竣工。称多县消防业务用房，新建业务综合楼1栋及附属设施，购置办公设备。建筑面积2300平方米。投资861万元。2011年7月开工，2012年6月主体完工，10月竣工。称多县人民武装部建设一栋业务楼和辅助设施及购置办公设备，建筑面积2000平方米。完成投资699万元。2011年7月开工，2012年7月主体完工，10月竣工。这些项目由海东地区援建，青海恒兴工程设计有限公司设计，青海三江建筑安装公司、循化建筑股份合作总公司、青海盛华建筑有限公司、青海宏星建设工程公司、青海伊达建贸有限公司承建。资金来源于中央一般预算收入。

三、治多县用房

治多县行政中心 位于治多县城南新区。总建筑面积18080平方米，总投资6594万元，资金来源于中央一般预算收入。治多县委及直属部门业务用房1950平方米，县政府业务用房3930平方米，县人大业务用房480平方米，县政协业务用房420平方米，县会议中心服务用房3000平方米，县档案馆2600平方米，省级驻治多县政府部门及治多县政府直属部门和事业单位业务用房5700平方米，以及业务用房及附属设施。2011年9月10日开工，2013年9月23日竣工验收。

其他单位　在行政中心以外选址建设的单位有3家：治多县人民武装部，建设内容包括业务、生活、武器用房及附属设施，建筑面积2000平方米，其中加固600平方米。完成投资584万元。2011年11月8日开工，2013年7月18日竣工验收。治多县消防业务用房，建设内容包括业务用房及附属设施，建筑面积2300平方米。完成投资923万元。2011年7月18日开工，2013年9月竣工验收。治多县就业和社会保障综合服务设施，建设内容包括土建、附属设施、设备购置及信息系统。建筑面积3000平方米。完成投资1759万元。2011年9月11日奠基，9月18日开工，2012年8月13日主体完工，2013年8月26日竣工验收。这些项目由海西州援建，甘肃省建筑设计研究院设计，河南省豫西建设工程有限责任公司、青海誉诚工程有限责任公司、青海方圆工贸有限责任公司承建。

四、杂多县用房

杂多县行政中心　建设业务用房及附属设施。杂多县委及直属部门业务用房1380平方米、县政府业务用房5500平方米、县人大业务用房570平方米、县政协业务用房510平方米、县会议中心服务用房3000平方米、县档案馆2600平方米、省级驻杂多县政府部门及杂多县政府直属部门和事业单位业务用房5680平方米、杂多县司法局业务用房面积868平方米。完成投资7421万元，2013年10月23日竣工验收。

其他单位　2家单位在行政中心以外选址建设：杂多县人民武装部业务、生活用房，建筑面积1800平方米，完成投资689万元，2013年10月12日竣工验收；杂多县消防业务基础设施，建筑面积2300平方米，完成投资923万元，2011年9月开工，2012年7月主体完工，10月20日竣工验收。这些项目由西宁市援建，青海省人民防空工程设计研究院、青海省土木建筑设计院有限公司设计，西宁永和集团建筑安装有限公司、重庆群洲建筑工程有限公司、重庆佳信建设有限公司、四川射洪曹碑建筑公司、玉树州建筑公司承建。资金来源于中央一般预算收入。

第三节　基层管理用房

一、结古镇街道办事处和公共服务用房

重建城东、城南、城西、城北区街道办事处业务用房及附属设施。资金来源于中央一般

预算收入。城东区街道办事处，位于结古镇琼龙路。包括街道办事处和商业用房2个子项目，主体3层，框架结构，钢筋混凝土独立基础，总建筑面积2009平方米，其中城东街道办事处910平方米，投资474.42万元。由广东建筑艺术研究院有限公司设计，中铁二十一局集团北京分公司承建（玉树重建第三项目部）。2011年9月7日开工，2012年5月2日主体完工。城南街道办事处与胜利路就业和社会综合服务平台、胜利路社区综合服务站、胜利路派出所4家合建，地上4层，局部3层，框架结构。共建业务用房2250平方米，其中城南街道办事处业务用房1000平方米、投资440.17万元。2012年4月1日奠基开工，2012年5月31日主体封顶，2012年8月30日竣工验收。由中铁工程设计院有限公司设计，中铁建工集团玉树四分部承建。城西街道办事处建筑面积1310平方米，投资593.39万元。城北街道办事处建筑面积1300平方米，完成投资224.64万元，与民主路就业和社会综合服务平台设施合建。2013年7月15日开工，2013年11月8日竣工验收。由青海融和勘察设计研究有限公司设计，四川安泰建筑公司承建。

二、乡镇政权业务用房

结古镇以外18个灾后重建乡镇的政权业务用房及附属设施，大多采取与乡镇级其他公共服务机构、设施合建的方式重建。其中，恢复重建11个乡镇政权业务用房，维修加固7个乡镇的业务用房。资金来源于中央一般预算收入，项目单位为各县项目管理公司，由各援建单位实施、承建。自2011年陆续开工，至2013年10月全部建成。

乡镇政权业务用房重建情况统计表

表3-11

序号	属县	乡镇名	建筑面积（平方米）	总投资（万元）	备注
1	玉树县	下拉秀镇	700	196.85	
2		隆宝镇	700	400.61	
3		上拉秀乡	600	138	其中维修加固150平方米
4		巴塘乡	680	409.05	与基层就业和社会综合服务平台、司法所合建
5		安冲乡	520	194.11	
6		小苏莽乡	620	222.73	
7		仲达乡	560	284.02	
8	称多县	歇武镇	748.18	73.47	维修加固
9		珍秦镇	700	153.88	
10		拉布乡	520	102.86	
11		尕朵乡	530	142.40	
12		称文镇	1380	110	维修加固
13	囊谦县	毛庄乡	650	49.71	维修加固
14	杂多县	昂赛乡	620	157.02	
15		萨呼腾镇	904	68.37	维修加固

续表 3-11

序号	属县	乡镇名	建筑面积（平方米）	总投资（万元）	备注
16	治多县	立新乡	640	94.45	维修加固
17		加吉博洛镇	933	73.35	维修加固
18	曲麻莱县	巴干乡	580	167.22	
合计			12585	3038	

三、社区、村级公共服务用房

共重建 132 个社区和村级公共服务用房，计划每个社区或行政村新建公共服务用房 400 平方米及附属设施、内部设施，实际建设中有些村（社区）公共服务用房面积略小于计划面积。一般设有会议室、党团员活动室、警务室、医务室及办公室等。资金来源于中央一般预算收入、抗震救灾党费。由所属县项目管理公司实施重建。

社区、村级公共服务用房重建情况统计表

表 3-12

序号	所属县	乡镇	社村（个）	建筑面积（平方米）	投资（万元）		备注
					中央	党费	
1	玉树县	下拉秀镇	9	3600	785.34	72	
2		结古镇	4	1561	440.76		代格村 361 平方米。卡孜、国营牧场、果青村各 400 平方米
3		新寨村	1	400	215.17	8	项目册第 53
4		结古镇西	3	1160	557.67	8	含德宁格村、下西同居委会
5		结古镇东	2	908	537.19	16	2 村（社区）
6		结古镇北	1	360	129.74	8	仲代村
7		结古镇南	2	900	260.85	16	西杭、胜利路组团（二）社区
8		隆宝镇	10	4320	1859.03	88	10 村（社区）
9		上拉秀乡	7	2520	691.80	56	7 村，每村 360 平方米
10		巴塘乡	7	2520	812.46	56	7 村，每村 360 平方米
11		安冲乡	5	2000	731.00	40	
12		小苏莽乡	9	3252	726.01	72	9 村，每村 361.28 平方米
13		仲达乡	4	1445	471.15	32	
14	称多县	歇武镇	8	2890	692.61	64	8 村（社区）
15		珍秦镇	11	3974	946.51	88	
16		拉布乡	7	2529	599.99	56	
17		尕朵乡	8	2890	669.67	64	
18		称文镇	12	4335.36	1131.38	96	12 村（社区）

续表 3-12

序号	所属县	乡镇	社村（个）	建筑面积（平方米）	投资（万元）		备注
					中央	党费	
19	囊谦县	毛庄乡	5	2000	426.60	40	
20	杂多县	昂赛乡	3	1200	294.34	24	
21		萨呼腾镇	6	2400	571.90	48	6 村（社区）
22	治多县	立新乡	3	1200	259.85	24	
23		加吉博洛镇	2	800	209.47	16	
24	曲麻莱县	巴干乡	3	1200	299.74	24	代曲、团结、麻秀村
合计			132	50364.36	14320.23	1016	

第四节　业务用房

一、公安系统用房

玉树州公安技侦业务用房　包括业务用房及附属设施，总投资 5157.91 万元，资金来源于中央一般预算收入。由中国铁建兰州设计院有限公司设计，中铁二十一局二公司承建，2012 年 3 月 20 日开工，7 月 12 日主体完工。

玉树州公安维稳应急指挥业务用房　总投资 1577.01 万元，资金来源于中央一般预算收入。由中铁建援建。

玉树州特警业务用房　投资 1577.01 万元，资金来源于中央一般预算收入。2012 年 3 月 20 日开工，8 月 6 日主体完工。由中国铁建兰州设计院有限公司设计，中铁二十一局二公司承建。

玉树州交警指挥管理业务用房　玉树州交警指挥管理业务用房含车管所，土建及附属设施，建筑面积 3400 平方米，总投资 2369.43 万元，资金来源于中央一般预算收入。由中水电援建。

玉树州公安交警支队用房　玉树州公安交警支队业务管理用房，位于扎西科滩路东侧、民主路以南。总建筑面积 3375.17 平方米，地上 3 层，框架结构。2012 年 5 月 1 日开工，2013 年 6 月 30 日竣工。由中国水电顾问集团西北勘测设计研究院设计，中国电建集团玉树重建现场指挥部第三工区承建。

玉树州消防业务基础设施　玉树州消防业务大楼，位于结古镇城东片区，北临巴曲路，建筑面积 8103 平方米，其中地下室 785.47 平方米，地上 4 层，地下 1 层，建筑高度 16.5 米，框架结构。总投资 3555.69 万元，资金来源于中央一般预算收入。由中铁第一勘察设计院设计，中铁二十一局集团第四工程有限公司承建。2011 年 9 月 18 日开工，2012 年 6 月 5 日主体封顶，2013 年 10 月 30 日完工。

结古地区平安城市治安监控系统　主要建设结古镇平安城市监控系统工程、道路卡口监控系统工程、电子警察监控系统工程、玉树州公安局指挥中心工程、玉树县公安局指挥中心工程、玉树州交警指挥中心工程、玉树县公安局辖区派出所显示系统工程、公安厅信息通信网边界接入平台—视频接入工程。总投资 2800 万元，资金来源于中央一般预算收入。由省公安厅自建。

县级公安技侦业务用房及看守所、拘留所　玉树县、称多县、杂多县、治多县 4 县，分别将公安技侦业务用房、公安看守所（含武警用房）和行政拘留所整合建设，资金来源于中央一般预算收入，由各县灾后重建项目投资管理公司实施。

玉树县公安技侦业务用房，总投资 1532.71 万元，2011 年 10 月 25 日开工，2013 年 6 月 30 日竣工。公安看守所和行政拘留所，总投资 2172 万元。由中国水电顾问集团西北勘察设计研究院设计，中国电建集团玉树重建第四工区承建。

称多县公安技侦业务用房，总投资 812.99 万元；新建行政拘留所、维修加固公安看守所，总投资 890.91 万元。海东地区援建。

杂多县公安技侦业务用房，总投资 657.10 万元；公安看守所，总投资 142.19 万元；行政拘留所，投资 19.50 万元。由青海省土木建筑设计院有限公司设计，四川安泰建设有限公司、四川射洪曹碑建筑公司承建。2012 年 11 月 5 日竣工验收。

治多县公安局技侦业务用房，投资 583.52 万元；公安看守所维修加固，投资 55.23 万元。行政拘留所维修加固，投资 33.43 万元。海西州援建。由甘肃省建筑设计研究院设计，河南省豫西建设工程有限责任公司承建。

公安派出所　灾后重建 26 个公安派出所。其中，玉树县结古镇 8 个，新建路、民主路、胜利路 3 个派出所建筑面积各 650 平方米，其他 5 个派出所建筑面积各 450 平方米。结古镇以外灾区 6 县 18 个乡镇各建 1 个派出所，镇派出所建筑面积 650 平方米，乡派出所建筑面积 450 平方米。其中，重建 11 个，维修、加固 6 个，合建 1 个，资金均来源于中央一般预算收入。自 2011 年 9 月陆续开工，至 2013 年 9 月全部建成。

公安派出所恢复重建情况统计表

表 3–13

序号	所在地	派出所名	建筑面积（平方米）	总投资（万元）	备注
1	玉树县	安冲乡派出所	450	173.67	
2		隆宝镇派出所	674	321.50	
3		下拉秀镇派出所	650	174.63	
4		上拉秀乡派出所	450	128.20	
5		巴塘乡派出所	450	175.91	

续表 3-13

序号	所在地	派出所名	建筑面积（平方米）	总投资（万元）	备注
6	玉树县	小苏莽乡派出所	450	173.31	
7		仲达乡派出所	450	252.46	
8	结古镇	新寨派出所	450	359.79	
9		扎西科派出所	450	334.14	
10		新建路派出所	650	310.42	
11		民主路派出所	848	516.46	
12		琼龙路派出所	450	300.64	
13		当代路派出所	450	234.73	
14		胜利路派出所	650	292.86	
15		西杭派出所	648	261.67	
16	称多县	歇武镇派出所	306.52	33.28	维修加固
17		珍秦镇派出所	306.52	31.52	维修加固
18		拉布乡派出所	136	89.01	
19		尕朵乡派出所	450	146.44	
20		称文镇派出所	800	57.74	维修加固
21	杂多县	昂赛乡派出所	450	111.13	
22		萨呼腾镇派出所	800	48.10	维修加固
23	治多县	立新乡派出所	232	94.95	投资含政权业务用房、司法所加固
24		加吉博洛镇派出所	735	54.70	维修加固
25	曲麻莱县	巴干乡派出所	450	132.20	
26	囊谦县	毛庄乡派出所	610	164.16	与司法所合建，派出所 450 平方米
合计			13446.04	4973.62	

二、检察院系统用房

玉树州人民检察院技侦业务用房 位于结古镇琼龙科巷 399 号。建筑面积 7500 平方米。其中，维修加固 4657 平方米，新建 2843 平方米。检察院技侦楼 3009.78 平方米，检察院业务用房 2546 平方米，框架结构，地上 5 层。检察院公寓楼 965.6 平方米，框架结构，地上 3 层。完成投资 2432 万元，资金来源于中央一般预算收入。技侦楼、公寓楼 2009 年 8 月 1 日奠基，8 月 2 日开工，10 月 30 日主体封顶，2013 年 9 月 29 日竣工验收。业务用房 2013 年 3 月 24 日奠基，3 月 25 日开工，6 月 3 日主体封顶，10 月 21 日竣工验收。建设单位玉树州检察院，由青海省人防工程设计研究院设计，青海省广厦建筑工程有限公司承建。

县级检察院技侦业务用房 玉树县、称多县、杂多县、治多县人民检察院灾后重建由各县项目管理公司实施，资金来源于中央一般预算收入。

玉树县检察院建筑面积2550平方米，总投资1042.51万元。2011年10月25日开工，2013年6月30日竣工。由中国水电援建。

称多县检察院技侦业务用房建筑面积2550平方米，总投资827.90万元。海东地区援建。

杂多县检察院技侦业务用房建筑面积2110平方米，总投资676.64万元。由青海省土木建筑设计院有限公司设计，四川新蜀建筑有限公司承建。2013年10月15日竣工验收。

治多县检察院技侦业务用房　位于治多县城南新区。建筑面积2550平方米，其中维修加固600平方米。总投资735.65万元。2011年9月开工，2013年9月竣工验收。由甘肃省建筑设计研究院设计，河南省豫西建设工程有限责任公司承建。

三、法院系统用房

玉树州人民法院审判业务用房　位于结古镇红卫路，包括业务用房及附属设施，建筑面积6973平方米，总投资4128.72万元，资金来源于中央一般预算收入。2012年3月20日开工，6月4日主体完工。由中国铁建兰州设计院有限公司设计，中铁二十一局二公司承建。

县级人民法院审判业务用房　玉树县、称多县、杂多县、治多县人民法院审判业务用房由各县项目公司设施，资金来源于中央一般预算收入。

玉树县人民法院审判业务用房建筑面积5010平方米，总投资1861.52万元。2011年10月25日开工，2013年6月30日竣工。由中国水电援建。

称多县人民法院审判业务用房建筑面积3500平方米，主要建设审判业务用房1栋，以及供排水、供电、供暖、道路硬化及绿化等配套设施的建设。总投资988.49万元。2011年6月开工，2012年7月主体完工，10月竣工。由青海恒兴工程设计有限公司设计，青海三江建筑安装公司承建。

杂多县人民法院审判业务用房建筑面积3500平方米，总投资1249.81万元。2013年7月20日竣工验收。由青海省土木建筑设计院有限公司设计，四川省南充市嘉陵建筑工程总公司承建。

治多县人民法院审判业务用房建筑面积3500平方米，其中维修加固1000平方米，总投资903.48万元。由海西州援建。2011年9月10日开工，2013年9月23日竣工验收。由甘肃省建筑设计研究院设计，四川省蓬溪县第五建筑工程公司承建。

基层法庭　玉树县在隆宝镇和下拉秀镇重建基层法庭业务用房，资金来源于中央一般预算收入。隆宝镇基层法庭业务用房建筑面积800平方米，总投资357.79万元，由北京市援建。下拉秀镇基层法庭建于下拉秀镇尕玛村，建筑面积800平方米，共2层，框架结构，总投资249.81万元，2011年7月4日奠基，8月10日开工，2012年7月10日封顶，2013年9月25日完工，9月30日验收。由青海省规划设计研究院设计，青海方正建筑安装工程有限公司承建。

四、司法局系统用房

玉树州法律援助中心 位于玉树县结古镇民主路中段，玉树州综合服务中心地块内。办公业务用房建筑面积676.68平方米，框架结构，外墙采用石材幕墙。2012年7月1日奠基开工，2012年10月15日主体完工，2013年9月30日竣工验收。项目单位玉树州司法局，由中国市政工程西北设计研究院有限公司设计，重庆市佳信建设（集团）有限公司承建。

治多县司法局业务用房 建筑面积800平方米，总投资289.52万元，资金来源于中央一般预算收入。项目单位治多县项目公司，海西州援建。建设内容包括业务用房及附属设施，2011年9月开工，2013年8月竣工验收。由甘肃省建筑设计研究院设计，西宁城中区建筑工程公司承建。

司法所 在灾区6县的17个乡、镇建设司法所，各司法所建筑面积统一为160平方米，建设资金额在45万～60万元。其中，维修加固司法所5个，每个维修加固资金13万元。由各县项目管理公司实施。

灾后重建乡镇司法所建设情况表

表3-14

序号	属县	所在地	建筑面积（平方米）	总投资（万元）	备注
1	玉树县	下拉秀镇	160	53.92	
2		隆宝镇	160	60.92	
3		上拉秀乡	160	43.28	
4		巴塘乡	160	96.25	与乡政权业务用房、基层就业平台合建
5		安冲乡	160	59.73	
6		小苏莽乡	160	50.56	
7		仲达乡	167	106.96	
8	称多县	歇武镇	160	12.61	加固
9		拉布乡	160	31.65	
10		尕朵乡	160	60.00	
11		称文镇	160	10.33	加固
12	杂多县	昂赛乡	160	40.97	
13		萨呼腾镇	160	16.81	加固
14	治多县	立新乡	160	13	与政权业务用房加固640平方米
15		加吉博洛镇	160	11.62	加固
16	曲麻莱县	巴干乡	160	42.17	
17	囊谦县	毛庄乡	160		与派出所合建，共164.16万元
合计			2727	710.78	

五、人民武装部系统用房

玉树州民兵训练用房、业务用房及附属设施，建筑面积 4000 平方米，总投资 2037 万元，资金来源于中央一般预算收入。中国建筑工程总公司援建。位于结古镇玉树军分区用地内，主体建筑 3 层，局部 1 层。2012 年 5 月开工，8 月 5 日主体封顶，8 月 23 日主体验收，10 月底完工。由中国市政工程西北设计研究院有限公司设计，中国建筑工程总公司援建。

玉树县、称多县、治多县、杂多县人民武装部灾后重建，集办公、宿舍、库房为一体，由各县项目管理公司实施，资金来源于中央一般预算收入。

玉树县人民武装部合建于玉树县行政中心，建筑面积 2000 平方米，投资未单列。由中国中铁援建。

称多县人民武装部业务用房及武器库，建筑面积 2000 平方米，总投资 932.38 万元。由海东地区援建。

治多县人民武装部建筑面积 1369 平方米，总投资 507.11 万元，由海西州援建。

杂多县人民武装部建筑面积 1800 平方米，总投资 610.77 万元。由西宁市援建。

六、消防系统用房

重建玉树州和玉树县、称多县、杂多县、治多县消防业务基础设施，资金来源于中央一般预算收入，项目单位为玉树州消防支队。玉树州消防业务用房及附属设施，建筑面积 8103 平方米，总投资 3555.69 万元，由中国铁建股份有限公司援建。玉树县消防业务用房及附属设施，建筑面积 3400 平方米，总投资 1542.56 万元，由中国水利水电总公司援建。称多县消防业务用房及附属设施，建筑面积 2300 平方米，总投资 999.58 万元，由海东地区援建。杂多县消防业务用房及附属设施，建筑面积 2300 平方米，总投资 848.50 万元，由西宁市援建。治多县消防业务用房及附属设施，建筑面积 2300 平方米，总投资 1004.22 万元，由海西州援建。

第五节　派驻玉树单位用房

一、玉树州国家安全局用房

重建玉树州国家安全局，包括业务用房及附属设施，投资中央一般预算收入 1706.50 万元。2011 年 9 月 20 日开工，2012 年 6 月 10 日主体完工。项目单位玉树州安全局，由广东建筑艺术设计院有限公司设计，中铁二十一局二公司承建。

二、玉树州质量技术监督局用房

重建玉树州质量技术监督局质量检测中心，位于结古镇琼龙路，建设内容包括业务用房及附属设施。建筑面积2970平方米，其中商业面积300.8平方米。独立基础，框架结构，半地下1层，地上3层，建筑高度11.95米。总投资中央一般预算收入1089.27万元。项目业主青海省质监局，由中铁建援建。由山东际高建筑设计院有限公司设计，中铁二十一局集团有限公司北京分公司承建。2012年4月1日开工，6月24日主体完工。

三、青海银监局玉树分局用房

玉树州银监局重建业务用房、干部职工周转房5100平方米及附属设施，总投资1750万元，项目业主青海银监局。

玉树银监分局原办公业务用房、职工周转房于2006年11月建成并投入使用，建筑面积3200平方米，其中办公业务用房1300平方米、职工周转房1900平方米。地震后鉴定为危房，因维修加固费用过高，全部拆除重建。2010年12月17日，中国银监会财会部印发《关于青海银监局玉树分局新建业务办公用房及其配套设施的立项批复》，批准玉树银监分局恢复重建。2011年10月13日办理完成《建设项目规划选址意见书》，于结古镇民主路152号玉树银监分局原址重建。10月18日取得“建设用地规划许可证”。2012年4月26日奠基，4月28日开工建设，重建业务办公楼一栋，地上4层，框架结构，同时建设附属用房及职工周转房。总建筑面积5100平方米，其中业务用房2700平方米，干部职工周转房2400平方米。投资1750万元，中央财政资金统一拨付。7月13日，主体工程完工，11月19日，通过初步验收，2013年5月24日项目全面验收，8月4日举行了搬迁入住仪式。由中国市政工程西北设计研究院有限公司设计，四川省安泰建设有限责任公司承建。

四、玉树州国家税务局系统用房

玉树州国家税务局原办公用房 玉树州国家税务局办公用房建于1997年，建筑面积2080平方米；锅炉房建于2004年，建筑面积240平方米；稽查局综合楼建于2008年，建筑面积989平方米，受地震影响损毁严重。其中，办公用房和稽查局综合楼鉴定为D级，按规定拆除；锅炉房鉴定为B级，因修复费用过高，按州政府统一规划，全部拆除。玉树县国税局办公用房建于2000年，建筑面积1852.88平方米，地震后鉴定为D级危房，予以拆除。

玉树州国家税务局系统业务用房、干部职工周转房及附属设施灾后重建 包括玉树州国税局和6个县国税局，由各县国税局自建，建设资金全部由中央财政统一拨付。2010年8月30日省发展改革委批准立项。2011年4月，青海省国家税务局下达《关于玉树县国家税务局综合业务办公用房新建项目的批复》，6月10日办理完毕项目选址，7月2日办理完毕建设用地规划许可证，7 月 24 日获得项目规划设计红线图。8 月，青海省国家税务局转发《国家税务总局关于青海省玉树州国家税务局新建综合业务办公用房立项的批复》，玉树州、玉树县两国税局综合业务办公用房合建。9 月 21 日玉树州发改委批复可行性研究报告，9 月 23 日玉树州建设局批复初步设计，11 月 9 日最终通过规划设计方案审查，11 月 19 日办理完毕建设工程规划许可证，10 月 25 日完成施工图审查。2012 年 4 月 5 日开工建设。合建的玉树州、玉树县国税局综合办公用房位于结古镇琼龙路，规划用地 0.48 公顷。新建办公楼 1 栋，地上 4 层、局部 5 层，框架结构；附属建筑 1 栋，5 层框架结构，其他为办公和附属建筑及其配套设施。办公楼呈 L 形平面布置，内廊式建筑，与附属用房围合成开阔的内院空间。新建单体建筑 4 栋，每栋地上六层，框架结构，独立基础。一层层高 4.2 米；二层至四层层高 3.3 米，五层层高 4.5 米，建筑总高度 18.60 米。绿地率 30.4%，绿化面积 1459 平方米。地上地下停车位 31 辆。窗户采用铝合金中空玻璃断桥隔热窗，墙面、屋面采用外墙保温法。玉树州国税局建成业务用房 6100 平方米，投资 2225 万元；职工周转房 10800 平方米，投资 3940 万元。玉树县国税局建成业务用房 2300 平方米，投资 839 万元；职工周转房 4720 平方米，投资 1722 万元。通过建筑体量和建筑立面的凹凸变化，建筑虚实的对比、民族特色的点缀，体现现代税务建筑的特色。项目业主为玉树州国税局，成都市明志建筑工程有限公司承建，2012 年 5 月 28 日，基础工程通过验收；6 月 21 日主体工封顶，进入内外装修施工，10 月 31 日完工。2013 年 6 月 30 日验收。

玉树州和玉树县国家税务局新建综合业务办公用房工程　由玉树州、玉树县国家税务局基建工作领导小组负责。领导小组同时负责对该项工程资金的使用情况、工程质量以及工程进展情况进行有效控管。按照“严格资金使用、严格质量监管、严格进度控制，抓好安全管理、抓好合同管理，促进工作协调”的重建工作思路加强项目管理。一是加强工作协调，与省局协调支持，与州直有关部门协调前期各项手续的办理，协调好施工、监理、设计、地勘和建设行政主管部门等参建单位。二是认真做好重建项目资金、质量、进度的控制，实行“动用重建资金一分钱以上交局长办公会”制度。执行施工质量“双控”措施，要求施工单位按倒排工期合理编制进度计划并严格按计划施工。三是建章立制抓好安全管理工作，确保重建工作安全有序开展。四是抓好合同管理，以制度控资金、促进度、保质量、保安全，真正实现了项目建设“四大控制”目标的要求。

称多县国家税务局恢复重建业务用房　称多县国家税务局恢复重建业务用房 1230 平方米，投资 449 万元；职工周转房 1280 平方米，投资 467 万元。办公楼地上 2 层，框架结构，设 8 间办公室、2 个会议室、1 个信息中心机房、1 个办税服务厅。附属用房有锅炉房、车库等，以及大门、围墙，室外水、暖、电、外网及设备供给系统，配置局域网及数字化监控系统。2011 年 10 月 18 日开工，2012 年 7 月 10 日主体完工，9 月 9 日竣工，10 月 30 日验收。由青海恒兴设计有限责任公司设计，山东菏建建筑集团有限公司承建。

治多县国家税务局办公用房　治多县国家税务局位于加吉博洛镇治渠街 17 号，重建业务用房 1200 平方米，地上 3 层，设 12 间普通办公室，每间 25 平方米，2 个会议室、1 个档案资料室。附属工程包含大门、围墙，室外水、暖、电、外网及设备供给系统，配置局域网及数字化监控系统。投资 438 万元。新建干部职工周转房 1120 平方米，投资 409 万元。2011 年 10 月

28日奠基，2012年4月19日开工，2012年8月26日主体完工。由中国建筑技术集团有限公司设计，重庆天宇实业集体有限公司承建。

杂多县国家税务局办公用房 杂多县国家税务局位于萨呼腾镇西宁路，重建业务用房1150平方米，地上3层，框架结构，设置11间办公室、2个会议室、1个信息中心机房、1个档案资料室，投资419万元。附属工程包含大门、围墙，室外水、暖、电等外网及设备供给系统，配置局域网及数字化监控系统。干部职工周转房960平方米，地上3层，投资350万元。2012年4月10日开工，7月10日主体完工，10月30日竣工验收。由中房集团西宁建筑工程设计有限公司设计，四川省泸州市建筑工程公司承建。

囊谦县国家税务局业务用房 囊谦县国家税务局位于囊谦县新城区吉安西路1号，重建办公用房建筑面积1260平方米，地上3层，框架结构，设1间纳税大厅、6间普通办公室、2个会议室、1个信息中心机房、1个档案资料室。附属用房包含锅炉房、车库、大门、围墙，室外水、暖、电、外网及设备供给系统，配置局域网及数字化监控系统。完成投资752.9万元。职工周转房建筑面积1236平方米，地上4层，框架结构，完成投资572.89万元。2012年5月11日奠基开工，9月10日主体完工，2013年6月16日竣工，10月30日验收。由青海恒兴工程设计有限公司设计，青海泰丰建筑工程设计有限公司承建。

曲麻莱县国家税务局业务用房及职工周转房 曲麻莱县国家税务局位于县城黄河路66号，重建建筑面积2184.18平方米。办公楼地上3层，框架结构，设置11间普通办公室、2个会议室、1个信息中心机房、1个档案资料室。附属用房建有锅炉房、旱厕、大门、围墙、室外水、暖、电、外网及设备供给系统，配置局域网及数字化监控系统。完成投资1376.71万元。2012年4月20日开工，6月20日主体完工，11月1日竣工验收。由青海恒兴工程设计有限公司设计，四川成都明志建筑公司承建。

五、玉树州地方税务局系统用房

玉树州地税局业务用房及附属设施 玉树州地税局业务用房及附属设施灾后重建建筑面积4295平方米，总投资中央一般预算收入1584.74万元。项目单位为玉树州地税局，由中国中铁援建。

玉树县地税局业务用房 玉树县地税局位于玉树县结古镇南片区，灾后重建业务用房包含主体结构、装饰装修、水电暖安装、室外工程。建筑面积3500平方米，地上4层，框架结构，建筑高度15.9米。投资中央一般预算收入1486万元。2012年4月1日奠基开工，5月30日主体封顶，2013年8月30日竣工验收。中铁工程设计院有限公司设计，中铁建工集团有限公司西南分公司承建。

称多县、治多县、杂多县地方税务局业务用房 称多县、治多县、杂多县地方税务局业务用房，分别重建于县城所在镇，由所在县地税局或项目管理公司实施。建设内容包括业务用房及附属设施，每个县局建筑面积1500平方米。称多县地税局投资475.55万元，治多县地税局投资533.65万元，杂多县地税局投资414.03万元。资金来源于中央一般预算收入。2011年6

月起陆续开工建设，至 2013 年 10 月全部竣工验收。

六、玉树州工商局系统用房

玉树州工商局业务用房　玉树州工商局业务用房位于结古镇，占地面积 2464.12 平方米，建筑面积 4892 平方米，地上 5 层，框架结构，独立基础，建筑主体高度 24 米。首层商铺，其余办公面积和附属用房。完成投资 1573.61 万元，资金来源于中央一般预算收入。2011 年 8 月 15 日奠基，9 月 18 日开工，2012 年 6 月 19 日主体完工，2013 年 10 月 8 日竣工验收。项目单位为玉树州工商局，由中铁二局集团勘测设计院有限责任公司设计，中铁二局第四工程有限公司承建。

玉树县工商局业务用房　玉树县工商局业务用房位于结古镇民主路，建筑面积 3346 平方米，框架结构。总投资中央一般预算收入 835.19 万元。2012 年 7 月 1 日奠基开工，10 月 10 日主体完工，2013 年 9 月 30 日竣工。项目单位为玉树县工商局，由中国市政工程西北设计研究院有限公司设计，新天一集团有限公司承建。

玉树县工商局工商所办公用房　结古镇扎曲北路工商所重建建筑面积 160 平方米，投资 52 万元。项目单位为玉树县工商局，中国水电援建。结古镇民主路工商所，建筑面积 388 平方米，投资 250.47 万元，中国建筑总公司援建。结古镇胜利路工商所，建筑面积 200 平方米，投资 65 万元。项目单位为玉树县工商局，由中国中铁援建。重建工商所资金来源于中央一般预算收入。

称多县、治多县、杂多县 3 县工商局业务用房　重建项目业主为各县工商局，建筑面积均为 1500 平方米，资金来源于中央一般预算收入。称多县工商局重建投资 467.44 万元，2011 年 6 月开工,2012 年 10 月竣工,海东地区民和三建公司承建。治多县工商局重建投资 507.26 万元，2011 年 9 月 10 日开工，2013 年 7 月 15 日竣工，青海省宏星建设工程有限公司承建。杂多县工商局重建投资 485.56 万元，2013 年 10 月 20 日竣工，由成都蓉邑建筑有限公司承建。

七、玉树州气象局系统用房

玉树州气象局　玉树州气象局原有办公楼、业务楼及住宅楼共 7 栋 13340 平方米，在地震中变成危房；60 平方米制氢室及 45 平方米车库倒塌，砸坏越野车 1 辆；供电、供水、通信网络中断。玉树州气象局下属 5 个台站房屋出现不同程度裂缝，经济损失总计达 4792.62 万元。重建的玉树州、玉树县气象局（含气象台）合建，位于结古镇胜利路，建设内容包括办公楼、职工集资商铺、地下车库及库房、设备用房、室外场地、绿化、电气、给排水、环保设施及其他附属工程。用地面积 0.32 公顷。业务用房建筑面积 6000 平方米，地下 1 层，地上 5 层，绿化面积 652.8 平方米。投资 2671.31 万元，中央财政资金统一拨付。2011 年 9 月 22 日奠基，2012 年 4 月 22 日开工。基坑挖深 6 米,地下水位高达 3 米左右且出水量大,造成基础施工困难。后采用降水井结合水窝子的办法进行降水，15 台水泵不间断抽水，基础施工得以进行。地下室做 2 层 4 毫米厚 SBS 防水层处理。7 月 15 日主体封顶，10 月 28 日完工，2013 年 4 月 18 日交付使用。建筑造型稳重大气，具有藏民族风格。项目单位为玉树州气象局，由中国中铁股份有限公司援建。

治多县气象局 治多县气象局重建于治多县城，建设内容包括业务用房及附属设施，建筑面积 1000 平方米，完成投资 339.17 万元，资金来源于中央一般预算收入。由甘肃省建筑设计研究院设计，河南省豫西建设工程有限责任公司承建。

八、玉树州统计调查系统用房

玉树州统计调查系统重建办公用房，包括业务用房、信息系统及交通工具购置。建筑面积 300 平方米，购置电脑（含打印机）80 台（套），建设州、县防火墙及集中管理软件平台，视频会议总控制室及中心机房改造、装修，购置交通工具 10 辆。总投资 992 万元，资金来源于省民政厅捐赠资金。由省统计局自建。

第四篇
公共事业与服务设施建设

公共事业与服务设施建设包括教育事业机构设施建设、医疗卫生服务设施重建、公共文化体育设施建设、社区服务与社会福利设施建设。规划恢复重建学校75所，重建州级和县级医院、公共卫生服务机构、计划生育及妇幼保健、城镇社区卫生服务和乡镇卫生计生服务设施，重建文化基础设施特别是重点建设玉树州博物馆及牦牛广场、康巴艺术中心、游客服务中心、格萨尔广场、玉树地震遗址博物馆、玉树州行政中心、文成公主博物馆、嘛呢石经城（石经城申遗核心）、两河景观、湿地公园等新玉树十大标志性工程，实施州级广播电视有线网络系统、无线覆盖系统、广播电视监测系统、应急广播电视系统，玉树县广播电视基础设施建设，称多、杂多、治多3县广播电视设施修复加固，以及玉树县6个乡镇、称多县4个乡镇广播电视“村村通”等项目。同时，实施社会服务和社会保障设施建设，增强社会福利、社会救助、残疾人康复、社区服务等功能，提供涵盖就业服务、技能培训、人才培训、人才服务、社会保障服务、争议调解仲裁等功能的“一站式”服务。

众志成城　抗震救灾

第一章　教育事业机构设施建设

第一节　组织实施

一、重建要求

《玉树地震灾后恢复重建公共服务设施专项规划》对玉树州教育系统灾后重建的总体要求是：紧密结合全省中小学布局调整总体规划和灾区恢复发展需要，利用3年时间全面完成重建任务，使灾区提前实现中小学布局调整目标，办学条件达到标准化学校要求，校舍质量符合现行中小学校舍安全工程标准，增强抵御地震等自然灾害的能力，为灾区师生提供安全优美的学习环境，同时为当地群众提供安全、便利的应急避灾场所。

二、重建规模与项目实施

2010年6月9日，国务院印发的《玉树地震灾后恢复重建总体规划》，将学前教育、特殊教育、义务教育、高中阶段教育（含中等职业教育）以及教师周转房建设，统筹纳入灾区学校重建总体规划中。结合受灾程度、灾后人口安置及流动情况，以突出极重灾区和重灾区、兼顾一般灾区、先易后难的原则，分步实施，整体推进。规划恢复重建项目73个。其中，小学33所，初中7所，高中3所，中等职业学校2所，特殊教育学校1所，幼儿园26所，教师培训中心1个。7月12日，青海省政府印发《玉树地震灾后恢复重建公共服务设施专项规划》，规划恢复重建各级各类学校75所，在玉树州建设72所，在西宁市异地建设3所。这些重建项目按学校类别分为：职业技术学校2所，高级中学3所，初级中学11所，小学33所，幼儿园26所。配套附属设施及设备428753台（套）。重建项目总投资24.3亿元。8月30日，省发展改革委印发《玉树地震恢复重建总项目册》，列入教育重建项目95项（包括20所学校教师周转房），总投资24亿元。

主要建设内容包括：教学楼、学生宿舍、办公用房、教职工周转房、餐厅、厕所、锅炉、浴室、辅助用房，以及室外管网、大门、围墙、校园道路、运动操场等配套设施。

2010 年 7 月 10 日，玉树州召开灾后重建万人誓师大会，玉树县第三完全小学列入第一批开工建设项目，教育系统灾后重建开始。2012 年 3 月 10 日，在玉树县第一民族中学隆重举行玉树灾后重建 2012 年春季开学入住仪式，16 所中、小学建成入住。10 月 27 日，在新建的玉树州人民医院举行庆典，中共玉树州委书记旦科宣告玉树州灾后重建学校项目全部建成并交付使用。

第二节　学校重建项目

一、民族中学

玉树州民族中学　玉树州民族中学位于结古镇琼龙路，建设内容包括土建、附属设施及设备购置。建筑面积 23000 平方米。总投资 11006.22 万元，其中中央一般预算收入 2351.22 万元、中国红十字会捐赠资金 8655 万元。项目单位为玉树州民族中学，由中国铁建兰州设计院有限公司设计，中铁二十一局二公司承建。2010 年 9 月 20 日开工，10 月 25 日主体完工，2012 年 3 月 15 日完工，8 月 18 日竣工验收。

玉树州第二民族高级中学　玉树州第二民族高级中学位于玉树县结古镇，南邻民主路，北临北环路，东临扎西科滩路。总用地面积 39840 平方米，建筑物占地面积 9391.16 平方米，建筑面积 64381 平方米。总投资 14721.88 万元，其中中央一般预算收入 1336.88 万元、中国红十字会捐赠资金 13385 万元。学校内由南、北教学实验楼，1 号、2 号综合楼，1 号、2 号男女生宿舍楼，锅炉房，浴室组成。钢筋混凝土框架结构。办学规模 60 个班级，可容纳 2700 名学生就读。2010 年 8 月开工，2012 年 9 月竣工并投入使用。由上海大境建筑设计事务所设计，中国电建集团玉树重建第三工区承建。

玉树县第一民族中学　玉树县第一民族中学位于结古镇城南片区胜利路东侧，巴塘河西岸双拥巷 12 号。始建于 1982 年，是一所寄宿制初级中学，学生来自本县的 6 乡 3 镇，地震前全校共有 832 名学生。地震发生时，值班老师组织有序，900 余名在校师生没有一人伤亡。教学楼、综合楼严重受损，女生宿舍、单身教师住宿楼和 6 排平房男生宿舍倒塌，变成废墟。学生转移到山西省长治市长安慈善中学过渡就读。

灾后重建按国家一流标准化非寄宿制学校设计。主要建设内容包括教学楼、综合楼、实验楼、风雨操场、跑道、钟楼、锅炉房、主席台等。教学楼、综合楼、实验楼为框架结构，抗震设防烈度Ⅶ度。占地面积 44200 平方米，总建筑面积 23937 平方米。教学规模设 64 个班，学生容量 3000 人。功能教室有 4 个计算机网络教室，2 个语音教室，3 个数字化实验室，以及电子阅览室、图书室。装备 188 台教师电脑、224 台学生电脑。多媒体远程互动阶梯教室与北京师范大学互通教学同步，实现班与班互通、老师与学生互动的教学新模式。重建总投资 11772.77 万元，资金来源于中央一般预算收入 2310.77 万元、省民政厅捐赠资金 1650 万元、省财政厅捐赠资金 2000 万元、民政部捐赠资金 5812 万元。由中国中铁二局勘测设计院有限责任公司设计，中国中铁二局承建。

2010 年 6 月 26 日，援建方接到设计任务，之前青海省政府已经组织过两轮方案比选，选出了 8 个候选方案。中铁二局决定由设计院主管建筑的姚飞副院长主持设计，仅用 25 天完成了需要 80 天完成的设计工作量，并提前 3 天提交了基础施工图。建筑立面设计提炼了当地藏族建筑的特色，通过不同的开窗形式、线条处理、收头处理丰富细部变化。建筑造型稳重大方，艺术气息浓厚，达到现代与历史的集合、稳重与活力的协调，展现出藏民族地区现代高级中学的优雅韵律，成为玉树州最大的中学和标志性建筑。7 月 13 日奠基、7 月 19 日开工。9 月 9 日，国务院副总理张德江在青海省委书记强卫、省长骆惠宁陪同下，视察了施工现场。同年 9 月 20 日主体封顶，2011 年 8 月 15 日竣工，施工周期 1 年。2012 年 2 月 25 日验收，3 月 10 日新校开学。开学前，援建方对教师进行了应用新教学设备的培训。

建设中，援建方创造了第一家开工、第一家单体工程主体封顶、第一家主体全面封顶和“四天一层楼”的“玉树速度”。吐弥·桑布扎是藏文创制者和文法学家、吐蕃王朝赞普松赞干布时期七贤臣之一，校园里原有其金身塑像，被视为镇校之宝。施工时项目部对塑像进行移位妥善保护，学校建成后又归位安放，受到当地群众的高度赞赏。由援建方员工捐资 18 万元，设计制作了两幅 15 平方米的黄铜浮雕，镶嵌在学校藏红色门廊内。一幅讲述藏文化传说，一幅记述援建方参加祖国建设的历程。建门廊时，为能保留原有的两棵杨树，变更了门廊设计方案，将杨树与门廊建筑有机地融为一体。这两棵杨树的栽植者玉树州教育局局长马拉感动地说：中铁二局确实是不一样的国企，不仅工程干得好，而且特别人性化，让人感到很温馨。2011 年 7 月 10 日，两个藏族小男孩在巴曲河不慎溺水，在沉浮中呼救。项目部员工王军听到呼救声时，两个孩子已被冲出 100 多米远，他迅即跳进浑浊湍急的河流，在齐腰深的河水里奋力追赶了 200 多米，把他俩救上岸来。他累得几近晕厥，左脚被河底的玻璃划出 5 厘米长的伤口。孩子家长赶到现场，竖起大拇指说：“你们真是好样的！”

玉树县第一民族中学建设内容分项一览表

表 4-1

分项项目	占地面积（平方米）	建筑面积（平方米）	层数	建筑高度（米）
教学楼	2116.720	10782.73	5	21.45
综合楼	1144.2	3377.98	4	19.65
实验楼	1477.780	6927.43	5	21.4
风雨操场	1363.380	1370.64	1	12

续表 4-1

分项项目	占地面积（平方米）	建筑面积（平方米）	层数	建筑高度（米）
锅炉房	300	300	1	6.5
大门	180	180	1	3
室外操场		11460		

玉树县第二民族中学 玉树县第二民族中学位于结古镇扎曲南路北侧，总建筑用地面积23973平方米，总建筑面积23000平方米。新建1号教学楼8830平方米，2号教学楼8865.9平方米，图书艺术楼3095平方米，建筑高度20.95米。风雨操场1043平方米，建筑高度12.25米；门卫室16.3平方米，建筑高度3.7米。钢筋混凝土框架结构。2010年8月15日，马顺清主持玉树县第二民族中学开工仪式，开工建设。9月3日首栋教学楼开盘浇筑，创造了单层1200平方米面积“四天一层楼”的“玉树速度”。10月19日首栋5层单体建筑封顶，10月25日首栋教学楼主体封顶。2011年8月27日，风雨操场主体结构全线封顶。由青海省人防设计院设计，中国水利水电建设集团公司玉树重建第一工区承建。重建总投资9044.82万元，其中省红十字会捐赠资金6226万元、中国红十字会捐赠资金2818.82万元。由中国水利水电建设集团援建。

灾后重建的玉树县第二民族中学

玉树县民族寄宿制中学　新建玉树县民族寄宿制中学，亦称第三民族中学，位于结古镇扎西科。平面布置以运动场为核心，将校园分为教学区、运动场和生活区三部分。合班教室和图书馆是该校的标志性建筑，位于校园的核心位置，与教学楼和教师周转房围合成校前广场，又与南边的食堂、风雨操场形成升旗广场。两个递进的广场形成整个校园的主轴线。

教学楼位于校园用地的西侧，形成相对独立、安静的学习区域。办公楼位于教学楼北侧，相对独立又与教学楼联系方便。学生宿舍与教师周转房布置在用地东侧，食堂、操场位于教学区与宿舍区之间，便于使用。校区北向设主入口，南向设次入口。总建筑面积33909平方米。其中，办公楼4层1栋，2960.42平方米，建筑高度15米；教学楼5层4栋，16283.43平方米；合班教室、图书综合楼1栋；学生宿舍楼5层3栋；教师周转房1栋。全部钢筋混凝土框架结构。配套设施建有风雨操场及学生食堂、户外标准操场、锅炉房。2010年8月13日奠基，8月20日设计图纸陆续到位，开始施工。10月15日教学楼、办公楼封顶，创造了“四天一层楼”的“玉树速度”。11月10日宿舍楼封顶，2011年6月30日学生食堂及风雨操场封顶。2012年3月1日竣工，7月15日验收。总投资15460.35万元。资金来源于中央一般预算收入150.36万元，省民政厅捐赠资金10068.33万元，民政部捐赠资金2004.91万元，省财政厅捐赠资金3236.76万元。由中国水电顾问集团西北勘测设计研究院设计，中国水利水电建设集团第二、第四工区承建。

称多县第一民族中学　地震前是称多县民族高中，受灾严重，原址不能满足重建新校的设计要求，重新选址于称文镇宋当村。占地面积10万平方米，建筑面积23000平方米，其中维修加固850平方米。建设12个单体工程，综合教学楼1栋，1 ~ 2号教学楼共56间教室，1 ~ 4号学生宿舍楼共248间，食堂4701平方米，锅炉房405平方米，风雨操场1197平方米。在电教方面领先同类项目。完成投资14710.81万元，投资来源于中华慈善总会捐赠资金。2011年5月开工，2011年9月主体完工，2012年9月竣工验收。由青海省土木建筑设计院有限公司设计，四川元顺建筑工程有限责任公司、青海三江建筑安装有限责任公司承建。

治多县民族中学　建设内容包括土建、附属设施及设备购置，建筑面积14500平方米，完成投资6145.96万元，资金来源于中国红十字会捐赠资金。2011年7月10日奠基，7月15日开工，2012年8月15日主体完工，2013年8月15日竣工验收。由甘肃省建筑设计研究院设计，河南省豫西建设工程有限责任公司承建。

杂多县民族中学　建筑面积23920平方米，完成投资9148.80万元，资金来源于中国红十字会捐赠资金。2013年9月10日竣工验收。由青海省人防设计院设计，青海泰丰、浙江中业公司承建，西宁市援建。

二、职业技术学校

玉树州职业技术学校　含技工学校和教师培训中心，由军队包建，重建名称为“玉树州八一职业技术学校”。2010年5月31日，中国人民解放军总参谋部作战部通知，由兰州军区代表军队和武警部队组织实施援建玉树“两校一院”工程建设。6月4日，玉树灾后重建现场指挥部发出通知，于6月25日开工建设由军队、武警部队援建的学校、医院。7月21日，现场指挥部要求加快与军队的技术对接，努力解决部队提出的建设用地、拆迁等问题，就援建项目的实施达成一致意见；要求玉树县政府要全力推进施工场地的拆迁工作，尽快解决场地的用地、水、电、通信等问题，为顺利开工提供保障；兰州军区援建指挥部应至少拿出3个建筑设计方案进行比选；施工条件一经具备，应尽快开工。8月14日，现场指挥部复函兰州军区援建工程指挥部，明确玉树州职业技术学校规划用地由原定的123亩增加至200亩。

玉树州职业技术学校按照保障4000名寄宿学生、250名教职员工、设80个班的规模建设。学校占地面积203.57亩，总建筑面积6.8万平方米。单体设计主体工程采用框架结构，所有建筑采用坡屋顶，建筑立面以暖色调为主，适当体现民族特色，主要建筑不超过8层，高度控制在36米以内，设计使用年限50年，符合国家规范和技术标准。抗震减灾主要单体结构选型按乙类建筑设计，抗震烈度按Ⅷ度设防，符合抗震减灾要求。节能环保采用STP超薄绝热保温板、太阳能室外照明、断桥铝合金中空玻璃外窗、空心密肋楼板等新材料、新技术、新工艺，符合国家环保、节能标准要求。设备配置充分考虑当地可利用资源状况，供电系统采用双电双回路，增配安装大功率发电机，给水系统立足市政供应，增设地下水井，最大限度地满足使用需求。新建教学综合楼、实训楼、风雨操场（体育馆）、师生宿舍楼、食堂等11个单体；配套建设12个篮球场、4个羽毛球场、1个含400米标准跑道的灯光足球场等运动设施及景观绿化工程；购置了教学电脑、投影仪、印刷机、钢琴等教学设备，以及医疗、美容美发、汽车修理等专业教学模具，共15.92万件（台、套）；建了36个专业的教学实训室；配置校园安防监控、网络广播系统，实现了会议教学可视化、学习培训一体化、校园管理智能化。学校硬件设施设备配置在青海省大中专院校中处于一流水平。

2010年8月28日工程奠基。9月4日，青海省玉树地震灾后重建城乡规划委员会第六次会议评审通过了规划设计方案。10月18日，工程施工图经总后建筑设计研究院审查合格。2011年3月30日破土动工。4月，兰州军区环保绿化委员会审查批准了环境影响评价报告，青海省国土资源厅审查通过地质灾害危险性评估报告。4月21日，总后勤部批准“两校一院”工程总投资6.74亿元（不含购置医疗设施设备费6100万元）。10月18日，总后建筑设计研究院审查通过施工图。2012年8月22日竣工，实际施工期16个月。

三、完全小学

玉树州红旗小学 玉树州红旗小学创办于1963年，初名玉树州干部子弟学校。1967年更名为玉树州红旗学校。1984年拆除原有平房，新建1栋教学楼。1993年更名为玉树州民族红旗小学。1996年，校园占地面积21亩，建筑面积3417平方米，地震中损毁。重建项目名为玉树州红旗小学，是灾后重建的第一批公共服务项目之一，位于结古镇民主路，原址重建。建设内容包括教学综合楼、综合训练馆及田径运动场、附属设施等。教学综合楼可同时容纳2160名学生就读。总建筑面积13000平方米；总投资7237.86万元，资金来源于中央一般预算收入476.91万元、中国红十字会捐赠资金6760.95万元。2010年8月10日开工建设。9月10日，玉树州委组织部与中国建筑玉树援建前线指挥部党委，隆重举行“三号联创”“创双优”暨准军事化管理启动仪式。9月13日，参加青海省玉树重建工作专题会议的省、州领导人观摩红旗小学重建项目，骆惠宁、马顺清、张建民视察红旗小学项目。9月30日上午，举行教学综合楼主体封顶仪式，下午，强卫再次视察工程和慰问援建员工。10月15日全部完成主体封顶。2011年5月15日对工程质量进行验收。7月31日，国家发展改革委主任张平、副主任穆虹视察项目建设情况。8月20日举行竣工典礼，国务院国资委主任王勇、副主任黄丹华，中国建筑工程总公司党组书记、董事长易军，玉树州委书记旦科等领导人参加工程竣工仪式。2012年6月1日，中建八局二公司玉树援建项目党支部在玉树州红旗小学启动“彩虹工程”爱心助学活动，向学生赠送万余元的学习用品，6月12日，国务院玉树灾后重建领导小组特派员孙波一行，详细查看了学生教室、多媒体室、电教室和学生操场，对项目建设表示满意。

援建单位在本项目首次使用抗震设计专利技术，在框架梁柱中采用了HRB400级高效抗震钢筋，能够更好地保证抗震性能；楼梯平台与踏步间预留了滑动空间，用来抵抗地震应力，如遇地震，楼梯就像一个“滑椅”，使建筑物更有柔性不至于瞬间断裂，即使发生倒塌，也可延缓逃生时间，可以保证“小震不坏、中震可修、大震不倒”。教学楼主体结构抗震设防烈度Ⅶ度，砌体结构抗震设防烈度提高至Ⅷ度。本项目还采用空气源热泵及太阳能集热系统设备。由中国建筑西南设计研究院有限公司设计，中国建筑第八工程局有限公司承建。

玉树县第一完全小学　玉树县第一完全小学位于结古镇胜利路36号，空间运用合理，设计布局力求丰富、活泼、多样，应用多手法进行设计，体现“一校一景”，具有小学的特色。建筑面积10403平方米，由教学楼、风雨操场、后勤生活楼、锅炉房、大门值班室5个单体组成。教学楼框架结构，局部外墙装饰幕墙，填充墙使用蒸压加气混凝土砌块砌筑。屋面采用挤塑聚苯板保温层，防水层用两道4毫米厚SBS改性沥青防水卷材。门窗等节能分项符合设计和规范要求。风雨操场屋面网架结构。所有单体进户线均采用埋地方式。外装修吸收当地建筑特色，以现代风格和时代特征为主流，合理运用藏式色调、符号、图案，体现地方特色和民族特色。设置48个教学班，可容纳2200名学生上课。总投资5109.72万元，资金来源于中央一般预算收入713.72万元、中国红十字会捐赠资金4396万元。2010年9月18日开工，2011年9月10日主体封顶。11月17日，中国建筑工程总公司在新校园内隆重举行竣工仪式、2011年“三个确保”任务全面完成庆祝大会暨2012年玉树援建决战之年誓师大会。2012年3月竣工验收。由中国市政工程西北设计研究院有限公司设计，中国建筑援建承建。

玉树县第二完全小学　玉树县第二完全小学位于结古镇巴塘河西岸胜利路中段。震前原校有1栋4层砖混楼和13排砖砌平房教室，地震中全部损毁。新校在原址重建。占地面积2.05公顷，建筑面积10670平方米。功能区分为学生活动区、教学区、教职工生活区、学习园地、主建筑为教学楼，采用教学、办公一体化3栋连体楼布局，地上4层，全框架结构。每层设普通教室9间，共36间，可容纳1650名学生就读。除普通教室外，首层设体质测试室、少先队部、音乐教室、图书室、教师办公室、总务仓库、值班兼广播室，其中值班兼广播室里配置有各层的监控设备，引入现代化管理模式；二、三层设科学教室、劳技教室、教师办公室、音乐教室、美术教室、心理咨询室、科技活动室；四层设科学教室、科技活动室、行政办公室、远程教育室、计算机准备室。建筑内设置五部封闭疏散楼梯，满足消防疏散要求规定。各层均设有消火栓灭火系统，建筑一、二层每层两个防火分区，三层单独为一个防火分区，能够保障师生的生命安全。建筑造型设计表现藏民族文化，外观基调为青灰色，嵌以藏式线条。外墙面层采用深灰色和白色乳胶漆交叉布置，体现出独具特色的现代化外观景象。各层错落有致的挑板混凝土垛取自当地独有的藏族风格，完整地表达了现代化和藏族风格相结合的设计理念。本工程成为现代化、一体化的教学办公综合楼，是集电子教学设备、分专业教学实验、多媒体语音、电子阅览、室内互通互联、校园广播及监控系统等现代化设施于一体的综合教学楼，可以满足从幼儿园到初中一站式教育的设施需求，超越北京、上海等地的教学硬件设施配置，在国内同等级学校中一跃而居领先地位。2010 年 8 月 15 日举行奠基仪式，8 月 18 日动工。2011 年 4 月 1 日冬歇复工后抢工主体结构，24 小时轮班作业。5 月 20 日主体封顶，比原计划提前 20 天。7 月 1 日起进入装修阶段，对建筑物采取了整体遮盖的防雨措施。8 月 11 日举行竣工典礼，建设周期 1 年，是玉树震后重建第一个交工的学校建设工程。副省长王令浚出席竣工典礼并剪彩。2012 年 2 月 28 日竣工验收，交付使用。共投资 5142.27 万元，资金来源中央一般预算收入 746.27 万元、中华慈善总会捐赠资金 4396 万元。由中国铁道工程设计院有限公司设计，中国中铁建工集团有限公司玉树重建二分部承建。

玉树县第三完全小学 玉树县第三完全小学位于结古镇民主路以南公园西路以东，占地面积约合 52.4 亩，建筑面积 14148 平方米，其中教学、实验楼 9923 平方米，地上 4 层，框架结构。按照跨越式重建的目标，教学实验综合楼内设有教室、办公室、科学实验室、计算机教室、远程教育教室等，成为西北地区一流学校。图书艺术楼 2192 平方米，风雨操场 976 平方米。取暖采用热效率高的电热地热膜，外墙面镶贴 60 毫米厚挤塑保温层，安装气密性好的节能中空玻璃保温窗，各主要建筑物主入口设有防寒门斗，各楼之间通过封闭连廊连接。建筑外装饰采用劈力砖、喷涂仿石漆、彩玻、木檩以及各种涂料色块的搭配，突出藏民族特色和现代气息。装修工程工艺复杂、工序繁琐，成为最美观大气的学校建筑。玉树县第三完全小学是中国水电建设集团承担的第一个援建项目。2010 年 7 月 10 日，在第三完小施工场地召开玉树灾后恢复重建万人誓师大会。7 月 11 日开工。开工伊始，正式图纸尚未到位，项目部对已能确定的教学实验楼先期进行基础开挖施工，主动与设计单位联系确认图纸。7 月 23 日，教学综合楼基础开挖结束，开始浇筑混凝土基础。8 月 4 日图纸到位，项目部召开“大干六十天”动员大会，主体结构施工全面展开，每天施工达 15 个小时。9 月 12 日 5 号楼封顶，比原计划提前 6 天，成为玉树重建中首个封顶的单体建筑。10 月 16 日 7 栋建筑主体全部封顶，2011 年 4 月 15 日复工，进入装修阶段。10 月 23 日竣工验收并交付。由青海省人防设计研究院设计，中国水电玉树重建第一工区承建。总投资 8308.59 万元。其中，中央一般预算收入 1946.98 万元，民政部捐赠资金 4396 万元，省财政厅捐赠资金 1965.61 万元。

玉树县第四完全小学　玉树县第四完全小学位于扎西科北环路南侧，震前是农用地。总建筑面积 10300 平方米。建设功能划分为办公区、教学区和运动区。办公区位于场地中部，正对学校入口广场，办公楼及图书馆地上 3 层，将图书馆及部分合班教室合组在一栋楼中。教学区设置在场地东侧，由 3 栋教学楼组成，各教学楼之间以连廊联系。1 号教学楼 4 层 2857 平方米，2 号教学楼 4 层 2748 平方米，3 号教学楼 3 层 2747 平方米。办学规模 36 个班，可容纳 1620 名学生就读。运动区地处场地西侧及中部的南侧，包括 200 米环形跑道的运动场、2 个排球场和一片运动器械区。设计充分利用场地空间，将风雨操场置于设备用房的顶层，2 层共 972 平方米。各单体建筑均为钢筋混凝土框架结构。2010 年 8 月 12 日奠基，8 月 15 日开工，至 10 月 15 日办公楼和 3 栋教学楼主体先后封顶。2011 年 6 月 1 日风雨操场主体封顶。2012 年 6 月 20 日竣工，8 月 21 日全部竣工验收。总投资 4939.57 万元。其中，中央一般预算收入 543.57 万元，民政部捐赠资金 366.25 万元，省财政厅捐赠资金 4029.75 万元。由上海大境建筑设计事务所设计，中国水利水电建设集团玉树重建第三工区承建。

称多县完全小学　称多县完全小学位于称文镇，建筑面积 7360 平方米，其中维修加固 696 平方米。共建 6 个单体工程：1 号综合楼 1366.7 平方米，2 号综合楼 1212.2 平方米，1 号教学楼 1372.8 平方米，2 号教学楼 1269 平方米，学生宿舍楼 1058.1 平方米（共 21 间宿舍，可容纳学生 168 人），风雨操场 504 平方米。2010 年 10 月开工，2011 年 9 月主体完工，2012 年 9 月竣工。由青海省土木建筑设计院有限公司设计，海东地区援建，青海欣路建设工程有限公司承建。总投资来源于中华慈善总会捐赠资金 3198.65 万元。

称多县文乐小学建筑面积 3440 平方米。投资 1631.29 万元，资金来源于刚果政府捐赠资金。2012 年 9 月竣工验收。

治多县完全小学　治多县重建 3 所小学，建设内容包括土建、附属设施及设备购置，由海西州援建。

治多县完全小学建筑面积 7000 平方米，投资来源于中华慈善总会捐赠资金 3006.89 万元。2011 年 8 月开工，2013 年 7 月竣工验收。由青海鼎正建筑设计有限公司设计，河南省豫西建设工程有限责任公司承建。

治多县希望小学建筑面积 3250 平方米，其中维修加固 1200 平方米。投资来源于中国红十字会捐赠资金 1496.61 万元。2011 年 5 月 25 日开工，2012 年 7 月 3 日竣工。由甘肃省建筑设计研究院设计，河南省豫西建设工程有限责任公司承建。

治多县吉尕小学建筑面积 3200 平方米，投资来源于中国红十字会捐赠资金 1869.82 万元。2011 年 5 月 25 日开工，2013 年 7 月 18 日竣工。由甘肃省建筑设计研究院设计，青海宏厦建设工程有限公司承建。

杂多县完全小学　杂多县重建 2 所完全小学。杂多县第一完全小学建筑面积 9100 平方米，投资 3549.75 万元；杂多县第二完全小学建筑面积 13170 平方米，投资 5240.08 万元。资金来源于中国红十字会捐赠资金，由青海省人防设计院设计，中国四冶、青海宏星公司承建。2013 年 10 月 5 日竣工验收。

四、寄宿制学校

建设规模 重建7所寄宿制学校、6所寄宿制小学、6所中心寄宿制学校，共19所。建设内容包括土建、附属设施及设备购置。称多县珍秦镇、囊谦县毛庄乡中心寄校含教师周转房。由各县项目管理公司实施。

隆宝镇寄宿制小学 隆宝镇寄宿制小学由教学楼、宿舍、食堂及体育用房等3个单位工程组成，总建筑面积9871平方米。教学楼采用钢筋混凝土独立基础，框架结构，地上2层，局部3层，建筑总高度15.4米。建筑主要用途为教室、办公室、阅览室和计算机房。宿舍楼采用石砌体条形基础，砖混结构，地上2层，局部3层，建筑总高度8米。建筑主要用途为宿舍、盥洗室、洗衣室、开水间。食堂及体育用房采用钢筋混凝土独立基础，框架结构，地上1层，建筑总高度10.15米，主要用途为餐厅和体育活动室。门窗采用铝塑中空玻璃窗，外墙加40毫米厚酚醛泡沫保温层，屋面采用100毫米厚挤塑聚苯板保温。外装修一次到位，涂料粉刷，全部精装修，极大地改善了当地的教学环境。2010年7月8日开工，2011年4月20日主体完工，2012年8月15日竣工验收。完成投资5130.24万元，资金来源于中央一般预算收入1497.24万元、中国红十字会捐赠资金3633万元。由北京市住宅建筑设计研究院有限公司设计，北京住总集团有限责任公司承建。在隆宝镇寄宿制中心小学实施了聚光光伏电站示范工程，属于新型太阳能光伏示范项目，采用聚光型追日系统，结合科研项目，采用蓄电与局部小电网并网形式。

结古镇寄宿制小学 结古镇寄宿制小学位于结古镇新寨村，嘉那嘛呢石经城西侧200米，原新寨小学旧址。总投资6540.01万元。其中，中央一般预算收入2279.67万元，中国红十字会捐赠资金1600.34万元，青海省慈善总会捐赠资金160万元，省财政厅捐赠资金2500万元。占地面积27.3亩，总建筑面积10821平方米，新建教学楼、宿舍楼、值班室等建筑物以及足球场、羽毛球场、篮球场及围墙、旱厕等附属构筑物。新寨村整体规划着眼于申遗，寄宿制小学结合现场实际情况建设精品校园，采用仿古、藏式风格，与现代文明相结合。外墙采用白色、褐色为主的色调，融入当地的文化环境；室内按照现代化学校的标准进行配置，从教学设备、图书馆、会议室、厕所等现代化元素的设计，达到跨越20年的目标。服从新寨村的整体规划，学校建筑层高限制在3层。教学楼总建筑面积7277平方米，局部3层，采用回廊结构，设两个采光天井；设置有36个普通教室和音乐、美术、科学、计算机、多媒体、远程教育、图书室、心理咨询室等功能教室、设施，共61个教室，可容纳1450名学生同时上课。其中电教室3间，配有教学电脑123台；图书馆使用面积315平方米，可藏书10万册；多功能会议室可供300人同时教学。宿舍楼与食堂在同一建筑内，一层是食堂，二、三层分别是男、女生宿舍，能容纳500多名学生食宿。主体框架结构、柱下独立基础，结构等级二级，抗震设防烈度Ⅶ度。外墙砌筑240毫米多孔砖加60毫米厚聚苯板保温。室外藏式木制门窗楣，做旧如旧，传承了藏式建筑风格。2011年4月16日奠基，5月8日开工，7月20日主体完工，2012年8月30日竣工验收。由北京市中联环建文建筑设计有限公司设计，北京城建建设工程有限公司承建。

安冲乡寄宿制小学　位于玉树县安冲乡，总建筑面积3000平方米。主要建设内容有教学楼、食堂、宿舍楼、教师周转房、锅炉房、附属建筑门卫、旱厕、足球场、篮球场等。距离结古镇130千米，海拔4000米，地处偏远道路崎岖，材料运输相当困难。2011年4月13日开工，5月22日主体封顶，8月1日竣工验收。由中国市政工程西北设计研究院有限公司设计，中国建筑玉树灾后重建前线指挥部援建承建。总投资1716.34万元。其中，中央一般预算收入534.34万元，中国红十字会捐赠资金1182万元。

下拉秀镇寄宿制学校　位于下拉秀镇尕玛村，总用地面积23070平方米，建筑面积11215平方米。学校规模24个班，学生容量1080人。综合教学楼地上3层，建筑面积5450平方米，建筑总高度12.3米；学生公寓楼地上3层，建筑面积3660平方米，建筑总高度10.8米；食堂建筑面积1596平方米；锅炉房 / 浴室地上1层，建筑面积354平方米。2011年7月4日奠基，8月10日开工，2012年7月10日主体封顶，2013年9月25日完工，9月30日验收。总投资来源于中国红十字会捐赠资金3239.23万元。由上海通建强华建筑设计有限公司设计，青海方正建筑安装工程有限公司承建。

上拉秀乡寄宿制学校　异地新建于上拉秀乡政府所在地新址加沙同，与加巧村寄宿制小学合建，建筑面积10480平方米。建筑外立面采用现代建筑与藏式建筑相结合的风格，简洁大方。外立面采用米黄色、白色与高原红相结合，勒脚以深灰色面砖进行明暗、虚实对比增强立体感。外墙及屋面采用挤塑聚苯板保温，采用70系列单框双玻中空玻璃节能窗。投资来源于中国红十字会捐赠资金3797.04万元。2011年5月5日开工，2012年6月10日开始附属设施安装，9月29日竣工验收后交付使用。由青海东亚工程建设管理咨询有限公司设计，青海省广厦建筑工程有限工程承建。

巴塘乡寄宿制小学　建筑面积9750平方米，投资来源于中国红十字会捐赠资金4872.97万元。由辽宁省援建。

哈秀乡寄宿制小学　建筑面积5570平方米，投资4696.33万元。其中，中央一般预算收入2568.33万元，中华慈善总会捐赠资金2128万元。由北京市援建。

仲达乡寄宿制小学　建筑面积3100平方米，投资2097.73万元。其中，中央一般预算收入915.73万元，中国红十字会捐赠资金1182万元。

小苏莽乡寄宿制学校　建筑面积9780平方米，投资来源于中华慈善总会捐赠资金3588.64万元。由中水电援建。

称多县寄宿制学校　称多县寄宿制学校绝大部分重建资金来源于中国红十字会捐赠资金和中央一般预算收入。

称文镇中心寄宿小学　建筑面积4850平方米，总投资来源于中国红十字会捐赠资金1841.75万元。

歇武镇中心寄宿制学校　建筑面积9266平方米，总投资来源于中国红十字会捐赠资金3595.09万元。2012年9月竣工验收。

珍秦镇中心寄宿制学校及教师周转房　建筑面积11734平方米，其中教师周转房1034平方米。总投资来源于中央一般预算收入4459.35万元。2013年9月竣工验收。

拉布乡中心寄宿制学校 建筑面积3303平方米，总投资来源于中国红十字会捐赠资金1477.47万元，2013年12月竣工验收。

尕朵乡中心寄宿制学校 建筑面积5643平方米，总投资来源于中国红十字会捐赠资金2008.39万元，2013年8月竣工验收。

毛庄乡中心寄宿制学校 囊谦县毛庄乡中心寄宿制学校，占地18239平方米，建设内容包括教学楼、实验楼、学生宿舍、教师周转房、食堂及水房、锅炉房、厕所、大门、围墙等附属设施及设备购置。建筑面积约6447平方米。其中，教师周转房447平方米；综合教学楼面积3063.77平方米，框架结构，设有15个教学班，设综合教室1间、实验室2间、电子教室2间，可容纳450名学生就读；学生宿舍楼2418.42平方米；食堂273.1平方米；锅炉房244.76平方米。总投资2270.78万元，其中中央一般预算收入6.78万元、中国红十字会捐赠资金2264万元。由青海省人民防空工程设计研究院设计，四川大邑园古营造公司承建。

治多县立新乡寄宿制学校 新建面积1850平方米，维修加固150平方米，其中教学楼建筑面积1388.30平方米，建筑层数3层，建筑高度16.65米，框架结构。窗户采用断桥铝合金中空低辐射玻璃窗。投资来源于中国红十字会捐赠资金745.64万元，2010年8月25日奠基，2011年6月开工，2012年8月主体完工，2013年3月竣工验收。由甘肃省建筑设计研究院设计，四川大邑园古营造有限责任公司承建。

杂多县萨呼腾镇第一寄宿制学校 建筑面积6750平方米。投资来源于中华慈善总会捐赠资金2633.40万元。2011年5月开工，2011年11月主体完工，2013年8月20日竣工验收。由青海省人民防空工程设计研究院设计，河北大元、青海宏厦公司承建。

昂赛乡中心寄宿制学校 建筑面积2700平方米，其中维修加固200平方米，投资来源于中国红十字会捐赠资金1054.81万元。

曲麻莱县巴干乡寄宿制学校 建筑面积6000平方米，总投资2318.29万元。其中，中华慈善总会捐赠资金38.99万元，中国红十字会捐赠资金2264.52万元，中央一般预算收入14.78万元。

寄宿制学校照明示范、采暖工程 针对高寒地区寄宿制学校分散、电力能源不足和缺乏冬季采暖设施的实际情况，玉树地震灾后重建中，在隆宝镇寄宿制小学，由北京控股集团实施太阳能照明示范工程，建设58.8KWp聚光型光伏电站，安装CPV系统15套和14千伏安微网系统。投资来源于省财政厅捐赠资金504.62万元，由北京京仪绿能电力系统工程有限公司、北京建工集团承建。2011年2月开工，11月完工，2012年6月验收。由世博中国投资有限公司实施平板太阳能生活热水项目，安装集热器120组，总集热面积250平方米，投资来源于省财政厅捐赠资金118万元。由西安市昱升空调工程设备有限责任公司承建，2011年6月28日开工，2012年4月28日完工。

在治多、杂多、囊谦、曲麻莱4县的寄宿制学校，建设锅炉辅助采暖工程，实现冬季采暖的新跨越。

寄宿制学校照明示范工程、采暖工程统计表

表 4-2

单位：万元

序号	项目	建设内容	投资	资金来源
1	隆宝镇寄宿制小学太阳能照明示范	土建、设备安装	504.62	省财政厅、北京控股集团捐赠
2	隆宝镇寄宿制小学太阳能生活热水项目	购置平板太阳能集热器	118.00	省财政厅、世博中国投资有限公司捐赠
3	囊谦县寄宿制学校锅炉房	采暖面积 72916 平方米	1283.62	中央一般预算收入
4	杂多县寄宿制学校锅炉房	采暖面积 58980 平方米	1005.12	中央一般预算收入
5	治多县寄宿制学校锅炉房	采暖面积 32990 平方米	699.31	省财政捐赠资金
6	曲麻莱县寄宿制学校锅炉房	采暖面积 35211 平方米	655.46	中央一般预算收入
合计			4266.13	

五、特殊教育学校

玉树州特殊教育学校　位于结古镇琼龙路，总建筑面积 3589 平方米，包括土建、附属设施及设备采购。完成投资 2004 万元。2010 年 10 月 5 日开工，11 月 25 日主体封顶，2012 年 5 月 15 日竣工。项目单位为玉树州教育局，由中国铁建兰州设计院有限公司设计，中铁二十一局二公司玉树重建项目部承建。

玉树州佛教学校　地震发生后，玉树州佛教学校属极重灾区，纳入灾后恢复重建规划。2012 年 12 月 22 日经省民族宗教事务委员会立项原址重建。2013 年 2 月，省玉树灾后重建现场指挥部决定玉树州佛教学校不再建设，将玉树州特殊教育学校调整为州佛教学校，在特殊教育学校增加建筑面积 800 平方米，建设内容主要有教学楼、学员宿舍、综合楼、伙房以及一个操场，按特殊教育的相关要求建设。总投资 2604 万元。

六、孤儿学校

玉树州八一孤儿学校　玉树州八一孤儿学校前身是玉树州孤儿学校，创办于 1993 年，是玉树州唯一集生活抚养、文化教育、职业培训于一体的新型九年一贯制孤儿学校。地震前，学校占地面积 11000 平方米，建筑面积 5000 平方米，教职工 38 名，学生 209 名。地震灾害发生后，香港义工黄福荣为抢救学生献身。2010 年 4 月 17 日，玉树州孤儿学校奏响国歌，率先复课。4 月 18 日，胡锦涛视察灾区时，亲临孤儿学校慰问师生，在板房教室的黑板上郑重地写下“新校园，会有的！新家园，会有的！”12 个大字，并带领学生大声反复朗读。

在灾后重建中，玉树州孤儿学校原址重建，由军队包建，兰州军区援建指挥部实施，是军队援建的“两校一院”项目之一，更名为玉树州八一孤儿学校。新校按照容纳学生 810 人，教职员工 90 人，18 个教学班，全寄宿制，现代化标准规划设计。建设用地面积 18468 平方米，合 27.7 亩。建筑面积 12177 平方米。其中，综合教学楼地上四层 5267 平方米；师生宿舍楼地上六层 4700 平方米；综合服务楼地上三层 2148 平方米；绿地面积 5600 平方米。2010 年 8 月 28 日奠基，9 月 4 日，青海省灾后重建城乡规划委员会第六次会议评审通过了规划设计方案。10 月 18 日，工程施工图经总后建筑设计研究院审查合格。2011 年 3 月 30 日破土动工。配套建设篮球、排球、羽毛球场和硅 PU 运动场等运动设施及景观绿化工程；购置教学电脑、实验仪器等设施设备 1.36 万台（件）；建立校园安防监控、网络广播系统，配齐配全师生食宿保障设施设备，为师生创造温馨舒适的学习生活环境。2012 年 8 月 22 日竣工移交，实际施工期 16 个月。建筑布局错落有致，富有民族特色。孩子们可以借助液晶电视、广播、投影仪、电脑等电教设备，通过网络联通到大山之外的世界。2012 年 3 月 10 日，迎回了曾在板房学校就读或在石家庄、西宁等地借读的 243 名孩子入住。至 4 月，共有 523 名孤儿入住，其中 155 名孩子在地震中失去了父母。开学第一天，校长尼玛仁增给孩子们上的第一堂课是感恩课，他说："感恩的心就像是一颗种子将深深地扎根在孩子们的心中，相信一定能长成参天大树。" 9 月 10 日，玉树州政府决定：玉树州八一孤儿学校由州教育局管理，加挂"玉树州育才儿童福利院"校牌。

杂多县孤儿学校 建筑面积 2870 平方米，总投资 1233.52 万元，资金来源于中国红十字会捐赠资金。2013 年 10 月 8 日竣工验收。由青海省人防设计院设计，中国四冶、青海泰丰、四川射洪曹碑公司承建。

七、幼儿园

灾后重建全面建设州、县、乡镇三级幼儿园，包括土建、附属设施及设备购置，按项目隶属关系分别由州、县项目公司实施。州属幼儿园 1 所，建筑面积 4500 平方米；县属幼儿园 9 所，每所建筑面积 3000 ~ 4000 平方米；乡镇属幼儿园 18 所，每所建筑面积 500 平方米。共建 28 所。其中珍秦镇幼儿园维修加固，新寨村幼儿园建筑面积 4000 平方米。2010 年 8 月 24 日，玉树县第二幼儿园率先开工建设，至 2013 年 10 月全部建成。

幼儿园重建情况统计表

表 4-3

序号	幼儿园名称	建筑面积（平方米）	总投资（万元）	资金来源（万元）					
				中央一般	省红十字	民政部	中慈善	省民政厅	省财政厅
玉树州									
1	机关幼儿园	4500	3814.97	1995.94	1819.03				
玉树县									
2	第一幼儿园	3672	1716.72	190.72		1526			
3	第二幼儿园	3564	1692.20	166.20			1526.00		
4	第三幼儿园	3377	1574.18	220.18			1354.00		

续表 4-3

序号	幼儿园名称	建筑面积（平方米）	总投资（万元）	资金来源（万元）					
				中央一般	省红十字	民政部	中慈善	省民政厅	省财政厅
5	第四幼儿园	1650	706.79	48.79				658.00	
6	第五幼儿园	3500	990.78	294.78				190.45	505.55
7	下拉秀镇幼儿园	515	156.88		156.88				
8	隆宝镇幼儿园	512	274.03	72.03					202
9	巴塘乡幼儿园	500	222.13			222.13			
10	上拉秀乡幼儿园	500	189.86		189.86				
11	安冲乡幼儿园	500	231.85	24.49			207.36		
12	小苏莽乡幼儿园	515	299.49	97.49			202.00		
13	结古镇幼儿园	500	335.97	135.21				102	98.55
14	仲达乡幼儿园	500	217	15			202		
15	新寨幼儿园	2000	1150.75	299.85			850.90		
称多县									
16	称多县幼儿园	4500	1673.00					1673.00	
17	歇武镇幼儿园	500	184.27				184.27		
18	珍秦镇幼儿园	242	54.17					54.17	
19	拉布乡幼儿园	307	101.15					101.15	
20	尕朵乡幼儿园	500	184.52			184.52			
21	称文镇幼儿园	500	180.26			180.26			
囊谦县									
22	毛庄乡幼儿园	500	218.50	16.50					202.00
杂多县									
23	昂赛乡幼儿园	500	184.01			184.01			
24	县第一幼儿园	4000	1492.80					1492.80	
25	县第二幼儿园	4000	1436.48					1436.48	
治多县									
26	立新乡幼儿园	500	183.36						183.36
27	县幼儿园	4000	1522.21					1522.21	
曲麻莱县									
28	巴干乡幼儿园	500	233.78	28.53				205.25	
合计		46854	2122.11	3605.71	2165.77	2296.92	4526.93	7435.51	1191.66

八、异地新建学校

玉树州西宁民族中学 灾后重建中，在西宁市异地建设“玉树州西宁民族高级中学”“玉树州西宁民族初级中学”，纳入青海省三江源民族中学整合建设。玉树州西宁民族高级中学建筑面积 13000 平方米，总投资 5594 万元，民政部捐赠资金 5394 万元，省财政厅捐赠资金 200 万元。玉树州西宁民族初级中学建筑面积 7500 平方米，总投资 4080 万元，资金来源于民政部捐赠资金。两校由青海省建筑勘察设计研究院、上海同建强华建筑设计有限公司设计。援建单位、项目单位均为青海省教育厅。

青海省三江源民族中学是充分利用西宁省会城市政治、经济、文化中心的区域优势和中心辐射作用，异地建设的一所寄宿制民族完全中学。位于西宁市城北区小寨村，占地 537 亩，总建筑面积 112784 平方米。由青海省三江源民族中学、青海省三江源民族高级中学、玉树州西宁民族初级中学、玉树州西宁民族高级中学 4 校合并组成。可容纳学生 7200 名。2011 年 6 月 25 日动工兴建。一期工程第一至六标段共 11 栋单体。至 2013 年年底，1 号男生宿舍楼、1 号女生宿舍楼、1 号食堂、1 号教工宿舍楼、图书综合实验楼、2 号女生宿舍楼、2 号男生宿舍楼已完工，1 ～ 3 号教学楼已主体封顶，进入内部铺装及外墙保温装饰阶段，风雨操场土建部分基本完工。其余分项工程尚未开工建设。

玉树州西宁职业技术学校 玉树州西宁职业技术学校是青海省职业教育公共实训中心项目的一部分。位于西宁市城北区宁张路 295 号。主要建设实训中心、教学楼、行政办公楼、学生宿舍、教工宿舍、食堂、图书馆、风雨操场、锅炉房、浴室、医务室、配电室等各类用房，及室外运动场等配套设施和总图工程。总建筑面积 122200 平方米，其中灾后重建规模 40000 平方米，投资 14281.81 万元。玉树发生地震后，根据省政府让更多的牧民子女到西宁接受职业教育、优化全省职业教育资源的要求，本着统筹规划、节约成本、集中建设、资源共享的原则，将青海省职业教育公共实训中心、青海省藏区职业技术学校、玉树州第二职业技术学校统一规划、统一建设，分阶段实施。建成后实行“一套班子，三块牌子”，在校生规模可达到 8000 人，主要承担中等职业学历教育和实习实训任务及面向社会开展短期培训、技能鉴定等工作。省玉树灾后重建现场指挥部下达玉树州西宁职业技术学校项目，2010 年 7 月完成项目《可行性研究报告》的编制及修改工作，11 月获得省发展改革委批复。2011 年 6 月初步完成征地，6 月 25 日奠基开工。1 号、2 号实训楼及教学楼已完工，于 2013 年 9 月 3 日进行了初步验收。援建单位、项目单位均为青海省教育厅，由上海同建强华建筑设计有限公司设计，广汇建设集团有限公司、甘肃第六建筑集团有限公司承建。

九、党校

州党校 中共玉树州委党校在结古镇红卫路原址重建，建设业务用房及附属设施。建筑面积 6500 平方米，总投资 3559.98 万元。资金来源于中央一般预算收入 2519.98 万元，民政部捐赠资金 40 万元，抗震救灾党费 1000 万元。由广东建筑艺术设计院有限公司设计，中铁二十一局二公司承建。2011 年 9 月 23 日开工，2012 年 6 月 13 日主体封顶。

县党校　玉树县、称多县、治多县、杂多县县委党校灾后重建，包括业务用房及附属设施，由各县项目管理公司实施，至 2013 年 10 月全部竣工验收。

玉树县委党校　合建于玉树县行政中心，框架结构，地上 5 层，县委党校在三层至五层，建筑面积 3660 平方米，设教室、办公室和宿舍，建设周期与县行政中心同步。

称多县委党校　建于称文镇，建筑面积 3660 平方米，地上 3 层，钢筋混凝土框架结构，总投资 1326.69 万元，资金来源于中央一般预算收入。2011 年 6 月开工，2012 年 7 月主体完工，10 月竣工验收。由青海恒兴工程设计有限公司设计，青海伊达建贸有限公司承建。

治多县委党校　建筑面积 3660 平方米，其中新建 2900 平方米、维修加固 700 平方米。投资 877.98 万元，资金来源于中央一般预算收入。2011 年 9 月开工，2013 年 9 月竣工。由甘肃省建筑设计研究院设计，河南省豫西建设工程有限责任公司承建。

杂多县委党校　建筑面积 3660 平方米，投资 1222.52 万元，资金来源于中央一般预算收入。2013 年 10 月 23 日竣工验收。由青海省人民防空工程设计研究院设计，青海宏星建设工程有限公司承建。

第二章　医疗卫生公共服务设施重建

第一节　医院设施

一、玉树州人民医院

灾后重建的玉树州人民医院位于结古镇胜利路以西，出于集约使用土地和整合州级医疗卫生资源，在玉树州人民医院用地中整合建设玉树州妇幼保健院、玉树州采供血机构、玉树州基层卫生人员培训中心、玉树州突发卫生事件应急指挥中心、玉树州突发公共卫生事件应急物资储备库，共 6 家医疗卫生机构。玉树州人民医院是集预防、保健、教学、科研、急救于一体的二级甲等医院，是整个康巴藏区规模最大、极具藏民族文化特色的现代化医院。由综合楼、传染病楼、门诊急诊医技综合楼、住院部综合楼、后勤附属用房 5 个单体组成。本项目工程系统众多，功能齐全，特别是门诊急诊医技综合楼的门诊大厅，设计施工要求高，室内装饰等级高。其中多功能会议室长 21.6 米，宽 14.4 米；多功能厅长 18 米，宽 10.8 米，均采用井字梁结构，是一个亮点。门诊急诊医技综合楼和住院部综合楼，外墙采用玻璃幕墙及石材幕墙，突显现代化气息。

2010 年 9 月 28 日举行奠基仪式。2011 年 4 月 15 日正式开工建设。9 月 29 日主体封顶。2012 年 6 月 25 日、10 月 26 日，国务院抗震救灾指挥部特派员孙波等一行先后两次到施工现场调研重建工作。10 月 27 日举行了竣工交付仪式。实际施工工期 13 个月。新建的玉树州人民医院建筑面积 32300 平方米，总投资 24244.17 万元。其中，中央一般预算收入 5775.17 万元，中国红十字会捐赠资金 18469 万元。由中国市政工程西北设计研究院有限公司设计，中国建筑第八工程局有限公司援建承建。

与州人民医院合建的 6 家医疗卫生单位情况统计表

表 4-4

序号	项目单位	建筑面积（平方米）	总投资（万元）
1	玉树州人民医院	32300	24244.17
2	玉树州妇幼保健院	5698	4905.60
3	玉树州采供血机构	1000	984.08
4	玉树州突发卫生事件应急指挥中心	400	430.05
5	玉树州突发公共卫生事件应急物资储备库	1000	1141.63
6	玉树州基层卫生人员培训中心	2000	1641.42
合计		42398	33346.95

二、县人民医院

玉树八一医院　由玉树县人民医院和县妇幼保健院合建，建设内容包括土建、附属设施及设备购置。建筑面积 10800 平方米，其中玉树县人民医院 9600 平方米、玉树县妇幼保健院 1200 平方米。由解放军包建，重建项目名为“玉树八一医院”。同建玉树县急救中心，投资中央一般预算收入 235.24 万元。

2010 年 5 月 31 日，总参作战部通知明确“两校一院”援建任务：玉树八一医院按照开设 200 张床位的规模建设。2010 年 8 月 28 日奠基，9 月 4 日，青海省玉树地震灾后重建城乡规划委员会第六次会议评审通过了规划设计方案。9 月 6 日，青海省卫生厅组织专家评审通过玉树八一医院医疗专业设计方案。10 月 18 日，工程施工图经总后建筑设计研究院审查合格。2011 年 3 月 30 日破土动工。4 月 21 日，总后勤部批准“两校一院”工程总投资 7.35 亿元。玉树八一医院占地面积 18.86 亩，总建筑面积 1.79 万平方米。单体设计主体工程采用框架结构，所有建筑采用坡屋顶，建筑立面以暖色调为主，恰当体现民族特色，主要建筑不超过 8 层，高度控制在 36 米以内，设计符合国家规范和技术标准。主要单体结构选型按乙类建筑设计，抗震烈度按Ⅷ度设防，符合抗震减灾要求。采用 STP 超薄绝热保温板、太阳能室外照明、断桥铝合金中空玻璃外窗、空心密肋楼板等新材料、新技术、新工艺，符合国家环保、节能标准要求。设备配置充分考虑当地可利用资源状况，供电系统采用双电双回路，增配安装大功率发电机，给水系统立足市政供应，增设地下水井，最大限度地满足使用需求。新建医疗综合楼、传染病楼、综合服务楼等 6 个单体，配置高压氧舱、核磁共振、CT、DR 等医疗设施设备 1.6 万件（台、套），设置 ICU 重症监护室、三级手术室，配套建设污水处理站、制供氧系统、视频监控室等附属工程，达到三级甲等医院医疗设备配备标准，实现远程可视会诊、数字化办公、信息化管理，步入青海地区同类医院的前列。2012 年 8 月 22 日竣工移交，实际施工期 16 个月。

称多县人民医院　称多县人民医院位于称文镇，地震中原门诊医技楼遭到严重破坏，无法使用。重建门诊、医技、住院综合楼 1 栋，建筑面积 6400 平方米，传染病区 309 平方米，道路、地坪、绿化、大门、围墙等附属设施及设备购置。总投资 3528.41 万元，来源于中国红十字会捐赠资金。2011 年 5 月奠基开工，2012 年 6 月主体完工，9 月竣工验收。由青海省人民防空工程设计研究院设计，青海华西建筑有限公司承建。

杂多县人民医院 重建杂多县人民医院，建筑面积 5600 平方米，其中维修加固 1600 平方米；总投资 2405.94 万元，来源于中国红十字会捐赠资金。由青海省人民防空工程设计研究院设计，成都市明志建筑公司承建。2012 年 10 月 20 日竣工验收。

治多县人民医院及采供血机构 治多县人民医院及采供血机构，建筑面积 5800 平方米，其中采供血机构 200 平方米；总投资 2441.61 万元，其中中国红十字会捐赠资金 2201.61 万元、中华慈善总会捐赠资金 240 万元。2011 年 9 月 10 日开工，2013 年 9 月 17 日竣工。由甘肃省建设设计研究院设计，河南省豫西建设工程有限责任公司承建。

三、藏医院

玉树州藏医院 玉树州藏医院位于红卫路 222 号原疾控中心，建设内容包括新建门诊楼、住院部、制剂楼、锅炉房、室外工程，单体工程钢筋混凝土框架结构。用地面积 14520 平方米，建筑面积 13168 平方米，总投资 8888.69 万元。其中，中央一般预算收入 1188.88 万元，中国红十字会捐赠资金 5951.21 万元，省红十字会捐赠资金 1748.60 万元。2010 年 8 月 27 日开工，2012 年 6 月 5 日最后一个单体封顶。由中铁第一勘察设计研究院集团有限公司设计，中铁二十一局第四工程有限公司承建。

称多县藏医院 称多县藏医院位于称文镇，建筑面积 5600 平方米，其中维修加固 1500 平方米；总投资 2417.60 万元，来源于中国红十字会捐赠资金。建设内容包括：门诊住院综合楼、炮制室和附属设施及设备购置。2011 年 5 月奠基开工。2012 年 6 月主体完工，9 月竣工验收。

灾后重建的玉树州藏医院

由青海省人民防空工程设计研究院设计，青海东兴建设工程公司承建。

杂多县藏医院　杂多县藏医院，建筑面积 1585 平方米，其中维修加固 330 平方米。总投资 652.48 万元，来源于中华慈善总会捐赠资金。2012 年 10 月 20 日竣工验收。由广东省建工设计院设计，青海春辉建筑有限公司承建。

治多县藏医院　治多县藏医院维修加固面积 1400 平方米，总投资 497.23 万元，来源于青海省慈善总会捐赠资金。海西州援建。

四、慢性病防治院

玉树州慢性病防治院　建于结古镇琼龙路，建筑面积 2400 平方米，投资来源于中华慈善总会捐赠资金 1860.60 万元。建设医技用房、理疗疗养用房两个单体以及室外配套设施。医技用房地上 2 层，建筑高度 9 米；理疗、疗养用房地上 2 层，局部 3 层，建筑高度 12.3 米。主体建筑钢筋混凝土框架结构。2012 年 7 月 12 日奠基，7 月 30 日开工，8 月 31 日主体完工，2013 年 9 月 20 日竣工验收。由山东极高建筑设计院有限公司设计，中铁二十一局第四工程有限公司承建。

第二节　计划生育服务站和妇幼保健院建设

一、计划生育服务站

玉树州计划生育服务站　位于结古镇琼龙路，建筑面积 2474.52 平方米，购置计划生育流动服务车 1 辆。总投资 1479.30 万元，其中中央一般预算收入 119.30 万元、中华慈善总会捐赠资金 1360 万元。主体 4 层，局部 5 层，框架结构，钢筋混凝土独立基础。2011 年 9 月 7 日开工，2012 年 4 月 21 日主体完工。由中铁第一勘察设计研究院设计，中铁二十一局集团有限公司北京分公司承建（三项目部）。

玉树县计划生育服务站及急救中心　位于结古镇南片区。重建内容包括土建、附属设施及设备购置，配置计划生育流动服务车 1 辆。建筑面积 1986 平方米，地上 4 层，框架结构，建筑高度 15 米。投资来源于中央一般预算收入 1001.91 万元。2012 年 4 月 1 日奠基开工，5 月 30 日主体封顶，2013 年 7 月 25 日竣工验收。由中铁工程设计院设计，中国中铁建工集团西南分公司承建。

称多县计划生育服务站　与称多县卫生监督所、药品检验所合建。总建筑面积 2100 平方米，其中县计生服务站 1000 平方米、卫生监督所 600 平方米、药品检验所 500 平方米。投资

1745.45 万元，资金来源于中央一般预算收入 345.45 万元，中华慈善总会捐赠资金 1400 万元。

治多县计生服务站和妇幼保健院 位于治多县城南新区，建设内容包括土建、附属设施及设备购置，配置流动服务车 1 辆。建筑面积 2050 平方米，总投资中央一般预算收入 1352.86 万元。2011 年 9 月 10 日开工，2013 年 7 月 6 日竣工。由甘肃省建筑设计研究院设计，青海省宏星建设工程有限公司承建。

杂多县计生服务站 建筑面积 1000 平方米，购置计划生育流动服务车 1 辆，投资中央一般预算收入 487.28 万元。2013 年 11 月 18 日竣工验收。由青海省人民防空工程设计研究院设计，成都市宏升建筑工程有限公司、四川射洪曹碑建筑公司承建。

在结古镇以外的玉树州 6 个县 19 个受灾乡镇（含隆宝镇哈秀），合建乡镇中心卫生院和计划生育服务中心（站），建设内容包括业务用房、附属设施及设备购置，建筑面积 1000 ~ 1300 平方米，设施主要功能有诊室、注射室、产房、病房、检查室和手术室，为每个乡镇购置计划生育流动服务车 1 辆。由所属县项目管理公司实施重建。投资来源于中国红十字会捐赠资金。2010 年 7 月 8 日，玉树县隆宝镇中心卫生院和计生服务站开工，此后各乡镇中心卫生院和计生服务站相继开工建设。2013 年 9 月 30 日，下拉秀镇卫生院和计生服务站竣工验收，至此全部建成。

乡镇中心卫生院和计划生育服务站重建情况统计表

表 4-5

序号	属县	所属乡镇	建筑面积（平方米）	总投资（万元）	备注
1	玉树县	下拉秀镇	1300	517.32	其中加固 200 平方米
2		隆宝镇	1360	571.11	
3		哈秀	615	355.49	省红十字会 347 万元，中央一般预算 8.49 万元
4		上拉秀乡	1292	629.55	
5		巴塘乡	1300	582.60	
6		安冲乡	1100	553.01	
7		小苏莽乡	1300	592.35	
8		仲达乡	1000	795.94	中央一般预算 260.94 万元
9	称多县	歇武镇	1000	300.57	其中加固 800 平方米
10		珍秦镇	1200	460.89	其中加固 300 平方米
11		拉布乡	700	341.01	其中加固 400 平方米
12		尕朵乡	1100	547.37	
13		称文镇	1200	502.93	其中加固 300 平方米
14	囊谦县	毛庄乡	1300	535.57	其中加固 250 平方米
15	杂多县	昂赛乡	1200	552.93	
16		萨呼腾镇	1100	315.17	其中加固 163 平方米
17	治多县	立新乡	1200	578.59	

续表 4-5

序号	属县	所属乡镇	建筑面积（平方米）	总投资（万元）	备注
18	治多县	加吉博洛镇	1000	526.98	其中加固 188 平方米
19	曲麻莱县	巴干乡	1300	585.48	其中加固 200 平方米
合计			21567	9844.86	

二、妇幼保健院

玉树州妇幼保健院　与州人民医院合建，建筑面积 6000 平方米，总投资 3577 万元，来源于中国红十字会捐赠资金。由中国建筑工程总公司援建。

玉树县妇幼保健院　与玉树八一医院合建，解放军包建。建筑面积 1200 平方米。

称多县妇幼保健院　重建包括附属设施及设备购置，建筑面积 1200 平方米。总投资 668.06 万元，其中中央一般预算收入 168.06 万元、省民政厅捐赠资金 500 万元。2013 年 8 月竣工验收。

杂多县妇幼保健院　建筑面积 1050 平方米，投资来源于中国红十字会捐赠资金 852.44 万元。2012 年 11 月 5 日竣工验收。由青海省人民防空工程设计研究院设计，青海春辉建筑有限公司承建。

第三节　公共卫生服务机构建设

一、玉树州公共卫生服务机构

玉树州公共卫生服务中心　位于结古镇扎西科。将玉树州疾病控制中心、药品检验所、卫生监督所整合建设，属灾后重建第一批开工项目。总建筑面积 8261 平方米。其中，玉树州疾控中心 5000 平方米，玉树州卫生监督所 1400 平方米，玉树州药品检验所 2000 平方米。由药检所、卫监所、实验楼、行政楼、水泵房和室外工程 6 个单项工程组成，全部采用钢筋混凝土框架结构。药检所 2010 年 8 月 15 日奠基开工，9 月 28 日主体完工；卫监所 2010 年 8 月 30 日开工，9 月 30 日主体完工；行政楼 2010 年 8 月 23 日开工，9 月 27 日主体完工；后勤楼 2010 年 9 月 6 日开工，2011 年 6 月 1 日主体完工。全部分项工程于 2011 年 8 月 9 日通过主体验收。2012 年 6 月各分项工程完工。屋面保温层采用发泡泡沫混凝土施工工艺，将保温层与找坡层合二为一，具备轻质保温材料的主要材性特点，其保温、抗水、整体性能优于其他材料的屋面保温。安装先进的门禁系统、广播系统、监控系统、网络系统和联动报警系统五大弱电系统。总投资省红十字会捐赠资金6501.77万元，由上海大境建筑设计事务所设计，中国水电集团玉树灾后重建现场指挥部第三工区承建。

玉树州供氧中心 位于结古镇琼龙路。建筑面积677平方米；总投资1060.38万元，其中中央一般预算收入292.98万元、中华慈善总会捐赠资金767.40万元。建设办公楼、库房、充装车间、配送车库、门卫等5个单体以及室外配套设施。办公楼地上2层，钢筋混凝土框架结构，建筑高度7.25米。其他建筑地上1层。充装车间、库房建筑高度5.45米、配送车库5.95米。使用类别属三类建筑，建筑节能按乙类公建标准设计。2012年7月12日奠基，7月15日开工，2012年8月29日主体封顶，2013年7月20日竣工，8月20日验收。由山东极高建筑设计院有限公司设计，中铁二十一局第四工程有限公司玉树灾后重建项目部承建。

二、玉树县公共卫生服务机构

玉树县公共卫生服务中心 位于结古镇琼龙路，由玉树县疾病控制中心、卫生监督所、药品检验所合建，包括土建、附属设施及设备购置。县疾控中心建筑面积1800平方米、县卫生监督所建筑面积600平方米、县药品检验所建筑面积500平方米。总投资2120.60万元，含实验室购置120万元；资金来源于民政部捐赠资金1900万元，中华慈善总会捐赠资金100.60万元，中央一般预算收入120万元。2012年4月1日开工，7月13日主体完工。由广东建筑艺术设计院有限公司设计，中铁二十一局北京分公司承建。

三、称多县公共卫生服务机构

称多县疾控中心 位于称文镇，2005年由原防疫站搬迁至扎西路12号新址，占地面积1600平方米，原有办公楼1栋553平方米，化验室1所147平方米。灾后重建建筑面积1200平方米，其中新建500平方米，地上2层，砖砌体结构；维修加固700平方米。另建附属设施及设备购置。投资来源于青海省慈善总会捐赠资金634.30万元。2011年6月开工，8月主体封顶，11月竣工验收。由青海恒兴工程设计有限公司设计，青海平兴建筑公司承建。

称多县卫生监督所和药品检验所 位于称多县称文镇滨河路，成立于2003年，地震前借用称多县妇幼保健院门诊楼二层办公，地震后被鉴定为二级危房。灾后与妇幼保健院合建，县卫生监督所600平方米，县药品检验所500平方米，2011年6月奠基开工，10月主体完工，2012年9月竣工验收。由青海恒兴工程设计有限公司设计，青海安泰建筑公司承建。

四、治多县公共卫生服务机构

治多县疾控中心 位于治多县城南新区，建筑面积1200平方米，其中维修加固130平方米。

投资来源于中华慈善总会捐赠资金979.87万元。2011年9月11日开工,2013年8月17日竣工。海西州援建，由甘肃省建筑设计研究院设计，河南省豫西建设工程有限责任公司承建。

治多县卫生监督所及药品检验所　位于治多县城南新区。建筑面积1100平方米。完成投资832.05万元,资金来源于省慈善总会捐赠资金522万元、中华慈善总会捐赠资金310.05万元。2011年9月19日开工，2013年7月6日竣工。由甘肃省建筑设计研究院设计，青海省广厦建筑工程有限责任公司承建。

五、杂多县公共卫生服务机构

杂多县疾病控制中心与卫生监督所和药品检验所合建。杂多县疾病控制中心建筑面积1200平方米，卫生监督所建筑面积600平方米，药品检验所建筑面积500平方米。总投资来源于中华慈善总会捐赠资金1582.77万元。由青海省人民防空工程设计研究院设计，青海春辉建筑有限公司承建。2012年11月8日竣工验收。

六、结古镇社区卫生服务机构

结古镇社区卫生服务中心　在结古镇的城东、城南、城中、城西4个片区各建卫生服务中心1个。建设内容包括土建、附属设施及设备购置。资金来源于中央一般预算收入和青海省红十字会捐赠资金。

城东片区卫生服务中心，位于玉树县琼龙路，地上2层，局部3层，框架结构，独立基础。2011年10月开工,2012年5月主体完工,2013年6月竣工验收。由中铁第一勘察设计院设计，中国铁建筑股份有限公司玉树第三项目部承建。

城南片区卫生服务中心，建于社区公共服务用房、垃圾收集站、粮油门市、公共厕所等多功能综合建筑中。筏板基础和条形基础，基础底标高设计－5米，用三七灰土换填3米深。地上3层，局部4层，建筑高度15.4米，框架结构，局部砖混结构。2012年8月3日奠基开工，10月6日主体封顶，2013年7月30日竣工验收。由中铁工程设计院有限公司设计，中国中铁建工集团西北分公司承建。

城中片区卫生服务中心，位于结古路，2012年4月28日开工，7月30日主体完工，2013年9月28日竣工验收。由中铁第一勘察设计院设计，中铁二十一局二公司承建。

城西片区医疗服务中心，由中国水电援建。

在民主路、红卫路、胜利路、当代、下西同、西杭、扎西大同7个社区，各建社区卫生服务中心1个，大都作为社区服务中心的配套公建项目。2012年4月10日民主路社区卫生服务中心最先开工建设，至2013年10月全部竣工验收。

结古镇片区、社区医疗服务中心重建情况统计表

表 4-6

序号	服务机构名称	建筑面积（平方米）	总投资（万元）	资金来源（万元）		援建单位	竣工时间	备注
				中央	省红十字			
1	城西片区卫生服务中心	1450	685.94	113.94	572	中国电建		
2	城东片区卫生服务中心	2130	903.40	238.40	665	中国铁建	2013 年 6 月	
3	城中片区卫生服务中心	1666	911.83	339.83	572	中国铁建	2013 年 9 月	
4	城南片区卫生服务中心	1665	1171.58	596.58	575	中国中铁	2013 年 7 月	
5	民主路社区卫生服务中心	320	240.83	68.83	172	中国建筑	2012 年 11 月	
6	下西同社区卫生服务中心	320	182.54	10.54	172	中国电建	2012 年 10 月	
7	红卫路社区卫生服务中心	291	177.73	5.73	172	中国电建	2013 年 10 月	滨水休闲区子项
8	当代社区卫生服务中心	320	233.59	61.59	172	中国铁建	2013 年 10 月	
9	胜利路社区卫生服务中心	320	178.65	6.65	172	中国中铁	2013 年 7 月	
10	扎西大同卫生服务中心	345	368.54	196.54	172	中国中铁	2013 年 10 月	
11	西杭社区卫生服务中心	320	129.63		129.63	中国中铁	2012 年 9 月	
合计		9147	5184.26	1638.63	3545.63			

第三章　公共文化体育设施建设

第一节　文化设施

一、康巴艺术中心（含图书馆、文化馆）

康巴艺术中心是玉树灾后重建十大重点项目之一，也属于玉树地区文化产业重大项目。作为以藏族历史文化为主题的大型展示项目工程，它通过院落式的组合，将图书馆、文化馆、电影院、县剧团、大剧院、州新华书店、州县非物质文化遗产博物馆、老年活动中心、青少年活动中心多个单体建筑连接起来，是一个融合了时代特征、民族特色和地域风貌的标志性建筑。

灾后重建的康巴艺术中心

康巴艺术中心坐落在玉树州结古镇胜利路西侧、扎西科河南侧、德吉路北侧，总占地面积24563.3平方米，建筑面积25800平方米。项目分为A区演艺中心和B区文化中心两个功能分区。A区由电影院、剧团、剧院组成，剧院的建筑功能为共享大厅、中型剧场、小型剧场、演出用房、辅助用房，建筑面积8539.74平方米，地上6层，地下1层，建筑高度31.2米；B区由文化馆和图书馆组成，文化馆的建筑功能为观演厅、活动室、藏式艺术文化协会、格萨尔王研究中心及培训室等，建筑面积4384平方米，地上3层，建筑高度18.8米，设计使用年限100年，抗震设防烈度为7.5度，建设耐火等级为一级，具有结构复杂、功能齐全、建筑等级高的特点。图书馆建筑功能为藏书区、阅览区、借阅区、管理区、技术设备区、业务区等。康巴艺术中心总投资41413.18万元。其中，中央一般预算收入34820.18万元，民政部捐赠资金4507万元，中华慈善总会捐赠资金2086万元。项目单位为玉树州三江源投资公司，由中国建筑北京设计研究院设计，中国建筑第八工程局有限公司承建，青海百鑫监理公司监理。2012年4月1日开工，2012年8月11日文化馆主体封顶，2012年8月16日剧团主体封顶，2012年8月19日电影院和图书馆主体封顶，2013年9月30日项目所有工程验收竣工交付使用。

康巴艺术中心由中国建筑设计研究院总建筑师、全国建筑设计大师崔恺领衔设计。崔恺团队在走访了藏区的各类风貌建筑后，通过采用藏族建筑的聚落形式、色彩及建筑内丰富的空间和采光方式，根据建筑功能作出不同的空间组合，在满足艺术中心应具备的各类功能需求的同时，作出藏区建筑外墙那种古朴的质感和肌理。为此，设计及建设单位专门研制了多种新型砖，并采用清水混凝土工艺，通过发挥工人的想象力，将各类砖块混砌在一起，产生一种不规则的、外墙带有孔洞的墙面。错落的空间结构组合和房屋檐口的斜板，有利于采光，更加节能环保。墙面的孔洞，能够吸声，使得较大的空间并不会产生回声。此外，艺术中心的锅炉采用了专门研制的炉膛，既可以烧煤，也可以烧牛粪；青少年活动中心屋顶使用太阳能光板，增加建筑本身的环保功能。

二、博物馆

玉树州博物馆及文物库房 玉树州博物馆是玉树地震灾后重建十大标志性建筑之一，位于城市核心区胜利路北端，南邻民主路和红卫路。博物馆西面是牦牛广场，东面是结古寺，南面是格萨尔广场，地理位置处于3个标志性景点之间，总占地面积1.5万平方米，建筑面积11500平方米，建筑结构形式为钢筋混凝土框架结构。主体结构采用独立基础形式，地上2层，局部3层，首层层高7.9米，跨度最长20米，梁的最大截面尺寸为350毫米×1400毫米。其中，金钟罩为地上13层，建筑物总高32.6米、外形为圆筒状，结构由20根斜率为10.3%的框架柱及13根环形梁组成。

该工程结构设计复杂，施工难度大。为确保工程质量及施工安全，在首层梁板施工之前，施工单位组织专业技术人员进行研究讨论，编制了高支模施工专项方案，并经专家审核通过后，严格按照既定的施工方案施工。工程外墙装饰采用GRC斜墙挂板，女儿墙部分采用红氟

灾后重建的玉树州博物馆

铝单板藏式风格装饰，博物馆设有展厅、展廊及报告厅。其中，金钟罩外墙采用阳刻“六字真言”的GRC挂板进行装饰，内墙采用阴刻经文GRG挂板装饰，地面为大理石圆形拼花地面，玻璃采光顶棚。展廊楼地面采用大理石铺贴，内墙面为GRC挂板装饰，顶部采用中空形式钢架玻璃采光顶棚。二层东侧庭院内设有景观水池，池内设置有雕塑小品。投资18476万元。其中，中央一般预算收入8587.1万元，省慈善总会捐赠资金9888.9万元。项目单位为玉树州项目管理公司，由华南理工大学建筑设计研究院设计，中国铁建玉树灾后重建指挥部援建，中铁二十一局二公司玉树地震灾后重建项目部承建，甘肃铁一院监理有限责任公司玉树地震灾后重建监理站监理。2011年9月1日开工建设，2012年11月14日主体验收合格。

文成公主纪念馆　文成公主纪念馆建在文成公主庙东侧120米处半山坡上，总建筑面积2179平方米，建设内容包括：纪念馆主体、消防水池及泵房、公共卫生间及水处理机房、室外总坪。纪念馆为单层台状建筑，主体依山势设置，建筑高度9.5米，由4个展厅组成：第一展厅为大唐盛世；第二展厅为吐蕃兴邦；第三展厅为千里联姻；第四展厅为和谐繁荣。纪念馆入口处为全木结构的仿唐式门楼。总投资3013.8万元。其中，省级财政资金1733.8万元，中央一般预算收入1280万元。项目单位为玉树州三江源投资建设有限公司，由中国建筑西南设计研究院有限公司设计，中铁二局玉树灾后重建工程指挥部援建承建，青海城垣工程监理有限公司监理。2013年4月1日开工，2013年6月23日主体封顶，2013年10月30日竣工，2013年11月5日经玉树州三江源投资建设有限公司验收。

文成公主纪念馆工程属玉树灾后重建十大标志性建筑之一，设计以“大唐天路”为主题，用唐风木构门头寓意“大唐”，藏式蹬道蜿蜒而至雪山之巅寓意“天路”。唐风门头古拙厚重，与现存白塔共同围合入口广场，气韵深远。

玉树州非物质文化遗产博物馆　玉树州非物质文化遗产博物馆建在玉树县结古镇扎曲河北珠穆路东侧，建设内容包括土建、附属设施及设备购置。项目建筑地上3层，框架结构。建筑面积2369平方米，建筑高度14.7米，建筑抗震设防为乙类，抗震设防烈度为Ⅶ度，建筑耐火等级为二级，设计使用年限50年。投资2111.24万元。其中，中华慈善总会捐赠资金1160万元，中央一般预算收入961.24万元。项目单位为玉树州三江源投资建设有限公司，由中国市政工程西北设计研究院有限公司设计，中国建筑第八工程局有限公司援建承建，西宁正皓人防监理中心监理。2012年4月5日开工建设，当年9月2日主体封顶，2014年6月3日通过玉树州三江源投资建设有限公司验收竣工。

玉树州东仓《大藏经》珍藏馆维修加固和消防安全设施建设 东仓《大藏经》珍藏馆坐落在结古镇扎西科，是玉树地震后完工的第一个文化遗产保护工程项目。传说东仓家族的先祖是藏族传奇英雄格萨尔王手下30员大将之一的东·白日尼玛江才，由其收藏的《大藏经》，距今已有1000多年历史，是用金、银和朱砂等材料书写而成，其家族还收藏着格萨尔王的马鞭等珍贵遗物。玉树地震中，东仓家族65岁的男主人次仁文青及他的一个女儿遇难，他们居住并收藏《大藏经》的土木房子坍塌，经书被埋，救援人员历时4天才将《大藏经》全部抢救出来。玉树州东仓《大藏经》珍藏馆占地456平方米，维修加固和消防安全设施建设工程内容还包括重建250米围墙和公共卫生间，面积240平方米屋顶防水维修，铁制大门安装，购置灭火器15个。项目修缮面积167平方米，投资48.56万元，为中央一般预算收入。由青海省江河源文化开发总公司、西宁翼安技术实业有限公司施工，青海省文化和新闻出版厅财务处、玉树州文物管理所监理，2010年7月开工，当年9月，由青海省文化和新闻出版厅、玉树州文物管理所验收竣工。

三、文化馆（站）剧场

治多县文化图书馆、新华书店、非物质文化遗产传习所及加吉博洛镇文化站 治多县文化图书馆、新华书店、非物质文化遗产传习所及加吉博洛镇文化站建在治多县城南新区，建设内容包括土建、附属设施及设备购置，总建筑面积4600平方米。其中，图书馆3000平方米，新华书店500平方米，非物质文化遗产传习所800平方米，加吉博洛镇文化站300平方米。总投资1833.52万元。其中，中华慈善总会捐赠资金1627万元，中央一般预算收入83.52万元，民政部捐赠资金123万元。项目单位为治多县项目管理公司，由甘肃省建筑设计研究院设计，海西州支援玉树州灾后恢复重建工程指挥部援建，河南省豫西建设工程有限责任公司承建，青海金鑫工程建设管理咨询有限公司监理。2011年7月20日开工建设，2013年9月20日竣工。

称多县文化图书馆及新华书店 称多县文化图书馆及新华书店建在称文镇扎西路北，青年路综合市场西侧，占地面积6592平方米。它是称多县文化图书馆和称多县新华书店的合建工程。总建设面积4100平方米。其中，文化图书馆为3500平方米，新华书店为600平方米。建设项目包括健身房、老年活动室、残疾人活动室、儿童活动室、美术室、文化培训室、声乐室、茶座室、电子阅览室、儿童阅览室、展览厅、报告厅、期刊阅览室、办公室、书库、书店、库房、管理室、采编加工室、装订配送室及道路地坪、绿化、大门、化粪池、围墙等室外配套等工程土建、附属设施建设及设备购置。总投资1753.69万元，为中华慈善总会捐赠。项目单位为称多县文广局。由青海省人民防空工程设计研究院设计，海东地区援建办公室援建，民和三建公司承建，陕西省工程监理有限公司青海分公司监理。2011年8月开工建设，2012年9月主体封顶。2013年9月，经称多县项目管理公司、称多县质量监督站、海东援建办公室、青海省人民防空工程设计研究院、民和三建公司、陕西省工程监理有限公司青海分公司、青海省建筑设计勘察研究院有限公司竣工验收。

玉树县下拉秀镇文化站　玉树县下拉秀镇文化站建在下拉秀镇尕玛村，建筑为一层砖混结构，建筑面积约300平方米，建筑高度6.6米。防火等级为乙级，抗震设防烈度为Ⅶ度，设计使用年限50年，屋面防水使用年限10年。投资121.11万元，为民政部捐赠资金。由青海省规划设计研究院设计，青海方正建筑安装工程有限公司援建，玉树州工程监理中心监理。2011年7月4日奠基，同年8月10日开工建设，2012年7月1日主体封顶，2013年9月30日由玉树县通天河投资建设有限公司验收竣工。

隆宝镇社区文化活动中心和文化站　隆宝镇社区文化活动中心和文化站为地上两层框架结构建筑，建筑面积550平方米，建筑内设有观演厅、放映厅、舞台、旅游服务中心、站长室、办公室等功能房间。建筑安全等级为六级，抗震设防烈度为Ⅶ度，耐火等级为二级，设计使用年限为50年。投资305.55万元。其中，中央一般预算收入182.55万元，民政部捐赠资金123万元。项目单位为玉树县通天河投资建设有限公司，由北京建筑工程设计有限责任公司设计，北京建工集团有限责任公司援建，北京建工集团援建青海玉树前线指挥部承建，玉树州工程监理中心监理。2011年3月30日开工，同年8月7日主体封顶，2012年8月13日经玉树县通天河投资建设有限公司、玉树县建设局验收竣工，2012年8月20日交付使用。

玉树县上拉秀乡文化站　玉树县上拉秀乡文化站建在上拉秀乡政府新址（加沙同），建筑面积290平方米，建设内容包括土建、附属设施及设备购置。投资119.42万元，为民政部捐赠资金。项目单位为玉树县项目管理公司，由青海东亚工程建设管理咨询有限公司设计，青海宏厦建筑工程有限公司承建，海南州工程监理站监理。2011年5月16日开工建设，2012年9月29日由玉树县通天河投资建设有限公司组织相关单位验收竣工交付使用。

玉树县巴塘乡文化站　巴塘乡文化站位于铁力角村东北部乡政府院内，建筑面积300平方米，占地面积156.12平方米。建设内容为土建、附属设施及设备购置。地上两层建筑中，一层建筑面积156.12平方米，设有办公室、阅读室、图书室、卫生间；二层建筑面积145.47平方米，为多媒体室。建筑檐口及雨篷采用当地建筑常用的红褐色。外墙为土黄色，局部配以红褐色，与屋檐色调相呼应，凸现建筑的地域特色。建筑主入口处的“巴塘乡文化站”标识采用汉藏两种文字显示。投资125.76万元，为民政部捐赠资金。项目单位为玉树县通天河投资有限公司。由辽宁省城乡建设规划设计院设计，辽宁省援建玉树巴塘乡前线指挥部援建，辽宁省建筑设计研究院承建，辽宁省建筑设计研究院项目管理咨询公司监理。2011年4月15日开工建设，2011年9月20日主体封顶，同年11月8日验收竣工。

玉树县安冲乡文化站　玉树县安冲乡文化站建设内容包括土建、附属设施及设备购置。项目建筑为一层框架结构，建筑面积250平方米，是安冲乡文化宣传、娱乐用房。该工程采用全新保温材料，确保使用后达到节能、保温的要求。投资139.19万元。其中，民政部捐赠资金 106 万元，中央一般预算收入 33.19 万元。项目单位为玉树县通天河建设投资开发有限公司，由中国市政工程西北设计研究院有限公司设计，中国建筑玉树灾后重建前线指挥部援建承建，玉树州工程监理中心监理。2011 年 8 月 9 日开工，当年 10 月 23 日主体封顶，2012 年 8 月 7 日经玉树县通天河投资建设有限公司竣工验收交付使用。

玉树县小苏莽乡文化站 玉树县小苏莽乡文化站建设内容包括土建、附属设施及设备购置。工程为地上一层钢筋混凝土建筑，总建筑面积 250 平方米，建筑主体高度 4.05 米，基础垫层及现浇构件混凝土强度等级均为 C25，采用 M10 水泥砂浆砌筑黏土实心砖墙和 M7.5 混合砂浆砌筑承重多孔砖墙，内墙面阳角均做 2 米高 1：2.5 水泥砂浆护角并在高低差埋土一侧墙身做 20 厚水泥砂浆防潮层，屋面保温层采用 100 毫米厚挤塑聚苯板，外墙保温层采用 80 毫米厚挤塑板。设计使用年限为 50 年，耐火等级为二级，抗震设防烈度为Ⅶ度。投资 135.45 万元。其中，民政部捐赠资金 106 万元，中央一般预算收入 29.45 万元。项目单位为玉树县项目管理公司，由青海煤矿设计研究院设计，中国电力建设集团有限公司玉树地震灾后恢复重建现场指挥部援建，中国电力建设集团有限公司玉树地震灾后恢复重建现场指挥部第一工区承建，西宁青大工程建设监理有限公司监理。2011 年 7 月 30 日开工建设，同年 8 月 22 日主体封顶，2012 年 10 月 22 日经青海煤矿设计研究院、西宁青大工程建设监理有限公司、青海省建筑勘察设计研究院有限公司、玉树县建设局、玉树县质监站、玉树县通天河投资建设有限公司、玉树县档案馆、中国电建玉树灾后重建现场指挥部第一工区验收竣工交付使用。

玉树县仲达乡文化站 玉树县仲达乡文化站建在玉树县仲达乡增达社，建设内容包括土建、附属设施及设备购置。为建筑面积 300 平方米的地上 1 层框架结构建筑，总高度 5.1 米，室内外高差 0.3 米，建筑设计等级属二类工程，耐火等级为二级，屋面防水等级为二级，防水材料耐久年限 15 年，设计使用年限为 50 年。投资 123 万元，为民政部捐赠资金。项目单位为玉树县项目管理公司，由中铁第一勘察设计院设计，中国铁建股份有限公司援建，中铁二十一局集团第四工程有限公司承建，兰州建德工程建设监理咨询有限责任公司监理。2011 年 5 月 1 日开工，同年 8 月 3 日主体封顶，2012 年 7 月 30 日竣工，2013 年 9 月由玉树县通天河投资有限公司验收。

称多县珍秦镇文化站 称多县珍秦镇文化站建设内容包括土建、附属设施及设备购置。建筑为二层框架结构，建筑面积 300 平方米，抗震设防烈度为Ⅶ度，建筑耐火和结构安全等级均为二级，设计使用年限为 50 年。投资 80.54 万元，为民政部捐赠资金，项目业主为称多县项目管理公司，由青海省地矿建筑勘察设计院设计，青海祥达建设工程有限公司承建，西宁青大工程建设监理有限公司监理。2012 年 5 月 20 日开工，同年 7 月 30 日主体封顶，2013 年 7 月 25 日由称多县住建局验收竣工。

称多县拉布乡文化站 称多县拉布乡文化站建设内容包括土建、附属设施及设备购置。建筑为一层砌体结构，建筑面积 210 平方米，抗震设防烈度为Ⅶ度，建筑抗震设防分类为丙类，建筑耐火、结构安全和防水等级均为二级，设计使用年限为 50 年。投资 86.22 万元，为民政部捐赠资金，项目业主为称多县项目管理公司，由陕西省建筑工程设计研究院西宁办事处设计，青海省第二建筑安装工程有限公司承建，西宁青大工程建设监理有限公司监理。2012年8月15日奠基开工，同年10月10日主体封顶，2013年6月30日由称多县住建局验收竣工。

称多县尕朵乡文化站　称多县尕朵乡文化站建设内容包括土建、附属设施及设备购置。建筑为一层砌体结构，建筑面积300平方米，抗震设防烈度为Ⅶ度，建筑抗震设防分类为丙类，建筑耐火、结构安全和防水等级均为二级，设计使用年限50年。投资89.22万元，为民政部捐赠资金，项目业主为称多县项目管理公司，由中国中建设计集团有限公司设计，青海省第四建筑工程有限公司承建，西宁青大工程建设监理有限公司监理。2012年6月1日奠基开工，同年7月20日主体封顶，11月3日由称多县住建局验收竣工。

杂多县剧场　杂多县剧场位于杂多县萨呼腾镇，建筑面积3000平方米，投资1388万元，为中央一般预算收入。项目单位为杂多县澜沧江源投资建设有限公司。西宁市援建，由中国中建设计集团有限公司设计，青海宏厦建设工程有限公司、四川南部县第八建筑工程有限公司承建，青岛建设研究有限公司、青海国安监理有限公司监理。2011年开工建设，2012年10月9日，由杂多县人大、政协、监察局、审计局、财政局、建设局、质监站、环保局、杂多县文化旅游局、杂多县消防大队、杂多县气象局、青岛建设研究有限公司、青海国安监理有限公司、杂多县澜沧江源投资建设有限公司、退休老干部代表验收竣工。

杂多县文化中心（图书馆、新华书店、非物质文化遗产传习所）　杂多县文化中心坐落在萨呼腾镇，该项目工程包括图书馆、新华书店、非物质文化遗产传习所三部分，总建筑面积4300平方米。其中，图书馆3000平方米，新华书店500平方米，非物质文化遗产传习所800平方米。总投资1714.03万元。其中，中华慈善总会捐赠资金1627万元，中央一般预算收入87.03万元。项目单位为杂多县澜沧江源投资建设有限公司。西宁市援建，由中国中建设计集团有限公司设计，青海泰丰建设工程有限公司、四川南部县第八建筑工程有限公司、玉树州建筑公司承建，西宁建设工程监理有限公司、青海国安监理有限公司监理。2011年开工建设，2012年10月9日，由杂多县人大、政协、监察局、审计局、财政局、建设局、质监站、环保局、杂多县文化旅游局、杂多县消防大队、杂多县气象局、西宁建设工程监理有限公司、青海国安监理有限公司、杂多县澜沧江源投资建设有限公司、退休老干部代表验收竣工。

治多县剧场　治多县剧场建在治多县城南新区，是可容纳800名观众的钢筋混凝土框架结构的丙级小型剧场，占地面积19488平方米，建筑面积3000平方米。南北长116米，东西宽165米。建设内容包括土建、附属设施及设备购置。抗震设防烈度为Ⅶ度，耐火等级为二级，设计使用年限为50年，投资2842.97万元，为中央一般预算收入。治多县剧院的建筑功能区为门厅、观众厅、舞台三部分，自然划分出3个帐篷的造型，建筑形式简洁、恢宏、大气。项目单位为治多县项目管理公司，由甘肃省建筑设计研究院设计，海西州支援玉树州灾后恢复重建工程指挥部援建，河南省豫西建设工程有限责任公司承建，西宁正皓人防监理中心监理。2011年8月开工建设。2013年9月竣工。

称多县剧场　称多县剧场建在称文镇，建筑面积3000平方米。建设内容包括可容纳500人的观众厅、道具库房、化妆间、排练厅、休息厅、办公室、咖啡厅、贵宾厅、剧团展厅、售票室、卫生间以及道路地坪、绿化、大门、化粪池等室外配套工程及设备购置。投资 2019.04 万元，为中央一般预算收入。项目单位为称多县文广局。由青海省人民防空工程设计研究院设计，海东地区援建办公室援建，青海众信建筑安装公司承建，西宁联友工程建设监理有限公司监理。2011 年 6 月开工建设，2012 年 8 月主体封顶，2013 年 10 月经称多县项目管理公司、称多县质量监督站、海东援建办、青海省人民防空工程设计研究院、青海众信建筑安装公司、西宁联友工程建设监理有限公司、青海岩土工程勘察咨询公司验收竣工。

四、书店　图书馆

玉树州新华书店　玉树州新华书店建在玉树县结古镇扎曲河北珠穆路东侧，建设内容包括土建、附属设施及设备购置。项目建筑为框架结构，地上 3 层，建筑面积 2546 平方米，建筑高度 14.7 米，建筑抗震设防为乙类，抗震设防烈度为Ⅶ度，建筑耐火等级为二级，设计使用年限 50 年。总投资 2199.68 万元。其中，中华慈善总会捐赠资金 1230 万元，中央一般预算收入 969.68 万元。项目单位为玉树州三江源投资建设有限公司，由中国市政工程西北设计研究院有限公司设计，中国建筑第八工程局有限公司援建承建，西宁正皓人防监理中心监理。2012 年 4 月 5 日开工，同年 8 月 20 日主体封顶，2014 年 6 月 3 日由玉树州三江源投资建设有限公司验收竣工。

玉树县新华书店　玉树县新华书店位于玉树州扎西科居住组团（三）内，紧邻环城北路，是玉树县新华书店营业及办公用房，建设内容为防火库、附属设施建设及设备购置。工程为 2 层（局部 3 层）独立基础钢筋混凝土框架结构的房屋建筑，占地面积 460 平方米，建筑面积 800 平方米，主体工程高度为 8.65 米，室内外高差 0.3 米。内、外墙均为 240 毫米厚非承重水泥空心砖墙，顶板为钢筋混凝土现浇板。屋面防水及耐火等级均为二级，设计使用年限为 50 年，抗震设防烈度为Ⅶ度。投资 567.78 万元。其中，省红十字会捐赠资金 486 万元，中央一般预算收入 81.78 万元。由中国水电顾问集团西北勘测设计研究院设计，中水集团玉树灾后重建现场指挥部援建，中水集团玉树灾后重建现场指挥部第五工区承建，玉树州工程监理中心监理。2012 年 4 月 4 日开工，2013 年 8 月 25 日验收竣工。

称多县文化图书馆及新华书店　称多县文化图书馆及新华书店建在称文镇扎西路北，青年路综合市场西侧，占地面积 6592 平方米，是称多县文化图书馆和称多县新华书店的合建工程。总建设面积 4100 平方米，其中文化图书馆为 3500 平方米、新华书店为 600 平方米。建设内容包括健身房、老年活动室、残疾人活动室、儿童活动室、美术室、文化培训室、声乐室、茶座室、电子阅览室、儿童阅览室、展览厅、报告厅、期刊阅览室、办公室、书库、书店、库房、管理室、采编加工室、装订配送室及道路地坪、绿化、大门、化粪池、围墙等室外配套工程的土建及设备购置。投资 1753.69 万元，为中华慈善总会捐赠。项目单位为称多县文广局，由青海省人民防空工程设计研究院设计，海东地区援建办公室援建，民和三建公司承建，陕西省工程监理有限公司青海分公司监理。2011 年 8 月开工建设，2012 年 9 月主体封顶。2013 年 9 月，经称多县项目管理公司、称多县质量监督站、海东援建办公室、青海省人民防空工程设计研究院、民和三建公司、陕西省工程监理有限公司青海分公司、青海省建筑设计勘察研究院有限公司验收竣工。

五、非物质文化遗产传习所

玉树县非物质文化遗产传习所　玉树县非物质文化遗产传习所建在玉树县结古镇扎曲河北珠穆路东侧，建设内容包括土建、附属设施及设备购置。项目建筑地上 3 层，框架结构。建筑面积 785 平方米，建筑高度 14.4 米，建筑抗震设防为乙类，抗震设防烈度为Ⅶ度，建筑耐火等级为二级，设计使用年限 50 年。投资 747.67 万元。其中，青海省慈善总会捐赠资金 475 万元，中央一般预算收入 272.67 万元。项目单位为玉树州三江源投资建设有限公司，由中国市政工程西北设计研究院有限公司设计，中国建筑第八工程局有限公司援建承建，西宁正皓人防监理中心监理。2012 年 4 月 5 日开工建设，同年 9 月 2 日主体封顶，2014 年 6 月 3 日通过玉树州三江源投资建设有限公司竣工验收。

称多县非物质文化遗产传习所　称多县非物质文化遗产传习所建在称文镇扎西路北侧，占地面积 1455 平方米，建筑面积 800 平方米，项目建设内容除土建外，还包括给排水、供电、采暖、道路硬化等附属配套设施建设及设备购置。投资 348.87 万元，为中央一般预算收入。该工程的建成，彻底改变了称多县没有非物质文化遗产传习场所的状况。项目单位为称多县文广局。由青海省人民防空工程设计研究院设计，海东地区援建办公室援建，民和三建公司承建，陕西省工程监理有限公司青海分公司监理。2011 年 10 月奠基开工，2012 年 7 月主体封顶，同年 10 月经称多县项目管理公司、称多县质量监督站、海东援建办、青海省人民防空工程设计研究院、民和三建公司、陕西省工程监理有限公司青海分公司、青海省建筑设计勘察研究院有限公司验收竣工。

六、社区文化活动中心

称多县称文镇文化、社区及就业综合服务中心　称多县称文镇文化、社区及就业综合服务中心工程是由 6 个项目组成的综合工程，占地面积 535 平方米，总建筑面积 1860 平方米，建设内容为土建、附属设施及设备购置。这 6 个项目分别是：称多县称文镇社区文化活动中心（建筑面积 250 平方米），称多县称文镇文化站（建筑面积 210 平方米），称文镇就业和社会保障综合服务平台设施（建筑面积 300 平方米），称文镇社区就业和社会保障综合服务平台设施（建筑面积 300 平方米），称文镇社区服务中心（建筑面积 500 平方米），称文镇社区综合服务站（建筑面积 300 平方米）。总投资 524.56 万元。其中，民政部捐赠资金 92 万元，中央一般预算收入 157.56 万元，中华慈善总会捐赠资金 275 万元。项目单位为称多县文广局，由中房集团西宁建筑工程设计有限公司设计，海东地区援建办公室援建，民和三建公司承建，陕西省工程监理有限公司青海分公司监理。2011 年 9 月开工建设，2012 年 7 月主体封顶，同年 10 月由称多县项目管理公司、称多县质量监督站、海东援建办、中房集团西宁建筑工程设计有限公司、民和三建公司、陕西省工程监理有限公司青海分公司、青海省建筑设计勘察研究院有限公司验收竣工。

结古镇社区文化活动中心 结古镇社区文化活动中心位于玉树县琼龙路城东片区，建设内容为土建、附属设施及设备购置。项目工程建筑为独立基础，为地上 2 层、局部 3 层的框架结构，建筑面积 1600 平方米，投资 520.06 万元，为民政部捐赠资金。项目单位为玉树县项目管理公司，由中铁第一勘察设计院设计，中国铁建股份有限公司援建，中国铁建玉树地震灾后重建指挥部承建，甘肃铁一院工程监理有限责任公司玉树灾后重建监理站监理。2011 年 10 月开工，2012 年 5 月主体封顶，2013 年 6 月由项目业主单位、使用单位、县质监站、监理单位、施工单位验收竣工。

称多县歇武镇文化、社区及就业综合服务中心 称多县歇武镇文化、社区及就业综合服务中心工程建设内容为一栋 3 层框架结构综合楼土建、附属设施及设备购置，总建筑面积 1150 平方米。其中，镇文化站建筑面积 300 平方米，镇就业和社会保障平台建筑面积 300 平方米，社区文化站建筑面积 250 平方米，社区就业和社会保障平台 300 平方米，社区综合服务站建筑面积 300 平方米。投资 295.01 万元。其中，民政部捐赠资金 192.01 万元，中华慈善总会捐赠资金 103 万元。工程建筑抗震设防烈度为Ⅶ度，抗震设防分类为丙类，建筑耐火及结构安全等级均为二级，建筑设计使用年限为 50 年。项目单位为称多县项目管理公司，由中房集团西宁建筑工程设计有限公司设计，成都市明志建筑工程有限公司承建，西宁青大工程建设监理有限公司监理。2012 年 4 月 15 日奠基开工，同年 7 月 12 日主体封顶，2013 年 8 月 15 日由称多县住房和城乡建设局验收竣工。

曲麻莱县巴干乡文化站 曲麻莱县巴干乡文化站建筑面积 300 平方米，建设内容为土建、附属设施及设备购置。投资 123 万元，为省财政厅捐赠资金。

立新乡文化站及就业和社会综合服务平台设施 治多县立新乡文化站及就业和社会综合服务平台设施，建筑面积 600 平方米（立新乡文化站 300 平方米，乡就业和综合服务平台 300 平方米）。投资 214.72 万元。其中，民政部捐赠资金 123 万元，中央一般预算收入 91.72 万元。

昂赛乡文体中心 杂多县昂赛乡文体中心建筑面积 1300 平方米，建设内容为土建、附属设施及 20 台（套）设备购置。其中，乡文化站 300 平方米，灯光篮球场 1000 平方米。投资 174.66 万元。其中，民政部捐赠资金 123 万元，中央一般预算收入 51.66 万元。

第二节　广播电视设施

一、广播电视系统

玉树州广播电视系统　震前，玉树结古镇地区广播电视为无线覆盖，地震中无线发射主塔机房设备严重损坏，副塔损坏2座，广播电视信号中断。重建的玉树州广播电视系统建设内容包括广播电视有线网络系统、广播电视无线覆盖系统、广播电视监测系统、应急广播电视系统和购置流动放映车。有线数字电视网络工程新建结古镇前端系统平台、结古镇有线电视城域网、西宁至玉树省级光缆干线网、玉树州州级光缆网。采用1550纳米光纤传输技术，部分采用光纤入户方式，全部采用高清机顶盒覆盖结古镇所有住户，并引入高清视频通信业务、城市形象视频采集业务。所采用的网络架构方式及网络技术，在西北地区处于领先水平。2013年5月23日奠基开工。投资12129.07万元，资金来源于中央一般预算收入5921.62万元、中华慈善总会捐赠资金1699万元、民政部捐赠资金4509万元。另为玉树广播电视配套工程投资省级财政资金3000万元。由中广电广播电影电视设计研究院设计，四川九州电子科技股份有限公司承建。

玉树州920中短波发射台　地震中玉树州920中短波发射台的发射机房、值班员宿舍、附属用房损毁严重，成为危房；传达室和大门倒塌；76米拉线塔上半部倾斜，第二天倒塌。地震发生当天，省广电局科技处副处长薛发成带领抢修小组从西宁紧急出发，于23时55分到达灾区现场，连夜抢修广播发射设备，3小时后开通青海人民广播电台节目，16小时后开通中央人民广播电台中国之声和康巴藏语节目。发射台灾后原址重建，位于结古镇扎西南路，院落式布局。场地南侧新建发射机房、值班员宿舍、附属用房、传达室、深井泵房，均为单层框架结构，最高5.7米，总建筑面积2182平方米。发射台共建14副短波电子对抗天线，主要由笼行振子、地面接地系统、调配系统、防雷接地装置组成；2副76米中波天线，主要采用单杆身桅杆作为天线发射体，全部采用同轴电缆，功率容量10千瓦。天线底部配有调配箱，其调配网络由集中参数元件组成，通过调配使各类天线得到良好配置。2011年9月奠基，2012年7月开工，9月主体封顶。总投资5465.70万元，资金来源于中央一般预算收入。项目单位为青海省广电局，由中广电广播电影电视设计研究院设计，中国电力建设集团有限公司承建。

玉树州广播电视台及康巴语译制中心　玉树州广播电视台及康巴语译制中心位于结古镇琼龙路。2010年8月9日，现场指挥部召开会议，协调玉树州广播电视中心灾后重建建设用地问题，决定场地内的液化气供应站、远达汽修厂、拉毛永吉预制构件厂搬迁，一户私宅和两处私人土地按土地权益处置办法解决。重建内容包括土建、附属设施及设备购置，建筑面积4825平方米。其中，康巴语译制中心500平方米；建筑主体地上4层，建筑高度21.90米；附属用房面积174平方米，地上1层，地下1层，建筑高度5.10米。附属设施建设室外道路2250平方米，停车场723平方米，围墙317米及门卫室。总投资4326.02万元，资金来源于中央一般预算收入。2011年9月7日广电中心裙楼开工，2012年7月6日广电中心裙楼主体封顶。2013年5月10日广电中心主楼开工。由中广电广播电影电视设计研究院设计，中铁二十一局集团公司玉树重建三项目部承建。

玉树州广播电视无线发射台 玉树州广播电视无线发射台位于结古镇北侧，属西新工程第四期第二阶段。总建筑面积624平方米。场地西侧新建发射机房，单层框架结构，建筑面积484平方米，层高6.45米。东侧建附属用房，单层框架结构，建筑面积140平方米，层高5.85米。总投资745.58万元。2012年9月24日开工，2013年8月31日完工。由中广电广播电影电视设计研究院设计，青海广宇建设工程有限责任公司承建。

县级广播电视基础设施建设 重建玉树县广播电视基础设施，修复加固称多县、杂多县、治多县县级广播电视设施，各县文体广播局为项目业主。投资来源于民政部捐赠资金。

玉树县广播电视基础设施 在结古镇琼龙路建2000平方米办公楼1栋，含300平方米演播大厅、10平方米柴油发电机房、18平方米门卫室。投资1243.73万元。由青海融和建筑勘察设计有限公司、青海瑞能工程设计咨询有限公司设计，四川大邑县雪山建筑工程有限公司承建。2012年5月30日开工，10月30日完工，11月玉树县住房和城乡建设局验收。

称多县广播电视设施 修复加固建筑面积510平方米，投资490.14万元。由青海煤矿建筑设计有限公司设计，青海伊达建贸有限公司承建。2010年9月开工，2012年10月竣工。

杂多县广播电视设施 修复加固建筑面积510平方米，投资387.54万元。由广东省建工设计院设计，成都市明志建筑公司承建。2012年11月3日竣工验收。

治多县广播电视设施 修复加固建筑面积520平方米，投资333.39万元。2011年9月10日开工，2013年7月15日竣工。由甘肃省建筑设计研究院设计，河南省豫西建设工程有限责任公司承建。

二、广播电视“村村通”

广播电视“村村通”共覆盖10个乡镇，包括玉树县6个乡镇、称多县4个乡镇。均按居民点购置安装设备，敷设线路。项目单位为各县项目管理公司，由各县广电局实施。投资来源于民政部捐赠资金。

玉树县 覆盖玉树县6个乡镇的各村社，主要是安装“村村通”接收机。共3916套，投资647万元，来源于民政部捐赠资金。其中，隆宝镇1140套，投资188万元；安冲乡380套，投资63万元；仲达乡596套，投资98万元；巴塘乡500套，投资83万元；下拉秀镇700套，投资116万元；上拉秀乡600套，投资99万元。从2011年11月开始实施，2012年11月完成，同期由通天河投资有限公司、玉树县文体广电局验收。玉树县强瑞全电子科技有限公司承担安装，玉树州监理公司监理。

称多县　称多县广播电视“村村通”建设，覆盖 4 个乡镇的村社，按居民点购置安装设备、敷设线路。尕朵乡 1685 户，投资 78.54 万元；拉布乡 1863 户，投资 94 万元；歇武镇 2597 户，投资 131 万元；称文镇 655 户，投资 33 万元。均来源于民政部捐赠资金。2012 年 10 月 12 日开工，2013 年 11 月 29 日验收。由中广电广播电影设计研究院四川分院设计，青海九亿数码科技有限公司承建。

三、无线电监测系统

玉树州无线电监测综合楼，位于结古镇民主路 150 号，建筑面积 2354.5 平方米，钢筋混凝土框架结构，地上主体 5 层，局部 4 层，高度 17.70 米。完成投资 792 万元。内设无线电监测中心业务办公、执勤宿舍、会议室等用房、监控大厅、附属用房及商铺。2012 年 5 月 5 日开工，7 月 16 日主体完工。由中国市政工程西北设计研究院有限公司设计，中国建筑总公司第八工程局青岛分公司承建。购置建设移动监测车系统。硬件采用成都华日通讯技术有限公司自主研发的 HR−13S 测向系统。软件采用模块式设计，全中文、图形化界面，C/S 分布式处理机制。具有自动化监测测向与场强测量功能，能确保安全播出。依据先进性、成熟性和实用性并重的原则，系统采用网络化的设计，既能满足单站监测的需要，又能满足联网的要求，可与全国联网通信协议（RMTP）完全兼容，同全国联网软件实现无缝链接。建成的无线电监测测向系统功能完善，提升了安全播出保障水平，能够满足日常监测工作的需要。由成都华日通讯技术有限公司安装。2012 年 11 月 20 日竣工，青海省广播电视局验收。

第三节　体育设施

一、体育场　赛马场

学校体育场所　玉树灾后重建中各个学校都建了运动场和篮球场。截至 2011 年年底，全州共有各种体育场所 125 个。其中，标准场地 44 个，非标准场地 81 个。

玉树州赛马场　2013 年 8 月 4 日，青海省玉树地震灾后重建现场指挥部《玉树地震灾后重建工作专题会议纪要》（纪要 61 号）将玉树州体育场、结古镇灯光篮球场及全民健身设施项目整合为玉树州赛马场建设项目，投资 6000 万元。总建筑面积 34400 平方米。其中，玉树州体育场 33400 平方米，结古镇灯光篮球场 1000 平方米。建设内容为土建、附属设施建设、购置安装体育器材 80 台（套）。总投资 10958.73 万元。其中，中央一般预算收入 5043.73 万元，省财政厅捐赠资金 5915 万元。

玉树州赛马场坐落在玉树县结古镇，是玉树灾后恢复重建十大地标性建筑之一，占地 12.25 公顷，总建筑面积 7615.8 平方米，建设内容为土建、附属设施及设备购置。投资 6000 万元。其中，中央一般预算收入 85 万元，省财政厅捐赠资金 5915 万元。工程由赛马场看台、马匹管理、训练场、景观大门、景观柱、雕塑等几部分组成。工程看台主体及各大建筑部分及各出入口大门为框架结构，主席台拉膜顶雨篷部分为钢结构。体育建筑等级为丙级，设计使用年限 50 年，抗震设防烈度为Ⅶ度。工程总建筑面积中，看台面积 6990 平方米；各入口大门面积 469.33 平方米；雕塑基座面积 156.4 平方米。赛马场钢丝围栏长 977.48 米，马匹管理、训练场围栏长 300 米，赛马场东西围墙长 435.2 米。由青海省建筑勘察设计研究院有限公司设计，中国水利水电集团玉树灾后重建现场指挥部援建，中水集团玉树灾后重建现场指挥部第五工区承建，常德市旺城监理有限公司青海分公司监理。2013 年 5 月 4 日开工建设，当年 10 月 25 日全面竣工。

置于赛马场门口左右的两匹铜雕骏马奋蹄欲飞，大门左边的石雕展现着藏族群众传统的体育项目，右边的雕刻则着重刻画了马上运动。64 件花岗岩雕刻作品刻画的是精美的藏式吉祥物，24 根红色的藏式景观柱矗立在赛马场的东西两边，而 32 个一流的大音箱，分布于赛马场四周，14300 个座位置于赛马场南北两边。整个工程将传统的藏式文化和现代建筑艺术完美结合，显得格外壮观和大气。

灾后重建的玉树州赛马场

二、体育综合馆

称多县体育综合馆　称多县体育综合馆建在称文镇，建设内容为土建、附属设施及设备购置。包括篮球场、配电室、值班室、健身房、5个可容纳观众1038人的活动看台、两间球员休息室、乒乓球室、台球室、棋牌室、办公室、公共卫生间及室外道路、广场、绿化、化粪池等室外配套工程，建筑面积2500平方米。投资1093.34万元，为中央一般预算收入。项目单位为称多县文广局，由青海东亚建筑设计有限公司设计，海东地区援建办公室援建，河南恒生建筑安装公司承建，西宁联友工程建设监理有限公司监理。2011年6月开工建设，2012年7月主体封顶，同年10月竣工。

杂多县体育综合馆　杂多县体育综合馆坐落在萨呼腾镇，建筑面积2500平方米，投资1147.68万元，为中央一般预算收入。项目单位为杂多县澜沧江源投资建设有限公司，由中国中建设计集团有限公司设计，西宁市援建，重庆市佳兴建设（集团）有限公司承建，青岛建设研究有限公司监理。2011年开工建设，2013年10月23日由杂多县人大、政协、监察局、审计局、财政局、建设局、质监站、环保局、杂多县文化旅游局、杂多县消防大队、杂多县气象局、青岛建设研究有限公司、杂多县澜沧江源投资建设有限公司、退休老干部代表验收竣工。

治多县体育综合馆　治多县体育综合馆建在治多县城内，占地面积10148平方米，建筑面积2535平方米，治多县体育综合馆东西长47.6米，南北宽43.4米，为可容纳观众674人的丙级小型体育馆。工程屋盖采用双向正交正放桁架体系组成的网架，为全现浇混凝土框架结构，耐火等级为二级，抗震设防烈度为Ⅶ度，设计使用年限50年。投资1818.45万元，为中央一般预算收入。该项目体育建筑特点明显，功能分区明确，一层东侧室外台阶上部设置了观众大厅，室外台阶下部为贵宾及运动员次出入口。以藏式“黑帐篷”为原型，加以提炼和变形设计，建筑形式、色彩运用方面都充分体现了地域和民族特色。项目单位为治多县项目管理公司，由甘肃省建筑设计研究院设计，海西州支援玉树州灾后恢复重建工程指挥部援建，河南省豫西建设工程有限责任公司承建，西宁正皓人防监理中心监理。2011年8月开工建设，2013年9月竣工。

三、全民健身设施

玉树县下拉秀镇灯光篮球场及全民健身设施　玉树县下拉秀镇灯光篮球场及全民健身设施建在尕玛村，建筑面积1000平方米，建设内容为土建、附属设施及30台（套）体育健身器材购置安装。投资80.12万元，为中央一般预算收入。该项目砖混结构的主席台高1.5米，看台高0.8米，设计使用年限50年，抗震设防烈度为Ⅶ度，耐火等级为二级。项目单位为玉树县通天河投资建设有限公司，由青海省规划设计研究院设计，青海方正建筑安装工程有限公司援建、承建，玉树藏族自治州工程监理中心监理。2011年7月4日奠基，同年8月10日开工，2012年7月5日主体完工，2013年9月30日由玉树县通天河投资建设有限公司验收竣工。

玉树县隆宝镇灯光篮球场及全民健身设施 玉树县隆宝镇灯光篮球场及全民健身设施，建设内容为建成灯光篮球场、购置安装30台（套）体育健身器材。项目占地8952平方米，其中灯光篮球场建筑面积1000平方米。投资77.6万元，为中央一般预算收入。项目单位为玉树县通天河投资建设有限公司，由北京建筑工程设计有限责任公司设计，北京建工集团有限责任公司援建，北京建工集团援建青海玉树前线指挥部承建，玉树州工程监理中心监理。2011年4月30日开工，当年6月15日主体封顶，6月30日交付使用。2012年8月13日通过玉树县通天河投资建设有限公司、玉树县住房和城乡建设局验收。

玉树县上拉秀乡灯光篮球场及全民健身设施 玉树县上拉秀乡灯光篮球场及全民健身设施，建在上拉秀乡政府新址（加沙同），建筑面积1000平方米，建设内容包括土建、附属设施建设及20台（套）设备的购置。灯光篮球场南北布置，东西各设五台夯土看台，建筑高度2.0米。耐火等级为二级。设计使用年限为50年，抗震设防烈度为Ⅶ度。投资81.38万元，为中央一般预算收入。项目单位为玉树县项目管理公司，由青海东亚工程建设管理咨询有限公司设计，青海宏厦建筑工程有限公司承建，海南州工程监理站监理。2011年5月5日开工建设，2012年6月10日进行附属设施安装，同年9月29日由玉树县通天河投资建设有限公司组织相关单位验收竣工交付使用。

玉树县巴塘乡灯光篮球场及全民健身设施 玉树县巴塘乡灯光篮球场及全民健身设施建筑面积1000平方米，主要由草地、灯光篮球场、停车场及其围栏组成，灯光篮球场西侧设置了钢制大门。根据灯光篮球场所处的地理位置、周围环境及规划要求，人流及汽车出入口分别设在篮球场西侧和东北侧。篮球场西侧入口处的空地上设置了小型停车场，供自行车和汽车停放。除土建及附属设施建设外，还购置体育健身器材30台（套）。投资86.7万元，为中央一般预算收入。项目单位为玉树县通天河投资建设有限公司，由辽宁省城乡建设规划设计院设计，辽宁省援建玉树巴塘乡前线指挥部援建，辽宁省建筑设计研究院承建，辽宁省建筑设计研究院项目管理咨询公司监理。2011年4月15日开工，当年11月9日完工，2012年9月15日验收竣工。

玉树县安冲乡灯光篮球场及基层全民健身设施 玉树县安冲乡灯光篮球场及全民健身设施建设内容包括土建、附属设施及20台（套）体育健身器材的购置安装。建筑为一层砖混结构，建筑面积1000平方米。该工程采用全新保温材料，确保使用后达到节能、保温的要求。投资88.27万元，为中央一般预算收入。项目单位为玉树县通天河投资建设有限公司，由中国市政工程西北设计研究院有限公司设计，中国建筑玉树灾后重建前线指挥部援建承建，玉树州工程监理中心监理。2012年5月5日开工，当年6月16日主体封顶，8月7日经玉树县通天河投资建设有限公司竣工验收交付使用。

玉树县小苏莽乡灯光篮球场及基层全民健身设施 玉树县小苏莽乡灯光篮球场及全民健身设施，建设内容为土建、附属设施及20套体育健身器材购置。建筑面积1000平方米，投资109.44万元，为中央一般预算收入。项目单位为玉树县项目管理公司，由青海煤矿设计研究院设计，中国水利水电集团玉树灾后重建现场指挥部第一工区援建和承建，西宁青大工程建设监理有限公司监理。2011年7月30日开工，同年8月13日主体封顶，2012年10月22日，经青海煤矿设计研究院、西宁青大工程建设监理有限公司、青海省建筑勘察设计研究院有限公司、玉树县建设局、玉树县质监站、玉树县通天河投资建设有限公司、玉树县档案馆、中国电建玉树灾后重建现场指挥部第一工区竣工验收竣工。

玉树县仲达乡灯光篮球场及基层全民健身设施　玉树县仲达乡灯光篮球场及基层全民健身设施建设内容为土建、附属设施及 20 台（套）体育健身器材的购置安装，建筑面积 1000 平方米，投资 129.26 万元，为中央一般预算收入。项目单位为玉树县项目管理公司，由中铁第一勘察设计院设计，中铁建股份有限公司援建，中铁二十一局第四工程有限公司承建，兰州建德工程建设监理咨询有限责任公司监理。2011 年 5 月 1 日开工，当年 9 月 30 日主体封顶，2012 年 7 月 30 日竣工，2013 年 9 月由玉树县通天河投资建设有限公司验收。

称多县歇武镇灯光篮球场及基层全民健身设施　称多县歇武镇灯光篮球场及基层全民健身设施建设内容为建设一座有一层砌体结构看台的灯光篮球场，购置 30 台（套）体育健身器材。建筑面积 1000 平方米，投资 96.93 万元，为中央一般预算收入。项目单位为称多县项目管理公司，由中房集团西宁建筑设计有限公司设计，成都蓉邑建筑有限公司承建，西宁青大工程建设监理有限公司监理。2013 年 8 月 18 日奠基开工，同年 10 月 18 日由称多县住建局验收竣工。

称多县珍秦镇灯光篮球场及基层全民健身设施　称多县珍秦镇灯光篮球场及基层全民健身设施建设内容为建设一座有一层砌体结构看台的灯光篮球场，购置 30 台（套）体育健身器材。建筑面积 1000 平方米，投资 103.27 万元，为中央一般预算收入。项目单位为称多县项目管理公司，由青海省地矿建筑勘察设计院设计，成都蓉邑建筑有限公司承建，西宁青大工程建设监理有限公司监理。2012 年 4 月 10 日奠基开工，2013 年 10 月 10 日由称多县住建局验收竣工。

称多县拉布乡灯光篮球场及基层全民健身设施　称多县拉布乡灯光篮球场及基层全民健身设施建设内容为建设一座有一层砌体结构看台的灯光篮球场，购置 10 台（套）体育健身器材。建筑面积 1000 平方米，投资 74.49 万元，为中央一般预算收入。项目单位为称多县项目管理公司，由陕西省建筑设计研究院西宁办事处设计，玉树藏族自治州福利建筑有限公司承建，西宁青大工程建设监理有限公司监理。2012 年 8 月 24 日奠基开工，2013 年 5 月 30 日由称多县住房和城乡建设局验收竣工。

称多县尕朵乡灯光篮球场及基层全民健身设施　称多县尕朵乡灯光篮球场及基层全民健身设施建设内容为建设一座有一层砌体结构看台的灯光篮球场，购置 20 台（套）体育健身器材。建筑面积 1000 平方米，投资 96.59 万元，为中央一般预算收入。项目单位为称多县项目管理公司，由中国中建设计集团有限公司西宁分公司设计，青海宏厦建设工程有限公司承建，西宁青大工程建设监理有限公司监理。2012 年 8 月 1 日奠基开工，2013 年 10 月 10 日由称多县住房和城乡建设局验收竣工。

称多县称文镇灯光篮球场及基层全民健身设施　称多县称文镇灯光篮球场及基层全民健身设施建筑面积 1000 平方米。建设内容包括：露天篮球场、2 个可容纳 350 人的看台、道路地坪、绿化等室外配套工程及 30 台（套）相关设备和健身器材购置。投资 110.95 万元，为中央一般预算收入。项目单位为称多县项目管理公司，由青海东亚建筑设计有限公司设计，青海海东地区援建办公室援建，青海伊达建贸有限公司承建，西宁联友工程建设监理有限公司监理。2011年6月开工建设，2012年7月主体封顶，同年9月竣工。

治多县立新乡灯光篮球场及基层全民健身设施 治多县立新乡灯光篮球场及基层全民健身设施项目内容为建设一座有一层砌体结构看台的灯光篮球场，购置安装20台（套）体育健身器材。建筑面积1000平方米，投资94.83万元，为中央一般预算收入。项目单位为治多县加吉投资建设有限公司，由青海煤矿设计研究院设计，四川崇州观胜建筑工程公司承建，青海城垣工程监理有限公司监理。2010年8月25日奠基，2011年5月开工，同年10月主体封顶，2013年11月由治多县灾后重建工程验收领导小组验收竣工。

治多县加吉搏洛镇灯光篮球场及基层全民健身设施 治多县加吉博洛镇灯光篮球场及基层全民健身设施建在治多县城内。建筑面积1370平方米，建设内容包括土建、附属设施及设备购置。投资94.82万元，为中央一般预算收入。项目单位为治多县项目管理公司，由甘肃省建筑设计研究院设计，海西州支援玉树州灾后恢复重建工程指挥部援建，河南省豫西建设工程有限责任公司承建，青海东亚工程建设管理咨询有限公司监理。2012年7月开工建设，2013年7月16日竣工。

曲麻莱县巴干乡灯光篮球场及基层全民健身设施 曲麻莱县巴干乡灯光篮球场及基层全民健身设施建筑占地面积1000平方米，包括露天灯光篮球场、五级台阶的看台建设及20台（套）相关设施设备的购置。灯光篮球场建筑高度为两米，设计使用年限50年，耐火等级为二级，抗震设防烈度为Ⅶ度设防。投资91.04万元，为中央一般预算资金。项目单位为曲麻莱县黄河源投资建设公司，由青海东亚工程建设管理咨询有限公司设计，成都蓉邑建筑有限公司承建。2010年10月5日开工建设，2012年年内竣工。

第四章　社区服务与社会福利设施

第一节　社区服务设施

一、就业和社会综合服务平台设施

就业和社会综合服务平台设施分为县、乡镇（社区）两级，共 20 个重建项目。建设内容包括土建、附属设施及设备购置和信息系统。建筑面积分别为：玉树县、治多县、杂多县县级的近 3000 平方米；乡镇基层和社区社会综合服务平台各 300 平方米，大多与基层公共服务设施配套建设。总投资 5997.98 万元，其中中央一般预算收入 3118.34 万元、中华慈善总会捐赠资金 2879.64 万元。从 2011 年 4 月 1 日起陆续开工建设，至 2013 年 10 月全部建成。

基层就业和社会综合服务平台设施重建情况统计表

表 4-7

序号	项目名称	建筑面积（平方米）	总投资（万元）		备注
			中央一般预算收入	中华慈善总会捐赠	
1	玉树县服务平台	3000	242.74	1082.00	
2	结古镇胜利路服务平台	300	10.54	103.00	与城南街道办事处合建
3	民主路服务平台	300	8.00	103.00	与城北街道办事处合建
4	当代路服务平台	300	85.6	103.00	
5	红卫路服务平台	300	62.53	103.00	
6	扎西大同服务平台	300	242.90	103.00	与扎曲南路社区综合服务站合建
7	下拉秀镇服务平台	300	103.59	—	

续表 4-7

序号	项目名称	建筑面积（平方米）	总投资（万元）		备注
			中央一般预算收入	中华慈善总会捐赠	
8	隆宝镇服务平台	300	99.13	—	
9	隆宝镇社区服务平台	300	99.13	—	
10	上拉秀乡服务平台	300	100.00	—	与乡政权业务用房合建
11	巴塘乡服务平台	300	108.46	—	与乡政权业务用房合建
12	安冲乡服务平台	300	111.00	—	
13	小苏莽乡服务平台	300	103.00	—	与乡政权业务用房合建
14	仲达乡服务平台	300	111.00	—	与乡政权业务用房合建
15	囊谦县毛庄乡服务平台	667	208.72	—	含干部职工周转房
16	杂多县服务平台	2594	—	870.64	
17	昂赛乡服务平台	300	102.47	—	
18	治多县服务平台	2990	1129.14	—	
19	加吉博洛镇服务平台	300	91.80	—	
20	曲麻莱县巴干乡服务平台	600	98.59	103.00	乡基层、社区各 300 平方米
21	称多县称文镇服务平台	300	—	103.00	与文化站等 6 项合建
22	歇武镇服务平台	300	—	103.00	与文化站等 5 项合建
23	珍秦镇服务平台	300	—	103.00	
合计		15215	3118.34	2879.64	

二、社区服务中心（站）

在玉树县的结古镇和隆宝镇、杂多县的萨呼腾镇、治多县的加吉博洛镇和吉乃滩，共建 5 个社区服务中心，共建街道社区综合服务站 14 个。社区综合服务站中，玉树县结古镇 11 个、隆宝镇 1 个，称多县珍秦镇 1 个，囊谦县毛庄乡 1 个。有些与社区其他服务设施合建。建设资金来源于中央一般预算收入和中华慈善总会捐赠资金。2013 年 10 月全部建成。

社区服务中心、综合服务站重建情况统计表

表 4-8

序号	项目名称	投资（万元）	建筑面积（平方米）	备注
1	结古镇新寨社区综合服务站	172.26	300	
2	民主路社区综合服务站	201.52	300	
3	新建路社区综合服务站	105.31	300	

续表 4-8

序号	项目名称	投资（万元）	建筑面积（平方米）	备注
4	扎西科社区综合服务站	136.44	300	
5	西同社区综合服务站	149.95	300	
6	红卫路社区综合服务站	155.82	316	
7	当代路社区综合服务站	188.60	300	
8	琼龙路社区综合服务站	165.53	300	
9	胜利路社区综合服务站	113.54	300	
10	扎西大同社区综合服务站	355.85	370	
11	扎曲南路社区综合服务站	121.00	300	
12	隆宝镇社区综合服务站	318.89	800	合建
13	隆宝镇社区服务中心			
14	珍秦镇社区综合服务站	87.18	300	
15	毛庄乡社区综合服务站	316.80	300	与文化站等 3 项合建投资 316.80 万元
16	结古镇社区服务中心	355.88	907	
17	杂多县萨呼腾社区服务中心	637.21	500	与文化站等 5 项合建投资 637.21 万元
18	吉乃滩社区综合服务中心	459.80	1500	与温群滩、然子滩、夏果滩社区服务站合并
19	治多县加吉博洛镇社区服务中心	173.38	500	
合计		4214.96	8193	

三、职工综合服务中心

玉树州职工综合服务中心　玉树州职工综合服务中心是集职工培训中心、困难职工帮扶中心、职工书屋、职工文体活动中心等功能于一体的综合活动场所，建于玉树州综合服务中心，建筑面积 6926 平方米。总投资 3362.54 万元，其中省财政厅捐赠资金 982.54 万元、民政部捐赠资金 2380 万元。

称多县职工综合服务中心　位于玉树州称多县体育馆东侧，建设内容包括办公及活动用房，建筑面积730平方米，框架结构。墙体用加气混凝土砌块砌筑，外墙保温采用80毫米泡沫保温板。总投资 421.90 万元，其中省财政厅捐赠资金 149.90 万元、民政部捐赠资金 272 万元。2012 年 7 月 1 日开工，9 月 15 日主体完工，2013 年 9 月 30 日竣工验收。项目单位为玉树州总工会，由上海同建强华建筑设计有限公司设计，北京市总工会等援建，青海英汇建筑有限公司承建。

治多县职工综合服务中心　位于治多县体育馆东侧，建筑面积 841 平方米，总投资 481.04 万元。其中，省财政厅捐赠资金 194.94 万元，民政部捐赠资金 272 万元，中央一般预算收入 14.10 万元。2012 年 7 月 1 日开工，9 月 15 日主体完工，2013 年 9 月 30 日竣工验收。项目单位为玉树州总工会，由上海同建强华建筑设计有限公司设计，北京市总工会等援建，四川新蜀建筑有限公司承建。

杂多县职工综合服务中心 位于杂多县体育馆西侧，建设内容包括办公及活动用房，建筑面积 1191 平方米，框架结构，外墙采用玻璃幕墙。2012 年 7 月 1 日开工，9 月 15 日主体完工，2013 年 9 月 30 日竣工。总投资 523.84 万元。其中，省财政厅捐赠资金 166.62 万元，中央一般预算收入 94.22 万元，民政部捐赠资金 272 万元。项目单位为玉树州总工会，由上海同建强华建筑设计有限公司设计，北京市总工会等援建，新天一集团有限公司承建。

四、青少年活动中心

玉树州青少年活动中心 位于结古镇扎曲河北侧、珠姆路东侧、康巴艺术中心西区。建筑面积 6320 平方米，框架结构，地上 4 层，建筑高度 15.9 米。设计使用年限 50 年，建筑抗震设防类别乙类，抗震设防烈度Ⅶ度，建设耐火等级二级。总投资 5535.04 万元。其中，省财政厅捐赠资金 3500 万元，中央一般预算收入 2035.04 万元。2012 年 4 月 5 日开工，8 月 1 日具备土方开挖施工条件，正式开工，10 月 3 日主体封顶，2013 年 9 月 30 日竣工。由中国市政工程西北设计研究院有限公司设计，中国建筑第八工程局有限公司承建。

五、老年活动中心

玉树州老年活动中心 玉树州老年活动中心位于结古镇扎曲河北侧、珠姆路东侧、康巴艺术中心西区。建筑面积 275 平方米，框架结构，地上 3 层，建筑高度 13 米。2012 年 9 月开工，11 月 4 日主体封顶，2013 年 9 月 30 日竣工。总投资 2010.08 万元。其中，中央一般预算收入 1150.08 万元，民政部捐赠资金 860 万元。由中国市政工程西北设计研究院有限公司设计，中国建筑第八工程局有限公司承建。

称多县老年活动中心 位于称文镇，建设服务用房 1 栋及供排水、供暖、供电等配套设施。地上 3 层，框架结构，建筑面积 1000 平方米。投资来源于中华慈善总会捐赠资金 411.98 万元。2011 年 5 月开工，7 月主体完工，10 月竣工。由中房集团西宁建筑工程设计有限公司设计，江苏仪征建筑公司承建。

治多县老年活动中心 建筑面积 1000 平方米，投资 344 万元，资金来源于中华慈善总会捐赠资金。2011 年 9 月开工，2013 年 7 月竣工。由甘肃省建筑设计研究院设计，海西州援建，河南省豫西建设工程有限责任公司承建。

杂多县老年活动中心 建筑面积 1000 平方米，投资来源于中华慈善总会捐赠资金 361.97 万元。由中房集团西宁设计院设计，四川南部县第八建筑公司、四川射洪曹碑建筑公司承建。2012 年 10 月 19 日竣工验收。

第二节　社会福利设施

一、社会福利中心

玉树州社会福利中心　玉树州社会福利中心位于玉树县结古镇，与玉树县社会福利中心、壹基金儿童之家、玉树州残疾人综合服务设施、流浪未成年人保护设施及成人救助管理站、玉树县残疾人综合服务设施等6个项目合建，总用地面积17300平方米，总建筑面积13036平方米。玉树州社会福利中心综合楼，内部功能包括办公室、餐厅、活动室、老人居室等，地上4层，建筑高度15米，框架结构，建筑面积2036平方米。节能型建筑，达到建筑物耐久性、实用性、经济性的要求。投资875.39万元，资金来源于中央一般预算收入147.39万元、省民政厅捐赠资金728万元。2012年4月1日开工，2013年5月15日竣工。由中国水电顾问集团西北勘察设计研究院设计，中国水电建集团玉树重建第四工区承建。

玉树县社会福利中心　玉树县社会福利中心综合楼，合建于玉树州社会福利中心，建筑面积1000平方米，地上3层，包括办公室、餐厅、活动室、老人居室等。投资548.36万元，其中中华慈善总会捐赠资金384万元、中央一般预算收入164.36万元。2012年4月1日开工，2013年5月15日竣工。由中国水电顾问集团西北勘察设计研究院设计，中国水电电建集团玉树重建第四工区承建。

称多县社会福利中心　称多县社会福利中心位于称多县称文镇，由称多县社会福利院与社会救助社会管理服务中心合建。称多县社会福利院建筑面积1000平方米，合并建设后，总占地面积4107平方米，总建筑面积1150平方米。建成3层框架结构用房1栋及供排水、暖通、供电等配套设施。投资390.44万元，资金来源于中华慈善总会捐赠资金288.44万元、省慈善总会捐赠资金102万元。2011年7月开工，2012年7月主体完工，10月竣工。由中房集团西宁建筑工程设计有限公司设计，青海东兴建设工程公司承建。

杂多县社会福利中心　由杂多县社会福利中心和社会救助与社会事务服务中心合建，建筑面积1150平方米（社会救助与社会事务服务中心150平方米），完成投资425.67万元，资金来源于中华慈善总会捐赠资金323.67万元、省慈善总会捐赠资金102万元。2013年7月15日竣工验收。由北京中外建设计，四川南部县第八建筑公司承建。

治多县社会福利中心　由治多县社会福利中心和儿童福利院、社会救助与社会事务服务中心合建，总建筑面积5150平方米。县社会福利中心1000平方米，投资1853.07万元，资金来源于中华慈善总会捐赠资金1751.07万元、省慈善总会捐赠资金102万元。2011年9月开工，2013年8月竣工。由甘肃省建筑设计研究院设计，西宁市城中区建筑工程公司承建。

二、残疾人综合服务设施

残疾人综合服务设施共建5处，包括土建、附属设施及设备购置。玉树州残疾人综合服务设施建筑面积3614平方米，玉树县、治多县、杂多县、称多县残疾人综合服务设施各建筑面积均为1000余平方米。项目业主为各县项目公司，于2013年8月建成。

残疾人综合服务设施重建情况统计表

表4-9

序号	项目名称	建筑面积（平方米）	投资（万元）	
			中华慈善总会	中央一般预算
1	玉树州残疾人综合服务设施	3614	1304.00	101.52
2	玉树县残疾人综合服务设施	1039	394.00	74.68
3	治多县残疾人综合服务设施	1000	444.56	
4	杂多县残疾人综合服务设施	1000	360.35	
5	称多县残疾人综合服务设施	1284	187	
合计		7937	2689.91	176.2

三、儿童福利院

玉树州儿童福利院 玉树州儿童福利院亦称玉树州新湖儿童新村，位于玉树县结古镇公园西路西侧，民主路南侧，主要收养流浪儿童。总建筑面积10503平方米，钢筋混凝土框架结构，耐火等级二级。主要建筑综合楼，功能包括儿童养护、医疗、教育、康复及办公。设计床位1000张，无障碍通道、医用电梯、走廊高低扶手、防滑地面、卫生间安全扶手等，处处体现对儿童的关爱。一楼设有儿童室、幼儿室、隔离观察室、教育学习室、活动室、洗澡间、小餐厅、医护值班室等。二楼和三楼设有康复训练室、家庭护养室等。配套建设给排水、消防、采暖、通风、感烟报警、动力、照明、电视、电话、智能控制等。项目建成后使玉树州社会福利设施落后的局面得以彻底改变，填补了玉树州无综合性社会福利机构的空白。投资5046.88万元，资金来源于中华少年儿童慈善救助基金会3000万元、中央一般预算收入546.88万元、民政部捐赠资金1500万元。2011年10月20日开工建设，2013年6月30日竣工。由中国水电顾问集团西北勘察设计研究院设计，中国电建集团玉树重建第四工区承建。

玉树县儿童福利院 玉树县儿童福利院由4栋单体建筑组成。其中，南楼、北楼为3层，东楼、西楼为2层，框架结构，建筑高度11.25米。建筑面积4127平方米，功能划分为综合办公区、宿舍区、食堂和儿童活动室四部分。投资1971.17万元。其中，中华慈善总会捐赠资金1608万元，中央一般预算收入363.17万元。2011年9月25日开工，2012年7月16日主体封顶，11月6

日竣工验收。由中国市政工程西北设计研究院设计，中国建筑工程总公司援建承建。

称多县儿童福利院　建筑面积 4000 平方米。总投资 1284.48 万元，资金来源于中华慈善总会捐赠资金。2013 年 10 月竣工验收。

治多县儿童福利院　建筑面积 4000 平方米。与治多县社会福利中心、社会救助与社会事务服务中心合建。总投资 1853.07 万元，资金来源于中华慈善总会捐赠资金 1751.07 万元、省慈善总会捐赠资金 102 万元。2011 年 9 月开工，2013 年 8 月竣工。由甘肃省建筑设计研究院设计，西宁市城中区建筑工程公司承建。

杂多县儿童福利院　建筑面积 4000 平方米，投资 1327.99 万元，资金来源于中华慈善总会捐赠资金。2013 年 10 月 25 日竣工验收。由北京中外建设计，玉树州建设工程有限责任公司承建。

壹基金儿童之家　壹基金儿童之家由上海壹基金援助，建筑面积 1500 平方米。总投资 504.67 万元，资金来源于上海壹基金 500 万元、中央一般预算收入 4.67 万元。合建于玉树州社会福利中心，内部功能包括办公室、餐厅、教室、儿童居室等，地上 3 层。项目业主为玉树州民政局，由中国水利水电公司援建。

四、敬老院

玉树县共建 16 所敬老院，其中县中心敬老院 1 所、乡镇敬老院 9 所、街道和村敬老院 6 所。县中心敬老院建筑面积 1800 平方米，其余敬老院建筑面积 1000 平方米。

称多县乡镇建敬老院 4 所，其中称文镇、歇武镇敬老院建筑面积 1800 平方米，拉布乡、尕朵乡敬老院建筑面积 1300 平方米。

杂多县、治多县各建 2 所乡镇敬老院，曲麻莱县、囊谦县各建 1 所敬老院。

各敬老院设置老年人宿舍、厨房、餐厅、医务室、办公室、浴室等设施。

2011 年 5 月，结古镇新寨村敬老院开工建设，2013 年 8 月，治多县加吉博洛镇敬老院竣工验收，至此全部建成。

玉树县中心敬老院是玉树州第一个开工的敬老院项目，也是玉树州民政公共服务设施建设的重要工程。开工前，当地孤寡老人住在帐篷里，没有能力搬家。工程项目部带领职工帮老人们将锅碗瓢盆、木头、牛粪等一一打包，全部搬到老人们指定的地方。2012 年 4 月 5 日奠基，4 月 6 日开工，6 月 20 日提前 10 天主体封顶。封顶仪式当天，许多藏族群众冒雨对着敬老院诵经，用虔诚的心表达他们的感谢。共有 34 个房间，可同时接纳 100 名老人入住。配备标准化厨房与餐厅、医疗室、阅览室和无障碍医疗电梯。每个房间均有独立卫生间，配备电视机、电话、轮椅、呼叫系统。所安装的硬件设施均高于设计要求，建筑立面为白色，墙头装饰藏式图案，檐口装饰木椽头，色彩艳丽，藏民族风格浓郁，敬老院的居住环境和生活质量得到大幅度提升。由中铁工程设计院有限公司设计，中国中铁建工集团有限公司承建。

敬老院重建情况统计表

表 4-10

序号	敬老院名称	建筑面积（平方米）	总投资（万元）	
			中央一般预算	中华慈善总会
1	玉树县中心敬老院	1869	179.72	1063.00
2	结古镇扎西大同敬老院	1000		
3	结古镇新寨村敬老院	1000	168.77	394.00
4	结古镇民主村敬老院	1000	351.78	394
5	结古镇当卡寺敬老院	1000	403.01	394.00
6	下拉秀镇敬老院	1000	—	394
7	下拉秀当卡麻敬老院	1000	—	393.59
8	隆宝镇敬老院	1025	—	372.93
9	哈秀郭塞敬老院	1048	202.16	394.00
10	上拉秀乡敬老院	1000	—	396.00
11	上拉秀乡多拉敬老院	1000	—	391.82
12	巴塘乡敬老院	1800	—	756.3
13	安冲乡敬老院	1000	134.53	394
14	小苏莽乡敬老院	1000	30.46	394
15	小苏莽乡本江敬老院	1000	67.36	394
16	仲达乡敬老院	1021	405.09	394.00
17	称多县歇武镇敬老院	1800	—	454.96
18	拉布乡敬老院	1300	—	492.93
19	尕朵乡敬老院	1300	—	411.49
20	称文镇敬老院	1800	—	837.96
21	囊谦县毛庄乡敬老院	1200	—	451.62
22	杂多县昂赛乡敬老院	1200	—	411.71
23	萨呼腾镇敬老院	1300	—	461.29
24	治多县立新乡敬老院	1300	—	428.42
25	加吉博洛镇敬老院	1395	—	543.52
26	曲麻莱县巴干乡敬老院	1200	—	424.01
合计		31558	1942.88	11837.55

五、烈士陵园

灾后重建玉树州、称多县、杂多县、治多县烈士陵园各 1 处，资金来源于民政部捐赠资金。

玉树州扎西科烈士陵园原址重建，建筑面积 1200 平方米。由管理用房、纪念塔、烈士墓区、烈士纪念碑亭及烈士事迹陈列馆等构成。总投资 1270.98 万元，资金来源于民政部捐赠资金700万元、中央一般预算收入570.98万元。2012年5月23日开工，2013年9月30日竣工。由上海大境建筑设计事务所设计，中国水利水电集团公司援建。

称多县、杂多县、治多县烈士陵园，建筑面积各900平方米。称多县烈士陵园2013年9月竣工验收，投资297.61万元。杂多县烈士陵园2013年9月29日竣工验收，投资261.09万元，广东省建工设计院设计，浙江万利建筑工程有限公司承建。治多县烈士陵园2012年4月30日开工，10月主体完工，2013年8月8日竣工验收，投资278.37万元，由青海鼎正建筑设计院设计，青海省宏星建设工程有限公司承建。

六、殡仪馆

玉树县殡仪馆位于巴塘乡铁力角村，分为正常死亡业务用房、非正常死亡业务用房和生活用房3个单体，地上1层，框架结构建筑面积1600平方米。完成投资780.35万元，资金来源于中华慈善总会捐赠资金。2011年7月20日开工，2012年6月15日主体完工，8月17日竣工，9月15日验收。由北京工业设计院西北分院设计，辽宁省援建，江苏第一建筑安装有限公司承建。

在称多县、杂多县、治多县各建1座民族殡仪馆，建筑面积各560平方米，由各县项目管理公司实施。称多县民族殡仪馆，投资来源于民政部捐赠资金347.22万元，2013年9月竣工验收。治多县民族殡仪馆，位于治多县加吉沟，投资来源于民政部捐赠资金465.78万元。2012年4月20日开工，10月主体完工，2013年9月11日竣工验收。四川新蜀建筑有限公司承建。杂多县民族殡仪馆，投资来源于民政部捐赠资金334.36万元、省民政厅捐赠资金120万元。2013年10月20日竣工验收，四川南部县第八建筑公司承建。

第三节　社会救助设施

一、社会救助与社会管理服务中心

玉树县社会救助与社会管理服务中心，建筑面积200平方米。总投资140万元。其中，中央一般预算收入21万元，省慈善总会捐赠资金119万元。

称多县社会救助与社会管理服务中心，与县社会福利中心合建。建筑面积150平方米，省慈善总会捐赠资金102万元。

杂多县社会救助与社会事务服务中心，建筑面积150平方米。与社会福利中心合建共1150平方米，总投资425.67万元。其中，省慈善总会捐赠资金102万元，中华慈善总会捐赠资金323.67万元。

治多县社会救助与社会事务服务中心，建筑面积 150 平方米，投资未单列，与县儿童福利院、社会福利中心合建。总投资 1853.07 万元。其中，省慈善总会捐赠资金 102 万元，中华慈善总会捐赠资金 1751.07 万元。

二、流浪未成年人保护设施

玉树州流浪未成年人保护设施、成人救助管理站，建设内容包括土建、附属设施及设备购置，地上 4 层，建筑面积 4207 平方米。总投资 1683.27 万元。其中，中央一般预算收入 200.27 万元，中华慈善总会捐赠资金 1483 万元。由中国水利水电公司援建。

第五篇 基础设施建设

基础设施建设包括交通、能源、水利、市政、通信等建设。交通设施灾后重建的主要任务是保障国道 214 线、省道 308 线公路运输“生命线”的畅通、安全；在充分利用原有公路设施基础上，加快公路恢复重建，提高国道、省道干线公路抗灾能力和技术等级；升级改造省道 308 线不冻泉至玉树、省道 309 线多拉麻科至杂多段、省道 312 线珍秦至称多公路；加快极重灾区农村道路建设，建设客运站、道段、办公用房及配套设施。实施项目 85 个，总投资 394414.5 万元。恢复重建能源设施 26 个项目，总投资 145754.94 万元。重建水利项目，主要包括结古镇应急防洪度汛工程、沟壑水土保持设施、乡镇农业灌溉渠和水文站建设以及水利、防洪配套工程。恢复重建结古镇、隆宝镇和称多县、杂多县、治多县城镇道路和桥梁，配套建设供水系统、集中供热系统、雨水污水管网、垃圾处理场、照明等，新建结古镇公交场站、燃气设施和污水处理厂等设施。青海省通信管理局组织实施灾区通信管道及 19 个基站的共建共享工程，建设内容包含核心网、基站、铁塔、站房、配套电源、传输设备、光缆、路杆、电源、管道、IP 设备、接入设备等，通信枢纽局房共计 2.4 万平方米。

众志成城　抗震救灾

第一章　交通设施恢复重建

第一节　公　路

一、国道214线

国道214线结古至囊谦段，二级公路151千米，包括路基、路面、隧道、桥涵工程。总投资140000万元，其中车购税专项收入116077.5万元，其余企业自筹及贷款。项目业主为青海省交通厅。

二、省道

省道308线结古镇过境段　省道308线结古镇过境段，起点位于北环路西段与民主路的平交口，终点与扎西科路相接，再通过扎西科路、红旗路与国道214线相接。建设城市次干道5.1千米，包括路基、路面、隧道、桥涵工程。车购税专项收入8922.5万元。

2012年6月通过公开招标，青海第六路桥建设有限公司中标为施工单位。施工单位现场勘测定位后，发现该线路3处地段穿越灌木生态林地及天然林湿地，玉树县人民政府以玉县政〔2012〕187号文件，提出对省道308线玉曲公路玉树过境段进行局部路线调整。2013年2月，青海省玉树灾后重建现场指挥部以〔2013〕2号文件对改线进行了批复。改线后路线主线全长5.177千米，附带省道308线400米，共计5.577千米。省交通厅以青交公字〔2013〕291号文件予以批复。道路设计采用《城市道路设计规范》（CJJ 37—90）城市主干路Ⅱ级标准，双向四车道整体式路基，路幅宽度20米，行车速度40千米／小时。桥涵设计荷载采用公路－Ⅰ级。主要工程量：路基土石方189791立方米，防护工程3445立方米，排水工程7146米，44.68米长中桥1座，涵洞146.5米共7道，路面级配沙砾底基层95864平方米，路面水稳碎石基层 91305 平方米，路面沥青混凝土（4+5）厘米面层 86826 平方米，人行道铺装 20552 平方米，交通工程 5177 米。

6 月 20 日，施工单位进场开工，8 月 15 日拆迁工作结束。9 月正式开工建设，由于设计改线及拆迁工作滞后，造成建设前期进度迟缓，年内未能进行施工。2013 年 4 月，各参建单位陆续开工，5 月开始进行主体施工。省公路建设管理局坚持以整体协调、局部突出为原则，根据实际情况及时调整施工方案和施工生产进度计划。除路面沥青混凝土面层外，其余工程项目分段突击成型，并为其他工程项目努力开创工作面。管道工程中采用 PE 双壁波纹管，管材质量轻、施工方便，提高了分项工程施工进度。桥梁工程中梁板预制采用锅炉蒸汽养生，将锅炉蒸汽排放管均匀联结于张拉台座压力柱，24 小时恒温养生，强度形成时间缩短为普通养生时间的一半。参建单位倒排工期，合理组织施工力量和加大设备投入，投入 3 个土方施工机械作业队、4 个路面施工机械作业队、8 个防护工程施工队。在同类施工中，此工程投入的机械设备、劳动力最多。同时克服了项目建设的外围协调及交通环境干扰大、工程地下管网交叉作业、施工期多雨等不利因素，于 9 月 5 日实现了沥青路面下面层贯通。9 月 11 日，顺利完成沥青混凝土路面铺筑，全线贯通通车。9 月 20 日全面完工，12 月 20 日青海省公路建设管理局验收。完成总投资 8922.55 万元，资金来源于车购税专项收入。项目单位青海省公路建设管理局，由中交第一公路勘察设计研究院有限公司设计，青海第六路桥建设有限公司承建。

省道 309 线多拉麻科至杂多段公路 位于玉树县、杂多县境内，是杂多县通往玉树州府的唯一生命线通道。是国务院《玉树地震灾后恢复重建总体规划》确定的重要项目，也是青海省藏区干线公路网中通县二级公路的重要路段，被誉为现代化的“唐蕃古道”。灾后重建对既有道路升级改造，包括路基、路面、桥涵工程。全线起点在玉树县上拉秀乡多拉麻科，与国道 214 线平面交叉，西行经日更赛垭口、叶哈科垭口、K36−K46 高原草甸区、当国娘垭口，至子曲河食宿站，设隧道穿越长拉山垭口，经高涌龙玛滩，再翻越查乃拉卡山垭口，至多那村，沿扎曲河至杂多县城与城市道路衔接，全长 160 千米，其中主线全长 149 千米、杂多县城过境段 9.393 千米、杂多县城支线 1.33 千米。全线采用二级公路标准建设，根据地形地貌，设计车速分段采用 80 千米 / 小时和 60 千米 / 小时，局部困难路段采用 40 千米 / 小时，对应的路基宽度分别为 12 米、10 米、8.5 米。技术指标按交通部颁布的《公路工程技术标准》（JTG B01—2003）执行。杂多县城过境段采用城市主干道标准，设计车速 40 千米 / 小时，路基宽度 24 米。2011 年 8 月 11 日奠基开工。主要工程量：路基土石方 570.66 万立方米，路基防护工程 26.69 万立方米，排水工程 10.11 万立方米，路面工程 1536 千平方米，桥梁工程 1651.7 米 /21 座，涵洞工程 4696 米 /344 道，隧道工程 4460 米 /2 座，滑坡 2 处，交通工程 160 千米。其中，长拉山隧道的路面最低标高 4499 米，是当时世界上海拔最高的公路隧道。由于地处高海拔地区，施工条件极为困难。在长拉山隧道掘进过程中，采取切断地表水供给、洞内减压引排、封堵结合的处置措施，对涌水问题进行处理，保证了隧道顺利掘进。省道 309 线多拉麻科至杂多段公路升级改造工程总投资 145600 万元。其中，中央一般预算收入 105200 万元，车购税专项收入 25000 万元，企业、个人自筹及贷款 15400 万元。项目业主青海省交通厅。由中交第一公路勘测设计研究院有限公司设计，青海海西公路工程建设公司、青海海东公路工程建设公司、中铁十局二公司、中铁十四局、中铁十九局二公司、青海湟源公路工程建设公司、青海路桥一公司、重庆川东南地质工程勘察设计院、河北路桥交通工程公司承建。

省道 312 线珍秦镇至称文镇公路　青海省交通厅决定对省道 312 线珍秦至称文镇公路进行改造升级，不再对原有公路进行升级改扩建，采用开辟新的走廊带的方案，利用现有乡村公路，布设新的线位。新线主要控制点为：珍秦镇国道 214 线—珍秦隆巴河—拉庚拉山—原有省道 312 线—称文镇。工程全长 31.175 千米，路基宽 10 米，桥梁与路基同宽。主要控制性工程为拉庚拉隧道 1 座，长 2735 米（按单洞计），海拔 4489 米。建设内容包括：路基土石方 156 万立方米；大桥 1 座，长 160.8 米；中桥 2 座共长 108.56 米，小桥 3 座共长 61.62 米；涵洞 44 道，共 1262.5 米；隧道 1 座。公路用地 1447.2 亩。项目前期，为提高勘测精度和缩短设计周期，运用 GPS 全球定位系统进行平面控制测量，利用集成三维 CAD 技术进行路、桥、涵洞、土方等的设计。

为保障工程质量和工期计划，省交通厅公路建设局和本项目办公室分别制定了各种规章制度、管理办法、工作指南等，主要有 15 项。建设中重视环境保护，各施工单位专门安排队伍揭草皮，储备腐殖土草皮 41000 立方米，集中堆放洒水养生，施工完成后恢复营地、便道、取弃土坑等植被。2011 年 8 月 11 日开工建设，分为 3 个标段，分别由青海金丰交通建设工程有限公司、中铁十八局第三工程有限公司、中铁五局（集团）有限公司承建。2012 年路基主体与桥梁主体已完工。剩余隧道工程和路面工程仍在施工。总投资 46700 万元。其中，中央一般预算收入 43378 万元，企业、个人自筹及贷款 3322 万元。项目业主为青海省交通厅。

三、通村公路

通村公路建设项目灾后重建　在基础设施项目中，安排 20 项通村公路建设项目，建设内容包括路基、路面、桥涵，资金来源于中央一般预算收入。结古镇卡自村扎曲河拿科桥、东风桥、莱口桥、国道 214 线至东风村公路、国道 214 线至卡自村公路、仲达乡塘达村塘龙通天河吊桥、尕拉村巴群桥、歇格村藏娘桥、歇格村格松达桥、拉贡至格松达公路。这 10 个项目是玉树灾后重建农牧民定居点的配套工程，主要便利农牧民的生产生活，解决出行问题。2010 年 8 月起陆续开工建设，2013 年 9 月全部建成。囊谦县毛庄乡通村公路 4 项，共 39.2 千米。在农牧区基础设施重建项目中安排玉树县、称多县通村公路共 9 项，资金来源于民政部捐赠资金。其中称多县通村公路 3 项，共 63.7 千米，2013 年 9 月竣工验收。在新增的农牧民安置点配套建设通村公路，共投资 8440.63 元。

拉贡至格松达公路　仲达乡拉贡至格松达公路，四级沙砾路 13.9 千米，路基宽 4.5 米，路面宽 3.5 米，路面结构 30 厘米天然沙砾垫层加 20 厘米级配沙砾路面。投资中央一般预算收入 525.37 万元。由青海恒立公路勘测设计院设计，青海英汇建筑工程有限公司承建。2011 年 10 月 5 日开工，2013 年 9 月 3 日竣工验收。

安冲乡至布让村公路 布让村是半农半牧的藏族村，位于玉树县安冲乡通天河畔，有江大、台尕、上布让、下布让、香达、阿达6个社，村民1030人。英达村至布让村区间公路不贯通，原有路段路基宽3～4米，简易沙砾路面宽2～3米，沿线山势陡峭，通车条件差。重建公路起点在安冲乡英达村，途经嘎巴寺、贡策、江大、台尕、上布让各社，终点在布让村，线路长27.865千米。同时，将4.3千米长的嘎巴寺支线、2.775千米长的台尕寺支线，共建沙砾面层四级公路35千米。从2011年9月开工，到2012年11月15日主体完工，全线贯通。建成的公路地势比较平缓，营运条件明显优于原有道路。比原先绕行隆宝镇缩短73千米。中央一般预算收入投资2227.03万元。由青海省恒立公路勘测设计有限公司设计，中国建筑总公司援建承建。

安冲乡至拉则村公路 玉树县安冲乡至拉则村原有自然形成的一条简易便道，路宽2～3米，路线随坡就弯，大部分路段低于两侧草地，雨季无法通行。K3+734处建有1～6米板梁桥，此外无桥涵及任何防排水设施。K4+800～K5+500段，原有便道经过大片沼泽地，不能利用。安冲乡至拉则村公路，是玉树县灾后重建规划中重要的通村公路。根据省交通厅的意见，该公路设计在尽可能达标的前提下，充分利用原有构造物以降低工程量，控制工程造价，保护沿线生态环境，避免大填大挖。2010年6月7日开始实地勘测，6月20日完成外业工作，7月27日完成一阶段施工图设计文件编制。设计路线以原有便道为走廊带，自北向南沿东西科沟布设，起点于安冲乡政府驻地，海拔3782米，终点拉则村海拔4175米。全线处于山岭重丘区，大部分路段具有沿溪线特征，冲沟密布，地形复杂。灾后重建的安冲乡至拉则村公路按四级公路标准新建，路基宽4.5米，路面宽3.5米，20厘米厚混凝土面层，新建小桥1座，维修利用小桥1座。总长12.53千米，行车速度20千米／小时。优化平面线型，完善防排水设施及安保设施，提高公路的抗自然灾害能力。构造物不进行抗震设防。2010年8月1日开工修建，2011年10月30日建成并交付使用。中央一般预算收入投资858.69万元。拉则村公路是该村与外界交往的唯一通道，沿线受益人口400余人。由青海省恒立公路勘测设计有限公司设计，中国建筑援建承建。

安冲乡至叶吉村公路 玉树县安冲乡至叶吉村公路，是沿线村落与外界联系的唯一通道。原有近年修建的简易便道，路线随坡就弯，路宽2～4米，30厘米厚干砌片石路肩，大多不稳定。全线共有1～8米和3～8米的板梁桥2座，盖板明涵1道，无防水排水设施，路况差时常中断交通。叶吉村通村公路是玉树县灾后重建规划中重要的通村公路，全线处于山岭重丘区，大部分路段具有沿溪线特征。路线以原有便道为走廊带，沿益曲河及通天河岸布设，曲折、起伏大。起点于玉树县安冲乡政府驻地，海拔3792米，经英群村、英达村、鄂贡村叉口、叶吉村叉口，终点于藏得村叉口，海拔3767米，全线海拔最高点3902米。建设里程总长28.7千米，公路等级四级，设计行车速度20千米／小时。路基宽4.5米，路面宽3.5米，15厘米厚级配沙砾面层。施工中，在达标的情况下，充分利用老路资源和避免大挖大填。同时，根据实际情况对平面线型进行优化，完善防水排水及安全设施，公路的抗自然灾害能力增强。2010年6月7日进场实地勘测，6月20日完成野外作业，进入内业设计阶段，7月27日完成一阶段施工图设计文件编制。9 月全面开工，2011 年 9 月 18 日全线贯通并交付使用。中央一般预算收入投资 778.24 万元。由青海省恒立公路勘测设计有限公司设计，中国建筑玉树灾后前线重建指挥部援建。该公路完善青海省路网，沿线受益人口 1000 余人。

巴塘乡至小苏莽乡公路 是玉树县巴塘乡连接小苏莽乡的重要公路交通线，建设路基、路面，四级水泥路 69.8 千米。路线总体布设于格曲河与西曲河沿线，以原有沙砾路为走廊带，在 K35+050 和 K43+700 处分别翻越大格拉山和小格拉山垭口。项目起点海拔 3795 米，海拔最高点 4475 米，位于大格拉山脚 K30+994 处。该段路线平均自然纵坡 2.19%，平、纵指标基本满足平原微丘区四级公路技术指标。大格拉山的上山线 K30+994 ~ K35+100 段，高差集中、积雪严重。相对高差 276.77 米，平均自然纵坡 10.22%。老路平面指标基本满足青海省农村公路技术标准，纵面线形则部分超标。K35+100 ~ K69+380.78 段原路线总体布设于西曲河沿线，其中 K35+100 ~ K47+900 段为大格拉山与小格拉山的下山段，相对高差 521 米，路线平均纵坡 4.07%。K47+900 ~ K69+380.78 段原路线布设于西曲河沿线，地形较平缓，相对高差 342.65 米，平均自然纵坡 1.60%。该段路线平、纵指标基本满足平原微丘区四级公路技术。A 标段 2011 年 5 月 25 日开工，2012 年 6 月 25 日完工。B 标段 2011 年 7 月 20 日开工，2012 年 10 月 25 日竣工。2013 年 9 月 15 日验收。投资民政部捐赠资金 6520.30 万元。由青海省恒立公路勘测设计有限公司设计，辽宁省建筑设计研究院承建。

巴塘乡下巴塘村至江达公路 通村沙砾路，全长 36 千米，路基 4.5 米、路面 3.5 米，设计时速 15 千米 / 小时，每千米设 2 ~ 3 处错车道，局部施工设圆管涵。投资中央一般预算收入 267.46 万元。青海省恒立公路勘测设计有限公司设计，辽宁省建筑设计研究院承建。

巴塘乡叉吾山至老叶村公路 巴塘乡叉吾山至老叶村（勒巴沟口）公路，总里程 51 千米，设计速度 15 千米 / 小时，路基宽 4.5 米，路面宽 3.5 米，路面结构采用 15 厘米沙砾面层，涵洞与路基同宽。投资 1087.82 万元，资金来源于中央一般预算收入。2011 年 6 月 1 日开工，2012 年 9 月 15 日竣工验收。由青海省恒立公路勘测设计有限公司设计，辽宁省建筑设计研究院承建。

上拉秀乡通村公路 上拉秀乡重建通村公路 3 项，包括路基路面工程。四级水泥路，建设里程 35.45 千米。其中，省道 309 线至曲新村公路 4.5 千米，投资 187.10 万元；省道 309 线至日玛村公路 18.55 千米，投资 1005.86 万元；省道 309 线至玛龙村公路 11.4 千米，投资 458.13 万元。维修加固 1 座小桥。资金来源于民政部捐赠资金。2011 年 6 月开工，2012 年 9 月 29 日竣工验收。由青海省恒立公路勘测设计有限公司设计，玉树州福利建筑有限公司、青海省天路交通建设有限公司、兴海县公路工程有限公司、青海世翔建筑公司、四川邛崃第三建筑公司西宁分公司承建。

国有牧场至杂芒沟公路 主线起点于国道 214 线 K857+128，线路自南向北布设，途经结古镇果青村、杂芒沟，终点于国有牧场与果青村草山交界处，线路长 20.7 千米。设计将 9.65 千米的支线一、2.251 千米的支线二、1.093 千米的支线三列入本项目一并建设，全长约 32.7 千米。完成投资 748.36 万元，资金来源于中央一般预算收入。2012 年 5 月 5 日开工，2013 年 8 月 28

日竣工验收。由青海恒立公路勘测设计有限公司设计，陕西国坤建设工程有限公司承建。

珍秦镇通村公路 称多县珍秦镇至十村通村公路，建四级沥青路 34 千米，总投资来源于民政部捐赠资金 1333.39 万元。珍秦镇康那村至二村公路，将卓木其村、拉荣村—科玛村、兰达村、郭吾村公路 4 项整合，建四级沥青路 17.7 千米，总投资民政部捐赠资金 691.38 万元。2013 年 9 月竣工验收。

通村公路重建情况统计表

表 5-1

序号	通村公路	公路标准	里程（千米）	投资（万元）	属县
1	国有牧场至杂芒沟公路		32.6956	748.36	玉树县
2	结古镇国道 214 线至东风村公路	四级沥青路	0.4	16.06	
3	结古镇国道 214 线至卡自村公路	四级沥青路	0.1	4.72	
4	禅古、甘达示范村道路	硬化	6.905	1800.16	
		沙砾路	1.63		
5	隆宝镇省道 308 线至格吉宗科公路	硬化	25	404.82	
		沙砾路	9.1		
6	隆宝镇至措美村公路	四级沥青路	25	1781.63	
7	热仁沟和措桑然俄次公路	通村公路	44	1209.72	
8	巴塘乡叉吾山至老叶村公路	四级沙砾路	51	1087.82	
9	下巴塘村至江达公路	通村沙砾路	36	267.46	
10	巴塘乡至小苏莽乡公路	四级水泥路	69.8	6520.30	
11	国道 214 线至下拉秀尕玛村公路	沙砾路	27	212.33	
12	上拉秀省道 309 线至日玛村公路	四级水泥路	18.55	1005.86	
13	上拉秀省道 309 线至玛龙村公路	四级水泥路	11.4	458.13	
14	安冲乡至叶吉村公路	四级沙砾路	28.7	778.24	
15	安冲乡至布让村公路	四级沙砾路	35	2227.03	
16	安冲乡至拉则村公路	四级水泥路	12.53	858.69	
17	安冲乡叶吉村至莱叶村公路		5	249.89	
18	省道 308 线至布朗村道路拓宽		3	135.29	
19	仲达乡至杂娘	四级沙砾路	62	3875.87	
20	拉贡至格松达公路	四级沙砾路	13.9	525.37	
21	省道 309 线至曲新村公路	四级水泥路	4.5	187.10	
22	江西村公路		26.785	946.40	
23	珍秦镇康那村至二村公路	四级沥青路	17.7	691.38	称多县
24	珍秦镇至十村公路	四级沥青路	34	1333.39	
25	尕朵乡岗由村公路	四级沥青路	22	858.88	
26	囊谦色吾村公路	四级沥青路	3.2	125.07	囊谦县

续表 5-1

序号	通村公路	公路标准	里程（千米）	投资（万元）	属县
27	囊谦孜荣村公路	四级沥青路	21	840.00	囊谦县
28	囊谦加德达岔口至孜多村公路	四级沥青路	13	524.00	
29	囊谦麻永达至麻永村公路	四级沥青路	2	80.00	
30	新增农牧民安置点道路			8440.63	
合计			662.9	38194.6	

第二节　桥　梁

一、仲达通天河大桥

仲达通天河大桥施工现场

通天河大桥在玉树县仲达乡和称多县拉布乡之间，地处通天河下游的峡谷区，位于玉树县仲达乡塘达村，海拔3590～3610米。采用9孔30米预制空心板简支梁结构，水中墩桩顶设置2.5米厚的钢筋混凝土承台与墩身相接。大桥全长275.80米，宽9米，桥梁及引道共3千米。2010年11月13日开工建设，由于大桥位置交通不便，缺水缺电，建设条件极为艰苦，水下桩基、承台和墩身施工十分困难。2012年2月组织大会战，7月初完成桥台施工，开始架梁，8月15日主体完工。2013年5月1日竣工，青海省交通厅公路局验收。投入中央一般预算收入资金2875.62万元。由中国铁道第一勘察设计院设计，中国铁建二十一局集团四公司承建。

二、吊桥

维修加固仲达乡塘达村塘隆通天河吊桥140.45延米，索塔、两端付孔、桥面板及桥头引道。投资来源于中央一般预算收入105.83万元。由青海恒立公路勘测设计院设计，青海英汇建筑工程有限公司承建。2011年10月5日开工，2013年9月3日竣工验收。

三、村桥

玉树县共维修加固村庄桥梁44座，恢复重建3座。维修加固的主要内容有：修补桥台八字墙，桥台防泛碱处理，修复导流坝，填筑引道路基，桥面铺装，修复桥梁护栏等。自2011年7月陆续开工，至2013年9月3日全部竣工验收。资金来源于中央一般预算收入。由青海恒立公路勘测设计院设计。

玉树县村桥维修加固、新建情况表统计

表5-2

序号	桥梁	投资（万元）	建设规模
1	结古镇果青村果青桥	7.61	13.63延米
2	果青村兰尼巴当桥	14.27	6延米
3	果青村厂部桥	8.56	12.6延米
4	果青村杂之沟桥	27.58	22.13延米
5	果青村格下桥	12.37	22.27延米
6	卡自村东风桥	36.85	55延米
7	卡自村莱口桥	36.85	55延米
8	卡自村扎曲河拿科桥	25.51	45.5延米
9	小苏莽乡苏莽桥	31.1	桥8.62延米，引道220.18延米
10	隆宝镇措多村热仁达桥	11.38	17延米
11	措桑村桑多桥一	25.59	38延米
12	措桑村桑多桥二	10.43	18延米
13	岗日村吾众桥	54.56	27延米
14	岗日村攻河桥	22.97	11延米
15	君勤村国村达桥	18.01	27延米
16	云塔村这达1号桥	22.97	11延米
17	云塔村这达2号桥	22.97	11延米
18	杂涅村镇改桥	31.59	27延米
19	杂涅村杂娘桥	8.53	13延米
20	杂涅村镇攻河桥	17.06	31延米
21	哈秀甘宁村边科河桥	60.31	35延米
22	甘宁村多布达桥	37.33	22延米
23	哈秀桥	57.44	34延米

续表 5-2

序号	桥梁	投资（万元）	建设规模
24	哈秀尼日青达村桥	54.56	32 延米
25	格勒荣 1 号桥	57.44	33 延米
26	格勒荣 2 号桥	31.59	19 延米
27	云塔村格勒荣 6 号桥	37.33	22 延米
28	格勒荣 7 号桥	37.33	21 延米
29	格勒荣 8 号桥	37.33	21 延米
30	上拉秀乡麻荣桥	19.28	31.93 延米
31	巴塘乡上巴塘村勾后桥	6.33	28 延米
32	上巴塘村格群达桥	14.18	32.25 延米
33	铁力角村巴曲河中桥	11.60	59.58 延米
34	铁力角村 K0+130	31.72	21.2 延米
35	铁力角村 k2+407.5	13.78	17.93 延米
36	铁力角村 K4+342	1.77	5.75 延米
37	铁力角村 K9+860	4.06	28.6 延米
38	相古村龙日桥	19.06	14.25 延米
39	安冲乡布朗村昂西科 1 号桥	10.16	14 延米
40	布朗村昂西科 2 号桥	14.77	14 延米
41	布朗村昂西科 3 号桥	6.28	14 延米
42	吉拉村克拉桥	18.26	32 延米
43	吉拉村查洞桥	10.60	24 延米
44	吉拉村野曲河小桥	16.76	26 延米
45	仲达乡尕拉村巴群桥	24.57	重建桥梁，桥长 12.36 米
46	歇格村格松达桥	46.30	重建桥梁，桥长 14.35 米
47	歇格村藏娘桥	25.51	重建桥梁，桥长 12.36 米
合计		1137.64	

第三节 公路段

玉树公路总段养护综合区，位于结古镇红卫路，将结古工区、结古公路段、玉树总段养护中心、玉树总段机关、隆宝道班工区、巴塘工区 6 项整合，重建业务用房及附属设施。建筑面积13609平方米，建设4栋办公楼、3座车库、1座锅炉房、1处门卫房及室外附属工程。总投资来源于中央一般预算收入6500.28万元。2011年9月12日开工，2012年4月30日主体封顶。2014年9月12日竣工验收。由山东际高设计院有限公司设计，中国铁建二十一局二公司承建。

第四节 客运站

一、玉树汽车站

地震前，玉树汽车站位于玉树县结古镇胜利路76号，是玉树州首府唯一的社会公益性汽车站、国家二级汽车站。始发班线9条，停靠班线2条，全年发送4100班次，年平均发送旅客18万人次。灾后重建一次性高起点、高规格规划，提升客运站硬件设施和人性化、智能化服务设施，按国家一级客运站标准设计建设。建设内容包括主站楼、设备用房、洗车台本体及室外工程。新建框架结构客运大楼、汽车站、安检系统、电子检票系统、监控系统、亮化工程、社会车辆停车场、洗车台、综合楼、锅炉房、安装电气、给排水、绿化等。总建筑面积6166平方米，中央一般预算收入投资3708.85万元。2012年5月6日奠基开工，9月6日主体封顶，2013年9月20日竣工，11月12日初步验收。由中国中铁二局集团勘测设计院有限公司设计，中国中铁二局承建。

二、乡镇客运站

在玉树县的隆宝、安冲、仲达、巴塘4个乡镇各建客运站1处，建设内容包括土建工程及设备等，资金来源于中央一般预算收入。

隆宝镇客运站建筑面积640平方米，投资218.77万元。2011年5月开工，2011年8月主体完工，2012年8月14日验收。由北京市建筑工程设计有限责任公司设计，北京建工集团承建。

安冲乡客运站建筑面积400平方米，投资179.83万元。2011年5月开工，8月主体完工，2012年8月7日验收。由中国市政西北设计研究有限公司设计，中国建筑第八工程局有限公司承建。

仲达乡客运站建筑面积400平方米，投资283.91万元。2011年5月开工，8月主体完工，2012年8月24日验收。由中国铁建兰州铁道设计院有限公司设计，中国铁建二十一局集团第四工程有限公司承建。

巴塘乡客运站建筑面积400平方米，地上1层，候车厅层高6.0米，售票厅层高4.2米，卫生间、站室、调度室层高3.6米，建筑总高7.25米。投资438.94万元。2011年4月15日开工，2011

年9月20日主体完工，11月8日竣工，2012年9月15日验收。由辽宁省城乡建设规划设计院设计，江苏中盛建设集团有限公司承建。

第五节　机　场

一、机场应急工程

地震发生后，玉树巴塘机场成为抗震救灾期间的生命救援大通道和“空中生命线”。但机场无夜航设施、停机位少、站坪面积小、设备保障能力不足。民航局立即启动玉树机场抗震救灾应急工程，建设目视助航灯光系统、站坪2个、联络道1条、特种车库、特种车辆、专用设备等，并承诺3个月内投入使用。青海省机场建设指挥部临危受命，负责实施应急工程项目。2010年4月28日开始进行建材和施工场地等准备工作，4月29日由中国民航工程咨询公司组织专家完成评审。同时，指挥部组织人员加班加点在最短时间内编制了不停航施工方案、工程实施方案以及施工计划，于5月1日正式开工。主要建设内容有：在玉树机场跑道设置中线灯、边灯，跑道东端设置Ⅰ类精密进近灯光系统，跑道西端设置B类简易进近灯光系统及相应的滑行道灯光系统；扩建站坪18618平方米，加宽道肩，新建一条224米垂直联络道；建设特种车库1000平方米，配备特种车辆11辆；配套建设供水、供暖、供电、消防、总图等工程。6月29日通过民航西北地区管理局组织的行业验收并投入使用。机场应急工程总投资9480万元，资金来源于中央一般预算收入，项目列民航固定资产投资计划。项目单位为西部机场集团青海机场有限公司，由中国民航机场建设集团公司西北分公司设计，中国航空港第九工程总队、内蒙古送变电有限责任公司、北京中航空港建设工程有限公司、四川省崇州建筑工程公司、南京消防器材股份有限公司、大连宗益科技有限公司承建，西北民航机场建设监理有限公司监理。

二、玉树机场市内保障基地

玉树机场市内保障基地位于结古镇南片区，主要建设内容包括主楼、配套用房及商业用房，室内精装修、水电暖安装、家具及室外工程。建筑基底面积2746平方米，地下1层，地上5层，钢筋混凝土框架结构。地下一层及地上首层层高4.5米，其他楼层层高3.5米，建筑总高度23.6米，总建筑面积7875平方米，投资6624万元。2012年4月20日动工，5月1日开工。本工程基础持力层较深，基础施工周期长，采用分段流水作业以节约施工期。6月30日主体封顶，因属精装修工程，装修施工穿插工序多，装修材料品种、规格型号多，施工管理要求高。

2013 年 8 月 25 日竣工验收。由中铁工程设计院有限公司设计，中国中铁建工集团有限公司西北分公司承建。

第六节　铁路货运应急工程

一、西宁北货运中心建设

青海省内既有铁路货运设施陈旧、布局分散，不能适应救灾和灾后重建物资运输长时间、大批量集中装卸的需求。2010 年 4 月 17 日起，按照铁道部党组和青海省委的要求，青藏铁路公司会同中铁第一勘察设计院开展应急方案调查和研究。4 月 19 日，青海省抗震救灾指挥部下发《关于加快建设西宁北货运中心等项目的紧急通知》。4 月 27 日，铁道部办公厅下发《关于加快玉树地震灾后铁路货运设施配套建设的通知》，同意提前启动西宁北货运中心项目，按 2 个月的时间要求完成 3 台三线应急工程建设；同时配套完善平安驿、湟源、海晏、格尔木站货运设施。铁一院负责对整体方案优化，青藏公司负责方案审查和建设，西宁市政府、省国土资源厅负责征地拆迁。按要求于 6 月 20 日如期建成。

主要工程量：新建货物站台 3 座，分别为高 1.05 米、宽 44 米、长 780 米站台 1 座，高 1.05 米、宽 23.5 米、长 780 米站台 1 座，高 1.05 米、宽 23.5 米、长 900 米站台 1 座。铺设站线三股道共 4.57 千米，单开道岔 7 组。新建 709.5 平方米综合信号楼 1 栋，给水所 315.27 平方米，1200 立方米蓄水池 1 座，涵洞 8 座 680.75 延长米，仓库 29723.4 平方米，遮雨棚 40060 平方米，硬化场地及道路 148583 平方米，砌筑站台墙 5105 米，货物站台面 68390 平方米，盖板排水沟 5.8 千米。土方工程总量 202.57 万立方米，拆迁 4.695 万平方米。完成通信、信号配套改造等。经过 3000 多名参建人员的艰苦努力，6 月 8 日完成土方工程，6 月 9 日完成涵洞工程，6 月 19 日完成站台工程，6 月 20 日完成铺轨、南北咽喉区改造工程及房建、通信、信号、消防、电力等配套工程。6 月 30 日，竣工开通。中心占地 33.8 公顷，年运量达 1050 万吨。

二、平安驿货场应急工程

将既有高 1.1 米、宽 18 米的货物站台延长 205 米，相应延长站台雨棚 205 米；硬化既有货物场地，整治既有站台旁边通道。主要工程量：新增货物站台墙高 1.7 米、长 215 米，站台墙高 1.0 米、长 215 米，站台帽 215 米；新增货物站台斜墙 1 处；新增风雨棚 3474 平方米；站台铺面 4670 平方米；土石方填方 7140 立方米；场地硬化 7620 平方米；电缆埋设 1400 米；钢结构安装 29 榀；拆除混凝土硬化面 400 立方米；拆迁部分电力设施。4 月 23 日开工，5 月 19

日竣工。由中铁建工集团有限公司承建。

三、湟源站货场改扩建

利用西格二线工程新建一条整列货物线，对既有场地、路基边坡平整压实。主要工程量：便道土石方填方 500 立方米，梯形沟拆除重建 750 米，增加围墙大门 1 樘，盖板明沟拆除重建 900 米，平整物资集散货场 13500 平方米，防护栅栏 30 米；挡碴墙 944 米。4 月 23 日开工，5 月 10 日竣工。由中铁五局集团承建。

四、海晏应急货场增容扩能工程

利用既有站线海晏货场焊轨基地进行改扩建，建设内容为 20850 平方米散堆场 1 个；铺轨 1.55 千米，新设 3 组道岔，道砟 3300 立方米；在既有两线间增设 1 条 850 米的到发线；设 810 米低货位 7620 平方米；铺设贯通货场泥结碎石道路 1.18 千米，并与外部道路连接。4 月 23 日开工，5 月 20 日完成道砟补充和线路养护，5 月 25 日竣工。由中铁五局集团承建。

五、格尔市货场应急工程

位于格尔木站货场南侧、南海中路东端北侧。主要工程：新建货物线 2 条，货物站台 1 座，散堆装场 1 处，平交道 2 处；土石方 245397 立方米，地基处理换填 40278 立方米；新增线路 2800 米、道岔 4 组，铺砟 7000 立方米；货物站台高 1.05 米、宽 19.5 米、长 780 延长米；混凝土路面 18361 平方米；硬化场地 55126 平方米；围墙 3300 米，盖板沟 1280 米，浆砌明沟 3180 米。同时完成三电迁改、房建、通信、信号、接触网、电力、给排水、消防、路基附属等工程。6 月 15 日开工建设，8 月 1 日投入使用。

第二章　能源设施恢复重建

第一节　电力设施

一、新建水电站

地震灾区水电站恢复重建，多数项目的建设资金由中央一般预算收入、企业及个人自筹、贷款三部分组成；项目业主和援建单位均为青海省水利水电集团公司。

地震中结古镇西杭、当代水电站损毁，新寨村已被规划为文化遗产旅游片区，根据结古镇总体规划，从地震情况、地质条件、河道景观及水电站不宜建在城区等方面综合分析，原址恢复重建有较大难度，遂将西杭、当代、新寨水电站合三为一扩容建设，移址重建在玉树县下拉秀镇当卡村子曲河段，称当卡水电站。

震前2008年9月，青海玉树电源电网工程建设项目部委托青海省水利水电勘测设计研究院，进行查隆通水电站和查日扣水电站项目的可行性研究报告编制工作，地震前已完成可行性研究报告审查，并转入初步设计。地震后，青海省水利水电勘测设计研究院于2010年11月完成《青海省玉树藏族自治州子曲水电站开发规划报告》，提出在子曲河上建设那益雄、康钦陇、查日扣、查隆通、加登达、交尼日卡6座梯级电站。其中，查隆通、查日扣水电站列入玉树灾后重建规划，连同当卡水电站作为统规自建项目先期建设。

查隆通水电站　位于玉树县下拉秀镇尕玛村，河床式电站。主要建筑物有大坝、厂房、升压站等。总装机容量3×3500千瓦，多年平均发电量4464.25×10^4千瓦时。2010年5月17日，在查隆通电站工地现场举行开工仪式。6月，查隆通水电站列入《玉树地震灾后恢复重建总体规划》，7月开始初步设计。至9月，获得国土资源、生态保护、水利、环境保护等部门的相关批复文件。11月完成初步设计。施工图设计于2011年2月开始，10月基本完成。至2011年1月，先后完成土建、安装、设备等分项招标和导流泄洪洞施工。6月30日，完成主围堰施工。

12 月 15 日，重力坝混凝土浇筑全部完成。2012 年 1 月 15 日，完成全部厂房砖砌体。4 月 25 日，升压站土建工程全部完成。至 5 月 5 日，完成尾水渠工程、坝前帷幕高压灌浆工程、3 台发电机组等电气设备及管线安装、电气设备的调试。5 月 22 日竣工。由青海省水利水电勘测设计研究院设计，青海省水利水电工程局有限责任公司承建。投资 17510.74 万元。其中，中央一般预算收入 8000 万元，企业、个人自筹及贷款 9510.74 万元。

查日扣水电站　位于玉树县下拉秀镇尕玛村，查隆通水电站上游，混合式电站，属Ⅱ等大（2）型工程。枢纽由拦河坝、溢洪道、泄洪洞、引水发电系统、岸边厂房和 110 千伏开关站等建筑物组成。拦河坝采用钢筋混凝土面板堆石坝，最大坝高 120.8 米。年调节水库，正常蓄水位 3992 米，总库容 4.38 亿立方米。设计发电水头 96.17 米，发电流量 67.21 立方米 / 秒。总装机容量 4×13500 千瓦，多年平均发电量 2.211 亿千瓦时，保证出力 14.58 兆瓦，年利用 4095 小时。2011 年 4 月 18 日奠基，建前交通道路工程开工建设，2012 年 8 月 20 日导流洞工程开工建设。计划总投资 110685 万元，至灾后重建结束时投资 25000 万元。其中，中央一般预算收入投资 10040 万元，企业、个人投资及贷款 14960 万元。中国水电顾问集团西北勘测设计研究院设计，中铁十六局集团第一工程有限公司承建导流洞项目施工。计划工期于 2016 年建成发电。

当卡水电站　位于玉树县下拉秀镇当卡村子曲河段，亦称西杭当代水电站移址重建工程。上游离查隆通电站约 9 千米，下游是规划的加登达水电站。河床式电站，总装机容量 3×4000 千瓦，多年平均发电量 5003 万千瓦时。电站发电引用流量 77.7 立方米 / 秒，主要建筑物依坝轴线从左至右布置拦河坝、泄洪闸段、溢流坝段、河床厂房、安装间、卸货间段以及右岸混凝土副坝段。GIS 开关站紧邻卸货间布置在右副坝后。2012 年 5 月，青海玉能电力开发有限公司上报当卡水电站可行性研究报告（代初步设计），青海省发展和改革委员会下发关于印发当卡水电站可行性研究报告审查意见的通知。9 月 22 日奠基开工。2013 年 4 月 18 日，青海省发展和改革委员会下发关于当卡水电站可行性研究报告（代初步设计）的批复。计划投资 28371 万元。其中，中央一般预算收入 9500 万元，企业、个人自筹及贷款 15000 万元，民政部捐赠资金 3871 万元。由中国水电顾问集团西北勘测设计研究院设计，葛洲坝集团电力有限责任公司承建。计划于 2013 年 12 月 30 日主体封顶，2014 年 5 月投产试运行发电。

二、水电站维修加固工程

地震中，玉树州原有的小水电站不同程度受损，不能正常发电。重建中根据电站灾损实际情况分析主要问题，选定修复方案，予以维修加固。青海水利水电（集团）有限责任公司对玉树县禅古水电站，称多县拉贡、科玛、称多一级、歇武、当江荣水电站，治多县聂卡二级水电站，杂多县龙青峡水电站，囊谦县扎曲、香达水电站，曲麻莱县水电站等水电站，以统规自建方式实施维修加固工程。投资由中央一般预算收入和业主自筹组成。

禅古水电站　位于玉树县结古镇以南 12 千米处，1999 年建成运行。原是巴塘河干流上的混合式龙头电站，由引水枢纽、发电引水系统、发电枢纽三部分组成。总装机 3×1600 千瓦，内设 3 台混流式水力发电机组，发电水头 40.7 米，单机发电流量 4.76 立方米 / 秒。保证出力 N=2550 千瓦（P=85%），多年平均发电量 2881 万千瓦时，年利用小时数 6003 小时。同步建有结古中心变电所。

地震中，部分建筑物、机电设备及金属结构设备受到不同程度的震损，致使电站不能正常运行，决定对电站进行维修改造。青海黄河水利水电设计咨询有限公司受业主的委托，于 2010 年 7 月会同业主对电站枢纽进行实地踏勘后，上报禅古水电站修复工程的可行性研究报告（代初步设计）。2011 年 8 月 26 日，青海省发展和改革委员会批复禅古水电站修复工程，2012 年 5 月开工。维修加固工程内容包括：（1）厂房：受损立柱增大截面、牛腿立柱、受损墙体、屋顶面板修复、基础加固和散水修复、进场道路修复、建筑表面修复、临时防漏工程等。（2）办公楼：内墙及梁柱裂缝加固、受损女儿墙加固；建筑表面修复处理。（3）尾水：尾水平台、尾水闸墩、胸墙、闸槽、尾水渠维修加固。10 月 15 日修复完成，并投入试运行。共投资 310.89 万元，其中中央一般预算收入 300 万元、业主自筹 10.89 万元。由青海省黄河水利水电设计咨询有限公司设计，金昌市川北建筑安装工程有限公司承建。

称多县拉贡水电站 属低坝引水式电站，地震中电站的土建、机电设备均不同程度受损，不能正常运行。经踏勘，于 2011 年 4 月上报拉贡水电站修复方案，8 月 15 日开工修复，8 月 23 日青海省发展和改革委员会批准修复方案。处理厂房建筑各类裂缝 151 条、湖泊挡墙 60.2 米、钢筋石笼防冲体 44 米。维修处理电站进站道路 20 米、库区沿江道路 100 米、大坝左岸进场道路 43.5 米。更换、增加及维修部分机电设备和配件。总装机容量 4×2000 千瓦，发电水头 12.34 米，发电流量 80 立方米 / 秒，年发电量 6692×10^4 千瓦时，并入玉树州结古电网。2012 年 5 月 15 日修复完成，试运行发电。完成投资 380.74 万元，其中中央一般预算收入 354 万元、业主自筹 26.74 万元。由青海省水利水电勘测设计研究院设计，青海省水利水电工程局有限责任公司承建。

科玛水电站 位于称多县细曲河，建于 1994 年，装机 2×630 千瓦，引水流量 8 立方米 / 秒，发电水头 21.5 米，动力渠长 3 千米，经 10 千伏线路送电，可全年发电，服务于称多县扎多金矿。地震中部分土建和设备受损。2011 年 5 月上报科玛水电站修复工程可行性研究报告（代初步设计），5 月 25 日开工。主要修复工程内容：拆除冲沙闸下游右岸防护墙冲毁部分，新建防护墙；压力前池裂缝注浆；加固发电厂房圈梁及厂房受损墙体；加固更换引水枢纽 3 台启闭机和受损电气设备。8 月 30 日，青海省发展和改革委员会批准可行性研究报告（代初步设计），8 月 31 日完工。完成投资 690.06 万元，其中中央一般预算收入 500 万元、项目单位自筹 190.06 万元。由青海省黄河水利水电设计咨询有限公司设计，青海省水利水电工程局有限责任公司承建。

称多一级水电站 位于称多县称文镇西曲河，建于 1971 年，装机 1×200 千瓦，引水渠长 1.5 千米。2011 年 5 月上报称多一级水电站修复工程可行性研究报告（代初步设计），5 月 10 日开工。主要对引水枢纽上游左侧浆砌石防洪堤损毁部分拆除重建，动力渠道进行清淤，更换 2 孔冲砂闸门、1 孔进水闸门及启闭设备，更换老化损毁的电气设备。8 月 30 日完工。投资来源于中央一般预算收入 60 万元。由青海省黄河水利水电设计咨询有限公司设计，青海水电实业有限责任公司承建。

歇武水电站　位于称多县歇武镇直门达去曲河，建于1980年，原装机2×75千瓦，1997年更新为1×250千瓦，引水渠长2千米。本次维修加固中，拆除、重建引水口上游两侧堤防，新建右岸下游浆砌石护岸，拆除、重建溢流堰，加固厂房受损墙体，修复厂房屋面，更换压力钢管等。投资来源于中央一般预算收入40万元。由青海省黄河水利水电设计咨询有限公司设计，青海江海水利水电工程有限公司承建。

聂卡二级水电站　治多县聂卡二级水电站装机容量1500千瓦，地震中大坝观测系统受损。主要恢复大坝变形观测系统，在冲沙闸下游段新建90米长钢筋混凝土挡墙，加固厂房受损墙体，修复厂房屋面，低压管防护，对部分电器设备及电缆升级换代等。2011年5月上报聂卡二级水电站修复工程可行性研究报告（代初步设计），5月20日开工，8月30日完工。投资额125.07万元，其中中央一般预算收入80万元、业主自筹45.07万元。由青海省黄河水利水电设计咨询有限公司设计，青海江海水利水电工程有限公司承建。

曲麻莱水电站　2011年5月上报曲麻莱水电站修复工程可行性研究报告（代初步设计），对已损坏的电站进行维修加固。修复引水口上游左岸护坡、动力渠渠首连接段，加固渠道；保留原有引水枢纽，对其表面外包混凝土进行加固；修建6座排洪槽，处理冲砂闸、进水闸裂缝；拆除、重建压力前池；更换受损的电气设备。2011年5月20日开工，8月30日完工。完成投资额800.90万元，其中中央一般预算收入700万元、业主自筹100.90万元。由青海省黄河水利水电设计咨询有限公司设计，青海欣路建设工程有限公司承建。

扎曲水电站　位于囊谦县香达镇扎曲河，建于1990年，装机2×650千瓦，动力渠长4千米。2011年5月上报扎曲水电站修复工程可行性研究报告（代初步设计），5月15日开工。8月30日，青海省发展和改革委员会批准可行性研究报告。维修加固主要工程有：冲砂闸和溢流堰二级消力池后增加钢筋石笼护坦，新建防护墙向下游延伸50米，拆除、新建1号～6号排洪槽两岸浆砌石链接，对部分电器设备升级等。11月15日完工。投资来源于中央一般预算收入700万元，其余业主自筹。由青海省黄河水利水电设计咨询有限公司设计，青海省水利水电工程局有限责任公司承建。

龙青峡水电站　杂多县龙青峡水电站修复加固，2011年5月上报龙青峡水电站修复工程可行性研究报告代初步设计。5月15日开工建设，恢复大坝安全监测系统，静态爆破厂房门口松动岩体，维修厂区道路。8月15日完工。中央一般预算收入投资190万元。由青海省黄河水利水电设计咨询有限公司设计，青海水电实业有限责任公司承建。

香达水电站　位于囊谦县香达乡香曲河，建于1970年，装机2×75千瓦，引水渠长5千米。维修加固工程主要对动力渠道0+729.78～1+018.71段边坡坍塌予以处理，更换机组配电电缆，维修改造消防供水系统，更换水轮机转轮、压力管道末端混凝土阀等。中央一般预算收入投资26万元。由青海省黄河水利水电设计咨询有限公司设计。

巴塘当托水电站、相古水电站　当托水电站在玉树县巴塘乡相古村，装机容量100千瓦，主要维修加固进水闸、引水渠及厂房修复等，投资来源于民政部捐赠资金91.50万元。维修加固升压站，投资 10.77 万元；维修 10 千伏线路 9.325 千米，投资 67 万元。其中，至革弄村 3.15 千米，至直贡村 4.105 千米，至寺院 1.26 千米，至当托村 0.81 千米。资金来源于民政部捐赠资金。于 2011 年 9 月 1 日开工，2012 年 8 月 25 日完工。2012 年 9 月 15 日验收。由青海河海水利水电设计有限公司设计，辽宁省建筑设计研究院承建。相古水电站位于巴塘乡相古村。建引水枢纽、动力渠、发电枢纽，装机 40 千瓦，投资来源于民政部捐赠资金 284.09 万元。维修 10 千伏线路及升压站工程，架设 10 千伏高压配电线路 10.9 千米，低压线路 2.9 千米，设 5 个台区，投资 81 万元。

三、330 千伏联网工程

玉树大地震后，为满足灾区震后重建的电力供应，青海省政府与国家电网公司决定建设玉树电网与青海主网 330 千伏联网工程，定为玉树灾区灾后重建的配套工程。全线途经西宁、海南、果洛和玉树“一市三州”。海拔高度在 3200 ～ 5000 米，其中穿越海拔 4000 米以上线路 482 千米，多年冻土区线路 361 千米。本工程是世界上海拔最高、高寒地区建设规模最大、施工难度最大的 330 千伏输变电工程。工程从 2010 年 5 月开始可行性研究，2012 年 6 月国家发展改革委正式核准并由国务院批复，到 2013 年 6 月投入试运行。

地震前，玉树州电网由 4 个独立运营的小电网组成，最高电压等级 35 千伏，未与青海主网相连。2010 年 4 月 29 日，青海省电力公司组织西北电力设计院和青海省电力设计院，开展玉树与青海主网 330 千伏联网工程的可行性研究工作。据估算，2011 年玉树全州最高负荷约 60 兆瓦，但全州能正常运行的小水电装机容量只有 26.4 兆瓦，应急燃油机组出力 12 兆瓦。根据负荷预测，至 2014 年玉树州最大用电负荷将达到 94 兆瓦。电力平衡结果表明，考虑地区

灾后新建通向玉树的国家电网

新建水电站投产能力、不考虑应急燃油机组出力，2014 年冬季枯水期玉树州电网电力缺口约 64.5 兆瓦。

《青海省玉树州灾后电网恢复重建规划》确定，玉树电网恢复重建将以 110 千伏电压等级为配电网，并加快建设玉树与青海主网联网。2011 年 12 月，国家发展改革委委托中国国际工程咨询公司对工程可行性研究报告进行复核。2012 年 3 月初，通过电力规划设计总院的审查，上报国家发展改革委。同月，依据电规规划〔2012〕316 号《关于印发青海玉树与主网 330 千伏联网工程的可行性研究报告评审意见的通知》，西北电力设计院、青海省电力设计院展开初步设计工作。结合本项目，西北电力设计院启动了工程的空气间隙、设备外绝缘、过电压、安稳、冻土等相关课题的可研工作。5 月，启动施工图设计。玉树 330 千伏联网工程起自日月山 750 千伏变电站，止于玉树 330 千伏变电站。新建工程共五部分。

唐乃亥 330 千伏变电站　远景装设 2 组 240 兆伏安主变压器；330 千伏出线 6 回，其中至玛多 2 回、至羊曲 2 回、至果洛 1 回、至班多 1 回；110 千伏出线 14 回。本期装设 1 组 240 兆伏安主变压器；330 千伏出线 3 回，分别至玛多、日月山和班多水电站；110 千伏出线 10 回，分别至兴海 2 回、卡力岗 1 回、大河坝水电站 2 回、温泉 1 回、双龙水电站 1 回、百盘峡水电站 1 回、尕曲水电站 2 回；预留主变压器 35 千伏侧的无功补偿装置。

玛多 330 千伏开关站　远景装设 2 组 150 兆伏安主变压器；330 千伏出线 4 回，其中至唐乃亥 1 回、至玉树 1 回、预留 2 回；110 千伏出线 10 回；每台主变压器 35 千伏侧安装 2 套静止无功补偿装置。本期 330 千伏开关站，330 千伏出线 2 回，分别至唐乃亥、玉树，2 回出线各装设 1 组 90Mvar 并联电抗器。预留主变压器及 110 千伏。

玉树 330 千伏变电站　远景装设 2 组 150 兆伏安主变压器；330 千伏出线 4 回，其中至玛多 1 回、备用 3 回。每回出线上均预留高压电抗器位置；110 千伏出线 10 回；每台主变压器 35 千伏侧安装 2 套静止无功补偿装置。本期装设 1 组 150 兆伏安主变压器；至玛多方向 330 千伏出线 1 回，装设 1 组 30Mvar 并联电抗器；110 千伏出线 3 回，其中至结古 2 回、至治多 1 回；主变压器 35 千伏侧安装 2 套 −18Mvar ～ +18Mvar 静止无功补偿装置。

线路工程　班多—日月山 330 千伏线路Ⅱ接入唐乃亥工程线路长度 1.99 千米，按单回路架设。唐乃亥—玛多—玉树 330 千伏输电线路全长 582 千米，按单回路架设。

建输电铁塔 1252 基　2012 年 6 月 2 日，国家发展改革委核准本项目。6 月 6 日在结古镇举行开工仪式。国家电网公司将玉树联网工程列为 2012 年的重点工程，对工程建设提出“确保人员安全，确保 2013 年 6 月投产”的要求。国家电网公司基建部全力指导工程建设，先后 4 次召开工程建设推进会。青海省电力公司按照建设“安全可靠、优质高效、经济节约、绿色环保、和谐平安”高原输变电精品工程的总体目标，发挥集团化运作优势，采取“日控制、周平衡、月攻坚”的管理模式，全力推动工程建设，组织 5000 余名工程建设者，在世界屋脊展开了一场高原电网建设攻坚战。6 月 21 日，在唐乃亥—玛多输电线路工程第 2 施工标段 303 号塔位，举行首基基础浇筑仪式。7 月 10 日，设计单位提前完成变电站现场勘测和线路的终勘定位。7 月 17 日，青海省电力公司召开 330 千伏联网工程“大干八十天、决战八九月”动员会，主要完成线路和变电站的基础土建攻坚，是为第一战役，10 月 1 日结束。9 月 26 日，在玉树召开“苦战六十天，打赢铁塔组立攻坚战”誓师动员大会，发起第二战役。10 月 5 日，在玛多县境内的第 3 标段 583 号塔,举行唐乃亥—玛多输电线路首基铁塔组立仪式。11 月 6 日，在海拔 4915.7 米的巴颜喀拉山口,成功组立全线海拔最高的玛多—玉树段线路 1 标 1237 号铁塔。针对玛多黄河沿沼泽地带 20 基冻土基础施工技术难题，组织设计、施工和冻土专家于 11 月 1 日进驻现场开展攻坚战，根据地质和气候条件制定严密的施工组织方案，在 −45℃气温、含氧量只有 40% 的条件下，在不到一个月的时间内完成全部 20 基基础的施工。12 月 20 日第二战役结束，提前完成铁塔组立和变电站土建工程。

截至当年 12 月，设计单位采取分批次提交图纸的办法，完成了唐乃亥 330 千伏变电站新建工程、玛多 330 千伏开关站新建工程、玉树 330 千伏变电站新建工程、日月山—班多“π”入唐乃亥 330 千伏线路工程、唐乃亥—玛多 330 千伏线路工程、玛多—玉树 330 千伏线路工程，以及配套的系统通信工程，共 7 个单项工程的施工图设计。12 月 15 日，唐乃亥—玛多段线路 6 标段举行首场导线展放仪式。

2013 年 1 月 15 日，工程全线歇工，2 月 1 日全线复工。3 月 5 日，针对变电站电气安装和线路放线工程,指挥部安排部署“奋战百日,照亮玉树”收官战役,是为第三战役。3 月 27 日，全线 1252 基铁塔组立全部完成。4 月 13 日，青海送变电公司承建的线路 4 标段 115 千米导线展放全部完成。4 月 15 日，省电力公司成立工程验收启委会，进行后期调试和启动投运的各项准备工作。4 月，国网北京经济技术研究院对初步设计报告进行了审查，5 月完成初步设计阶段的评审。6 月 6 日，玉树 330 千伏设备带电试运行，工程全线竣工投入运行。至此，玉树地震灾后电网恢复与重建工程全面完工。

玉树联网工程处于三江源国家级自然保护区，沿线穿越高寒荒漠、高原草甸、沼泽湿地、高寒灌丛等不同生态系统，穿越多年冻土区 361 千米、连续沼泽地段 70 千米，生态环境保护要求高，是工程建设需要攻克的重大难题。工程建设指挥部确立“预防为主、保护优先”的指导思想，以“建设绿色环保工程，争创中华环保奖”为目标，将环保工作纳入工程管理系统中，构建指挥部、设计、施工和监理“四位一体”的管理体系，组建工作机构，实行责任制，编制实施细则，深入宣传。在工程设计中，根据地形特征对铁塔采用高低腿设计，塔基基础尽量采用人工掏挖桩或钻孔灌柱桩，分不同施工阶段设计环保水保施工图。在选择施工临时用地时，尽量利用已有道路、场地或选择植被稀疏地段，统一设置围栏、标志。在进场道路、施工区域内铺设草垫或棕垫，严格划分施工材料和草皮、砂石等堆放区域，最大限度减少对植被的压占和破坏。塔基开挖时，对原生草皮进行剥离、养护，将熟土、生土分别堆放，并用棕垫、彩条布隔离、拦挡和覆盖，在施工后期恢复植被。制定工程沿线生活垃圾管理规定，实行垃圾密闭存放、统一回收、集中处理。经过全体参建人员的共同努力，把联网工程建成了青藏高原上环境保护的典范工程，全面实现联网工程沿线环境保护的既定目标。

玉树 330 千伏联网工程在 4 项课题研究中取得成果：

电气关键技术研究。获国家专利 8 项，发表论文 2 篇。经成果鉴定，系统解决高海拔地区电气设备外绝缘配置，攻克空气间隙确定难题，在国内外均属首创。研究成果处于国际领先水平。

冻土特性及勘测评价应用研究。经成果鉴定，解决冻土对工程设计、施工等的影响。研究成果处于国际先进水平。发表论文 6 篇。

安全稳定控制系统研究。经成果鉴定，解决玉树弱电网长距离联系稳定难题，确保工程建成后的电网安全稳定。研究成果处于国内领先水平。发表论文 1 篇。

工程建设中生态环境保护技术应用研究。经成果鉴定，工程建设对生态环境影响降到最小。研究成果处于国内先进水平。发表论文 1 篇。

玉树地方电网恢复重建工程于 2010 年 6 月开工建设，到 2013 年 6 月，已建成 110 千伏变电站 5 座、35 千伏变电站 5 座，新增 35 千伏以上输电线路 499 千米，实现了玉树州东部 3 县的 110 千伏联网。共投资 12.2 亿元。随着 330 千伏输电工程带电投运，大电网输送到玉树的电力通过地方电网系统可靠落地，玉树地震后的电网重建全部完成。

四、变电站（工程）

结古变电站　结古 35 千伏中心变电所建筑物及机电设备在地震中受到震损，2011 年委托海南州宏海电力勘察设计责任公司编制修复工程可行性研究报告，同年 8 月对项目可行性研究报告进行审查。9 月 14 日，青海省发展与改革委员会批复项目可行性研究报告。确定的方案及规模：更换主要一次电气设备，相应二次电缆、将控制室、高压室的屋面和墙面简单维修、将变电所 180 米围墙拆除重砌。2013 年 6 月项目开工，主要建设内容为：场内平整、10 千伏配电装置室修复、屋外配电装置建筑修复及更换电气设备。修复变电容量 14000 千伏安设备，建设管理用房 3000 平方米。总投资 397 万元，资金来源于中央一般预算收入。由青海瑞联智能工程设计咨询有限公司设计，四川瑞源建筑工程有限公司承建。

结古 110 千伏变电站，10 千伏配出 12 回，土建施工和设备安装，省级财政资金投资 13243 万元。2010 年 7 月 31 日开工。2012 年 2 月 23 日建成带电运行。

清水河 35 千伏输变电工程　位于称多县清水河镇，建设 2 台 3150 千伏安主变压。35 千伏采用单母线接线，进出线 2 回，称多进线站用 100 千伏安变 1 台；10 千伏采用单母分段接线，出线 6 回，电容器出线 2 回，Ⅰ、Ⅱ段母线各设 600Kvar 无功补偿电容器 1 组；架设 35 千伏架空线路 55.8 千米。投资来源于中央一般预算资金、无电和农网改造资金 3163 万元。2011 年 6 月开工，2012 年 6 月完工。青海海东天润电力实业公司承建。

珍秦 35 千伏输变电工程　位于称多县珍秦镇海拔 4400 米处，按高海拔地区适用的预装式模块化变电站方式布置，建设 2 台 3150 千伏安主变压。35 千伏采用单母线接线，进出线 2 回。称多进线设 1 台 100 千伏安站用变压器；10 千伏采用单母分段接线，出线 6 回，电容器出线 2 回，Ⅰ、Ⅱ段母线各设 600Kvar 无功补偿电容器 1 组；架设 35 千伏线路 22.5 千米。投资来源于中央一般预算、无电和农网改造资金 2139 万元。2012 年 4 月开工，10 月竣工。西宁电力实业总公司承建。

五、电网延伸工程

结古镇大市政 10 千伏电网延伸工程 亦称结古镇 10 千伏电缆入地工程。灾后重建时应北京市市政工程设计研究总院要求，省重建指挥部于 2011 年 4 月 10 日和 8 月 9 日召开结古配网协调会确定，2011 年 9 月 25 日开工。10 千伏电网入地范围是胜利路、红卫路、民主路的部分路段，结古路、红旗路、规划支路十，均埋设于道路西侧或南侧的人行道下。线路入地范围内采用高压分接箱、箱式变压器和电缆方式供电。电缆主走廊 7.5 千米，环网单元及箱变基础井 43 座，其他附属电力设施 134 座。投资来源于中央一般预算收入、无电和农网改造资金 2726.75 万元。西宁电力实业总公司承建，2012 年 11 月 30 日完工。

新寨 10 千伏电缆入地工程 在玉树县结古镇新寨村，新建 10 千伏线路 1.713 千米、0.4 千伏一级低压线路 8.5 千米、0.4 千伏二级低压线路 8.22 千米。总投资来源于中央一般预算收入 2135.52 万元。由青海天阳工程咨询有限公司设计，中鼎国际工程有限责任公司、中兴建设有限公司承建。

州农牧民住房安置点通电工程 建设 35 千伏以下入户线路及变电所，中央一般预算收入投资 18500 万元。玉树县巴塘移民区等 6 个片区加固户新电网架设下户工程，中央一般预算收入投资 460 万元。项目业主为青海省水利水电集团公司。

在灾后重建中，用于玉树中低压配网抢修恢复工程的线路布设及相关设备安装 1132.42 万元。为玉树无电地区电力建设工程配套建设资金 50000 万元，用于建设 110 千伏变电站、35 千伏变电站、低压台区，以及相关线路。资金来源于中央一般预算收入。

实施结古镇市政延伸片区电力覆盖工程，电力覆盖的市政延伸片区包括赛义那片区、加尼通片区、加吉娘片区、省道 308 线西北沿线片区、供水厂片区 5 个片区，总投资来源于中央一般预算收入 2842 万元。

称多县新城区电网工程，敷设 10 千伏线路 6.8 千米、0.4 千伏线路 28.7 千米，以及设备安装，投资来源于中央一般预算收入 1300 万元。

六、玉树电力公司管理用房

玉树电力公司位于玉树县结古镇，统规自建。2012 年 3 月上报玉树州电力公司管理用房设计方案，玉树县城市管理局于 3 月 20 日批准该设计方案。4 月 20 日上报初步设计报告，5 月 30 日开工建设，6 月 5 日青海省住房和城乡建设厅批准初步设计报告。10 月 30 日主体封顶。新建综合办公楼，5 层框架结构，建筑面积 4132 平方米；食堂，2 层框架结构，建筑面积 664 平方米；封闭式仓库，框架结构，建筑面积 342 平方米。另建门卫、车库、半露天仓库、垃圾站等附属设施及室外给排水管网、电网、硬化路面等室外配套工程。总用地面积 27700 平方米，总建筑面积 7000 平方米，绿地率 35%，建筑密度 15%，容积率 0.23。投资 1761.43 万元，其中中央一般预算收入1200万元，其余业主自筹。由上海同建强华建筑设计有限公司青海分公司设计，青海省祥达建设工程有限公司承建。2013年8月完工。

七、省电力公司调度及运检中心

建筑面积13528平方米，总投资5710万元。其中，中央一般预算收入2807.58万元，企业、个人组自筹及贷款2902.42万元。

第二节　新能源设施

一、光伏电站

新建巴塘光伏电站　在发电功率富余的情况下，禅古电站储水作为电网备用，在发电功率不足情况下采取减负荷措施；深夜负荷低谷时期，光伏电站蓄电池放电深度已接近或达到50%，光伏电站停止发电，水电站维持电网运行。

2009年12月10日，青海省发展和改革委员会核准玉树州水光互补微网发电示范项目，地震后纳入灾后重建统规自建项目。新建的玉树州光伏电站，位于距结古镇28千米处的巴塘滩汹钦河以西，原玉树州种畜场内。站区地形平坦，地势西南高，东北低，海拔高度3966～3973米，占地面积7000平方米。建设规模2MWp，配备储能装置总容量15.2MWp，由20个100KWp平单轴跟踪系统组成，共计8748块230Wp多晶硅电池板。由3种基本发电单元组合：每组件容量100KWp的功率可调度光伏发电单元、双模式光伏发电单元、自同步电压源光伏发电单元。主要工程包括太阳能方阵、蓄电池室、配电室、变压器、配电柜等设备和综合楼、门卫室等。共由3个光伏发电系统组成，包括1个1500KWp功率可调度光伏发电系统、1个200KWp双模式光伏发电系统、1个300KWp自同步电压源光伏发电系统。光伏发电系统（或分系统）通过变压器升压至10千伏，汇总至综合楼10千伏母线上，一回10千伏出线以线变组的形式次升压至35千伏，以单回35千伏线路接入禅古变电站。电站设计25年总发电量8368.87万千瓦时。年均发电量334.755万千瓦时。由青海省黄河水利水电设计咨询有限公司设计，北京科诺伟业科技有限公司EPC总承包建设。2011年6月1日奠基，2011年6月21日开工，12月31日完工，财政部、北京鉴衡认证中心2011年12月31日竣工核验，投产发电。投资12977.72万元，其中国家专项资金9084.41万元、项目单位自筹3893.31万元。

光伏电站修复项目　青海省光明工程项目办公室于2002—2004年，先后在玉树县隆宝镇、仲达乡、巴塘乡、下拉秀镇、小苏莽乡建成12座光伏电站。地震中，这些光伏电站的机房、阵列、围墙等土建工程均遭受不同程度的损坏，导致光伏组件和蓄电池等设备出现不同程度的破损，电站无法正常运行。经过反复论证，决定对受损的玉树县哈秀乡、隆宝镇、仲达乡歇格村、巴塘乡、巴塘乡查能扣村、下拉秀镇、上拉秀乡、小苏莽乡、小苏莽乡多陇村、让多村 10 座光伏电站进行修复，修复光伏电站机房、设备、线路、更换蓄电池等。由青海省光明工程项目办公室实施。另有 1 座已通过电网供电，1 座列入北京市援建项目。委托青海新能源有限公司编制可行性研究报告（代初设）。2011 年 1 月 23 日，青海省发展和改革委员会批复可行性研究报告。由青海新能源（集团）有限公司设计，西宁新能源开发有限公司承建。2011 年 7 月开工修复，7 月 25 日签订项目合同书。修复内容主要有太阳能电池组件、蓄电池安装、电站的运行调试、光伏阵列支架维修、架空线路修复和土建加固补强等。光伏电池组件、逆变器、控制器型号、参数等保持与原有设备相一致，以提高发电品质。同年 11 月完工，青海省发展和改革委员会于 2012 年 8 月验收。修复光伏电站总容量 240KWp，投资 616 万元，其中中央一般预算收入 470 万元，其余企业、个人自筹及贷款。本修复工程的实施，使地震灾区初步建立起来的新能源供电方式得以保存和发展。

二、高效低排生物质炉

玉树州农牧户清洁能源建设项目，原计划采用高效低排生物质炉和太阳灶两种方式，后根据玉树地区实际使用效果，将太阳灶项目的投资全部变更购置生物质炉，共购置高效低排生物质炉 66027 台，总投资来源于民政部捐赠资金 7052.62 万元。已于 2010 年 11 月底，全部调运发放到玉树州 6 个县 45 个乡镇 258 个村的 58800 户。项目单位为玉树州三江源项目管理公司。

三、应急燃油机组

灾后重建之初，青海省水利水电（集团）有限责任公司实施应急燃油机组项目，用于保障灾后重建施工用电。由中央一般预算收入投资 5596 万元，在结古镇建设 10 台 3000 千瓦（海拔 1000 米以下）柴油发电机组，总装机 3 万千瓦。因受高海拔降容影响，其中 8 台旧机组实际输出功率 1600 千瓦，2 台同型号新机组实际输出功率 2100 千瓦。采用电缆出线方式，出线电压等级 10 千伏，出线 5 回。电站最大油耗 1.5 万吨。冷却水源采用地下水，建筑物、构筑物排水采用管沟排水至室外检查井。2010 年 6 月 10 日开工安装，9 月 5 日投产发电。由中国电力工程顾问集团西北电力设计院采取 EPC 总承包方式建设。

第三节 燃料设施

一、结古镇燃气设施工程

地震前，玉树地区燃料结构单一，以牛粪、薪柴为主，辅以少量的煤炭，有汽油供应。灾后重建中，新建液化天然气、液化石油气供应设施，提升成品油及煤炭供应能力，燃料结构趋于完善，为步入低碳生活提供了可靠的物质基础，能够确保群众的生产、生活燃料需求，使人民生活质量得到大跨度提升，为三江源地区生态环境保护、高原生态型商贸旅游型中心城市建设、实现玉树的可持续发展和绿色发展提供了有力支撑。

结古镇燃气设施工程，建设环绕结古镇的中压天然气管网，沿省道 308 线往东，以民主路为主干，北至北环路，南至南环路，东端末点到国道 214 线。敷设燃气管网 41.16 千米。其中，干线管径 DN300 长 8.482 千米，管径 DN200 长 16.672 千米，管径 DN100 长 13.611 千米及支线管网。气源引自中石油玉树液化天然气（LNG）接收站，设计压力 0.4 兆帕。投资来源于中央一般预算收入 5877.57 万元。2011 年 4 月 15 日开工，2012 年 10 月 28 日竣工验收。由北京市市政工程设计研究总院设计，北京市市政四建设工程有限责任公司承建。

二、液化天然气气化站

结古液化天然气（LNG）气化站，位于结古镇果青村，是中国石油天然气集团公司重点援建的玉树地震灾后重建项目，由青海油田投资、承建。2010 年 5 月 17 日，中国石油天然气集团公司收到青海省人民政府《关于请求援建玉树 LNG 天然气接收站》的函，青海油田迅速成立以总经理宗贻平为组长的玉树气化项目领导小组、以总工程师孙凌云为指挥的现场指挥部。为降低运行成本、缩短建设周期和提高工程质量，项目部按照 EPC 模式组建设计、施工、监理、业主“四位一体”的援建团队。

5 月 29 日，省玉树地震灾后重建现场指挥部指挥长马顺清在西宁主持召开专题会议，会议决定综合考虑结古地区用气量、燃气价格、建设周期、投资额度等因素，现场指挥部原则推荐在结古地区建设 LNG 接收站；在 6 月 5 日前确定建设天然气接收站的 1 公顷用地，以无偿划拨的方式划定选址，迅速办理用地手续；青海油田公司、中油燃气青海分公司尽快制定实施方案，争取 7 月开工建设，入冬前完工并投入使用；省发展改革委、经委、青海油田公司和西宁中油燃气公司，于 5 月 30 日与中石油集团公司专家组共同会商，以最快的速度确定建设方案。6 月份本项目立项。7 月 1 日至 4 日，因征地问题施工现场遇到当地僧侣聚集阻扰，项目部委派专人奔波于省灾后重建现场指挥部、玉树州、县政府和相关部门，进村入户与当地僧侣和群众解释沟通，终于在规定时间内办结征地相关手续。7月10日举行奠基仪式，同日开工建设。7月15日，完成所有重大关键设备的采购，7月20日完成初步设计，7月31日完成施工图纸设计。

结古LNG气化站设计储气规模2000立方米，CNG（压缩天然气）/LNG加气站均按10000标准立方米/天规模设计，建设附属配套仪表系统、仪表风系统、供排水消防系统、供热系统及供配电系统。总体布局为：在结古镇新建储气规模2000立方米/天的液化天然气接收站1座，在花石峡建液化天然气加气站1座，在西宁建液化天然气加气站和停车场1座。分两期建设，一期先建设10座100立方米低温LNG储罐，预留二期扩建10座150立方米低温LNG储罐的位置。主要向结古镇城区供气，同时具备向LNG运输槽车和该地区的运营车辆提供燃料（CNG、LNG）的功能。天然气气源主要来自西宁市的中油中泰LNG液化工厂，和格尔木昆仑能源（青海）100×10^4标准立方米/天液化工厂，由容积50立方米的LNG专用槽车运送到气化站，运输距离820千米。到站后，通过卸车增压系统进入LNG低温储罐，再经过气化、调压、计量、加臭等工艺流程后，以中压A（0.35兆帕）通过管道送至城市中压管网并分配给各类用户。近期供气规模2000×10^4标准立方米/年，远期供气规模4000×10^4标准立方米/年。同年10月13日输进液氮进行系统调试；10月18日输进天然气试运行；10月25日竣工。2012年8月20日由中国石油股份有限公司验收。建设中，项目部重视环境保护，将1万多平方米草皮移出场地专人保养，设施安装完毕后又移植入场区。

液化天然气站是玉树灾后第一个建成的永久性建设项目，能满足3万户居民的生活用气、1000辆压缩天然气汽车和2000辆液化天然气汽车的用气。建设周期仅117天，创造了青海油田援建的“玉树速度”“玉树奇迹”，实现地震当年让结古镇用上天然气的目标。完成投资13000万元。按照中国石油国有资产管理系统的要求，青海油田已于2010年12月31日完成转资工作，所有投资已转到中国石油国有资产。采用EPC总承包模式建设，项目单位为中国石油天然气总公司青海油田分公司，由中石油工程设计有限公司青海分公司设计，青海油田管道输油处承建，青海油田工程监督监理公司监理。

三、液化石油气储配站

玉树州液化石油气储配站，震前属玉树州液化气股份合作公司，原址位于结古镇琼龙路。地震发生后，液化气站站房倒塌，供气管道损坏，不能正常运转。2010年8月，根据玉树州委、州人民政府的指示精神，为确保灾后重建及人民群众生产、生活的能源供给，填补玉树灾后产业空缺，由青海贝正实业有限公司对原玉树州液化气股份合作公司进行改制，成立青海贝正实业有限公司玉树分公司，建设玉树州液化气储配站。

新建的玉树州液化石油气储配站，位于结古镇加涅滩国道214线南侧。新站按液化石油储备站建设标准布局，依照安全、适用、经济、美观的原则建设，储量规模400立方米。占地17800平方米，划分为储罐区、办公区、充装间、压缩机房、消防泵房、消防水池等功能区域。3个单体建筑物，地上1层，总建筑面积312平方米，其中办公用房建筑面积113.8平方米。

储罐区面积 488.5 平方米，其余为消防水池、消防车道、室外场地硬化、绿化、围墙。安装防爆监控系统，对站内安全状况进行 24 小时全天候实时监控。配备省内最先进的电子网络系统和电子灌装联网监控系统，配合站区燃气监控报警装置，从源头消除安全隐患。本液化石油气储配站，是三江源地区最先进的基础民生能源供应配送基地，也是青海省乃至藏区最先进的大型液化石油气储配站。于 2010 年 8 月 10 日开工，2012 年 8 月 15 日主体完工。2012 年 9 月 20 日竣工，由玉树州建设局、质监局、安监局和玉树州公安消防支队验收。投资 1806 万元，全部企业自筹。建设单位为青海贝正实业有限公司玉树分公司，由青海省化工设计研究院有限公司设计，江苏中盛建设集团有限公司青海分公司承建。

四、成品油库

位于玉树县结古镇新寨村，始建于 20 世纪 70 年代，至 90 年代基本废弃。跨世纪后，在原新寨油库临近公路一端建设新寨加油站，利用该油库的油罐及管线作为加油站的罐区使用。地震中加油站及老油库设施严重损毁。

地震发生后，中国石油青海销售公司迅速反应，紧急派出救援队赶赴灾区，快速调集救灾油品，坚持“保重建、保民生、保重点、保零售”的原则，立下“山塌路陷油不断、保供责任大于天”的誓言，全力保证灾区和国道 214 沿线公路运输车辆用油。根据国务院玉树地震灾后恢复重建总体规划，国家能源局与中国石油集团公司，委托中国石油青海销售公司在玉树建设新寨油库。灾后重建的新寨油库，在原油库的基础上利用已征地界，由玉树石油销售分公司自筹自建，总占地面积约 26.7 亩。中国石油集团工程设计有限责任公司华北分公司，按照《成品油库建设标准》（2010 版）设计，划分储油罐区、装卸区、辅助生产区和办公区，功能分区明确，充分考虑节能安全、工艺顺畅和预留持续发展空间，达到中国石油成品油库标准化建设的要求。油库库区装有完善的自控系统，采用先进的门禁一卡通系统在中控室进行操作。中控系统包含：油库夜视高清视频系统、周界红外报警系统、防溢油防静电一体监测系统、自动道闸车辆控制及防发油设备损坏归位起闸系统、储油区高液位报警并自动停止卸油系统、储油区和发油区设置油气浓度自动检测及报警系统，以及火灾自动报警器、罐内油品采样装置等。油库总罐容 6000 立方米，包括 2 座 1000 立方米拱顶储罐（保温）和 4 座 1000 立方米内浮顶储罐，6 座储罐布置在一个罐组内。总投资 3000 万元，资金来源于企业、个人自筹及贷款。2010 年 8 月 10 日奠基，8 月 20 日开工，2011 年 10 月 20 日主体封顶，2013 年 11 月 15 日全面完工。分别由成都市大邑县第一建筑工程公司、山东正通建设工程有限公司、辽宁石化安装有限公司、南京东富自动化设备有限公司承建。

五、煤炭供应工程

建设结古镇封闭贮煤场，占地 6000 平方米，建设规模储煤 3 万 ~ 5 万吨。总投资 829.41 万元，其中，中央一般预算收入 800 万元，其余由企业、个人自筹及贷款。项目业主为青海省煤业集团。

第三章　水利设施恢复重建

第一节　防洪工程

一、结古镇防洪工程

玉树县结古镇防洪工程，疏通各个排洪系统，防止河水对河流两岸泥土、河床的侵袭、掏空，全面提升结古镇的防洪能力。包含两大子项目：巴塘河、扎曲河河道治理，巴塘河 16.1 千米、扎曲河 6.35 千米；6 条排洪渠（沟）治理，其中普措达赞沟 689 米、扎村托弋排洪渠 196 米、东尼格沟排洪渠 697 米、泽庆沟排洪渠 1282 米、增乐沟排洪渠 733.7 米、赛青陇达沟 824.35 米。总长 24.08 千米。2011 年 9 月 20 日开工，2013 年 9 月 30 日竣工。堤防工程防洪标准 30 年一遇，排洪渠排洪标准 10 年一遇。恢复重建堤防 4.87 千米，排洪渠 15.1 千米；新建堤防 21.8 千米，排洪渠 11.82 千米。投资 22897.87 万元，资金来源于中央一般预算收入。2010 年开工，灾后重建基本结束时仍在施工。项目单位为玉树州水务局，由青海省 906 地质勘测设计院勘察，青海省水利水电勘测设计院设计，中国水利水电建集团玉树重建现场指挥部第一、二、五、六工区承建。

二、结古镇应急防洪除险加固工程

在结古镇建设应急防洪堤防 11.926 千米，其中巴塘河堤防 4.171 千米、扎西科河 7.755 千米；结古沟等 8 条城区排水渠总长 10 千米；北山排洪渠总长 9.26 千米；南北两山设沟道拦砂坝 33 座。总投资 13084 万元，资金来源于中央一般预算收入。2010 年 5 月 21 日开工，2010 年 6 月 30 日竣工验收。由青海水利水电勘察设计院设计。

三、结古镇下游雨水防洪排水工程

结古镇下游雨水防洪排水工程共4项。完成投资1200万元，资金来源于中央一般预算收入。项目单位为玉树州项目管理公司。由玉树州水利局承建，青海鸿源水务建设有限公司设计。2013年6月20日开工，10月30日完工，11月4日验收。

结古镇下游雨水防洪排水工程分项统计表

表5-3　　　　单位：万元

序号	项目名称	建设内容	投资额
1	防洪及下游雨水排水	藏娘沟3号延伸313.29米。八一职校东雨水沟196.23米。八一职校西雨水沟283.66米；钢筋混凝土结构沉砂池1座；检查井5座，井内径1.5米。当代尾水排洪渠971.89米	417.08
2	藏娘1号沟排洪渠改移	改移藏娘1号沟排洪渠桩号0+680至入河口段，修建排洪渠345米，公路涵洞1座	108.45
3	巴塘河河道防洪	慢性病院段沿巴塘河右岸建设防洪标准30年一遇、3级防洪堤890米（包括果坡沟汇流口左右156米）	448.55
4	新寨下游雨水排水	修建高密度聚乙烯双壁波纹管雨水排水管12条，总长903米；钢筋混凝土结构沉砂池12座；砖砌结构检查井12座	225.92
合计			1200

四、结古镇两河河道治理工程

结古镇两河景观项目，是玉树重建十大重点工程之一。工程包括扎曲河、巴塘河河道治理工程和滨水商业文化旅游核心区项目。结古镇扎曲河、巴塘河河道治理工程全长12.38千米。主要施工内容包括河道清淤，加固河道两岸堤防21千米，土石方开挖、回填，浆砌石，置宾格网箱等。按防洪保护对象一般城镇确定工程Ⅳ等，工程规模小（1）型。防洪工程洪水标准采用30年一遇，堤防工程级别3级，次要建筑物4级，临时建筑物5级。一期工程修建宾格网箱防洪堤防总计19.71千米。其中，巴塘河防洪堤13.86千米，扎西科河防洪堤5.86千米。修筑堤防内亲水台阶100座，鱼巢400米，两岸沟道排洪渠汇入口附属建筑物9座。投资来源于中央一般预算收入20000万元，2011年9月15日开工。由青海省水利水电勘测设计研究院设计，中国水电玉树重建第一工区承建。

五、农牧民新增安置点防洪工程

玉树县藏娘1号沟、布给沟、德卓滩及玉树县下拉秀镇、囊谦县毛庄乡安置点防洪工程，投资5093.32万元，由青海水利水电勘察设计院设计。2011年8月开工，2012年10月1日竣工。在益曲河沿岸修建网箱式防洪堤2115米，堤防建筑物踏步6座，防洪渠3360米，车桥5座；曲麻莱县巴干乡安置点蜂巢网箱直墙式护岸980米，投资3553万元。修建代曲河左岸防洪堤1800米，代曲河小支沟奇莫隆巴沟谷坊2座，巴干贡巴额尼垄沟防洪堤980米，投资550万元，投资来源于中央一般预算收入。由青海云河水利水电设计有限公司设计，2011年9月30日完工。

第二节　农业灌溉渠

一、仲达乡

梅生渠　玉树县仲达乡梅生渠，新建引水口截水廊道1座，铺设1739米输水管道1条，修463米干渠1条、支渠3条共1735米。建3000立方米涝池1座，检查井4座，减压井6座，出水池1座，干渠分水口3座，支渠跌水分水口76座，便桥12座。可以灌溉面积320亩。投资来源于中央一般预算收入145.59万元。2012年7月15日开工，2012年10月20日完工。

塘达渠　玉树县仲达乡塘达渠，新建引水口枢纽1座，输水管道800米。一干渠2.24千米，二干渠2.94千米，总长5.18千米。支渠34条共4千米。建3000立方米涝池1座，检查井4座，减压井6座，出水池1座，干渠分水口32座，支渠分水口54座，跌水分水口132座，渡槽10座，车便桥28座。可以灌溉面积1180亩。投资来源于中央一般预算收入302.36万元。2012年7月15日开工，2012年10月20完工。

二、巴塘乡

相古渠　玉树县巴塘乡相古渠，灌溉用水取自相古南沟，新建引水枢纽1座，建筑物2座；渠道总长6.208千米，干渠1条2.608千米、支渠共12条总长3.6千米；干渠分水口12座，支渠分水口180座；车便桥15座，跌水1座。灌溉面积600亩，投资来源于中央一般预算收入145.82万元。

卡沙渠　玉树县巴塘乡卡沙渠，新建引水枢纽1座，建筑物5座，渠道3千米，车便桥20座。其中，一干渠长3.33千米，分水口9座；二干渠长2.62千米，分水口11座；支渠20条总长3.64千米。灌溉面积620亩，投资来源于中央一般预算收入261.52万元。

陇日渠　玉树县巴塘乡陇日渠，新建引水枢纽1座，建筑物6座；干渠2条，总长约2.7千米，其中一干渠长1.045千米、二干渠长1.702千米，分水口14座；支渠共14条，总长2.65千米，分水口312座；车便桥15座。灌溉面积1480亩，投资来源于中央一般预算收入149.71万元。

三、安冲乡

玉树县安冲乡灾后重建英群渠和英达渠，水源均取地下潜水。地震灾后恢复重建英达渠、英群渠的主要任务，是新建节水型小型农田水利工程，提高水源保障程度，保证农作物需水期的灌溉，提高水资源的利用率和农作物产量。工程内容包括水源地和干、支渠渠道。建成后，实现传统水利向资源水利、可持续利用水利的转化，灌溉水的利用效率与效益有效提高。2012 年 5 月开工，8 月 15 日主体完工，9 月 18 日竣工。由青海鸿源水务建设有限公司设计，中国建筑玉树灾后前线重建指挥部承建。

英达渠原有灌溉工程因重力取水管线太长，重建中在河滩就近打井取水，动力提升至进水池，满足自压供水条件。灌溉面积 200 亩，渠道 2.4 千米，建筑物 3 座。新建 1 座土井泵房，输水管道全长 85 米；343 米长干渠 1 条，分水口 2 座；引水支渠 2 条，总长 153 米，分水口 12 座；车便桥 1 座。投资来源于中央一般预算收入 48.73 万元。

英群渠工程位于益曲河岸，平均海拔 3900 米。新建渠道 2.5 千米，建筑物 2 座。本工程从上游 1600 米处拦闸取益曲河水，新建引水枢纽 1 座；干渠 250 米，支渠 95 米；干渠分水口 2 座，支渠分水口 8 座；车便桥 1 座，引水管道 1862 米。可灌溉面积 665 亩，受益农户 68 户，410 人。投资来源于中央一般预算收入 80 万元。

第三节　水土保持

在结古镇实施水土保持综合治理工程，采取工程措施和造林封禁措施治理 9 条较大沟壑的水土流失，从 2011 年 5 月陆续开工治理，至 2013 年 9 月全部完工，总投资 1515 万元。同期建结古镇水土保持监测站 2 处，监测点 1 处。投资 185 万元，资金来源于中央一般预算收入。

结古镇水土保持综合治理项目表完成情况统计表

表 5-4

序号	沟壑名称	建设规模	建设内容	投资额（万元）
1	孟宗沟	治理水土流失面积 784.42 平方千米，钢筋石笼拦砂坝 1 座，防洪渠 979 米，排水管 245 米，水土保持林 162 平方千米，封育治理 454 平方千米	建谷坊 1 座，拦砂坝 2 座沟岸防护 6.5 千米，植水土保持林 75.96 公顷，种草 284.85 公顷，封育治理 1200 公顷	902.81
2	普措达赞沟	治理水土流失面积 19.92 平方千米，造林 10.25 平方千米，封禁 9.67 平方千米，古风 4 座	建拦沙坝 1 座，植水土保持林 20.60 公顷，种草 284.85 公顷，封育治理 1200 公顷	58.07

续表 5-4

序号	沟壑名称	建设规模	建设内容	投资额（万元）
3	沙松沟	综合治理水土流失面积 2.84 平方千米	建成网围栏 5123 米，防护挡土墙 610 米，钢筋石笼拦砂坝 1 座，排水沟 205 米	12.59
4	热吾沟	综合治理水土流失面积 5.83 平方千米	造林 20.34 公顷	199.66
5	折龙沟	综合治理水土流失面积 1.94 平方千米	造林 12.78 公顷，封禁 40.42 公顷	16.84
6	结古沟	综合治理水土流失面积 5.91 平方千米	造林 20.34 公顷，封禁 346.59 公顷	91.72
7	扎隆龙	封育治理 1000 公顷	拦砂坝 1 座，网围栏 2415 米	18.40
8	当代沟	网围栏 5123 米，防护挡土墙 610 米，钢筋石笼拦砂坝 1 座，排水沟 205 米	拦砂坝 1 座，水土保持林 18.96 公顷，种草 71.10 公顷，封育治理 300 公顷	134.16
9	折龙达大沟	综合治理水土流失面积 5.21 平方千米	造林、封禁	62.79
合计				1497.04

第四节　水文监测

玉树水文分局及新寨水文站，位于结古镇红卫路北侧原址，是玉树州海拔最高的水文站。占地 1735 平方米，局、站合并建设管理用房，设有先进的水文监测设施，建有玉树州首个水文监测缆道房。

玉树水文分局办公用房，建筑面积 520 平方米，地上 3 层，框架结构。一层设会议室、办公室、仪器室、水环境监测室、车库 20 平方米；二层、三层用于活动室和宿舍。另有活动板房 60 平方米，缆道房、围墙、大门等附属设施及场地绿化硬化工程。配置高精度手持 GPS、对讲机、发电机、卫星电话、摄像机、便捷式多功能水质分析仪、便捷式毒性分析仪、便捷式多参数水质分析仪、移动实验室（含专用车、车载仪器）、水文巡测车，以及办公设备。2011 年 4 月 1 日开工，7 月 18 日主体封顶，2012 年 10 月 29 日竣工验收。由青海省水利水电勘测设计研究院设计，北京城建集团有限责任公司承建。

新寨水文站业务用房，建筑面积 330 平方米，建半自动电动缆道 1 处，副索拉偏缆道 1 处，浮标投放缆道 1 处；新建水位自计台 1 座，气象观测场 1 处，围墙 161 米，水准点 2 个，观测道路；购置半自动缆道控制柜（含水文绞车）、图像监控系统。投资来源于中央一般预算收入 1436.82 万元。

隆宝水文巡测站，位于隆宝镇君勤村原址。新建水文站操作房 46.56 平方米，框架剪力墙结构，地上 2 层。设水位自记台、2 个水准点。购置气室探头、气泡式水位计气室探头等。2011 年 9 月 9 日开工建设，10 月 5 日完成结构施工。2012 年 8 月 10 日前完成装饰装修及设备配置，2013 年 8 月 13 日竣工验收。投资来源于中央一般预算收入 20.83 万元。

第四章　市政设施恢复重建

第一节　城镇道路及配套设施

一、结古镇市政道路

结古镇街道　结古镇重建23条城市道路，形成“4横16纵”路网骨架。建设内容包括征地拆迁、车行道、人行道、雨水管网、照明、管沟、绿化、交通设施及附属设施等，投资来源于中央一般预算收入。项目单位为玉树州三江源投资建设有限公司，由北京市援建，北京市市政工程设计研究总院设计。

在结古镇市政道路建设中应用新型筑路材料岩沥青。岩沥青是一种天然沥青，经过配比掺加在普通沥青中后，具有耐寒、抗紫外线、抗水损、抗车辙和抗老化的性能，适用于气候环境恶劣的地方。玉树地区属于海拔高、温度低、紫外线强度高的地区，按照低海拔地区使用的沥青标准无法满足玉树地区的需要。北京援建指挥部联合北京市政研究总院、北京市建材集团一起联合研发了适合玉树地区使用的岩沥青。这是首次在高原上使用的新产品。

援建工人在玉树县结古镇铺设城镇道路

红卫路　红卫路位于结古镇区东部，是城区内部一条重要的东西向主干路，既承担组团之间的交通联系，又服务于城区内外的交通联络。西起跨河路，与西侧民主路连接，东至新寨村东侧，与国道214线连接，是规划“4 横 16 纵”路网布局中重要的一“横”。道路断面采用城市主干路标准，一幅路型式，双向四车道。跨河路以西段红线宽 30 米，长 2.038 千米，设计行车速度 40 千米 / 小时。2011 年 4 月 1 日开工，2012 年 10 月 15 日完工，2013 年 6 月 26 日验收。由北京鑫实路桥建设有限公司承建。跨河路以东段红线宽 20 米，长 5.4 千米。全线基本采用填方路基，起、终点路口及与沿线相交路口采用平交形式，两侧人行道铺装混凝土彩色方砖，设无障碍盲道。新建跨然乌河桥梁 1 座（K4+024.205 ~ K4+40.905），线路与河道中线交角约 90 度，桥梁与道路同宽，采用 1 跨现浇预应力混凝土实体板，结构厚 70 厘米，桥长 16 米，面积 320 平方米。下部结构采用边盖梁接钻孔灌注桩形式，桩直径 1.2 米。2011 年 4 月 2 日奠基开工，2012 年 9 月 25 日提前通车，2012 年 10 月 12 日主体完工。由北京城建集团有限责任公司承建。红卫路建设总投资 26027.02 万元。

民主路 原结古镇民主路宽 7.5 ~ 8.5 米，公园西路至八一西路段路宽 14 ~ 14.5 米，沿线两侧房屋较多，在地震中严重损坏。灾后重建的结古镇民主路，位于结古镇区中西部，是规划“4 横 16 纵”路网布局中的一“横”。西起北环路，东至胜利路，与红旗路相接，路线全长 6.737 千米，沿线高程由西向东呈降低的趋势。设计采用城市主干路标准，中线原则上以现况路中线为基础，向道路两侧拓宽，道路段红线宽 30 米，设计行车速度 40 千米 / 小时。道路范围内与民主路相交的主要道路有北环路、扎西科滩路、公园西路、公园东路、八一西路、八一路、红旗路、结曲路、胜利路。其中，红旗路、胜利路为规划主干路，其余规划次干路，沿线还与 20 条规划支路相交。投资 24172.96 万元。2011 年 3 月 28 日开工，2013 年 6 月 15 日竣工，6 月 26 日验收。由北京市市政一建设工程有限责任公司承建。

扎西科路 规划扎西科路与扎西科河、巴塘河相交，西段南侧临近山体，道路沿线民房绝大部分在地震中损坏。对应道路桩号 K0+000 ~ K2+550 原有宽 12 米的公路，高程由西向东呈降低趋势；对应道路桩号 K2+550 ~ K3+100 内无现况道路；对应道路桩号 K3+100 ~终点原有 7 米宽的地方路。扎西科路是结古镇规划“4 横 16 纵”路网布局中的一“横”，灾后重建规划路的中线相对原有道路中线有偏移。西起南环路，东至巴塘路（滨河路），全长 4.135 千米，采用城市主干道路标准，红线宽 25 米，设计行车速度 40 千米 / 小时。沿线与八一路、红旗路、结曲路、胜利路、巴塘路相交。投资 14576.19 万元。2011 年 7 月 1 日开工，2012 年 10 月 10 日完成施工，2013 年 6 月 26 日验收。由北京市市政一建设工程公司承建。

巴塘路当代段 巴塘路当代段位于结古镇区东部巴曲河南岸，是一条重要的东西向主干道路。西起跨河路南端，与巴塘路滨河段相接，东至结古镇东大门与国道 214 线相接。其交通功能是连接新建国道 214 线高速公路与城区内的路网，承担过境交通，同时也承担组团之间的交通联系，是规划“4 横 16 纵”路网布局中重要的一“横”，也是规划路网中功能最强的一条道路，被称为第一条大动脉道路。道路全长 8.528 千米。该段道路原规划线位于半山腰处，从现场踏勘看，山势陡峭，挖方量过大，且严重破坏生态环境。本次设计定线，线位位于山脚下，减少开山和对生态环境的破坏。全线基本采用填方路基形式，原佛教学院路段左侧设置路肩挡墙。全线范围内的施工中线共 5 处折点，最小圆曲线半径 150 米，最小缓和曲线长度 50 米。起点路口及相交路口均采用平交路口形式，交叉口采用灯控形式。考虑到巴塘当代路的过境交通功能、道路两侧的地形情况及用地开发，采用公路断面一幅路形式，双向四车道加 1.5 米宽的硬路肩，路面宽 25 米，中央埋设防撞墩，外侧土路肩宽 0.75 米，路基总宽 22 米。在 K0+391 处建跨河高架通道曲线桥 1 座，采用预应力混凝土连续箱梁结构，桥面双幅路，全长 360 米，宽 20.5 米，面积 7380 平方米。共投资 38525.55 万元。2010 年 7 月 10 日奠基开工，2012 年 7 月 31 日主体完工，2012 年 9 月 6 日竣工验收。由北京城建集团有限责任公司承建。

巴塘路滨河段　南起胜利路南端，北接巴塘路当代段，道路全长 4.562 千米，含桥梁工程，采用城市主干路标准，红线宽 21 ～ 25 米，设计行车速度 40 千米 / 小时。投资 11384.63 万元。2010 年 7 月 20 日开工，2012 年 9 月 30 日完工，2013 年 6 月 26 日验收。由北京鑫实路桥建设有限公司承建。

北环路　北环路位于结古镇区北部，全线无现况道路。道路设计范围内原有德念沟、折龙沟等排洪沟，无市政管线。规划北环路全线位于山脚下，现况高程 3669 ～ 3754 米。道路北侧依结古镇山体，南侧多临住宅区，线位沿山脚穿过住宅区，造成大量征地拆迁。新建北环路是灾后重建规划“4 横 16 纵”路网布局中的一“横”。西起民主路，向东分别与扎西科滩路、公园西路、公园东路、八一路、红旗路、结古路、红卫路 7 条主次干路相交。全长 10.735 千米，采用城市次干路标准，道路宽 20 米，设计行车速度 30 千米 / 小时。投资 20267.70 万元。2010 年 9 月 1 日开工，2012 年 10 月 9 日完工，2013 年 6 月 26 日验收。由北京市政工程设计研究总院设计，北京市市政一建设工程有限责任公司承建。

南环路　南环路位于结古镇南部，与北侧红旗路连接。起点巴塘路至胜利路段原有路宽 5.5 米，胜利路至终点红旗路段原有路宽约 12 米。全线最大高差 11.9 米。灾后重建的南环路，是规划“4 横 16 纵”路网布局中的一“纵”。南起巴塘路，与胜利路、双拥街及两条规划支路相交，终点与红旗路相接，路线长度 1.328 千米，采用城市主干路标准，道路红线宽 20 米，设计行车速度 40 千米 / 小时。投资 3642.34 万元。2011 年 4 月 1 日开工，2012 年 9 月 22 日完成施工，2013 年 6 月 26 日验收。由北京市市政一建设工程有限责任公司承建。

红旗路　红旗路位于结古镇区中部，德吉路以南段原有路宽 11.5 ～ 13 米，德吉路以北段原有路宽约 18.5 米，沿线多为大棚和简易房，绝大部分在地震中损坏。灾后重建的红旗路是规划“4 横 16 纵”路网布局中的一“纵”。南起南环路，北至北环路，全长 2.088 千米，跨扎曲河建红旗桥 1 座。沿线与扎西科路、扎西科河、德吉路、民主路、北环路相交。采用城市主干路标准，扎西科路以南段红线宽 18 米，扎西科路以北段红线宽 22 米；设计行车速度民主路以南段 40 千米 / 小时，民主路以北段 30 千米 / 小时。投资 6756.69 万元。2010 年 9 月 10 日开工，2012 年 10 月 12 日完工，2013 年 6 月 26 日验收。由北京市市政一建设工程有限责任公司承建。

胜利路　位于结古镇区中部，是规划“4 横 16 纵”路网布局中的一“纵”。南起机场路，与滨河南路相交，北跨扎曲河至民主路。路线全长 3.076 千米，采用城市主干路标准，红线宽 25 ～ 36 米，设计行车速度 50 千米 / 小时。投资 16379.07 万元。2011 年 4 月 1 日开工，2012 年 10 月 15 日完工，2013 年 6 月 26 日验收。由北京鑫实路桥公司承建。

扎西科滩路 扎西科滩路南北走向，南起扎西科路，北至北环路，与民主路相交。民主路以南段原有宽约12米的公路，民主路以北段原有宽约3米的公路。扎西科滩路是灾后重建规划“4横16纵”路网布局中的一“纵”，全线高程由南向北呈抬升的趋势。民主路以南大部分路段横穿扎西科河漫滩地，河滩宽约650米，在K0+183、K0+378、K0+556处分别与现况扎西科河相交。全长1.046千米，采用城市次干路标准，红线宽20米，设计行车速度30千米/小时，规划中线与现况道路中线基本一致。投资2040.10万元。2011年7月1日开工，2012年9月22日完工，2013年6月26日验收。由北京市市政一建设工程有限责任公司承建。

公园西路 公园西路南北走向，横跨扎西科河，与民主路相交，分为南北两段，高程由南向北呈抬升的趋势。民主路以南段原有宽约12米的公路；在K0+285附近有一跨河桥，桥面车行道宽13.4米。民主路以北段呈西南—东北走向，有宽3～5米的地方路。灾后重建的公园西路，是规划“4横16纵”路网布局中的一“纵”。南起扎西科路，北至北环路，路线全长0.765千米，桥梁1座，采用城市次干路标准，红线宽20米，设计行车速度30千米/小时。规划中线与现况道路中线基本一致。沿线与主次干道扎西科路、民主路和北环路相交，另与3条规划支路相交。投资2650.71万元。2010年8月15日开工，2012年10月25日完工，2013年6月26日验收。由北京市市政一建设工程有限责任公司承建。

公园东路 公园东路南北向跨越扎西科河，高程由南向北呈略微降低的趋势。扎西科河以南段原有7米宽的公路，扎西科河以北段原无道路。灾后重建的公园东路是规划“4横16纵”路网布局中的一“纵”，规划中线与原有道路中线基本一致。南起扎西科路，北至北环路，路线全长0.701千米，桥梁1座，采用城市次干路标准，红线宽20米，设计行车速度30千米/小时。沿线与主次干道扎西科路、民主路和北环路相交。投资1879.80万元。2011年4月1日开工，2012年9月4日完工，2013年6月26日验收。由北京市市政一建设工程有限责任公司承建。

八一路 八一路南起扎西科路，北至北环路，扎西科河以南原有宽约7米的公路，扎西科河以北无现况路。灾后重建的八一路是规划“4横16纵”路网布局中的一“纵”。全长0.625千米，1座桥梁，采用城市次干路标准，红线宽15米，设计行车速度30千米/小时。沿线与扎西科路、民主路和北环路相交，另与3条规划支路相交。投资2181.11万元。2011年4月1日开工，2012年10月9日完工，2013年6月26日验收。由北京市市政一建设工程有限责任公司承建。

八一西路 八一西路南起扎西科路，北至民主路，南北走向跨扎西科河，原有路面宽约13米。重建道路是规划“4横16纵”路网布局中的一“纵”，中线与原有道路中线基本一致，由南向北呈缓慢抬升趋势，全长0.213千米，采用城市次干路标准，红线宽15米，设计行车速度30千米/小时。一座改建板梁跨河桥，桥宽15.65米，车行道宽12.15米。投资397.35万元。2011年5月10日开工，2012年8月25日完成施工，2013年6月26日验收。由北京市市政一建设工程有限责任公司承建。

结曲路 震前结曲路在扎西科路—扎曲北路段，宽约10米，地势起伏不大。两侧房屋较多，由南向北分布有德吉博镇花园小区、客运公司、制氧厂、食品药品监督管理站、人民医院、妇幼保健院、电信公司、农业银行、地税局等。地震中严重受损。灾后重建的结曲路南起扎西科路，跨扎西科河，北至民主路，是规划“4横16纵”路网布局中的一“纵”，全长0.61千米，1座桥梁。中线相对原有道路向东稍有偏移，采用城市次干路标准，道路红线宽15米，设计行车速度30千米/小时。改建板梁跨河桥1座，桥宽13米，车行道宽10.5米。沿线与扎西科路、扎曲南路、扎曲北路、民主路相交。投资1257.24万元。2011年3月23日开工，2012年10月20日完成施工，2013年6月26日验收。由北京市市政一建设工程有限责任公司承建。

德吉路　德吉路路段地震前原无道路，由西向东分布有人民医院生活区、制氧厂、客运集团公司、气象局等，地震中多被破坏。灾后重建的德吉路西起红旗路，东至胜利路，是规划“4横16纵”路网布局中的一“横”。全长0.594千米，采用城市次干路标准，道路红线宽15米，设计行车速度30千米/小时。投资1076.58万元。2010年7月23日开工，2012年8月25日完工，2013年6月26日验收。由北京市市政一建设工程有限责任公司承建。

结古路　结古路位于结古镇区东部，南起巴塘路，北至北环路，是规划“4横16纵”路网布局中的一“纵”。采用城市次干路标准，红线宽20米/12米，全长0.733千米，设计行车速度30千米/小时。投资1605.14万元。2011年8月10日开工，2012年9月13日完工，2013年6月26日验收。由北京鑫实路桥建设有限公司承建。

结古东路　位于结古镇区东部，南起巴塘路，北至红卫路，城市次干路，是规划“4横16纵”路网布局中的一“纵”。红线宽20米，全长0.262千米，设计行车速度30千米/小时。投资406.90万元。2010年7月26日开工，2012年10月10日完工，2013年6月26日验收。由北京鑫实路桥建设有限公司承建。

跨河路　位于结古镇区东部，南起巴塘路，东北至红卫路。规划为城市次干路，红线宽20米，全长约0.352千米，设计行车速度30千米/小时。投资490.56万元。2010年7月26日开工，2012年10月15日完工，2013年6月26日验收，由北京鑫实路桥建设有限公司承建。

双拥街　双拥街是结古镇南部的一条东西向道路，西起南环路，东至巴塘路（滨河路）。采用城市次干路标准，红线宽20米，全长0.55千米，设计行车速度30千米/小时。投资1255.86万元。2011年6月2日开工，2012年9月13日完工，2013年6月26日验收。由北京鑫实路桥建设有限公司承建。

商业街　位于结古镇南部的一条东西向道路，采用城市次干路标准，西起胜利路，东至巴塘路（滨河路），红线宽15米，全长0.341千米，设计行车速度30千米/小时。投资602.04万元。2010年8月1日开工，2012年9月13日完工，2013年6月26日验收。由北京鑫实路桥建设有限公司承建。

政府街　位于结古镇区南部的一条东西向道路。西起胜利路，东至巴塘路（滨河路）。采用城市次干路标准，红线宽15米，全长0.29千米，设计行车速度30千米/小时。投资547.50万元。2011年8月1日开工，2012年9月13日完工，2013年6月26日验收。由北京鑫实路桥建设有限公司承建。

统规自建区道路　配套建设结古镇城镇居民住房统规自建区道路，建设内容包括征地拆迁、车行道、人行道、地下管网、照明、绿化等。资金来源于中央一般预算收入。

结古镇统规自建区道路建设情况统计表

表 5-5

序号	项目	建设规模（千米）	投资（万元）
1	民主路统规自建区道路	4.3	3397.00
2	民主村统规自建区道路	4.5	3555.00
3	结古寺统规自建区道路	7.5	9117.96
4	当代统规自建区道路	6.8	6076.98
5	县政府西侧统规自建区道路	9.6	7584.00
合计		32.7	29730.94

玉树机场基地南侧小市政道路　建设城市次干道 3 级标准，道路红线宽 6 米，长 92.5 米。总投资来源于中央一般预算收入 73.81 万元。项目单位为玉树州项目管理公司。

居民住房小市政配套设施　结古镇城镇居民住房小市政配套设施，建设给水、排水、电力、道路等。中央一般预算收入投资 90467.9 万元。项目单位为玉树县项目公司。

结古镇居民住房市政配套设施投资统计表

表 5-6

序号	项目位置	投资额（万元）	援建单位
1	红卫组团	25786.00	中国铁建
2	当代组团		中国铁建
3	结古寺组团		中国铁建
4	中国铁建市政支路 6 条	3810.68	中国铁建
5	民主北组团		中国建筑
6	扎西科河南组团	482.32	中国建筑
7	折龙达组团	5502.65	中国建筑
8	中国建筑市政支路 12 条	2139.86	中国建筑
9	扎南组团	10085.79	中国中铁
10	扎北组团	11432.56	中国中铁
11	中国中铁市政支路 8 条	5664.50	中国中铁
12	下西同组团	9015.95	中国水电
13	加吉娘集中安置区	4146.63	中国水电
14	德宁格组团	6196.91	中国水电
15	城西片区 16 条规划支路及架电工程	5426.70	
16	39 号井改造，两河景观绿化及铺装	777.35	
合计		90467.9	

片区市政配套设施　在结古镇加尼通、当代、省道 308 沿线、藏娘达 4 片区配套市政设施，内容包括防护网围栏、给排水管线、污水管线及相关土建工程，投资来源于中央一般预算收入。加尼通片区防护网围栏 5123 米及给排水管线，投资 445.17 万元。当代片区沿河挡土墙 610 米，排水沟 205 米，以及污水管线，投资 356.92 万元。省道 308 沿线片区给排水管线投资 386.53 万元。藏娘达片区管理用房 240 平方米，医务室 60 平方米，警务室 60 平方米，垃圾中转站 270 平方米，户用厕所 528 间 14256 平方米，公共厕所 2 座 120 平方米，主要道路架设光电互补太阳能路灯 372 盏，供水管网 27230 米，污水管网 8850 米，雨水管网 8850 米，挡土墙 6602.18 立方米，防洪渠 1571 米，广场 3 处，小区公共绿化，配置环卫设施、运动及休闲器材，投资 2970.56 万元。

新寨村道路与市政管网　新寨村市政工程灾后重建包括道路、给排水、照明工程。新建道路总长 16 千米，6 千米宅间道。根据需要采用不同的路面铺装，混凝土路面 16 条 9.021 千米，沥青碎石路面 0.946 千米，凿毛青石砖面 0.4 千米。同步完善市政管网设施，敷设给水管线 8.774 千米，主线井 91 座，支线井 123 座；污水管线 8.372 千米，主线井 269 座，支线井 158 座；埋设雨水管线 0.482 千米，雨水井 14 座；砌筑排水方沟 5933 米；安装路灯 432 套。重建后，新寨村市政道路和配套设施空前完善。总投资 10616.41 万元。2011 年 8 月 15 日奠基开工，2012 年 9 月 30 日竣工验收。由北京中联环建文建筑设计有限公司设计，北京市援建，北京城建集团有限责任公司承建。

片区市政设施配套　片区市政设施配套共 15 项，包括给排水、雨水管线、防洪、道路、电力线路敷设等，总投资 9847 万元，投资全部来源于中央一般预算收入，项目单位分别为玉树州项目公司和省电力公司。

片区市政设施配套建设项目统计表

表 5-7　　　　单位：万元

序号	片区项目名	总投资	建设内容	备注
1	加尼通片区	137.2	给排水管线	市政配套
2	当代沿河片区	110	污水管线	市政配套
3	加吉娘片区	1716.5	道路、给排水、照明	市政配套
4	省道 308 沿线片区	380.5	给排水管线	市政配套
5	藏娘达片区	3460.8	—	市政配套。玉树县项目公司
6	藏娘 1 号沟防洪渠改移	108.45	防洪及雨水排水	防洪渠改移
7	新寨下游	225.92	防洪及雨水排水	雨水排水
8	巴塘河（慢性病院段）	448.55	防洪及雨水排水	河道防洪
9	结古镇防洪及下游	417.08	防洪及雨水排水	防洪、雨水排水
10	结古镇污水厂片区	2842	电力线路敷设	电力覆盖
11	赛义那片区市政延伸片区		电力线路敷设	电力覆盖
12	加尼通片区市政延伸片区		电力线路敷设	电力覆盖

续表 5-7

序号	片区项目名	总投资	建设内容	备注
13	加吉娘片区市政延伸片区	—	电力线路敷设	电力覆盖
14	结古镇省道 308 线西北沿线片区市政延伸片区	—	电力线路敷设	电力覆盖
15	结古镇供水厂市政延伸片区		电力线路敷设	电力覆盖
合计		9847		

结古镇市政设施增量工程 总投资 37787 万元，其中中央一般预算收入 29969 万元、省财政垫资 7818 万元。项目单位玉树州项目公司，由北京市援建。

二、其他城镇市政道路

在玉树县的隆宝镇、称多县的称文镇、杂多县的萨呼腾镇、治多县的加吉博洛镇，按恢复重建规划修筑城镇道路共 41.5 千米，建设内容包括征地拆迁、车行道、人行道、地下管网、照明、绿化工程。共投资中央一般预算收入 17640 万元，由各县项目管理公司实施，至 2013 年 10 月全部竣工验收。

城镇道路建设情况统计表

表 5-8

序号	城镇	建设规模（千米）	投资（万元）	承建单位
1	玉树县隆宝镇	4.5	2006.55	北京市
2	称多县称文镇	15	6300.00	海东地区
3	治多县加吉博洛镇	10	5845.33	河南振兴建设工程集团有限公司
4	杂多县萨呼腾镇	12	4922.44	西宁定康市政工程有限公司
合计		41.5	19074.32	

三、村道硬化

村道硬化共 111 个村和 3 处集中安置点，包括路面、路基工程，由各县项目管理公司实施。一般计划每村硬化道路 4 千米，投资按每村 120 万元安排，实施中根据实际情况有所调整。村道铺筑 20 ~ 30 厘米厚混凝土路面，主道宽 3.5 米，宅间道宽 3 米，达到村庄道路“户户通”。建设项目总里程 456.03 千米，总投资 27415.57 万元，建设资金主要来源于民政部捐赠资金，玉树县安冲乡村道硬化有一部分中央一般预算收入资金。至 2013 年 9 月全部建成。

乡镇村道硬化完成情况统计表

表 5-9

序号	所在乡镇	村数	里程（千米）	投资（万元）	村落名
一	称多县	44	176	5126.78	
1	称文镇	11	44	1119.29	上庄　下庄　雪吾　松当　刚查　白龙　拉贡　赛河　阿多　者贝　芒查村
2	歇武镇	7	28	839.35	歇武　当巴　直门达　上赛巴　下赛巴　阿卓茸巴　牧业村
3	珍秦镇	11	44	1318.93	杂麻　叉麻龙　松然贡尕　色宝结然　冈青　色然　措龙　勒青　乐然　东莫　仲宗村
4	拉布乡	7	28	833.97	吾海　拉司通　郭吾　兰达　达哇　德达　帮布村
5	尕朵乡	8	32	1015.24	卡龙　卡吉　布由　吉新　冈由　着木其　吾云达　科玛村
二	玉树县	47	199.11	20017.5	
6	结古镇	3	12.7	695.02	代格　卡自　果青村
7	巴塘乡	7	29.3	1536.31	下巴塘　铁力角　岔莱　当托　相古　老叶　上巴塘村（含八吉）
8	上拉秀乡	7	28	852.54	加巧　多拉　玛龙　沙宁　日玛　曲新　玻荣村
9	下拉秀镇	8	30.41	9555.20	当卡麻　白玛　尕麻　冈青扣　高强　苏鲁　塔玛　钻多
			5.6	91.60	集中区道路硬化
10	隆宝镇	4	16.39	1524.04	岗日　甘宁　哇龙　云塔村
			2.5	1022.52	德吉岭集中安置点村道硬化四级水泥路
			1.28	462.92	镇区集中安置点村道硬化四级水泥路
11	小苏莽乡	9	36	1004.57	西扎　本江　扎秋　多陇　让多　协新　江西　莫地　草革村
12	安冲乡	5	20.93	1989.45	莱叶　叶吉　拉则　布朗村　吉拉村
13	仲达乡	4	16	1283.33	电达　唐达　歇格　尕拉村
三	囊谦县	5	20.92	600	
14	毛庄乡	5	20.92	600.00	孜多　孜麦　麻永　色吾　孜荣村
四	治多县	5	20	512.6	
15	立新乡	3	12	331.25	叶青　岗察　扎西村
16	加吉博洛镇	2	8	181.35	日青　改查村
五	杂多县	7	28	785.74	
17	萨呼腾镇	4	16	454.87	闹从　多那　扎沟　沙青村
18	昂赛乡	3	12	330.87	热情　年都　苏绕村
六	曲麻莱县	3	12	372.95	

续表 5-9

序号	所在乡镇	村数	里程（千米）	投资（万元）	村落名
19	巴干乡	3	12	372.95	麻秀　团结　代曲村
合计		111	456.03	27415.57	

第二节　市政桥梁

一、结古镇桥梁

胜利路跨扎曲河桥　胜利路跨扎曲河桥位于结古镇城区主干道胜利路上，原有桥梁在地震中受损，灾后重建中拆除。新建桥梁梁高 0.5 米，采用 2 跨预应力混凝土空心板结构，桥长 20 米，宽 36 米，面积 720 平方米。投资来源于中央一般预算收入 988.57 万元。2011 年 4 月 1 日开工，2012 年 10 月 15 日完工，2013 年 6 月 26 日验收。由北京市政工程设计研究总院设计，北京鑫实路桥建设有限公司承建。

胜利路跨巴塘河桥　跨越巴塘河，连通胜利路和滨河路。河槽宽度 33.7 米，桥梁总长 52 米，宽 15 米，两侧设 2.75 米人行道，双向 2 车道。设计荷载公路－Ⅱ级，行车速度 20 千米 / 小时。建设资金属于"胜利路以东小市政"项目内。2012 年 9 月 29 日开工。由中铁二局集团勘测设计院有限责任公司设计，中国中铁建工集团有限公司承建。

公园西路桥　公园西路跨河扎西科桥，原名扎曲河东尼格东路桥，受地震影响，桥头伸缩缝堵塞，两岸桥台上游侧挡块开裂；扎曲北路沿岸下游侧第 3 个支座受压局部变形，上游侧第 8 个支座横向偏位 2 厘米。灾后重建对公园西路桥进行维修加固处理，包括重新铺设铺装层及防水层等。桥长 20 米，宽 21 米，维修加固 378 平方米。投资 153.21 万元。2011 年 8 月 10 日开工，至 2012 年 10 月 15 日完工。由北京市政工程设计研究总院设计，北京市市政一建设工程有限责任公司承建。

公园东路跨河桥　新建公园东路跨扎西科河桥梁，桥位现况河道上口宽 16 米，桥梁宽 20 米，与道路同宽，面积 400 平方米。采用 2 跨预应力混凝土预制空心板梁，桥梁跨径组合 2×10 米。投资 661.27 万元。2011 年 4 月 1 日开工，2012 年 10 月 15 日完工，2013 年 6 月 26 日验收。由北京市政工程设计研究总院设计，北京市市政一建设工程有限责任公司承建。

扎西科路跨河桥　规划的扎西科路与巴塘河相交，新建扎西科桥。桥位处现况河道宽 50 米，线路与河道中线交角 75°，规划河道总宽 68 米，向东西两侧各拓宽约 10 米。规划扎西科路路宽 25 米，新建扎西科桥与道路同宽，采用 25 米 3 跨预应力混凝土现浇连续梁桥，桥梁面积 1875 平方米。投资 2748.63 万元。2010 年 8 月 27 日开工，2012 年 10 月 15 日完工，2013 年 6

月 26 日验收。由北京市政工程设计研究总院设计，北京市市政一建设工程有限责任公司承建。

结古东路跨河桥　位于结古东路与巴塘河相交处，新建桥梁。桥位处河道上口宽 91 米，规划河道上口宽 68 米。采用 6 跨预应力混凝土预制空心板桥，跨径组合 6×13 米，长 78 米，宽 20 米，面积 1560 平方米。投资 1832.74 万元。2011 年 9 月 25 日开工，2012 年 10 月 15 日完工，2013 年 6 月 26 日验收。由北京市政工程设计研究总院设计，北京鑫实路桥建设有限公司承建。

跨河路跨河桥　跨河路跨河桥，桥梁全长 104 米，5 跨简支板桥结构。恢复重建中进行维修加固，桥面铺装 6 厘米厚混凝土。主梁由高 0.8 米预制空心板和厚 0.1 米钢筋混凝土现浇面板组成，边板底面宽度 0.995 米，悬臂长 0.495 米；中板宽度 0.99 米。投资 308.13 万元。2011 年 4 月 25 日开工，2012 年 10 月 15 日完工，2013 年 6 月 26 日验收。由北京市政工程设计研究总院设计，北京鑫实路桥建设有限公司承建。

藏额纳大桥　新建桥梁与道路同宽，采用 3 跨预应力现浇连续梁桥，桥梁总长 90 米，宽 21 米，面积 1890 平方米。投资 3148.17 万元。2011 年 4 月 1 日开工，2012 年 10 月 15 日完工，2013 年 6 月 26 日验收。由北京市政工程设计研究总院设计，北京鑫实路桥建设有限公司承建。

巴曲桥　新建左右两侧人行桥，各宽 3.5 米，总宽 25 米。上部结构采用 3 跨预应力混凝土实体板结构，梁高 1.0 米，左桥总长 56.7 米；右桥总长 61.7 米。下部结构中墩采用桩接柱结构，边墩采用边盖梁接钻孔灌注桩型式，墩柱直径 1.2 米，边墩桩直径 1.2 米，中墩桩直径 1.5 米。投资 623.91 万元。2010 年 9 月 11 日开工，2012 年 10 月 15 日完工，2013 年 6 月 26 日验收。由北京市政工程设计研究总院设计，北京鑫实路桥建设有限公司承建。

结古路跨河桥　对原有桥梁挡块进行修复，封闭墩帽竖向裂缝及空心板纵向裂缝，修复桥台翼墙破损部位，在桥两侧各绑宽 4 米，达到路桥同宽，绑宽部分采用 3 跨预制混凝土空心板结构，绑宽面积 450 平方米，修复重建 1230 平方米。投资 1086.82 万元。2011 年 4 月 25 日开工，2012 年 10 月 15 日完工，2013 年 6 月 26 日验收。由北京市政工程设计研究总院设计，北京鑫实路桥建设有限公司承建。

结古镇新建、维修桥梁统计表

表 5-10

序号	桥梁名称	总投资（万元）	长度（米）	宽度（米）	结构形式	跨径（米）	备注
1	巴曲桥	623.91	61	25	实体板	18+25+18	两侧绑宽人行桥
2	扎西科路跨河桥	2748.63	75	25	现浇连续梁	3×25	新建
3	结古中路跨河桥	1359.81	65	15	空心板	5×13	新寨东路
4	结古东路跨河桥	1832.74	78	20	空心板	6×13	
5	藏额纳大桥	3148.17	90	21	现浇连续梁	3×30	
6	公园西路跨河桥	153.21	20	21			维修 378 平方米
7	公园东路跨河桥	661.27	20	20	预制空心板	2×10	新建 400 平方米
8	胜利路跨扎曲河桥	988.57	20	36	预制空心板	2 跨	拆除并新建 720 平方米

续表 5-10

序号	桥梁名称	总投资（万元）	长度（米）	宽度（米）	结构形式	跨径（米）	备注
9	结古路跨河桥	1086.82			预制空心板		维修、新建 1230 平方米
10	跨河路跨河桥	308.13	104		简支板桥	5×20	维修 1600 平方米
11	胜利路跨巴曲河桥		52	20.5			两侧人行道 5.5 米
合计		12911.26	585	203.5			

二、其他城镇桥梁

称多县称文镇共建 10 座市政桥梁及附属工程，总投资 999.15 万元，2013 年 9 月竣工验收。治多县加吉博洛镇修复市政桥梁及附属设施，共 2 座，投资 743.41 万元。杂多县萨呼腾镇维修加固桥梁 2 座，投资 1117.00 万元。城镇市政桥梁恢复重建资金来源于中央一般预算收入。

第三节　广　场

一、格萨尔广场综合整治

在结古镇规划建设市政广场，对原格萨尔广场进行重建规划和综合整治，新建配套地震遗址纪念设施的感恩广场，新辟作为避难场所的小广场 6 处。资金来源于中央一般预算收入。广场位置东临巴塘河，北临扎西科河，西临胜利路，南临扎西科路，第一批开工的标志性建筑之一。本工程绝对标高 3682.15 米。包括广场、展示馆、展览馆、档案馆 4 个分号工程。用地面积 6.9 公顷，地界内用地 5.89 公顷。广场规模 48288 平方米，建筑物总建筑面积 8219.2 平方米。包括室外广场铺地、平台、台阶、坡道、道路、绿地、小水池、装饰挡墙、停车场等，地面铺装采用 100×100×50 石钉拼花形式。展示馆建筑面积 2699 平方米，其中地上 919 平方米，地下 1780 平方米；主要功能有学术报告厅、多功能厅、文化展览厅、办公、贵宾接待、库房、广播、保安值班室等；首层设 10 千伏变电站、供热机房、保安监控、网络机房，屋顶设有消防水箱。展览馆建筑面积 2912 平方米，主要功能有展览厅、多功能厅、观众休息厅、贵宾接待室、办公室、公共厕所等，地下一层设有消防水池和消防泵房。州县档案馆建筑面积 8219 平方米，主要功能有门厅、会议接待、阅览、办公业务用房、库房以及派出所、独立商业用房，首层设有消防控制室。建筑物外墙采用石包金打造藏式风貌，取材困难，施工工艺难度较大。部分门采用 6 米高实木大门，凸显建筑物的整体大气效果。总投资 16877.53 万元，含格萨尔展示馆外墙浮

重建后的格萨尔广场

雕 370 万元。其中，中央一般预算收入 11377.53 万元，省财政资金 2000 万元，中华慈善总会捐赠资金 3500 万元。由天津华汇工程建筑设计有限公司设计，中铁二十一局集团第四工程有限公司承建。2011 年 7 月 30 日奠基，2012 年 8 月 13 日主体封顶，2013 年 10 月建成。

二、感恩广场

玉树感恩广场位于玉树县结古镇南地震遗址纪念设施地块，总占地面积 6730 平方米，感恩广场建筑面积 5742.85 平方米。建设内容包括石碑、雕像及基座、广场铺装。石碑采用条形基础，主体砖混结构，外立面及顶面粘贴花岗岩饰面。雕像基座基础采用筏板基础，主体框架结构，面层粘贴花岗岩饰面。广场依次由原土夯实、300 厚天然级配卵石，150 厚 C25 混凝土、150 厚 5% 水泥稳定沙砾、50 厚 1∶3 干硬性水泥砂浆、100 厚水泥砖铺装。投资包含在地震遗址纪念设施总投资中。2013 年 5 月 20 日开工，10 月 10 日竣工验收。由青海省规划设计研究院设计，中铁二局建筑公司承建。

三、结古大道城市广场

结古大道城市广场占地面积 13513 平方米，内设停车位、绿化、休息椅凳及树荫，作为市民观景休闲、健身运动及应急避难场所。投资 552.54 万元。2013 年 8 月开工，2013 年 10 月完工验收。由中国中铁工程设计院、中铁二局勘测设计院设计，中铁建工集团一分部承建。

四、扎西大同百货商场广场

扎西大同百货商场广场为应急避难场所，位于玉树县结古镇结古大道，建筑面积 3780 平方米，投资 181 万元。2012 年 9 月奠基，2013 年 4 月 15 日开工，2013 年 9 月完工。中铁二局设计，成都明志建设工程有限公司承建。

五、第一完小东侧广场

第一完小东侧广场为应急避难场所，位于结古镇玉树县第一完全小学东侧，投资 581.60 万元。2013 年 7 月开工，11 月完工。由中国市政工程西北设计研究院有限公司设计，中国建筑工程总公司承建。

六、西杭广场

西杭广场为应急避难场所，位于结古镇西杭商住组团南侧，总占地面积 6730.17 平方米，广场面积 6417 平方米。其中，绿化面积 1952 平方米，混凝土路面 630 平方米，艺术混凝土广场面 3835 平方米。广场地面依次用素土夯实、300 毫米厚砂石垫层、150 毫米厚 C20 混凝土路面铺筑。投资 310.54 万元。2013 年 7 月开工，9 月 25 日完工，10 月 10 日竣工验收。由青海华建工程设计有限公司设计，中铁二局建筑公司承建。

另，三江源商贸城前区广场投资 320 万元，结古大道与商业街交会处小广场投资 42.69 万元。

第四节　结古镇公共交通

结古镇公共交通恢复重建，结合“新玉树”的带状多组团式空间结构，以行政中心、商业服务中心、大型居住区、交通枢纽和旅游服务中心等为核心，利用中心城区主干路和次干路设置公交干线，串联各个组团的人流，通过交通枢纽进行衔接和换乘，形成“枢纽—干线”为主体结构的公交网络。布设公共交通网络及设施 4 处，总占地规模约 1.75 公顷，总建筑面积 4400 平方米，可停车 89 辆。建设内容包括业务楼（枢纽楼）、维修车间、停车库、候车亭、门卫室、厂区道路、管线、设备、电气、绿化等。采用站内到发车形式，场地停车区采用沥青混凝土路面。停车场竖向设计符合《城市道路公共交通站、场、厂工程设计规范》（CJJ/T 15—2011）的规定。

新寨公交中心站，位于新寨组团东侧，承担多条线路首末站的汇集，是公交线路的运营管理中心，用地面积 8385 平方米，建筑面积 3400 平方米，2013 年 10 月 27 日竣工验收。双拥街公交首末站，位于结古镇南侧，是公交线路的始发点和终点站，也是车队的所在地，兼有少部分夜间驻车功能，用地面积 2335 平方米，建筑面积 271 平方米，2013 年 6 月 8 日竣工验收。结古镇公交枢纽站，位于格萨尔广场附近，是多条公共交通线路汇集的客流集散场站设施，用地面积 2848 平方米，建筑面积 284 平方米，2013 年 6 月 8 日竣工验收。扎西科公交首末站，位于结古镇西侧，公交线路的始发点和终点站，也是车队的所在地，兼有少部分夜间驻车功能，用地面积 3903 平方米，建筑面积 483 平方米，2013 年 6 月 8 日竣工验收。购置公交车 49 辆。总投资 3601.37 万元，资金来源于中央一般预算收入。由北京市市政工程设计研究总院设计，北京市市政四建设工程有限责任公司承建。

新建结古镇公共交通网络情况统计表

表 5-11

项目	新寨中心站	广场枢纽站	双拥街首末站	扎西科首末站
区位	结古镇东	结古镇中部	结古镇南	结古镇西
用地面积（平方米）	8384.64	2847.38	2334.56	3902.962
建筑面积（平方米）	3393.54	281.77	268.97	483.29
始发线路（条）	2 ～ 3	1 ～ 2	1 ～ 2	4
发车位（个）	4	3	3	4
场地布置	平坡式	平坡式	平坡式	平坡式
绿化面积（平方米）	2229.41	764.57	566.77	832.49
开工时间	2012 年 6 月 1 日	2012 年 6 月 1 日		
主体完工时间	2012 年 6 月 29 日	2012 年 7 月 10 日	2012 年 7 月 9 日	2012 年 9 月 13 日
竣工时间	2013 年 10 月	2012 年 11 月	2012 年 11 月	2012 年 11 月
验收时间	2013 年 10 月 27 日	2013 年 6 月 8 日	2013 年 6 月 8 日	2013 年 6 月 8 日

第五节　供水、供热

一、结古镇供水系统

原玉树县自来水公司，位于结古镇公园西路，始建于 1990 年 7 月，占地 6640 平方米。取水设施有井深 40 米的深井泵房 2 座，低压配电室 3 间，1000 立方米高位蓄水池 1 座，日产水量 5000 立方米。配套供水管网总长 23.5 千米，管径 DN 32 ~ 300 毫米，以灰口铸铁管为主，部分地段铺设管径 DN 32 ~ 100 毫米的 PE、PVC 供水管道约 7.2 千米。供水辐射面积仅占全镇面积的三分之一。居民用水个体 1200 户，每户每月收取水费 18 元；企事业用水单位 110 家，按每立方米 0.90 元计量收取水费；服务行业按每立方米 1.25 元计量收取水费；基建用水单价每立方米 1.50 元；特殊行业用水每立方米 2.50 元。结古自来水公司自建成后，先后隶属于玉树州电力公司、省水利水电集团公司玉树电力公司，发展缓慢且长期处于亏损经营，生产经常受到停电的困扰。2009 年，争取到国家资金，对漏损严重的老旧管网进行改造和扩建，管径 DN 80 ~ 300 毫米，材质全部采用 PE 管，总长约 10.8 千米。但该项工程尚未完工即遭地震，致其全部报废。地震导致结古镇供水系统完全瘫痪。震后于 2011 年 11 月归属玉树县政府管理。

灾后重建结古镇供水系统。新建结古镇供水厂，位于原址以西的果青村，省道 308 线以北 20 米。建设取水构筑物、水厂及供水管网。建设规模：日供水 3 万吨水厂 1 座，水质分析检测中心 1 座，供水管网 70.8955 千米。工程一期总征地 1.48 公顷，建筑面积 2008 平方米。水厂厂区呈矩形布局，东西长 185 米，南北宽 80 米。主要建筑物、构筑物有综合楼、机修间、锅炉房、门卫、二氧化氯消毒间、厂区回用水加压泵房、清水池、总变电室、挡墙等。工艺处理流程为：水源来水→加氯消毒→清水池→供水管网。供水厂原水水质优良，主要去除水中超标的微生物指标即可。设计供水能力近期 3.0 万立方米 / 日，远期 4.5 万立方米 / 日。水源地建筑面积 696 平方米，有 3 座大口井、8 座管井及其配套设施。布设水厂至水源地 10 千伏供电线路，3 个大口井 10 千伏供电线路 6.85 千米。2010 年 8 月 15 日开工，副省长马顺清出席开工仪式并讲话。2011 年 6 月 7 日，清水池单体工程浇筑封顶，2011 年 11 月 20 日竣工。投资中央一般预算收入 21873.95 万元。结古镇供水系统建成运行后，又实施供水管网优化提升工程，建管网压力和流量监测点 41 个、1 座监控室、2 座值班室，新增阀门井，更换部分电气设备，投资 2700 万元。建设供水厂至水源地 3 个大口井 10 千伏供电线路 6.85 千米，投资 120 万元。

结古镇供水厂施工采用了建设部推广的十项新技术中的 7 大项：地基基础和地下空间工程技术、高性能混凝土技术、高效钢筋与预应力技术、新型模板及脚手架应用技术、安装工程应用技术、建筑节能和环保应用技术、建筑防水新技术。其中，有 14 个子项得到应用，对提高供水厂工程质量、加快工程进度、降低工程成本起到关键性的作用。由北京市市政工程设计研究总院设计，北京市市政四建设工程有限责任公司承建，北京磐石监理有限责任公司监理。

二、其他乡镇供水

玉树县隆宝镇供水系统，建设水源及供水管网，供水能力 1000 吨 / 日，水源 1 处，供水管网 8 千米。投资中央一般预算收入 813.45 万元。

称多县称文镇供水系统，建设日供水 0.6 万吨自来水厂 1 座，供水管网 34.84 千米，水源地引水廊道 1 座。建称文镇及松当、松当村松让社、雪吾祝松社、上庄下庄称文沟、雪吾村达哇、上庄下庄人畜饮水工程。中央一般预算收入投资 3216.45 万元。2013 年 11 月竣工验收。

治多县加吉博洛镇供水系统，建设内容包括取水构筑物、水厂及供水管网，修建水源地 2 处，蓄水池 3 座。日供水能力 0.4 万吨水厂 1 座，供水管网 15 千米，用水人口 1720 万人，含治渠街一、二社区供水系统。投资中央一般预算收入 2511.84 万元。由河南豫西建设工程有限责任公司承建。

杂多县萨呼腾镇及加索卡供水工程，建自来水厂 1 座，供水能力 0.4 万吨 / 日，蓄水池 2 座，供水管网 18 千米，供水人口 0.539 万人，投资中央一般预算收入 2183.14 万元。由青海省水文地质工程勘察院设计，西宁市兴农水利有限公司承建。2013 年 9 月 25 日竣工验收。

三、村社人畜饮水

地震以前，农牧区村社人畜饮水主要靠附近河沟的地表水，没有卫生防护措施，人、畜共饮一处水，污染严重。部分乡镇原先所做的饮水工程大多存在地下水枯竭、管道堵塞、裸露、破坏等问题，大部分设施已经废弃多年。农牧民日常生活用水，仍采用到附近河流或山泉背水的老办法。在灾后重建中，在农牧区基础设施建设项目内，安排村社、农牧民新增安置点人畜饮水工程。采用两种供水方式，一是建水源地、蓄水池，通过管网输水的方式；二是水源地输水和土井取水的分散式供水方式。配套建设检查井、分水井、减压井、阀门井、入户井、供水房等设施。此项工程惠及灾区 128 个村社，可统计用水受益人口 105572 人，并解决当地大小牲畜饮水问题。村社人畜饮水工程投资民政部捐赠资金 20703.56 万元，新增农牧民安置点人畜饮水工程投资中央一般预算收入 13004.21 万元，共投资 33707.77 万元。从 2010 年 6 月 10 日起陆续开工建设，至 2013 年 10 月全部完成。

人畜饮水工程实施情况统计表

表 5-12

乡镇	村社（个）	建设内容	用水人口（人）	投资（万元）
玉树县	70		59225	11986.26
结古镇	14	截水廊道 2 座，泉室 11 座，蓄水池 7 座，管道 48 千米	4684	2383.67
隆宝镇	13	水源地 7 处，蓄水池 9 座，管道 94 千米，土井 92 眼	10890	2651.53
下拉秀镇	6	水源地 9 处，蓄水池 9 座，管道 62 千米，土井 230 座	12060	1151.14
小苏莽乡	10	截水廊道 3 座，泉室 5 座，蓄水池 8 座，管道 44 千米，土井 112 眼	10860	1252.18
安冲乡	7	蓄水池 10 座，土井 73 口，大口井 5 口，管道 48.7 千米	2561	1574.73
仲达乡	6	水源地 7 处，蓄水池 5 座，管道 36.7 千米，保温土井 50 眼	4420	1013.65
上拉秀乡	9	引水口 6 座，蓄水池 5 座，管道 41 千米，土井 117 眼	8520	956.37
巴塘乡	5	水源地 9 处，蓄水池 6 座，管道 52 千米，保温土井 32 眼	5230	1002.99

续表 5-12

乡镇	村社（个）	建设内容	用水人口（人）	投资（万元）
称多县	32		31437	4792.48
称文镇	10	水源地 2 处，引水廊道 7 座，蓄水池 18 座，管道 143 千米	8700	1340.74
歇武镇	10	取水口 13 座，管道 153 条，入户管 76 千米，蓄水池 12 座	9017	1433.41
珍秦镇	4	水源地 4 处，管道 31 千米，蓄水池 4 座，土井 290 眼	8400	1116.15
拉布乡	6	水源地 6 处，蓄水池 6 座，管道 20.3 千米	4760	792.23
尕朵乡	2	水源地 2 处，蓄水池 2 座，管道 9 千米	560	109.95
治多县	12		3760	669.15
立新乡	8	水源地 4 处，蓄水池 5 座，管道 22.7 千米	2700	486.29
加吉博洛镇	4	水源地 5 处，蓄水池 5 座，管道 21.8 千米	1060	182.86
杂多县	7		3750	1849.87
萨呼腾镇	4	水源地 4 处，蓄水池 4 座，管道 29.8 千米	3750	1157.86
昂赛乡	3	水源地 3 处，蓄水池 3 座，管道 39.8 千米		692.01
囊谦县	5		4700	782.17
毛庄乡	5	水源地 10 处，蓄水池 14 座，管道 83.5 千米	4700	782.17
曲麻莱县	2		2700	623.63
巴干乡	2	水源地 1 处，蓄水池 2 座，管道 6.7 千米，保温土井 139 座	2700	623.63
新增安置点		蓄水池 4 座，减压井 3 座，管道 48 千米，竖井 4 眼		13004.21
合计	128		105572	33707.77

说明：村社数中含新增居民安置点。输水管网包括输水管、干管、支管、入户管

四、结古镇集中供热

地震前，结古镇只有部分办公用房和住宅采用小型燃煤锅炉集中采暖，集中供热面积约 4 万平方米，多数居民依靠薪柴、牛粪、煤等取暖。灾后重建结古镇集中供热工程，建设供热管网及配套附属设施，共 46 处集中供热点，分布于 5 家医疗卫生单位、8 所学校、9 个居住组团和小区，其余分布于不同行业的各单位，与所在重建项目同期建设，至 2013 年 10 月全部建成。总投资 33798.35 万元。其中，中央一般预算收入 33226.35 万元，企业、个人自筹及贷款 572 万元。集中供热工程实施后，结古镇冬季供暖条件全面得到根本改善，保障能力极大提高。

第六节　环境卫生设施

一、结古镇垃圾填埋场

位于结古镇东约 7.5 千米处的新寨村折松沟，海拔 3690 ~ 3770 米，总占地面积 180 亩。其中，管理设施区 6.9 亩，填埋区 165 亩，进场道路 8.1 亩。设计规模 150 吨 / 日，总库容 84 万立方米，填埋年限 10 年（2012—2021 年），达到Ⅳ类垃圾卫生填埋场。填埋区南北径深 590 米，东西宽 180 米，利用高差 80 米，库底平均坡降 10.82%；两侧边坡高差 10 米，坡度近 1 : 1。这种特殊地形使得本工程防渗结构层施工难度极大。填埋场垃圾渗沥液主要产生于降水渗入、垃圾含水、垃圾分解产生的水分。为减少垃圾渗沥液并使清污分流，采取 3 项措施：一是设置截水沟。在填埋区东、西两侧与山体相接处设置 U 形截水边沟，排走山体汇水。二是分区填埋。将填埋区分成填埋Ⅰ区、填埋Ⅱ区。当Ⅰ区填埋垃圾时，通过 2 号拦挡坝，将填埋Ⅱ区的清水截流引到截水沟外排；当垃圾填埋至填埋Ⅱ区时，将清水外排管道封堵，再将原先封堵的 20 道穿坝管打开，使填埋Ⅱ区产生的渗沥液通过填埋Ⅰ区收集处理。三是设置排洪沟。在防渗层下部设置排洪沟，在填埋区最高处设置拦挡坝，有效阻截山体汇水，通过排洪沟引入排水系统外排。垃圾渗沥液通过收集倒排系统，进入调节量 2500 立方米的渗沥液调节池，经过回喷管线进行回喷处理，通过蒸发的方式减少、消耗渗沥液。当调节池调节能力不足时，渗沥液通过溢流管线输送到污水处理厂进行处理。主要工程量：垃圾填埋区防渗漏结构系统 110000 平方米，排洪沟 680 米，截水沟 2500 米，调节池、溢流管 1000 米，围墙 230 米，管理房 55 平方米。投资中央一般预算收入 10228.46 万元。由北京市市政设计研究院设计，北京市市政六建设工程有限公司承建。2011 年 3 月 29 日奠基开工，2012 年 8 月 19 日主体完工，2013 年 7 月 9 日竣工验收。

恢复重建中对结古镇扎西科垃圾填埋场进行综合改造治理，堆积垃圾 350 万立方米，投资中央一般预算收入 4000 万元。

二、结古镇污水处理设施

地震前结古镇没有污水处理设施。灾后重建污水处理厂及污水管网工程。污水处理厂位于新寨东门外 500 米，国道 214 线北侧。厂区东西长 306 米，南北宽 107 米，总占地面积 49.5 亩，近期工程占地面积 34.5 亩，远期工程预留用地 15 亩。建筑面积 4884.2 平方米，主要建筑物、构筑物包括综合楼、粗格栅间、进水提升泵房、出水井、旋流沉砂池、鼓风机房、总变电室、生物池、综合处理车间，以及电锅炉房、除磷加药间、污泥脱水机房、贮泥池、污泥储运间，管线、道路、机电设备安装施工。采用 A^2/O 生物处理工艺，设计污水处理能力近期 1.5 万立方米 / 日，远期 2.5 万立方米 / 日。污水经过调节池后，通过进水渠道进入装有粗格栅的渠道，拦截污水中较大杂质；然后由污水泵提升进入出水井，经细格栅进一步去除水中杂质后，进入旋流沉砂池去除沙砾；沉砂池出水进入生物池（厌氧区、缺氧区和好氧区），去除 BOD_5、N、P 等污染物；生物池出水经平流式沉淀池沉淀分离，去除悬浮物；沉淀池出水经出水井进入滤布滤池后，经紫外线消毒渠道，去除粪大肠杆菌，抑制细菌再生，然后污水经巴氏计量渠后排至总出水井，在总出水井处加二氧化氯消毒，最后排至巴塘河。生物处理产生的污泥分为回流污泥和剩余污泥。回流污泥自沉淀池排出，提升后经回流污泥渠道回流至生物池的前端的厌氧区。剩余污泥由剩余污泥泵提升连续进入贮泥池，然后进入脱水机进行浓缩脱水，脱水后泥饼经污泥储运间外运。污水厂采用建设部推广的 10 项新技术中的 7 大项、16 个子项：地基基础和地下空间工程技术、高性能混凝土技术、高效钢筋与预应力技术、新型模板及脚手架应用技术、安装工程应用技术、建筑节能和环保应用技术、建筑防水新技术。这些新技术对提高污水厂工程质量、加快工程进度，降低工程成本起到关键性的作用。同期敷设 51.87 千米污水管网。总投资 39539.65 万元，资金来源于中央一般预算收入。2010 年 8 月 15 日开工，2012 年 9 月 28 日竣工验收。项目单位为玉树州三江源投资建设有限公司，由北京市市政工程设计研究总院设计，北京市市政四建设工程有限责任公司承建。

三、城镇环境卫生设施

结古镇环卫设施包括土建和设备，建设 36 座公厕，每座 60 平方米；15 个垃圾中转站，每个 80 平方米。中央一般预算收入投资 2535.21 万元。

隆宝镇建设垃圾中转站 1 座 206 平方米、公共厕所 5 座、环卫车辆及设施。投资中央一般预算收入 389.08 万元。由北京市援建。

称文镇修复垃圾填埋场，一期总库容 30 万立方米，建公厕 15 座。总投资中央一般预算收入 923.47 万元。

加吉博洛镇建设总库容 22 万立方米垃圾填埋场，15 座公厕，购置环卫车辆及设施。投资中央一般预算收入 979.40 万元。由甘肃第六建筑工程股份有限公司承建。

萨呼腾镇建垃圾填埋场，总库容 56 万立方米，一期建成 10 万立方米垃圾填埋场 1 座，6 座公厕。中央一般预算收入投资 935.20 万元。2011 年 5 月开工，2012 年 11 月 3 日竣工验收。由中国市政西北设计院设计，青海石岩建筑安装公司承建。

第五章　通信设施

第一节　通信网

一、通信公司

中国电信玉树分公司　2010 年 4 月 19 日，中国电信成立灾后重建领导小组，迅即提出“一手抓恢复重建，一手抓加快发展”的工作思路。5 月 9 日，率先建成玉树“过渡机房”。到 5 月 21 日，共 46 个基站全部恢复正常工作，218 个小灵通基站有 86 个恢复通信，132 个仍在退服。6 月 12 日，与玉树州人民政府签署灾后信息化重建战略合作协议。2010 年冬季，中国电信青海公司编制完成灾后通信基础设施重建规划，决定提前部署和启动 2011 年玉树灾后重建工作，并从技术方案、资金安排和人员调配等方面作出充分准备。2011 年 3 月 18 日，本着“通信先行，超前保障”的原则，中国电信青海公司在玉树召开电信重建动员大会，号召全体员工与时间赛跑，与毅力较量，把玉树重建项目打造成精品工程、优质工程、阳光工程，绝不辜负国家和集团公司的重托和期望。当年投资 5.2 亿元，重点实施玉树公众通信网、农村通信与信息化、应急通信、过渡恢复期通信保障 4 大工程。结合正在推进的“宽带青海·光网城市”建设，以 20M 光纤到户为核心，融合有线宽带、3G、Wi-Fi 等多种接入方式，采用高性能集群路由器、大容量光传输系统等关键技术，构建“百兆入户、千兆进楼”的绿色高性能通信网络。全面增强玉树州及周边的整体通信能力、网络覆盖能力、抗灾容灾能力和服务能力，满足灾区远期重建工作和经济社会发展的需求。2013 年 1 月 4 日，中国电信与玉树州人民政府签约建设“智慧城市”，实施智慧政务、智慧产业、智慧民生三大工程。1 月 6 日 22 时，中国电信率先打响玉树通信搬迁割接攻坚战。此次割接需一边搬迁，一边割接，并要保证玉树重建正常的通信服务，时间紧、任务急、技术难度大。中国电信青海公司提前 1 个月制定详细、完备的割接方案和时间节点，从理顺业务、资源、流程、服务、培训等关键环节做出周密安排，确保割接工作万无一失。经过 4 个小时紧张有序的工作，至 1 月 7 日凌晨 2 时，玉树过渡机房传输 40×10G 波分 OSN 8800 设备顺利完成搬迁割接；玉树至西宁长途传输 SDH S385 破环加点顺利完成；过渡机房 IP 城域网 NE40E-X16-2、综合承载 CE-2 搬迁成功；省干波分 OSN6800 的搬迁和割接顺利完成。数据业务首战割接取得圆满成功。1 月 22 日，通信枢纽楼正式投入运行。至此，中国电信玉树灾后重建全面完成，率先实现由应急通信到正常通信的重大转变，在通信网络整体能力和信息化服务能力上，一跃超过灾前水平并达到全省领先水平。

中国电信玉树通信枢纽楼项目 地震中，青海电信公司玉树州分公司综合通信楼近于垮塌。服从玉树重建用地规划，玉树电信通信楼异地重建，位于胜利路气象局以南、扎西科路以东、结古宾馆（拉布寺宾馆）以北。占地面积 0.31 公顷，总建筑面积 5000 平方米，建筑高度 20 米。地上 4 层，地下 1 层。土建部分投资 3200 万元，企业自筹。2011 年 5 月 11 日奠基。2012 年 4 月 27 日开工，7 月 6 日主体封顶，2013 年 5 月 30 日竣工。一个集指挥调度、集中监控、网络管理、应急通信、客户服务于一体的多元化、信息化、现代化的新玉树电信通信枢纽楼拔地而起，中国电信玉树灾后重建取得阶段性的成果。本次重建，在恢复原玉树传输网络资源的基础上，重点加强网络安全建设，开展网络的备份环路建设，进一步增强网络的可靠性；以先进实用、安全可靠的通信基础设施，提升玉树州及周边通信服务水平和灾备应急能力；以行业应用为主，面向金融、灾备和互联网应用类客户开展服务，通过基础能力、服务能力、运营能力的综合提高，充分发挥通信业的基础性、先导性和战略性作用，为玉树灾后重建提供信息化动力，成为三江源地区集指挥调度、集中监控、网络管理、应急通信、客户服务于一体的多元化、高科技、信息化的一流通信枢纽。

青海移动玉树分公司 在灾后重建中，于 2010 年实施灾后过渡期通信保障无线网络建设工程、国道 214 线和省道 308 线 GSM 网络覆盖工程。2011 年实施网络质量提升工程、GSM 无线网络新建工程、GSM 无线网络扩容工程。2012 年实施 TD 网络覆盖工程。2013 年实施无线网络优化工程。累计恢复和新建基站 450 个、载频 2000 多个，建成光缆 2500 皮长千米，新增 VLR 容量 8 万、HLR 容量 6 万，各项重建任务完成情况均超过计划进度。从 2 月 26 日 5 时至 28 日凌晨，提前 2 天完成 500 多个基站的割接工作，将过渡机房中的所有通信设备割接至新楼机房。2013 年 6 月，移动通信玉树机楼竣工。经过 3 年的灾后重建，灾区网络运行情况良好，网络接通率、掉话率、覆盖率和语音质量也已恢复并超过灾前水平，玉树地区移动网络质量得到很大改善和提高。服务网点的辐射广度、深度，客户量、话务量和营业收入等各项重要业务经营指标较震前有较大提高。截至 2013 年年初，玉树移动 2G/3G 网络并存，基站数达 240 多个，小区 470 多个，TD 基站 60 多个，通话用户 12 万人。玉树州府所在地、下辖 6 县城区实现 WLAN 与 TD 网络的覆盖，专线业务从震前的十几条发展到 70 多条，WLAN 热点覆盖从零发展到 50 多个，移动网络业务服务向 3G 时代迈进。中国移动在玉树通信网络 3 年重建中共投入约 2.3 亿元，为玉树灾后通信保障及重建目标作出了巨大努力。通过 36 个灾后重建工程，通信基站已达 352 处，载频 2763 块，光缆共计 4580 皮长千米，通信管道长 86 千米，通信网络承载能力及网络品质已远远超过震前水平。3 年重建，开启了玉树移动全业务运营新时代。

建设玉树州移动公司枢纽10000平方米。调度及生产楼工程，位于结古镇民主路（原公园对面），平面呈“L”形布置，框架结构，地上5层，局部4层。地下局部1层，层高3.6米，建筑总高度18.45米，建筑面积5310.47平方米。4层部分：1层设配电室、蓄电池室，在沿街安置震前商铺240平方米；地下室设戊类库房、停车场、设备用房；1层作营业厅、客户信息化体验区、自动业务办理区、手机卖场；2～5层全部为办公用房和无人机房。内设3处封闭楼梯间和1部无机房客梯。机房采用七氟丙烷自动报警、自动灭火系统，可有效保证公司的安全运行，在安全保障方面具有引领作用。生产楼居于用地的北侧，平面呈“一字”形布置，6层框架结构，总高度18.75米，建筑面积3181.8平方米。地下局部1层，地下室层高4.2米；1层用于餐厅及操作间，2～6层为办公室。建筑外立面按“上素下华”原则，底层采用当地石材，并采用藏式柱及柱头、“玻璃嘎层”“贝让”等藏式建筑元素，通过色彩搭配及局部线条、图案装饰，体现玉树的地域风貌、时代特征与建筑功能的特点。调度楼和生产楼投资3816.38万元，企业自筹。2012年4月8日奠基，2012年4月16日开工建设，2012年7月20日主体封顶，2012年10月30日竣工，2013年5月7日验收。由中房集团西宁建筑工程设计有限公司设计，成都市明志建筑工程有限公司承建。

中国联通玉树分公司　在灾后重建中，青海联通公司在中国联通集团公司的大力支持下，遵照工业和信息化部关于玉树地震灾后重建工作的统一部署，按照青海省委、省政府“统一规划、资源共享、远近结合、协调发展、系统设计、保障安全”的电信重建原则，全力推进灾后重建和灾区通信服务。截至2013年12月底，共完成69个重建项目，累计批复投资2.61亿元，完成总投资2.07亿元。新增GSM基站165个、WCDMA基站70个。基站建设中，将传统的一体化基站改为分布式节能基站，使每座基站降低耗能30%以上；采用绿色低碳环保的“太阳能供电”“新风节能”“高效开关电源”等先进技术，使基站供电可靠率达到98%以上，基站配套设备的功耗和不可再生能源的消耗降低，网络健壮性和运行质量有效提升。新建光缆线路2394皮长千米，其中共建共享1306.47皮长千米，共建共享通信管道342.6孔千米。在传输光缆敷设中，采用直埋和管道等安全性能较高的建设方式，基础设施安全等级提升。通过自建、共建共享和与友商置换纤芯等方式，实现传输网成环保护，网络的安全性增强。新增载频1087个，载扇191个，2G/3G无线用户容量35.78万户。在信息化方面，通过VPN技术解决流动营业厅实时办理业务的问题，为灾后业务发展提供强有力的技术支撑；通过新增DCN网络的PE设备和CE设备，实现BSS、MSS系统统一通过DCN网络接入，使系统访问速度及稳定性提高。在体系建设上，州属6个县由营业部升为县级分公司，通过自建与合建、流动服务、代理点相结合的方式，建立以自有营业厅、集团业务中心为主，以社会渠道为有效补充的营销服务体系。在通信业务上，完全具备面向全州提供集移动、固网全业务的宽带通信与信息服务能力。

与地震前相比，基站数增加5.5倍，光缆线路增加3.98倍，通信管道增加118倍。全州移动网人口覆盖率较灾前提升3倍以上。一线营销服务人员较灾前增加2倍，营销服务渠道较灾前增加14.3倍。省道308线网络覆盖率较灾前提升45%，国道214线网络覆盖率较灾前提升

61%。光缆线路实现至6个县城的传输网全覆盖。新建通信枢纽楼4500平方米，比地震前扩大5.5倍。重建后，联通公司已在玉树州建成先进实用、安全可靠、全面支撑“新玉树”经济社会发展的综合业务通信网络，网络覆盖的广度和深度、网络安全运行的稳定性、营销服务的水平得到全面大幅提升。

二、通信工程

共建共享通信基站工程 国务院《玉树地震灾后恢复重建总体规划》对公众通信网重建提出，要提高城乡通信覆盖率、服务水平和安全可靠性，推进通信基础设施的共建共享和“三网”融合。按照保障结古镇重建后移动通信的需求、适度超前发展的原则，整合基站基础设施和土地资源，由中国移动青海公司牵头，联合中国移动、中国联通、中国电信3家运营商，以统一规划、统一协调、统一设计、统一实施的共建共享模式，在结古镇新建19个移动通信基站。其中，落地新建16个，其余3个建于3家运营商的玉树分公司新址内。新建铁塔16座、机房16个、交流引入16处，同时新建部分主设备、配套设备及传输线路。结合结古镇人口发展规模定位和建筑物布局，取定基站间距800米，覆盖半径600米，覆盖区域13.3平方千米。每个基站总用地面积约200平方米，机房建筑面积90.9平方米，砖混结构，地上1层，室内净高3.0米。景观塔高45米或25米。2011年，3家运营商和设计单位联合勘察选址，确定了19个通信基站初选站址。2012年2月委托设计单位编制项目可行性研究报告。中旬，对需要申请用地的16个基站站址进行实地勘察。5月初，项目立项获得批复，开始对16个基站的坐标进行测绘打桩和征地拆迁。7月1日起陆续开工，于当年完成9个基站的机房土建及通信铁塔安装。2013年4月初复工，至9月完成13个基站的机房及铁塔安装，投入运行。建设资金由3家公司自筹，总投资5300万元。其中，移动公司投资1900万元，联通公司投资2300万元，电信公司投资1100万元。由中国移动通信集团设计院有限公司新疆分公司设计。中国通信建设第一工程局有限公司、第二工程局有限公司、青岛中鲁铁塔有限公司、青海誉诚工程有限责

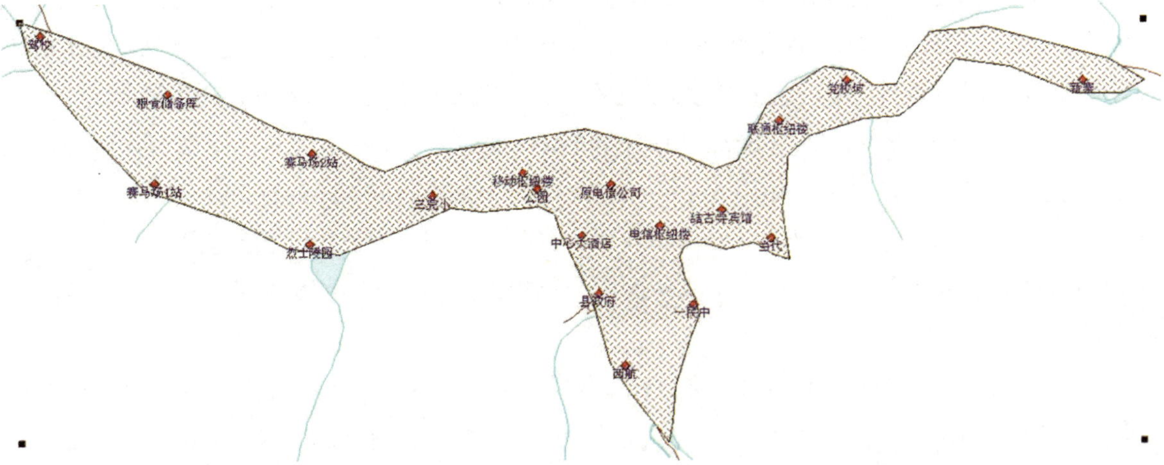

结古镇共建共享通信基站分布图

任公司承建。

联建四县通信管道工程　在灾后重建中，按照通信专项规划“政府主导、统一标准、联合建设、互联互通、资源共享”的原则，结合实现灾区各县县城数字化城市建设，有效应对县城未来发展的通信基础设施需求，要求移动通信运营商、广电、市政管道资源按照各自需求进行统一规划建设，投资由各参与运营商均摊，自筹资金。四县联建管道工程包括称多县、杂多县、治多县、曲麻莱县的县城。建设单位有青海移动、联通、电信 3 家公司，以及青海省广播电视信息网络有限公司的治多县管道工程。由青海移动通信公司牵头建设。2012 年 7 月开工建设。建成称多县管道管程 41.368 千米，杂多县管道管程 20.236 千米，治多县管道管程 58.538 千米，曲麻莱县管道管程 34.653 千米。总投资 2510 万元，其中移动公司 895 万元、电信公司 655 万元、联通公司 880 万元、省广电网络公司 80 万元。由中国移动通信集团设计院有限公司新疆分公司设计，中国通信建设第三工程局有限公司、中国通信建设第一工程局有限公司、中国通信建设第五工程局有限公司、四川荣通通信工程有限责任公司承建。

第二节　邮政局

玉树州邮政系统灾后恢复重建共 6 个项目，分别是玉树州邮政公司，称多县、治多县、杂多县邮政局，结古镇民主路、红卫路邮政支局。建设内容包含业务用房、生产用房、辅助用房、地坪、大门、锅炉房、管网等，设备购置主要配置交换机、中心机房设备、营业网点设备、办公设备。玉树州邮政公司由中央一般预算收入投资 500 万元，其余均由企业、个人自筹及贷款。自 2011 年 10 月陆续开工建设，至 2013 年 6 月全部建成。

州、县邮政局重建情况表

表 5-13

序号	邮政局名	建筑面积（平方米）	建筑结构	投资（万元）
1	玉树州邮政公司	6200	框架	2060
2	治多县邮政局	800	框架	500
3	称多县邮政局	800	框架	500
4	杂多县邮政局	847	框架	500
5	结古镇民主路邮政支局	350		161
6	结古镇红卫路邮政支局	160		62
合计		9157		3783

第六篇
特色产业恢复重建

在灾后恢复重建工作中，坚持重点发展生态畜牧业、种植业，修复农牧业生产设施，统筹安排农牧业服务设施以及农牧业信息网络平台建设。至2012年年底，完成恢复重建项目19个，总投资45998万元。坚持灾后重建与扶贫开发相结合，着力推进实施玉树州6个县14个乡（镇）中受灾较为严重的53个贫困村灾后产业重建项目，覆盖贫困人口8278户、41390人，全面完成106个贫困村产业重建项目。编制完成玉树市绿色产业聚集区规划，48个特色产业和服务项目全面竣工，7个独立商业街区和两河景观带商业区投入运营。按照“一区四带”（结古镇旅游服务区，唐蕃古道旅游带、高原湿地草原旅游带、康巴民俗风情旅游带和宗教文化旅游带）玉树旅游发展框架，深入挖掘康巴文化资源，构建以结古镇为中心，以唐蕃古道、高原湿地草原、康巴民俗风情和宗教文化旅游带为支撑，以观光、体验为主体，集人文景观、自然景观、民俗风情于一体的具有高原特色的旅游目的地，努力打造一批在国内外旅游市场有竞争力和影响力的中高端旅游产品，到2013年10月底，总投资达1.3亿元的玉树州游客服务中心建设、新寨嘉那嘛呢石经城景区整治、勒巴沟文成公主庙景区建设等9个旅游项目基本完成，进一步完善了玉树旅游服务体系。

众志成城　抗震救灾

第一章　农牧业灾后重建

第一节　产业结构调整

一、目标任务

国务院制定的《玉树地震灾后恢复重建总体规划》要求发展生态畜牧业、种植业特色产业，提出灾后重建的目标任务是，转变畜牧业发展方式，大力发展农牧民专业合作社，加大牦牛提纯复壮、藏羊品种选育和犏牛推广力度，推进良种繁育体系、养殖基地和养殖小区建设，恢复重建畜用暖棚、贮草棚。推广优良新品种和新技术，加强青稞生产基地建设。建立青稞、马铃薯良种繁育基地，大力发展特色农业，发展马铃薯、高原蔬菜、中藏药材生产，在适宜地区建设高标准日光节能温室，逐步提高蔬菜自给水平。

青海省人民政府《玉树地震灾后恢复重建生产力布局和产业结构调整专项规划》提出：按照“一年恢复、二年提高、三年形成规模”的要求，通过3年重建，农牧业发展全面恢复，农牧业经济有新提升，发展方式有新转变，产业结构进一步优化，农牧民基本生产生活条件明显改善。

二、思路与措施

省农牧厅成立了灾后恢复重建工作领导小组，下设动物防疫、生产恢复、灾后恢复生产规划、综合协调4个工作组。

恢复阶段，省农牧厅提出6条具体措施。一是切实抓好春季农业生产。二是抓紧损毁倒塌温室大棚的修建工作。省农牧厅制定了《玉树州损坏温室重建方案》，并抽调专家和技术人员协助灾区各县制定重建规划，开展技术指导，组织力量对损毁倒塌的1923栋温室大棚进行修复重建。三是加快恢复畜牧业正常生产，大力推进生态畜牧业建设。按照规模化、集约化经营的思路，以组建牧民合作经济组织为切入点，整合牲畜棚圈、饲草料基地、草场围栏、退牧还草、游牧民定居点等基础设施项目资金，科学规划，合理布局，加快推进生态畜牧业建设步伐，从体制、机制上率先在玉树县闯出一条草原畜牧业发展的新路子。省农牧厅及时制定了《玉树州生态畜牧业建设实施方案》《玉树县结古镇甘达村、禅古村畜牧业恢复重建方案》。四是认真做好退牧还草搬迁移民定居房屋规划重建工作。五是切实加强动物免疫工作。六是制订工作计划，落实工作责任。

在灾后重建过程中，青海省提出，统筹农牧民的生产、生活和三江源生态问题，把农牧业生产恢复发展与特色农牧业经济相结合，与促进农牧民持续增收相结合，与加强三江源生态保护相结合，使灾后的玉树农牧业经济得到提升，农牧民收入得到新提高。立足当前，着眼长远，灾后重建将完成一次产业的升级。

玉树灾后农牧产业发展以市场为导向，以资源为依托，以项目为载体，以城郊畜牧业和农区畜牧业为重点，兼顾抓好草原畜牧业，以规模化养殖和产业化经营为方向，坚持质量和效益并重，大力调整改善农畜产品结构，进一步优化农牧业区域布局。以“企业增效、农牧民增收、产业发展”为目标，围绕农牧区经济结构性调整这一主线，因地制宜、分类指导、发挥优势、整合力量，逐步建立起生产、加工、销售一条龙，贸工农一体的产业体系和风险共担、利益共享的联合机制，促进传统农牧业向现代农牧业转变。在重点支持现有乳品加工企业的基础上，进一步选准、选好乳品产业发展的区域和基地，推动乳品产业向规模化、效益化发展。以结古镇周边乡镇和国道 214 沿线地区为重点，优质乳品产业走“公司 + 农户”的路子，向更宽区域辐射。在整合散养奶源的过程中，玉树“巴颜克拉”乳品品牌逐步打响。

2012 年 7 月 28 日，青海省玉树地震灾后重建现场指挥部《关于调整玉树灾后重建贮草棚和牲畜暖棚项目重建规模的批复》（青震重指函〔2012〕145 号），同意调整玉树灾后重建储草棚和牲畜暖棚项目重建规模，每栋储草棚投资标准由 1 万元提高到 2 万元，建设户数由 1551 户调减为 775 户；每栋牲畜暖棚投资标准由 3 万元提高到 5.5 万元，建设户数由 3630 户调减到 1980 户。

在“菜篮子”、乳制品等产业重建的同时，搞好玉树牛羊肉、饲草料、文化旅游、藏獒养殖等产业的重建工作。玉树牛羊肉素来“美名在外”，大灾之后，玉树州制定各种措施，竭力克服灾害对牛羊肉产业带来的影响，在玉树原有的肉食品集团公司、称多县高原牦牛畜产品有限公司和治多县、曲麻莱县肉联厂的基础上，通过引进省内大型企业，重点开发以冷却肉、分割肉为突破口，抢占肉制品消费市场。同时，引导州内肉制品加工企业扩大生产规模、提高产品档次、增加花色品种和综合开发能力。通过引进技术，进一步向机械化屠宰、加工与冷藏相结合的方向发展，玉树肉食品走俏西宁及省内各地。

以“生态立省”战略为抓手，立足把新玉树建成“生态高地”。利用玉树、称多、囊谦 3 县农作物发展的优势，重点扶持和培育一批具有发展潜力的规模饲草料企业。在开发饲草料新产品的过程中，奶牛、猪禽浓缩饲料、混合饲料和牛羊育肥料要在农牧产业中推广。

围绕特色产业发展，玉树州也在努力培育一批关联度大、科技含量高、带动能力强的龙头企业。利用市场手段对现有品牌进行整合，以优质农产品为重点发展对象，抓优质农畜产品的扩张覆盖。加大科技创新力度，抓科技创新升级进档，鼓励发展健康养殖和生态养殖，提高可持续发展和辐射带动能力。通过基地建设带动农户开展标准化生产、产业化经营，从源头上为农牧产业化发展提供坚实的基础。积极支持有条件的龙头企业在收购畜产品时，确定最低收购保护价，将部分加工、销售环节的利润返还给农户，促进龙头企业与农户形成相对稳定的购销关系。积极发挥行业协会在产业服务、行业自律等方面的作用，与农户在产权上结成更紧密的利益共同体，形成“自愿互利、利益均沾、风险共担”的新机制。

以科技为先导，建设畜产品加工研究中心和工程技术中心，引进、研发、推广畜产品关键加工技术。建设一批与加工业配套、标准化程度高的特色产品加工示范企业，大力发展科技含量高、产业链条长、增值水平高、出口能力强、符合综合利用和循环经济要求的产品和产业。

在玉树灾后重建中，青海省科技厅及时启动实施玉树重建科技引领行动计划、应急关键技术集成与示范项目，在设施蔬菜种植技术集成与示范、科学示范恢复生产、改良天然草地建设饲草基地、集成与示范牦牛健康养殖生产模式技术、培育特色种养殖业基地、科技示范建设顺利进展、开展生态旅游型家庭牧场建设 7 个方面取得预期示范效果，为促进高原生态系统实现良性循环起到了积极的引领作用。

在玉树结古镇代格村，青海省、玉树州科技部门建成节能示范温室 18 座，引进主栽蔬菜 4 类 9 个品种、示范种植蔬菜 6 类 20 个品种、试验种植蔬菜 5 类 20 个品种，建成辐射温室 87 座，占玉树种植温室总数的 60%。2011 年 3 月第一批产品上市，达到日产鲜菜 1000 多千克；省、州科技部门还引进种植青稞品种北青 3 号、北青 6 号、青薯 9 号，获得丰收，表明实验品种适合在玉树地区种植推广；实施高产栽培大田作物种植技术集成与示范，示范种植 7 类作物 8 个品种，面积 1300 亩；实施天然草地综合整治技术集成与示范，治理草地鼠害 5000 亩，培育改良草地 3000 余亩；藏猪舍、藏鸡棚设计和中藏药种苗快繁、粗加工等已经完成。4 个品系蕨麻示范种植 5 亩，100 亩人工种植基地、100 亩生态抚育基地也在建设中。

在农牧业生产恢复重建中，在玉树县种畜场推广种植燕麦 60 亩、圈窝种草 126 亩、天然草地施肥 1000 亩。在玉树县草籽场种植燕麦和冷地早熟禾混播草地 1100 亩，种植多年生冷地早熟禾 2000 亩，首次实现卖草收入 10 万元。已完成巴塘果青建植饲草基地 5100 亩。省、州科技部门还建立了可跟踪、连续测定的高寒草甸草场牧草营养动态监测样地，试制出营养舔块新产品和 3 套放牧家畜补饲装置，获取了 2 张天然草地放牧牦牛游走路径图。

三、实施情况

截至 2011 年 7 月，生态畜牧业 15 个重建项目已完成可研报告批复实施。特色种植业完成 1753 栋蔬菜温室大棚的维修加固工作。

截至 2012 年 9 月，灾后重建项目的温室及配套工程重建项目、高效低排生物质炉建设项目、人工草地6.2万亩重建项目已基本或全面完成；玉树重建牲畜暖棚畜圈建设、贮藏棚建设项目已全面开工；巴塘、隆宝、仲达、安冲4个乡级农牧业综合服务站已完成，等待验收。到2012年年底，玉树州地震灾后农牧业恢复重建的19个项目，总投资45998万元。农牧业重建的州、县种畜场项目，投资700万元，已完成土建及良种调购工作；投资456万元的动物防疫注射栏建设项目已完成材料加工；投资400万元的牦牛、藏羊、生猪等5个养殖场（小区）建设项目已全部完成土建；投资3602万元的重建草地围栏修复项目围栏材料到位率100%，完成安装80%以上；投资10890万元的牲畜暖棚及畜圈项目已完成3393栋，占总建设任务的93.47%；投资1551万元购贮草棚建设项目，完成310栋，占建设任务的45%；投资620万元的灾后重建人工草地建设项目于2012年7月25日全面完成计划任务。

第二节　生产设施修复建设

一、种畜场

玉树州种畜场建设项目　玉树州种畜场建设项目位于玉树县巴塘乡，建设内容为建成500平方米业务用房和400平方米饲草料库，购置配种检测仪器设备。投资396万元，为中央一般预算收入。项目单位为玉树州种畜场，由青海恒兴工程设计有限责任公司设计，新天一集团有限公司承建，青海城垣工程监理有限公司监理。2011年9月30日开工，2012年8月30日竣工。

玉树县种畜场建设项目　玉树县种畜场位于郭青沟县国有牧场，建设内容为建成业务用房和库房各1栋，总建筑面积681.05平方米；购置兽医、牧草加工等业务所需的仪器设备66台（套）；购置种羊420只。总投资295.7万元，为中央一般预算收入，2012年5月开工建设，当年10月完工。项目主管单位为玉树市人民政府，项目监管单位为玉树州农牧局，由青海省农牧业工程项目咨询中心设计，玉树市农牧局承建。

二、养殖场

玉树州（结古镇）牦牛养殖场　玉树州（结古镇）牦牛养殖场建设内容为建设业务用房300平方米，饲草料库200平方米，购置仪器设备20台（套）以及配套水、电路设施。投资77.54万元，为中央一般预算收入。

玉树县牦牛、藏羊、生猪养殖场（小区）建设项目　玉树县牦牛、藏羊、生猪养殖场（小区）建设项目总投资310.17万元，分别在结古、巴塘两个乡镇建设5个养殖场，其中结古镇4个（分别建在禅古、甘达、代格、国青）、巴塘乡1个。建设内容为修建业务用房1200平方米，饲草料库 800 平方米，购置仪器设备 80 台（套）及配套水、电、路等设施。项目总建设面积 2000 平方米。2012 年 5 月开工建设，同年 10 月完工。项目主管单位为玉树市人民政府，项目监管单位为玉树州农牧局，由青海省农牧业工程项目咨询中心设计，玉树市农牧局承建。

三、畜棚畜圈

玉树州种畜场牲畜暖棚及畜圈重建项目　牲畜暖棚、畜圈重建及草地基础设施建设项目，原计划建设牲畜暖棚及畜圈 3630 栋（每栋畜棚 120 平方米、每栋畜圈 350 平方米）。由于单价投资标准过低，通过向省指挥部上报在总投资不变的情况下压缩规模的请示，2012 年 8 月，省指挥部同意玉树州农牧局的变更方案。由于玉树县在这之前将项目全部安排并确定了项目户及施工单位，因此玉树县 3450 栋的计划未变，玉树州种畜场按照变更后的计划实施（建设 120 平方米牲畜暖棚 36 个及配套）。

根据以牛用暖棚及畜圈建设为主的项目规划要求，暖棚畜圈建设遵循经济、合理、高质量的原则，结合项目区养殖业的特点进行设计。具体要求：一是暖棚及畜圈要建在地势平坦、土地干燥，周围无高大物体遮光，便于生产管理的地方，选址一般应在项目户冬春定居点附近；二是暖棚建设面积为 120 平方米，棚长 20 米、宽 6 米，墙基要求在砌筑墙体时必须挖出宽 60 厘米，深 70 厘米的地基槽，前墙高为 1.5 ～ 1.7 米，后墙高为 1.8 ～ 2.0 米，墙体最高点为 2.5 ～ 2.8 米。采光面采用实腹钢架，采暖板宽度 2.25 米，厚度在 1.2 ～ 1.5 毫米；三是屋顶背面采用钢管做大梁、立柱和支架，从下层到上层依次铺盖竹帘、麦草和草泥；四是畜圈与暖棚配套连体建筑面积为 300 平方米，墙体高 1.5 米，用铁栅栏做围墙。投资 195.01 万元，为中央一般预算收入。项目单位为玉树州项目管理公司，由青海恒兴工程设计有限责任公司设计，玉树州农牧局、玉树州种畜场承建，青海省城垣工程监理有限公司监理。2011 年 8 月开工，2012 年 9 月完工交付使用。

玉树县牲畜暖棚及畜圈建设项目　玉树县牲畜暖棚及畜圈建设项目总投资 10885.9 万元，为中央一般预算收入，牲畜暖棚建设地点分别在安冲、隆宝、哈秀、结古、仲达、巴塘 6 个乡镇和县种畜场。建设总任务 3450 栋，每栋牲畜暖棚面积为 120 平方米，总建设面积 103.5 万平方米。其中，安冲乡 180 栋，隆宝镇 1323 栋，哈秀乡 823 栋，结古镇 854 栋，仲达乡 150 栋，巴塘乡 70 栋，县种畜场 50 栋。2012 年 5 月开工建设，2013 年 10 月完工。项目主管单位为玉树市人民政府，项目监管单位为玉树州农牧局，由青海省农牧业工程项目咨询中心设计，玉树市农牧局承建。

四、贮草棚

玉树重建贮草棚建设项目　玉树灾后重建贮草棚建设项目，原计划建设规模为 1551 栋，后经省灾后重建指挥部批准，贮草棚建设规模调整为 775 栋，分布在玉树州种畜场，玉树县结古镇、隆宝镇和巴塘乡。项目建设的总体目标是：加强项目区草地基础设施建设，引导鼓励牧民开展种草养畜、储备饲料，推行舍饲补饲的饲养方式。项目建设原则是：科学布局，综合配套；因地制宜，科学规划；保护生态，转变方式；整合资源，综合建设；创新机制，自力更生。贮草棚的建设标准为：每栋面积 40 平方米，棚宽 6 米，棚长 6.64 米，贮草棚屋顶采用槽钢、方钢、竹帘、草泥铺黏土瓦。投资 1551 万元，建设资金为中央一般预算收入。项目单位为玉树州项目管理公司，由青海恒兴工程设计有限责任公司设计，玉树州农牧局种畜场、玉树县农牧局承建，青海城垣工程监理有限公司监理。2011 年 6 月开工建设，2012 年 9 月完工。

玉树县贮草棚建设项目 玉树县贮草棚建设项目总投资 1372.76 万元，为中央一般预算收入。贮草棚建设地点分别在隆宝、哈秀、结古、巴塘 4 个乡镇和县种畜场，建设总任务 690 栋，每栋贮草棚面积为 40 平方米，总建设面积 27600 平方米。2012 年 5 月开工建设，2013 年 10 月完工。项目主管单位为玉树市人民政府，项目监管单位为玉树州农牧局，由青海省农牧业工程项目咨询中心设计，玉树市农牧局承建。

五、日光节能温室

重建和维修温室的原则与规模 按照把玉树重建为旅游城市的总体要求，玉树州日光节能温室重建和维修工程是以尽快恢复温室生产，增加蔬菜供应量为目标，立足建设保温性能好、抗震力强的高标准温室，建成农牧业重建的标志性工程。重建温室要按照原地恢复和集中连片的原则进行调整，以集中建棚为主，建立温室基地；温室基地尽量安排在有水源、地势平坦的公路沿线，充分调动农牧民群众的种植积极性；提高建棚档次，统一建棚标准，统一组织实施，规模化发展。日光节能温室项目总投资 10287.18 万元，为中央一般预算收入。原计划在全州 6 个县建设 1923 栋日光节能温室（新建 1325 栋，维修 598 栋），全州共完成温室建设 1781 栋，完成投资 9692 万元，因规划征占、灾害损毁等原因，截至 2012 年 5 月，全州实有日光节能温室 1627 栋（新建温室 1078 栋，维修温室 549 栋）。项目单位为玉树州项目管理公司，由青海省农业技术推广总站设计，玉树州农牧局、玉树州 6 个县农（畜）牧局承建，玉树州工程监理中心监理。2010 年 6 月开工建设，2012 年 5 月完工交付使用。

项目重建温室布局 重建和维修温室的布局是：围绕州府县城，重点在公路沿线建立设施蔬菜基地。重建的 1325 栋温室中，在结古镇建设州级设施农业示范基地 1 处；在玉树县建设 100 栋集中连片温室生产基地 3 处，50 栋以上集中连片温室生产基地 8 处；其他为 50 栋以下的规模。具体布局：一是玉树州重建温室 225 栋。其中，州设施农业示范基地 20 栋高标准日光节能温室（折合标准棚 50 栋），结古镇西同村（州草原站菜地）100 栋温室，新寨村（原地毯厂对面）无公害蔬菜生产基地 75 栋温室。二是玉树县重建温室 870 栋。其中，结古镇东风村 130 栋（集中建 100 栋）、新寨村（州林业站苗圃对面）无公害蔬菜生产基地 100 栋、前进村 70 栋、民主村 70 栋、解放村 70 栋、红卫村 50 栋，巴塘乡相古村 50 栋、当托村 30 栋、岔来村 30 栋、勒巴村 30 栋，仲达乡尕拉村 60 栋、歇格村 30 栋、塘达村 30 栋、电达村 20 栋，安冲乡结拉村 30 栋、拉则村 30 栋、来叶村 20 栋。布浪村 20 栋。三是称多县承建温室 235 栋。其中，称文镇上庄村 50 栋、下庄村 30 栋、白龙村 30 栋、松当村 10 栋、拉贡村 10 栋，拉布乡拉司通村 20 栋、郭吾村 20 栋、兰达村 10 栋、帮布村 20 栋，歇武镇直门达村 15 栋、当巴村 10 栋、歇武村 10 栋。

项目维修温室布局　项目维修温室 598 栋。具体布局：一是囊谦县 452 栋。其中，县农场 50 栋，香达镇香达村 20 栋、前多村 20 栋、青土村 100 栋、多昌村 10 栋、巴米村 20 栋，白扎乡东帕村 30 栋、也巴村 20 栋、东日村 20 栋，吉曲乡外户卡村 20 栋、三荣村 40 栋，娘拉乡上拉村 10 栋、下拉村 16 栋，觉拉乡肖尚村 20 栋、尕少村 20 栋、那索尼村 36 栋。二是曲麻莱县 81 栋。其中，约改镇长江村 25 栋、岗当村 16 栋，巴干乡团结村 10 栋、代曲村 10 栋，曲麻河乡昂拉村 10 栋、多秀村 10 栋。三是杂多县 23 栋。其中，萨呼腾镇多那村 15 栋，昂赛乡热青村 8 栋。四是治多县 42 栋。其中，加吉博洛镇日青村 20 栋、改查村 10 栋，立新乡扎西村 4 栋、叶青村 4 栋、岗查村 4 栋。

温室建设内容及技术规范　一是重建温室墙体采用外墙包砖，采光面骨架以钢管为主，以使用水泥无立柱骨架为辅，温室后屋面材料采用新型复合材料板，温室的棚膜采用长寿无滴膜，土层较厚的地区建成半坑式结构。技术规范为：温室坐北朝南偏西 5° 或偏东 5° ；半地下式坑深不少于 0.5 米；温室脊高 3.5 米，室内跨度为 8 米；温室墙体根基厚度在 2 米以上，温室横梁每 3 米设 1 根钢管立柱，下埋设混凝土预制支撑块；采光面每隔 1.5 米设 1 根钢管拱梁，拱梁间加竹竿 2 根，横拉 10 号铅丝不少于 13 道，拱梁与立柱进行焊接，前端前坎处埋设混凝土预制支撑块。温室前 20 厘米处开挖防寒沟（宽 30 厘米，深度达到冻土层），内填干燥杂草或马、牛等畜粪，做好表面防水层处理；温室后屋面仰角为 42° ～ 45° ，每隔 1.5 米设 1 根长 1.6 米以上的钢管（或槽钢）斜梁。后屋面覆盖材料选用厚度 5 厘米以上新型复合材料板；保温草帘厚度不得少于 5 厘米。二是维修温室，要本着对原温室损坏什么补什么的原则进行，重点是加固温室墙体，对损坏的骨架和棚膜进行更换加固。三是重建温室棚内配备蓄水池设施及草帘，每棚建立一个管理房。四是搞好重建温室地区的水、电、路等基础设施建设，做到棚间道路硬化、进棚水渠硬化和确保通电。

六、日光节能温室水、电、路配套设施

日光节能温室水、电、路配套设施建设项目内容，为对玉树州本级及称多、囊谦、杂多、治多、曲麻莱县 1923 栋日光节能温室的基础设施进行改造、完善和建设，根据各温室基地的具体情况，通过对道路、给水、供电方式科学合理的布置和建设，达到交通运输畅通、灌溉便捷、供电有保障，从而提高温室蔬菜种植水平和产量，提高蔬菜自给率，发挥日光节能温室的综合效益。总投资 2513 万元，为中央一般预算收入。其中，建筑安装费用 1806.34 万元，设备购置 284.26 万元，其他费用 284.82 万元，预备费用 137.58 万元。项目单位为玉树州项目管理公司，由青海佰易水利水电设计咨询有限公司设计，玉树州农牧局、玉树州 6 个县农（畜）牧局承建，

青海科兴监理有限公司监理。2011 年 10 月开工建设，2012 年 10 月完工。

七、绿色产业基地

玉树州结古镇灾后重建绿色产业基地位于结古镇东约 5 千米处的东风村，项目与结古镇地区绿色产业发展灾后后续产业培育、扶贫开发、农牧民实用技术培训有机结合，与振兴农村新型产业、调整农业生产结构布局有机结合起来，计划完成温棚建设 1923 栋。基地于 2010 年 5 月中旬开工，到当年 11 月完成投资 4000 万元，建成 1700 栋温室大棚。在完工的温室大棚内种植的蔬菜，于 2011 年春节期间上市供应市场。

八、动物防疫设施

玉树州、县动物防疫注射栏建设项目　总投资 447.23 万元，为中央一般预算收入。项目建设内容为分别在安冲、隆宝、哈秀、结古、仲达、巴塘 6 个乡镇和州、县两个种畜场建成动物防疫注射栏 760 个。其中，安冲乡 100 个，隆宝镇 120 个，哈秀乡 80 个，结古镇 200 个，仲达乡 80 个，巴塘乡 140 个，州种畜场 20 个，县种畜场 20 个。

2012 年 4 月开工，2013 年 10 月完工。项目主管单位为玉树市人民政府，项目监管单位为玉树州农牧局。由青海省农牧业工程项目咨询中心设计，玉树市农牧局承建。

第三节　服务设施建设

一、农牧业综合服务中心

玉树州农牧业综合服务中心　位于结古镇城东片区，建筑面积 761.25 平方米，为地上 3 层独立基础框架结构，建筑高度 8 米。基础混凝土强度等级均采用 C30，抗震设防烈度为Ⅷ度。项目包括工程土建、配套设施及设备购置。该项目建设内容还包括新寨、琼龙、州草原防火站服务中心及玉树州草原防火库。总投资 3987.97 万元，建设资金为中央一般预算收入。项目单位为玉树州项目管理公司，由山东际高建筑设计院有限公司设计，中国铁道建筑总公司援建，中铁二十一局集团有限公司北京分公司承建，西宁正皓人防监理中心监理。2012 年 4 月 1 日开工建设，同年 6 月 15 日主体封顶，10 月 31 日竣工。

玉树县及结古镇农牧业综合服务中心联合建设项目工程　位于玉树县扎西科路南侧，总建筑面积 4650 平方米。项目建设内容包括农牧业综合服务中心综合办公楼、草原农机站办公楼和动物疫病预防控制中心3栋钢筋混凝土框架结构的建筑。设计使用年限50年，抗震设防烈度为Ⅶ度，总投资1575.7万元，建设资金为中央一般预算收入。项目单位为玉树县通天河投资建设有限公司，由上海大境建筑设计事务所设计，中国电建集团玉树重建现场指挥部第二工区援建，玉树县通天河投资建设有限公司承建，青海城垣工程监理有限公司监理。2012年4月1日开工建设，2012年9月26日动物疫病防控中心办公楼和草原农机站办公楼主体封顶，2012年10月10日综合办公楼主体封顶，2013年9月26日经玉树县通天河投资建设有限公司验收竣工。

隆宝镇农牧业综合服务中心建设项目　隆宝镇农牧业综合服务中心建设内容为土建、附属设施及设备购置，建筑面积400平方米，是玉树县兽医站地上1层砖混结构业务用房。建筑内设置有办公室、实验室、药房、疫苗室、库房等功能房间，工程结构安全等级为六级，抗震设防烈度为Ⅶ度，建筑耐火等级为二级，设计使用年限为50年，投资154.71万元，为中央一般预算收入。项目单位为玉树县通天河投资建设有限公司，由北京建筑工程设计有限责任公司设计，北京建工集团有限责任公司援建，北京建工集团援建青海玉树前线指挥部承建，玉树州工程监理中心监理。2011年4月25日开工，同年6月25日主体封顶，2012年8月13日，经玉树县通天河投资建设有限公司、玉树县建设局验收竣工，2012年8月20日交付使用。

安冲乡农牧业综合服务中心　安冲乡农牧业综合服务中心办公用房，位于玉树县安冲乡海拔4000米的高寒地带，建筑为2层框架结构，面积400平方米，投资135.6万元，为中央一般预算收入。该工程采用全新保温材料，确保使用后达到节能、保温的要求。项目单位为玉树县通天河投资建设有限公司，由中国市政工程西北设计研究院有限公司设计，中国建筑玉树灾后重建前线指挥部援建，中国建筑玉树灾后重建前线指挥部承建，玉树州工程监理中心监理。2011年8月12日开工，同年10月21日主体封顶，2012年8月7日由玉树县通天河投资建设有限公司验收竣工交付使用。

仲达乡农牧业综合服务中心　仲达乡农牧业综合服务中心建在玉树县仲达乡增达社，建设内容为土建、配套设施及设备购置。建筑面积400平方米，为地上1层框架结构建筑，建筑总高度5.4米，室内外高差0.3米，建筑设计等级分类标准属于二类工程，耐火等级为二级，屋面防水等级为二级。防水材料耐久年限15年，设计使用年限为50年。投资214.78万元，为中央一般预算收入。项目单位为玉树县项目管理公司，由中铁第一勘察设计院设计，中国铁建股份有限公司援建，中铁二十一局第四工程有限公司承建，兰州建德工程建设监理咨询有限责任公司监理。2011年7月1日开工，同年10月3日主体封顶，2012年7月30日竣工，2013年9月由玉树县通天河投资建设有限公司验收。

巴塘乡农牧业综合服务中心建设项目　巴塘乡农牧业综合服务中心建在铁力角村中部，为地上2层、地下1层的钢筋混凝土建筑，占地面积296.3平方米，建筑面积4000米，建筑高度9.05米，室内外高差0.45米。地上建筑耐火等级为二级，地下室耐火等级和防水等级均为一级。地下一层设有疫苗储存室，地上一层设有各类办公室、兽药门市部、卫生间；二层为检测区，设有各类检测室。为体现民族特色，并与当地环境相协调，该建筑的檐口及雨篷采用了当地建筑常用的红褐色。外墙采用米黄色涂料，局部配以红褐色涂料，与屋檐相呼应，凸现建筑的地域风貌和时代特征。建筑主入口处的“巴塘乡农牧业综合服务中心”标识，采用汉藏两种文字显示。投资183.87万元，为中央一般预算资金。项目单位为玉树县通天河投资建设有限公司，由辽宁省城乡建设规划设计院设计，辽宁省援建玉树巴塘乡前线指挥部援建，辽宁省建筑设计研究院承建，辽宁省建筑设计研究院项目管理咨询公司监理。2011年4月15日开工建设，同年9月20日主体封顶，11月8日竣工验收。

二、结古镇赛义那产业园集聚区工程

产业园区管委会业务用房 建在结古镇扎西科路与规划四路交会处，为两层混凝土框架结构，建筑面积1190.96平方米，建筑高度7.2米。配置有0.4千伏低压配电系统和有线电视系统。占地面积3517平方米，项目区域内硬化道路2200平方米，建成围墙223.4米及14平方米门卫室。总投资585万元，建设资金为中央一般预算收入和省财政资金。项目单位为玉树州经济和商务委员会。由青海省建筑勘察设计研究院有限公司设计，青海省宏星建筑工程有限公司承建，青海誉智工程监理咨询有限公司监理。2014年5月30日开工建设，2014年8月31日主体封顶，2014年10月30日竣工。

产业园区市政道路工程 西起扎西科路省道308线，东至加吉娘山顶，工程共有规划二路、三路、四路、五路、六路、七路、就路、南环路和建设路共9条宽度为12～20米的道路。工程内容包括土方、给排水管网、电力电信设施和照明、路基防护以及人行道附属设施、沥青混凝土路面建设。道路总长7016米，园区水、电、路、供水等基础设施建设投资15000万元，其中中央一般预算收入5000万元、省级财政资金10000万元。项目单位为玉树州经济和商务委员会，由陕西省市政建筑设计研究院有限公司设计，重庆市佳信建设集团有限公司承建，玉树州建设工程监理中心监理。2013年5月8日开工，2014年11月20日竣工。

产业园区一标段工程 位置在结古镇加吉娘以西规划九路与南环路之间，占地面积1.3万平方米，建设内容为畜产品交易市场；多功能展示中心；给、排水管网；照明供电系统及大门、围墙和挡土墙等。其中，房屋建筑面积2100平方米，投资1151万元，建设资金为中央一般预算收入和省财政资金。项目单位为玉树州经济和商务委员会。由青海省建筑勘察设计研究院有限公司设计，青海青成建筑工程有限公司承建，青海誉智工程监理咨询有限公司监理。

赛义那产业集聚区 主要安置现代物流配送、民族手工艺文化旅游产品加工、民族服装生产及销售、建材家具生产、畜产品交易、藏獒交易市场、藏药材加工交易等产业。结古镇产业集聚区建设是玉树灾后重建产业恢复发展项目的重点建设工程，也是玉树灾后重建收官之年的主要建设任务。2013年5月，结古镇赛义那产业集聚区市政工程建设项目开工。2014年4月14日开工建设，2014年8月30日主体封顶，2015年6月竣工交付使用。

三、玉树州产品展示中心

玉树州产品展示中心位于省道 308 线与结古镇赛义那产业园区规划三路交会处，包括产品展示中心房屋土建、给排水及消防系统、采暖通风和照明系统建设，总建筑面积 7133 平方米，建筑高度 12 米。建成后的展示厅将是玉树州标志性的建筑之一。该项目总投资 5000 万元，建设资金为中央一般预算收入和省级财政资金。项目单位为玉树州产业集聚区管理工作委员会规划建设部。由信息产业电子第十一设计研究院科技工程股份有限公司设计，河北天昕建设集团有限公司承建，深圳建明达监理公司青海分公司监理。工程于 2014 年 8 月 10 日开工建设，于 2015 年 6 月 20 日主体封顶，2015 年 10 月 20 日竣工。

四、玉树农畜产品综合交易市场

玉树农畜产品综合交易市场是中国扶贫基金会参与玉树地震灾后重建的最大项目，项目投资 7000 万元，占地 3.33 公顷，建筑面积 30000 平方米，设计有农副与土特产品、畜产品、家具销售、五金建材、劳保物资、装修及汽车交易等交易大厅，集交易、餐饮、住宿、停车于一体。由加多宝集团与中国扶贫基金会援建，2013 年 8 月竣工。玉树农畜产品综合交易市场采用合作社形式经营，让农民自主经营，自主参与管理，并自主分配利润，投入使用后惠及结古镇 5 个村近千户贫困农民，成为服务结古镇、辐射玉树州、影响青川藏三省（自治区）边界的一个大型商贸、物流集散中心。

第二章　扶贫开发

第一节　贫困村扶贫开发工作

一、目标要求

国务院《玉树地震灾后恢复重建总体规划》对扶贫开发提出的要求是：对贫困村产业扶持，依托当地资源优势，建设高标准日光节能温室，发展蔬菜等经济作物种植、马铃薯种植、畜牧业养殖。发展民族家庭手工业和小型农产品加工业，扶持贫困村、贫困户建立综合性农贸市场和专业市场，多渠道增加受灾农牧民收入，开展贫困村互助资金试点；对居住在生态环境恶劣，存在地质灾害隐患等地区的贫困人口，有计划地实施易地搬迁，集中安置，配套基础设施建设，扶持产业发展；实行劳动力转移培训，对青壮年劳动力进行“雨露计划”和实用技术培训，开展以中长期培训为主的民族服装加工、民族用品加工、机械修理、藏绣等各种专业的技能培训，提高贫困群众自我发展能力。

青海省人民政府《玉树地震灾后贫困村恢复重建专项规划》关于扶贫开发的具体要求是：贫困村扶持产业发展方面，建设各类市场、生产基地 80 个，兴办村级实体经济 8 个，修建商业铺面 700 间；贫困劳动力转移培训方面，培训劳动力 3 万人，其中转移培训 1 万人、实用技术培训 2 万人；整村推进方面，126 个贫困村实施整村推进产业项目，开展产业化扶贫。对 45 个已实施整村推进项目的受灾贫困村因地震毁损整村推进项目扶持内容的进行再扶持。贫困村互助资金试点方面，建立村级互助组织，增强贫困村发展后劲，在 126 个贫困村开展互助发展资金试点。易地搬迁扶贫方面，易地扶贫搬迁 60 个村，搬迁 8280 户、3.76 万人；扶持扶贫龙头企业 4 家，对 35920 户贫困户地震受灾房屋维修补助。

二、组织实施

调查研究　2010 年 4 月 23 日，由国务院扶贫办和青海省扶贫开发局组成的灾情调查和重建工作组赶赴地震灾区，分别深入玉树县、治多县、曲麻莱县、杂多县、囊谦县和称多县受灾严重的 16 个乡镇中的 28 个贫困村（社），通过入户走访、召开座谈会等方式，开展调查摸底抽查工作，仔细了解贫困农牧民伤亡及财产受损情况，了解贫困村整村推进项目和村基础设施及社会公益事业受损情况，为制定贫困村灾后重建政策措施和规划提供科学依据。

重点工作　青海省扶贫开发局提出加大对灾区贫困村的扶贫开发力度，力争在 3 年内完成贫困村灾后重建的主要目标任务，并明确了 7 项重点工作。一是倾心竭力帮助灾区贫困农牧民恢复生产，青海省扶贫开发局向省玉树抗震救灾指挥部上报了灾后重建 10 条扶贫开发政策措施，待审定后认真贯彻落实。二是迅速组织人员编制上报《青海省玉树州贫困村灾后重建规划》，明确了玉树贫困村灾后重建的指导思想、基本原则、重建目标和重建工程，计划用 3 年时间在灾区贫困村实施产业发展、易地搬迁扶贫、劳动力转移和培训、受损房屋维修、整村推进恢复重建、产业化扶贫等 7 项重点工程，扶持 234 个贫困村的贫困群众，努力实现脱贫致富目标。三是加大对玉树灾区的扶贫开发投资力度，将国务院扶贫办安排给青海省的新增财政扶贫资金，重点向玉树灾后重建倾斜，同时，整合各类资源加大对灾区贫困村的投入力度，突出发展具有民族特色的优势产业。四是积极落实藏区定点帮扶政策，广泛动员定点帮扶玉树州的发达地区和中央国家有关部委、国企事业单位、省直机关定点帮扶单位、国家和省级产业化扶贫龙头企业，以及民主党派、社会团体、民间组织、国际组织等以多种形式参与灾区扶贫开发建设，加快减贫进程。五是加大劳动力培训转移投资力度，面向全州贫困人口，优先对受灾的青壮年劳动力进行“雨露计划”转移就业和实用技术培训。六是重点扶持玉树县重灾区的红卫、团结、民主、扎西大同、解放、禅古、甘达、果青 8 个贫困村，发展特色产业、建设市场，主要建设畜产品综合交易市场、蔬菜批发交易市场、建材交易市场、以虫草为主的中藏药材交易市场、奶业生产基地等不同类型的市场和基地，以及组建运输副业队、生态畜牧业综合发展、劳动力转移培训等。七是积极与省发展改革委协商，力争在 3 年恢复建设期内，将玉树州受灾严重且就地难以生存发展而需要搬迁的贫困村，列入 2010 年全省易地搬迁扶贫项目。

签订《关于支持玉树地震灾区灾后恢复重建工作框架协议》　2010 年 5 月 3 日，国务院扶贫办与青海省政府关于支持玉树地震灾区灾后恢复重建工作框架协议签字仪式在玉树举行。国务院扶贫办党组书记、主任范小建，国务院扶贫办行政人事司司长司树杰，国务院扶贫办开发指导司司长海波，中国扶贫基金会副秘书长刘文奎，友成企业家扶贫基金会秘书长甘东宇，青海省副省长邓本太出席签字仪式。范小建在签字仪式上指出，当前玉树地震灾区抢险救灾、应急救援基本结束，抗震救灾工作进入了恢复正常秩序、加快灾后重建的阶段，在这重要时刻，国务院扶贫办和青海省政府在玉树县结古镇共同签订《关于支持玉树地震灾区灾后恢复重建工作框架协议》，必将极大地鼓舞灾区各族群众战胜各种困难的勇气，树立重建美好新家园的信心。

范小建强调，这次国务院扶贫办带来了国务院扶贫办所属的中国扶贫基金会先期为玉树地震灾区捐赠的 1 亿元资金，这笔资金的使用要尊重捐款人的意愿，用到最需要和最困难的地方，为灾后重建发挥最大的效益。邓本太在讲话提出，根据灾后重建规划，结合玉树实际，把灾后重建和扶贫开发有机结合起来，灾区人民一定有信心建设好新家园。

玉树灾后扶贫开发产业重建工作会议 2011 年 9 月 27 日上午，青海省扶贫开发局在玉树州召开玉树灾后扶贫开发产业重建工作会议，贯彻落实中共中央、国务院和省委、省政府关于玉树地震灾后重建的一系列重大战略决策部署，安排部署灾区和玉树州贫困村发展产业工作。国务院扶贫开发办公室参与指导司司长海波，青海省玉树灾后重建现场指挥部、青海省扶贫开发局、省发展和改革委员会，玉树州委、州政府以及玉树州灾后重建成员单位的相关领导出席会议。会议认为，在国务院扶贫办、中国扶贫开发基金会、中国扶贫开发协会等各方的大力援助下，玉树州的灾后扶贫开发圆满完成了预期的目标和任务，为实现 3 年重建目标任务奠定了坚实的基础。工作中，青海省扶贫开发局和玉树州各级扶贫单位科学制定贫困村灾后重建规划，及时准确掌握受灾贫困地区的基本情况，尽快恢复灾区贫困群众正常生产生活和开展灾后恢复重建工作。积极争取贫困村灾后产业重建资金，一年多来，共为玉树灾后重建争取扶贫资金 4.39 亿元。积极协调落实贫困村灾后产业援建项目，青海省扶贫开发局专门成立驻玉树灾后重建办公室，确保灾后扶贫援建项目在玉树贫困村的顺利实施。着力推进灾后贫困村产业重建项目，各级扶贫开发部门对玉树州 6 个县 14 个乡（镇）中受灾较为严重的 53 个贫困村实施灾后产业重建项目，覆盖贫困人口 8278 户、41390 人。扎实开展扶贫开发重点工作，2010 年至 2011 年，青海省扶贫开发局下达玉树州扶贫开发项目资金 1.82 亿元，安排开展整村推进、异地搬迁、农牧民培训、贫困村互助资金试点等工作。会议要求，要齐心协力抓好扶贫开发几项重点工作：精心组织实施好 53 个贫困村恢复重建产业发展项目；切实做好捐赠项目的衔接工作；科学组织实施各项扶贫开发项目；扎实开展玉树地震灾后恢复重建总体规划评估工作。

扶贫投资 国务院《玉树地震灾后恢复重建总体规划》中安排扶贫开发资金 1 亿元，在玉树州 6 个县 14 个乡（镇）受灾较重的 53 个贫困村实施灾后恢复重建项目，覆盖贫困人口 8278 户、41390 人。“4・14”玉树地震发生后，国务院扶贫办积极动员组织机关干部职工和扶贫系统所属社团组织，踊跃开展向玉树灾区献爱心活动。先后捐赠款物 1.23 亿元。截至 2011 年 8 月底，青海省扶贫开发局多方争取项目资金，共落实玉树灾后重建、援建等扶贫开发项目资金 3.96 亿元（不含无偿援助 LED 路灯项目资金）。

任务落实 玉树大地震发生后，国务院扶贫办、中国扶贫基金会、中国扶贫开发协会派出工作组深入灾区调研，根据灾后贫困群众的生产生活状况，决定将产业重建作为扶贫重建工作的切入点和突破口，为灾区贫困群众的增收脱贫提供产业支撑。中国扶贫基金会捐资 9000 万元实施产业重建项目，不断更新贫困群众的产业致富理念，积极探索创新经营管理新模式，建立健全项目运行机制。

省扶贫办派出工作组常驻玉树，参与协调服务，强化一线指导，帮助解决问题，玉树灾后贫困村恢复重建项目进展顺利。为尽快启动实施灾后贫困村恢复重建项目，省扶贫开发局积极衔接省州发展改革委、财政等部门，确定项目责任单位、实施单位和项目建设内容，协调解决项目实施方案编制、项目审批过程中出现的问题，明确责任，理顺程序，落实资金，推动扶贫开发工作。

为尽快落实《关于支持玉树地震灾后恢复重建工作框架协议》和中国扶贫基金会与青海省扶贫开发局签订的《合作开展玉树灾后贫困村恢复重建工作执行协议》，抓紧实施中国扶贫基金会捐资 1 亿元的贫困村产业重建项目，青海省扶贫开发局积极协调解决项目前期工作中的困难和问题，加快项目进度。玉树州各级扶贫部门积极协调落实贫困村灾后产业援建项目，落实占地 50 亩的玉树加涅滩农畜产品综合交易市场项目，于 2011 年 7 月底初步确定在结古镇的 5 个贫困村选择 1000 户贫困户作为援建市场项目的受益对象给予扶持，一些已经实施的援建项目成效显现，投资 1000 万元的蔬菜温室大棚扶贫开发建设项目全部如期完成，投资 296 万元援助组建的甘达村运输队运营 3 个半月实现收入 80 多万元，投资 179.72 万元的称多县拉布乡德达村扶贫开发养殖业项目购买 366 头牦牛、奶罐车、磨面机等养殖项目配套设施，贫困农牧民在项目建设中学知识、学技术，获得了受益。

2011 年 8 月底前，囊谦、曲麻莱、杂多 3 个县的项目全部启动。治多、称多、玉树 3 个县的项目实施方案先后确定启动实施。玉树州称多县拉布乡德达村奶业基地建设正式启动，结古镇温棚基地投入使用，种植的蔬菜长势良好，甘达村运输队运营 4 个多月实现收益近 90 万元。中国扶贫开发协会援建的禅古村产业重建项目，投入资金 700 万元，帮助建设了砂石料厂，购置装载机 2 台、挖掘机 1 台、载重自卸车 7 辆；培训贫困劳力特种机械驾驶员 32 名。项目实行租赁经营，禅古村与玉树州运输公司签订了为期 3 年的承包经营合同，每年租金 450 万元。培训的 32 名驾驶员全部上岗，月均工资 3500 元，取得良好的扶贫效益。

到 2011 年 9 月，省扶贫开发局已落实玉树灾后重建、援建等扶贫开发项目资金近 4 亿元，玉树州 6 个县 14 个乡（镇）受灾较重的 53 个贫困村开始实施灾后扶贫开发重建项目，覆盖贫困人口 8278 户、41390 人，一些援建项目成效显现。至 2013 年 11 月，支持实施贫困村整村推进、藏区扶贫开发、异地搬迁等项目，累计扶持 6293 户 28174 人，实现贫困农牧民人均收入增长 8.5%。

第二节　重点产业项目

一、玉树县新寨村嘛呢石加工扶贫项目

玉树县新寨村嘛呢石加工扶贫项目建设内容包括：新建嘛呢石基地 1 处，修建加工车间 200 平方米，原料及成品库房 100 平方米，纪念品销售铺面 50 平方米，生产及管理用房 100 平方米，砖围墙 180 米，大门 1 合，配套建设基地水电路等。购置加工设备。新建旅游接待中

心1处，砖混结构客房25间500平方米，购置客房设施25套，实用技术培训163人，总建筑面积900平方米。投资277.32万元，为中央一般预算收入。项目单位为玉树县通天河投资建设有限公司，由青海恒心设计有限公司设计，江苏省中盛建设有限公司承建，青海国安工程监理有限公司监理。2013年5月20日开工，2013年10月25日由玉树县通天河投资建设有限公司核验竣工。

二、玉树县代格村温室蔬菜基地扶贫建设项目

玉树县代格村温室蔬菜加工扶贫项目建设内容为：建设日光节能温室11栋，每栋545.9平方米，管护房11间，打渠溉用机井1眼，培训83人。建筑面积6004.9平方米，投资137.25万元，为中央一般预算收入。项目单位为玉树县通天河投资建设有限公司，由青海恒心设计有限公司设计，四川省安泰建设有限公司承建，青海城垣工程建设监理有限公司监理。2013年9月28日开工，2014年8月15日竣工。

三、玉树县隆宝镇措桑村畜产品交易项目

玉树县隆宝镇措桑村畜产品交易项目建设内容包括项目扶持户174户747人。新建畜产品交易市场1处。其中，新建房屋40间、共800平方米，新建围墙60米，大门1合，硬化地坪1925平方米，排水沟200米，公示牌1个，土井1眼，输电线路200米，劳动技能培训174人。总投资223.75万元，为中央一般预算收入。项目单位为玉树县通天河投资建设有限公司，由青海恒鑫设计有限公司设计，四川省安泰建设有限责任公司承建，青海城垣监理工程有限公司监理。2012年7月5日开工，2012年9月3日主体封顶，2012年11月3日由玉树县通天河投资建设有限公司核验竣工。

四、玉树县卡孜村等21个贫困村扶贫开发商铺、运输车购置项目

玉树县卡孜村等21个贫困村扶贫开发商铺、运输车购置项目，完成购置商铺10409.54平方米、完成1840名驾驶员的培训。投资5202.84万元，其中中央一般预算收入4740万元、省级财政资金462.84万元。该扶贫开发项目中，购置商铺投资4850万元，培训投资214万元，购置机械投资106万元，还包括公示牌制作费，前期、单位管理费用等。项目由玉树灾后重建商住组统一安排实施。2011年12月1日开始实施，2015年1月完成。

五、称多县灾后重建扶贫开发项目

称多县灾后重建扶贫开发项目，包括给称文镇阿多村、者贝村、赛河村、白龙村、拉贡

村、松当村，歇武镇阿卓茸巴村、直门达村、当巴村、下赛巴村，拉布乡郭吾村、兰达村、达哇村、拉司通村购置运输车辆共143辆、奶牛1250头。总投资1514.4万元，为中央一般预算收入526万元和省级财政资金988.4万元。由青海省农牧咨询中心设计，称多县扶贫开发局实施，2010年12月经县政府及财政局、发展改革局、农牧局、重建办公室等部门审核验收。

六、治多县灾后重建扶贫开发项目

治多县灾后恢复重建，包括加吉博洛镇日青村、改查村及立新乡扎西村、岗察村4个村牦牛集中养殖基地扶贫建设项目。其中，加吉博洛镇日青村购置牲畜744头，投资250万元，为省级财政资金；加吉博洛镇改查村购置牲畜523头，投资177万元，为省级财政资金；立新乡扎西村购置牲畜380头，投资128万元，为中央一般预算收入；立新乡岗察村购置牲畜412头，投资140万元，为中央一般预算收入，由治多县扶贫开发局设计，项目所在地乡镇政府负责实施，2011年5月，4个村扶贫开发项目启动。同年9月，经治多县政府验收完成。

治多县委、县政府提出了着力发展牦牛这一关乎民生产业，改变经营方式，扩大生产规模，使之成为牧民脱贫致富的新要求。根据治多县改查村等4个贫困村群众的意愿和省、州、县扶贫部门调查摸底，认真分析灾情，确定了这4个村的牦牛分散养殖扶贫建设项目。建设项目后续管理工作坚持"政府协调、部门履责，群众参与、村级负责，建管并重、确保效益"的原则进行。项目验收合格后，县扶贫开发办与乡镇签订后续管理责任书，由乡镇、村切实承担起项目管理责任，及时明确产权，由村委会管理、乡镇监督，与业务部门签订有偿技术服务协议，并承担后续技术指导和培训任务。

七、杂多县灾后重建扶贫开发项目

杂多县灾后恢复重建扶贫开发项目包括：萨呼腾镇沙青村、扎沟村、多那村、闹从村，昂赛乡苏绕村5个自然村。萨呼腾镇沙青村，新建标准畜棚1560平方米，购买生产母牛394头、野血牦牛15头。养殖业实用技术培训200人，投资187.81万元，为省级财政资金。萨呼腾镇扎沟村，新建标准畜棚1440平方米，购买生产母牛387头、野血牦牛15头。养殖业实用技术培训188人，投资177.16万元，为省级财政资金。萨呼腾镇多那村，新建标准畜棚1080平方米，购买生产母牛241头、野血牦牛14头。养殖业实用技术培训119人，投资124.46万元，为省级财政资金。萨呼腾镇闹从村，新建标准畜棚1200平方米，购买生产母牛458头、野血牦牛16头。养殖业实用技术培训257人，投资221.52万元，为省级财政资金。昂赛乡苏绕村，新建标准畜棚1920平方米，购买生产母牛540头、种公羊18只。养殖业实用技术培训96人，投资92.15万元，为省级财政资金。由青海省农牧业工程咨询中心设计，四川省射洪县曹碑建筑工程公司、青海省第三建筑公司承建，玉树州工程监理公司监理。2011年8月开工，2012年8月扶贫开发项目完成。

八、囊谦县灾后重建扶贫开发项目

囊谦县灾后恢复重建扶贫开发项目包括毛庄乡色吾村、孜麦村、麻永村、孜荣村4个自然村。其中，毛庄乡色吾村购置商铺7间，培训235人次，投资202.41万元，为省级财政资金；毛庄乡孜麦村购置商铺3间，培训161人次，投资91.56万元，为省级财政资金；毛庄乡麻永村购置商铺6间，培训207人次，投资176.83万元，为省级财政资金；毛庄乡孜荣村购置商铺4间，培训222人次，投资126.34万元，为省级财政资金。援建单位为囊谦县康功德投资建设有限公司；项目单位和承建单位为囊谦县扶贫开发局，由囊谦县城建局监理，县人民政府核验。

九、曲麻莱县灾后重建扶贫开发项目

曲麻莱县灾后恢复重建扶贫开发项目包括巴干乡代曲村和团结村2个自然村。巴干乡代曲村的扶贫内容为：建设高标准日光节能温室，发展蔬菜、马铃薯种植。建设生态畜牧业养殖基地，发展民族手工业，扶持贫困户建立综合性农贸市场和专业市场，尽快恢复农牧业生产，多渠道增加受灾贫困农牧户收入，培训农村劳动力255人（包括转移培训和实用技术培训）。投资257.76万元，为省级财政资金；巴干乡团结村扶贫开发项目内容为建设2418.1平方米畜产品交易市场的土建附属设施及设备购置。投资201.02万元，为省级财政资金。项目单位为曲麻莱县扶贫开发办公室。由青海恒兴工程设计有限责任公司设计，浙江万利建筑工程有限公司承建，西宁联友工程监理有限公司监理。2010年9月15日开工建设，2011年9月15日竣工。

第三章　旅游产业恢复重建

第一节　景区建设

一、结古寺景区

结古寺景区基础设施建设与环境整治项目内容包括：新建 2 座三星级公共卫生间，新建和完善旅游标识系统，修建景区道路、排水等基础设施，建筑面积 1200 平方米，投资 976.55 万元。其中，中央一般预算收入 400 万元，省级财政资金 576.55 万元。项目单位为玉树州旅游局，由青海融合建筑勘察设计有限责任公司设计，青海长胜工程建设有限责任公司援建和承建，北京磐石建设监理有限责任公司监理。2013 年 8 月开工，2014 年 10 月 25 日验收竣工。

灾后重建中的结古寺

二、勒巴沟景区

玉树勒巴沟景区内道路及旅游接待点建设内容为景区内 4.57 千米生态

旅游道路、280 平方米接待点建筑和 500 平方米停车场建设。投资 1103.15 万元。其中，中央一般预算收入 600 万元、省级财政资金 503.15 万元。项目单位为玉树州旅游局，由中国中铁股份有限公司二局设计院设计，中国中铁股份有限公司援建承建，甘肃铁道科学院监理。2012 年 6 月 10 日开工，2014 年 5 月 20 日由玉树州建设局验收竣工。

三、嘉那嘛呢石经城

结古镇新寨嘉那嘛呢石经城环境整治项目工程，是北京市援建的项目工程之一。位于嘉那嘛呢石经城东南侧，距离嘉那嘛呢石经城约百米，是新寨旅游景区的核心地带。该项目工程建筑等级为二级，建筑层数为地上 2 层，占地面积 3590.9 平方米，总建筑面积 1121 平方米，建筑高度 7.93 米，剪力墙结构，基础为墙下条形基础。上部采用钢筋混凝土剪力墙，建筑抗震设防类别为丙类，建筑结构安全等级为二级，抗震设防烈度为Ⅶ度，工程结构设计使用年限为 50 年。投资 2439.54 万元，其中中央一般预算收入 1689.54 万元、省级财政资金 750 万元。项目单位为玉树州三江源投资建设有限公司，由清华大学建筑设计研究院有限公司设计，北京城建集团有限责任公司援建和承建，北京逸群工程咨询有限公司监理。2011 年 9 月 1 日开工，2012 年 7 月 22 日主体封顶，2012 年 10 月 20 日验收竣工。

该项目工程具有以下特色：一是充分考虑了玉树当地的民族风情、文化特征和气候特点，在材料选择、建造工法、空间布局上体现了高原藏区地域性特征；二是旅游景区整体规划设计上，充分考虑当地宗教文脉，整合了新寨 10 处宗教圣地；三是在材料选择上采用碳化木与当地片石的结合，突出古朴、厚重的外观效果；四是采用建筑物厚重墙体最适宜的自然采光和采暖技术，获取最佳生态效益。

四、勒巴沟—文成公主庙景区

玉树勒巴沟—文成公主庙景区建设（含景区接待点）项目，建设内容包括在景区入口处修建生态停车场 2 处，新建三星级公共卫生间 3 座，完善景区道路指示牌、景区标志牌、全景导览图等标识指示系统及景区内其他基础设施和周边环境整治。建筑面积 2500 平方米。投资 2500.67 万元。其中，省级财政资金 1100 万元，中央一般预算收入 1400.67 万元。项目单位为玉树州旅游局，由中国中铁股份有限公司二局设计院设计。中国中铁股份有限公司援建承建，甘肃铁道科学院监理，竣工核验单位为 2012 年 6 月 10 日开工建设，2014 年 5 月 20 日由玉树州建设局验收竣工。

第二节　旅游接待设施

一、玉树州游客服务中心

玉树州游客服务中心是玉树州灾后重建十大标志性建筑之一，坐落在结古镇格萨尔广场旁边。建筑结构形式为钢筋混凝土框架结构，总建筑面积 3857 平方米，是集导游、咨询、信息、安全、预报、救助、医疗、投诉和应急救援等多种旅游服务功能于一体的大型游客服务中心。建筑由 3 个塔座和与其连接的 1 个裙房共 4 个单体组成，其外形似 3 个钢筋混凝土帐篷，具有鲜明的藏民族建筑风格和文化特色。设计使用年限 50 年，防火等级二级，抗震烈度为Ⅶ度。裙房填充为 200 毫米厚加气混凝土砌块，装饰部分外部为干挂大理石。投资 4752.1 万元，其中中央一般预算收入 4252.1 万元、省级财政资金 500 万元。项目单位为玉树州旅游局，由中科院建筑设计研究院有限公司设计，中铁二十一局第四工程有限公司援建和承建，玉树州建设工程监理中心监理。2012 年 4 月 17 日开工建设，2013 年 5 月 30 日主体封顶，同年 9 月 30 日经玉树州三江源投资建设有限公司验收竣工。

二、玉树旅游接待点建设

玉树州结古镇自驾营地及康巴民俗体验区　玉树州结古镇自驾营地及康巴民俗体验区，建设规模 701.56 平方米。主要建设内容为建设停车场、车辆维修业务用房，完善标志系统，配置演艺厅相关设备及藏式传统生活用具等设施，提升演艺厅功能。投资 408.94 万元，建设资金为中央一般预算收入。

八吉生态示范村（含景区接待点）　玉树县八吉生态示范村（含景区接待点），位于玉树县巴塘乡，公建建设规模 3299 平方米，项目建设内容有：建设村卫生服务中心、治安联防警务室、民俗文化展览中心、农牧民专业合作社、演艺厅、农牧民技能培训中心和景区接待点建设。投资 3188.31 万元，其中中央一般预算收入 3088.31 万元、省级财政资金 100 万元。八吉村旅游接待点建设内容包括：在八吉村建成面积 280 平方米游客服务中心，内设的接待大厅用于游客接待、管理、信息服务、旅游购物和交通集散等；游客服务中心旁建成 500 平方米停车场；环卫设施，每隔 50 米左右设置一个造型美观的垃圾桶，并在景区内增设两个封闭式垃圾箱；景区内灵活布置的旅游标志标牌主要有景区综合介绍牌、景点标志牌、公共服务牌、关怀警示牌、石刻标志牌，用于对景区、景点进行具体解释、说明及道路指示等，所有标志标牌都用藏语、汉语、英语 3 种文字体现。八吉村游客服务中心的建筑风貌与周边草原和山地景观环境充分融为一体，凸显民族和地域特色。项目单位为玉树县通天河建设有限公司，由中国城市规划设计院设计，四川省南部县第八建筑公司承建，深圳市建明达监理有限公司监理。2011 年 9 月 15 日开工，2013 年 11 月 20 日完工。

玉树桑周特色民俗村旅游接待点建设 玉树桑周特色民俗村旅游接待点建设项目，建设内容为：建筑面积 280 平方米的接待点建筑和 500 平方米停车场，投资 100 万元，建设资金为中央一般预算收入和省级财政资金。由山东技高设计院设计，中国铁建股份有限公司援建和承建，兰州建德建设监理工程有限公司监理，2012 年 8 月开工，2014 年 9 月 12 日竣工。

玉树代格村旅游接待点建设 玉树代格村旅游接待点建设项目，位于玉树市结古镇东风村，项目建设内容包括游客服务中心。在代格村建成面积 280 平方米的游客接待点服务用房，内设的接待大厅用于游客接待、管理、信息服务、旅游购物和交通集散等；游客服务中心旁建成 500 平方米停车场；每隔 50 米左右设置一个造型美观的垃圾桶，在景区内增设两个封闭式垃圾箱；景区内灵活布置旅游标志标牌。主要有景区综合介绍牌、景点标志牌、公共服务牌、关怀警示牌、石刻标志牌，用于对景区、景点进行具体解释、说明及道路指示等，所有标志标牌都用藏语、汉语、英语 3 种文字体现。代格村游客服务中心的建筑风貌与周边草原和山地景观环境充分融为一体，凸显民族和地域特色。项目投资 100 万元，为中央一般预算收入和省级财政资金。项目单位为玉树州旅游局，由青海融合建筑勘察设计有限责任公司设计，青海长胜工程建设有限责任公司援建和承建，北京磐石建设监理有限责任公司监理。2013 年 6 月开工，2014 年 10 月 25 日竣工。

玉树隆宝滩旅游接待点建设 玉树隆宝滩旅游接待点建设项目位于玉树市隆宝滩，该项目建设内容包括：在隆宝滩建成面积 280 平方米的游客服务中心，内设的接待大厅用于游客接待、管理、信息服务、旅游购物和交通集散等；游客服务中心旁建成 500 平方米停车场；每隔 50 米左右设置一个造型美观的垃圾桶，在景区内增设两个封闭式垃圾箱；景区内灵活布置旅游标志标牌。主要有景区综合介绍牌、景点标志牌、公共服务牌、关怀警示牌、石刻标志牌，用于对景区、景点进行具体解释、说明及道路指示，所有标志标牌都用藏语、汉语、英语 3 种文字体现。隆宝滩游客服务中心的建筑风貌与周边草原和山地景观环境充分融为一体，凸显民族和地域特色。项目投资 100 万元，建设资金为中央一般预算收入和省级财政资金。项目单位为玉树州旅游局，由青海融合建筑勘察设计有限责任公司设计，青海长胜工程建设有限责任公司援建和承建，北京磐石建设监理有限责任公司监理。2013 年 6 月开工、2014 年 10 月竣工。

禅古寺旅游接待点建设 玉树禅古寺旅游接待点项目建设内容包括：建成面积 280 平方米，二层框架结构的游客服务中心，内设的接待大厅用于游客接待、管理、信息服务、旅游购物和交通集散等；游客服务中心旁建成 500 平方米停车场；每隔 50 米左右设置一个造型美观的垃圾桶，在景区内增设两个封闭式垃圾箱；景区内灵活布置旅游标志标牌，主要有景区综合介绍牌、景点标志牌、公共服务牌、关怀警示牌、石刻标志牌，用于对景区、景点进行具体解释、说明及道路指示，所有标志标牌都用藏语、汉语、英语 3 种文字体现。禅古寺游客服务中心的建筑风貌与周边草原和山地景观环境充分融为一体，凸显民族和地域特色。投资 100 万元，为中央一般预算收入及省级财政资金。项目单位为玉树州旅游局，由中国中铁股份有限公司二局设计院设计，中国中铁股份有限公司援建和承建，甘肃铁道科学院监理。2012 年 6 月 10 日开工，2014 年 5 月 20 日由玉树州建设局验收竣工。

玉树县当卡寺景区游客接待点 玉树县当卡寺旅游接待点建设工程，位于玉树县结古镇东风村。建设内容为：在寺内建成面积 280 平方米的游客服务中心用房，用于游客接待、管理、信息服务、旅游购物和交通集散；游客服务中心旁建成 500 平方米停车场；每隔 50 米左右设置一个造型美观的垃圾桶，景区内增设两个封闭式垃圾箱；景区内灵活布置景区综合介绍牌、景点标志牌、公共服务牌、关怀警示牌、石刻标志牌等旅游标志标牌，对景区、景点进行具体解释、说明及道路指示，所有标志标牌都用藏语、汉语、英语 3 种文字体现。游客服务中心的建筑风貌与周边草原和山地景观环境充分融为一体，凸显民族和地域特色。投资 100 万元，建设资金为中央一般预算收入和省级财政资金。项目单位为玉树州项目管理公司，由山东际高建筑设计院有限公司设计，中国铁建玉树地震灾后重建指挥部援建，中铁二十一局二公司玉树地震灾后重建项目部承建，西宁正皓人防监理中心监理。2012 年 5 月 5 日开工建设，同年 7 月 28 日竣工。

第七篇 市场服务体系建设

玉树地震灾后市场服务体系恢复重建，坚持民生优先、突出重点，统筹兼顾、分类指导，适应重建、着眼长远，政府引导、市场配置，尊重民俗、突出特色五项原则，优先恢复重建与群众基本生活和工农牧业生产密切相关的市场服务网点及流通基础设施；坚持恢复重建与发展提高相结合，创新发展现代流通方式，培育形成新玉树发展的支柱产业。主要任务是，完成恢复重建商品零售网络、生活服务网络、商贸批发体系、物流配送体系、屠宰加工体系、粮食流通体系、金融服务网络和市场监管体系，逐步形成布局合理、设施齐全、功能配套、结构优化、特色突出的市场服务体系。商贸服务业灾后恢复重建项目投资 7.5 亿多元，建成建筑总面积 21 万平方米的结古百货商城、三江源商贸中心、新玉树商贸广场、康巴商城、扎西大同百货商城、扎曲商贸城、治曲民族商城 7 个独立商业区。各独立商业区商城设计涵盖餐饮一条街、民族用品一条街、土特产品一条街、综合商场、小商品商城、电子城、日用百货、土特产品及宗教用品、民族工艺品等商业功能，初步形成了结古镇独特的商贸市场体系。恢复重建金融服务体系，到 2013 年 11 月，全州银行机构、保险机构全部迁入新址，较为健全的现代金融组织体系和产品服务体系基本形成。

众志成城　抗震救灾

第一章　商业网点与粮油储备设施

第一节　商品批发零售设施

一、批发市场

玉树县百货批发市场，位于结古镇扎西大同片区，占地面积 1 公顷，总建筑面积 10163.73 平方米，为地上 4 层的 4 栋框架结构楼房。其中 1 号楼局部有地下室，包括百货批发市场及住宅两部分。完成投资 3707 万元。2012 年 5 月 31 日开工。新建的 4 栋楼封顶的时间分别是 2012 年 7 月 22 日、8 月 22 日、9 月 1 日和 9 月 6 日。2012 年 9 月 10 日，4 栋楼全部顺利完成混凝土浇筑，项目工程于 2013 年 6 月 30 日验收竣工。

该项目为商住两用工程，其中 1 栋为全住宅楼，其余 3 栋是商住两用楼，为 42 户居民住房。4 栋楼房抗震等级均为三级，抗震设防烈度为Ⅶ度，设计使用年限 50 年。附属工程建设包括锅炉房、水泵间、水暖安装、电力电器、道路、绿化景观等。项目单位为玉树县项目管理公司。由中铁工程设计院有限公司设计，玉树县通天河投资建设有限公司援建，中国中铁建工集团有限公司北京路桥分公司玉树项目部承建，青海城垣工程监理有限公司监理。

二、结古镇商业街区

结古镇独立商业区　投资 7.5 亿多元，建成建筑总面积 21 万平方米的结古百货商城、三江源商贸中心、新玉树商贸广场、康巴商城、扎西大同百货商城、扎曲商贸城、治曲民族商城 7 个独立商业区。各独立商业区商城设计涵盖餐饮一条街、民族用品一条街、土特产品一条街、综合商场、小商品商城、电子城、日用百货、土特产品及宗教用品、民族工艺品等商业功能。其中，中嘎结古丹珠岭商城于 2012 年 3 月 21 日开工建设，结古百货商城、治曲民族商城、扎西大同百货商城、康巴商城、新玉树商贸广场于同年4月30日全面开工建设，三江源商贸中心于2012年6月21日开标，设计建筑总面积为4.81万平方米，计划投资1.5亿元。

唐蕃古道商住楼一角

两河商业文化旅游核心区 结合结古镇两河河道治理，建设两河商业文化旅游核心区，按餐饮、娱乐一体化的商业休闲区打造。项目包括巴风情商街、红卫路滨水商区、当代国际旅游接待区、唐蕃古道商街4个片区。核心4片区总规划用地面积17.2公顷，总建筑面积17.2万平方米，总投资约7.8亿元。核心区总建筑规模11.94万平方米。其中，住房面积46470平方米（329户），商铺57930平方米。康巴风情商街内分A1 ~ A6片区，红卫路滨水商区内分C1 ~ C6片区，当代国际旅游接待区分1 ~ 6地块，唐蕃古道商街分A ~ E地块。全部钢筋混凝土结构，地上2 ~ 6层，一层设商铺。2012年6月20日开工，2013年9月30日竣工。唐蕃古道商街由青海省水文地质工程地质环境地质调查院承担地勘，中国市政工程西北设计研究院有限公司设计。当代国际旅游接待区由青海省建筑勘察设计研究院有限公司设计。康巴风情街、红卫路滨水商区由中国建筑设计研究院设计，中国电建集团玉树灾后重建现场指挥部承建。

唐蕃古道商街项目，总建筑面积为25580平方米，其中商业面积13500平方米、住宅面积为12080平方米，计划总投资1.6亿元。

康巴风情商街工程是结古镇灾后重建的十大重点工程之一，也是展示玉树“唐蕃古道、高原风光、中华水塔、歌舞之乡、民族之魂”的典范工程。项目规划用地面积4.3公顷，总建筑面积4.3万平方米，总建筑造价2.13亿元。

三、其他城镇商业网点

隆宝镇农牧区商贸综合服务中心 隆宝镇农牧区商贸综合服务中心建设内容为土建、附属设施及设备购置。项目为地上两层砖混结构建筑，面积500平方米，一层为商铺，二层为办公室并设置有卫生间。建筑结构安全等级为六级，抗震设防烈度为Ⅶ度，耐火等级为二级，设计使用年限为50年。投资164.09万元。其中，省级财政资金35.09万元，企业、个人及贷款129万元。项目单位为玉树县通天河投资建设有限公司，由北京建筑工程设计有限责任公司设计，北京建工集团有限责任公司援建，北京建工集团援建，青海玉树前线指挥部承建，玉树州工程监理中心监理。2011 年 4 月 25 日开工，同年 6 月 25 日主体封顶，6 月 30 日交付使用，2012 年 8 月 13 日经玉树县通天河投资建设有限公司、玉树县建设局验收竣工，2012 年 8 月 20 日交付使用。

仲达乡农牧区商贸服务中心　仲达乡农牧区商贸服务中心，建在玉树县仲达乡增达社。工程内容为土建、配套设施及设备购置。该工程为建筑面积 493 平方米的地上 1 层框架结构建筑，总高度 5.1 米，室内外高差 0.3 米。建筑设计等级属二类工程，耐火等级为二级，屋面防水等级为二级，防水材料耐久年限 15 年，设计使用年限 50 年。投资 255.57 万元。其中，省级财政资金 126.57 万元，企业、个人自筹及贷款 129 万元。项目单位为玉树县项目管理公司，由中国铁建兰州铁道设计院有限公司设计，中国铁建股份有限公司援建，中铁二十一局集团第四工程有限公司承建，兰州建德工程建设监理咨询有限责任公司监理。2011 年 7 月 1 日开工，同年 10 月 3 日主体封顶，2012 年 7 月 30 日竣工，2013 年 9 月由玉树县通天河投资有限公司验收。

四、加油站建设

中石油玉树销售分公司办公楼及加油站　中国石油青海玉树销售分公司原来的办公地为四合院式两层楼，在玉树大地震中墙体开裂严重，鉴定为危房拆除。灾后新建的办公楼在玉树州红卫路，总建筑面积 3560 平方米，办公楼为 4 层，1 层层高为 4 米，2 ～ 4 层层高为 3.30 米，建筑总高度为 15.1 米。新建办公楼临近国道 214 线一侧一层为对外营业铺面，二层以上为办公用房。北侧一层为职工餐厅及配套附属用房，二层以上为职工宿舍。建筑物以功能为本，办公、宿舍、营业以及配套附属设施分区布置合理，各区联系方便，互不干扰。平面布局符合城市规划、卫生防护、日照、防火等有关规定。建筑造型和建筑风格现代、大气、美观，体现地域风貌特色，整体设计突出现代要求和审美意识，平面布局合理。外墙均采用 300 毫米厚加气混凝土砌块，内墙为 200 毫米厚加气混凝土砌块。建筑外墙面大部分采用藏红色及米黄色涂料，一层下部采用青灰色面砖。建筑外墙面大部分采用藏红色及米黄色涂料，一层下部采用青灰色面砖，屋面及地下防水等级均为二级。投资 1200 万元，为企业自筹资金。由甘肃省建筑设计研究院设计，河北金品建筑工程集团有限责任公司承建，四川双正石油天然气监理咨询有限责任公司监理。2011 年 4 月 14 日开工建设，同年 6 月 10 日主体封顶，2013 年 1 月 9 日完成所有设备调试及验收竣工。中国石油青海销售公司在玉树重建中迁建、重建和恢复重建的 6 个加油站总投资 4655 万元，建设资金均为企业、个人自筹及贷款。

结古加油站　震前的结古加油站，2009 年刚刚建成，位于玉树州巴曲路。在地震中受灾较为严重。新建的结古加油站建筑为 2 层框架结构的二级加油站，在原地重建。建筑高度 7.5 米，占地 263 平方米，总建筑面积 526 平方米。油罐区采用承重罐池方式，共有 5 座油罐，单罐容量 30 立方米，为 3 罐汽油、2 罐柴油配置。共有双枪潜泵式卡机联接加油机 6 台，罩棚采用螺栓球网架结构，面积768平方米。投资800万元，为企业自筹资金。由中国石油集团工程设计有限责任公司青海分公司设计，成都市大邑县第一建筑工程公司承建，四川双正石油天然气监理咨询有限责任公司监理。2010年5月15日开工建设，同年8月10日主体封顶，2011年8月10日验收竣工。

赛马场加油站 赛马场加油站震前名为格夏加油站，位于结古镇琼龙路11号，2010年5月至6月投入50余万元对该加油站进行加固处理，确保抗震救灾期间的油品供应工作。2011年4月，因其他规划项目的建设需要，加油站拆除，在赛马场北侧建设橇装加油站，由于2011年9月赛马场北侧道路施工，橇装加油站迁至加吉娘山下临时进行油料保供工作。2012年6月加油站规划落地，在橇装站后开始新建赛马场加油站。赛马场加油站属迁址重建项目，建筑为2层框架结构的二级加油站，高度7.5米。总占地面积3000平方米，站房占地面积223.2平方米，站房总建筑面积446.4平方米。油罐区采用承重罐池方式，共4座油罐。单罐容量30立方米，为2罐汽油、2罐柴油配置。加油站有双枪潜泵式卡机联接加油机4台，罩棚面积616平方米，采用螺栓球网架结构。投资800万元，为企业自筹资金。由哈尔滨天源石化工程设计有限责任公司设计，西宁市朝阳建筑工程有限责任公司承建，玉树州建设工程监理中心监理。2012年6月10日开工建设，2012年7月18日主体封顶，2012年10月31日验收竣工。

扎西科加油站 扎西科加油站震前名为西杭加油站，位于胜利路西杭片区。地震中西杭加油站是结古镇3座加油站中受损最为严重的一座。中国石油青海玉树销售分公司投入60余万元，对加油站进行加固，确保了抗震救灾油品的供应。扎西科加油站属迁址重建项目，为二级加油站，2层框架结构，建筑高度7.5米。总占地面积3000平方米，站房占地面积223.2平方米，站房总建筑面积446.4平方米。油罐区采用承重罐池方式，共4座油罐。单罐容量30立方米，为2罐汽油、2罐柴油配置。加油站有双枪潜泵式卡机联接加油机4台，罩棚面积616平方米，采用螺栓球网架结构。投资800万元，为企业自筹资金。由哈尔滨天源石化工程设计有限责任公司设计，西宁市朝阳建筑工程有限责任公司承建，玉树州建设工程监理中心监理。2012年5月15日开工建设，同年6月20日主体封顶，11月15日验收竣工。

新寨加油站 新寨加油站属迁址重建项目，为二级加油站，2层框架结构，建筑高度7.5米。总占地面积3000平方米，站房占地面积223.2平方米，站房总建筑面积446.4平方米。油罐区采用承重罐池方式，共4座油罐。单罐容量30立方米，为2罐汽油、2罐柴油配置。加油站有双枪潜泵式卡机联接加油机4台，罩棚面积616平方米，采用螺栓球网架结构。投资800万元，为企业自筹资金。哈尔滨天源石化工程设计有限责任公司设计，西宁市朝阳建筑工程有限责任公司承建，玉树州建设工程监理中心监理。2012年5月10日开工建设，同年8月3日主体封顶，2013年8月10日验收竣工。

清水河加油站 震前清水河加油站位于称多县清水河镇国道214线旁，是中国石油青海玉树销售分公司在玉树境内通过国道214线到达玉树的第一个加油站，也是中国石油公司在青海省境内海拔最高的一座加油站。清水河加油站属原址重建项目，总占地面积1333.3平方米，站房占地面积208平方米，站房总建筑面积416平方米。油罐区采用承重罐池方式，共4座油罐，单罐容量分别为3座50立方米和1座20立方米油罐，为2罐汽油、2罐柴油配置，加油站有双枪潜泵式卡机连接加油机4台，罩棚面积500平方米，采用螺栓球网架结构。投资800万元，为企业自筹资金。在加油站重建中，施工人员克服高海拔缺氧、气候寒冷多变等难以想象的困难，不到一年半的时间，圆满完成建设任务。项目工程由中国石油集团工程设计有限责任公司青海分公司设计，甘肃第四建设集团有限责任公司承建，四川双正石油天然气监理咨询有限责任公司监理。2011年5月10日开工建设，同年10月15日主体封顶，2012年10月20日验收竣工。

歇武加油站　震前歇武加油站位于称多县歇武镇国道214线旁，是中国石油青海玉树销售分公司在玉树境内通过国道214线到达玉树的沿途重要补给站。新建歇武加油站，属原地重建的二级加油站项目，为2层框架结构建筑，建筑高度7.5米，总占地面积1310.4平方米，站房占地面积212.8平方米，站房总建筑面积425.6平方米。油罐区采用承重罐池方式，共3座油罐，单罐容量50立方米，为1罐汽油、2罐柴油配置，加油站有双枪潜泵式卡机连接加油机4台，罩棚面积374平方米，采用螺栓球网架结构。投资800万元，为企业自筹资金。项目工程由哈尔滨天源石化工程设计有限责任公司设计，河北金品建筑工程集团有限责任公司承建，四川双正石油天然气监理咨询有限责任公司监理。2011年7月22日开工建设，2012年9月5日主体封顶，2013年4月10日验收竣工。

第二节　粮油设施

一、储备库

青海省玉树粮食储备库，始建于2002年，是国家在青海省三批（1998—2001年）建库总体规划项目之一，隶属青海省粮食局的直属企业，是玉树地区唯一储粮条件先进、功能齐全的现代化粮食储备库。库址在玉树结古镇扎西科，距离结古镇3千米，占地35亩。

地震使地处结古镇极重灾区的青海省玉树粮食储备库库房及主要设施遭到不同程度损毁。在经过长达半年的论证、调研和受损质量检测等工作后，2010年年底，青海省玉树粮食储备库恢复重建方案确定。按照恢复重建省级粮食储备库的要求，省玉树粮食储备库重建目标为："力争用两年时间，把玉树粮食储备库建设成区域功能齐全、设施先进、储粮条件和保障能力较震前显著提高，环境优美，与周边环境相协调的一流粮库。"对重建的粮食储备库，要充分体现现代企业风貌和时代风采，体现当地民族特色和藏式建筑特点。

青海省玉树粮食储备库灾后恢复重建，由中国水利水电集团承担，按照工程总承包要求，采取交钥匙方式组织实施。2010年12月，省玉树粮食储备库重建方案（红线图）经有关部门审定后同意原址重建，占地面积由原来的35亩调整至36.75亩，库区占地边界外线也略有调整。省玉树粮食储备库工程内容包括新建21米×44米的4号平房仓库1座，面积924平方米。新建管理用房5527.98平方米，新建大门门卫房、锅炉房146.36平方米，仓间罩棚1584平方米；维修加固1号、2号、3号粮库2904平方米，维修现有办公楼配电、消防、地磅房等853平方米；增加配套工艺设备；拆除原有库房、车间、围墙等，总投资4731.04万元，为中央一般预算收入。其中，一类工程费用占77.75%，包括生产设施、辅助生产设施、办公生活设施、室外工程等费用，二类工程建设其他费用占22.25%（含地震后应急抢修项目费用380万元）。项目单位为青海省粮食局，由中国水电顾问集团西北勘测设计研究院设计，甘肃方圆监理公司西宁分公司监理。2011年4月15日开工建设，2012年10月竣工。

二、粮食物流中心

玉树州粮食物流中心坐落在玉树县结古镇扎西科路北侧，西侧与青海省玉树州粮食储备库相邻，库区两面紧邻城市规划道路，交通方便。工程为地上5层的钢筋混凝土框架结构综合楼，占地面积13470平方米，总建筑面积11400平方米，包括沿街商铺、交易大厅、信息中心、办公室、业务用房、多功能厅等。东西长80.01米，南北深154.05米，建筑高度18米，室内外高差0.6米。建筑耐火等级为二级，抗震设防烈度为Ⅶ度，设计使用年限50年。投资5781.62万元，为中央一般预算收入。项目单位为玉树州项目管理公司，由中国水电顾问集团西北勘测设计研究院设计，中国电建集团玉树重建现场指挥部第二工区援建，玉树三江源投资建设有限公司监理。2011年10月15日开工，2012年8月16日3号平房仓库封顶，2013年4月15日，综合楼、1号、2号平房仓库封顶，2013年5月22日1号、2号成品库封顶。该项目于2014年7月31日竣工验收并移交。

三、粮油购销设施建设

玉树州放心粮油店及批发市场 玉树州放心粮油店及批发市场，建设规模6000平方米，主要建设内容为建设州级放心粮油店及粮油综合批发市场等经营用房及附属设施。投资2083.4万元，建设资金为中央一般预算收入。

玉树县粮油购销公司门市部和青海省烟草公司玉树州公司合建项目 玉树县粮油购销公司门市部和青海省烟草公司玉树州公司办公业务用房合建项目工程，位于结古镇胜利路南段，总占地面积4800平方米，总建筑面积7153平方米。建设内容包括土建工程、装饰装修工程、安装工程及总平工程。项目主要建筑为一栋临街5层，建筑高度19.5米的主楼和用地北侧的一栋3层辅楼。两栋建筑物的抗震设防烈度均为Ⅶ度，建筑耐火等级为二级，设计使用年限50年，总投资2051.86万元。其中，烟草公司投资的2000万元为企业、个人及贷款，粮油公司投资51.86万元为中央一般预算收入资金。项目单位为青海省烟草公司玉树州公司和玉树州项目管理公司，由中铁二局集团勘测设计院有限责任公司设计，江苏中盛建设集团有限公司承建。2012 年 9 月 26 日开工建设，2014 年 8 月验收竣工，交付使用。

称多县粮食安全应急保障体系及放心粮油工程　称多县粮油安全应急体系及放心粮油工程是省重建指挥部于 2013 年新下达的一项任务，要求当年竣工。在时间紧任务重的情况下，海东援建办公室全力以赴组织施工，于 2013 年 10 月完成建设任务。该项目工程位于称文镇，建筑面积 620 平方米，建设内容包括应急粮油储备库、粮油配送中心、放心粮油门市部和配套设施建设。其中，应急粮油储备库为 1 层框架结构，南北长 30.40 米，东西宽 9.40 米，主要用于储备应急粮油。为方便库房内粮油堆放，建筑入口处设置了可供铲车出入的坡道，便于上下通行；粮油配送中心、放心粮油门市部和配套建设的其他辅助和服务设施，总投资 185.04 万元，为中央一般预算收入。项目单位为称多县粮油公司。由青海华建工程设计有限公司设计，海东地区援建办公室援建，青海盛华建筑有限公司承建，西宁联友工程建设监理有限公司监理。2013 年 4 月开工建设，2013 年 8 月主体封顶，同年 10 月经称多县项目管理公司、称多县质量监督站、海东援建办、青海华建工程设计有限公司、青海盛华建筑有限公司、青海省建筑勘察设计研究院有限公司、西宁联友工程建设监理有限公司竣工验收。

隆宝镇粮油购销公司工程　隆宝镇粮油购销公司业务用房为地上 2 层框架结构建筑，占地 2983 平方米，建筑面积 415 平方米，建筑内设置有交易大厅、办公室、仓库各种功能性房间，结构安全等级为六级，抗震设防烈度为Ⅶ度，建筑耐火等级为二级，设计使用年限为 50 年。投资 166.5 万元，为中央一般预算收入。项目单位为玉树县通天河投资建设有限公司，由北京建筑工程设计有限责任公司设计，北京建工集团有限责任公司援建，北京建工集团援建青海玉树前线指挥部承建，玉树州工程监理中心监理。2011 年 7 月 14 日开工，2011 年 8 月 31 日主体封顶，2012 年 8 月 13 日经玉树县通天河投资建设有限公司、玉树县建设局验收竣工，2012 年 8 月 20 日交付使用。

治多县粮食安全应急保障体系及放心粮油工程　治多县粮食安全应急保障体系及放心粮油工程，建设规模 654 平方米，主要建设内容为建设应急库房 1 座、配送中心、放心粮油门市部、土建及相关附属设施。投资 230 万元，建设资金为中央一般预算收入。

杂多县粮食安全应急保障体系及放心粮油工程　杂多县粮食安全应急保障体系及放心粮油工程内容为建设应急成品库 1 座，配送中心和放心粮油门市部各 1 处，包括土建及相关配套设施、设备的购置。建筑面积 860 平方米，投资 248.99 万元，为中央一般预算收入。项目单位为杂多县澜沧江源投资建设有限公司，由西宁市援建，广东省建工设计院设计，青海省宏星建筑公司承建，青海国安监理有限公司监理。2012 年 5 月开工，2013 年 7 月主体封顶，2013 年 9 月 20 日经杂多县人大、政协、监察局、审计局、财政局、建设局、质监站、环保局、杂多县发展改革局、杂多县消防大队、杂多县气象局、西宁工程监理有限公司、杂多县澜沧江源投资建设有限公司、退休老干部代表验收竣工。

第三节　建材物流集散中心

青海物产玉树建材物流集散中心，建在玉树县结古镇民主村（赛马场东侧），主要功能是为灾后重建存储配送钢材、木材、袋装水泥、砂石、陶瓷建材、装饰建材、五金水暖、建筑用耗材等物资。实行大宗建材的统一采购、统一配送，控制和防止哄抬建材价格，做好质量可靠、价格合理的物资配送保障，以发挥国有企业的控制力，维护党和政府在灾后重建中的主导形象。

项目由7栋仓储库房组成，总面积24333平方米，投资200万元。为省级财政资金。项目单位为青海省物产化工有限责任公司，由机械工业第六设计研究院设计，青海省第三建筑工程公司承建。2010年5月22日奠基，同年6月1日开工建设，7月25日竣工。

该项目共分仓储、露天堆场区、办公3个功能区。建设用地呈不规则梯形，总用地面积107304.3平方米，合160.9亩。交通组织方面因出入物流集散中心的交通运输方式是陆路，所有车辆均来自集散中心北侧的公路。在集散中心路网规划时设置了南北方向的主干路两条，东侧主干路接一号门与外公路相连。西侧主干路接二号门与对外公路相连，它们之间通过数条东西方向的道路联络，构成了U型的路网结构。

工程消防设计，五号库均为戊类仓储建筑，单层钢结构，耐火等级均为二级，库房之间的防火间距均大于14米，库房外围护墙1.2米以下，采用250厚加气混凝土砌块，1.2米以上为彩色压型钢板，耐火极限符合《建筑设计防火规范》的规定，库区均设有4～5处对外疏散出口。该集散中心结构设计合理使用年限为10年,建筑物安全等级为二级。建筑物包括7个库房、办公辅助用房等。库房均采用门式钢架轻钢结构，车间纵向通过完善的屋面和柱间支撑及吊车梁系统，共同组成稳定的空间受力系统。建筑物屋面，墙面以冷弯薄壁型钢作为维护系统的次结构构件，并与维护板材可靠连接，以抵御各种外部作用。每个构件的涂装或镀层均满足结构耐久性的要求，办公及辅助生活间采用活动板房。工程所有建筑物抗震设防类别均为乙类，框架结构抗震等级为二级，满足建筑抗震设计的要求。

暖通方面，由于主要是作为物流仓储用，因此仓库不涉及采暖，办公部分各房间预留了电暖气插座。所有仓库均设置了每小时3次的机械排风、换气设备。供电系统采用TN-S系统，电源采用380伏电缆直埋引入，各仓库内都设置一个总配电柜，通信方面设置有电话及网络系统。

第二章　金融业

第一节　银行业务用房重建

一、建设银行玉树支行业务用房

中国建设银行玉树支行综合办公楼，坐落在玉树县结古镇胜利路，建筑面积3473.64平方米。投资2000万元，建设资金为企业、个人自筹及贷款。该建筑为地下1层、地上5层，建筑高度22.2米。建筑结构形式为现浇筑钢筋混凝土框架，楼(屋)面结构形式为钢筋混凝土梁板结构，建筑设计使用年限为50年。项目单位为中国建设银行股份玉树支行，由中国中建设计集团有限公司青海分公司设计，青海省第二建筑安装工程有限公司承建，西宁青大工程建设监理有限公司监理。2012年5月28日奠基，同年6月15日开工。2012年10月20日主体封顶，2013年9月30日竣工。

该项目为青海省玉树州统筹规划的建筑之一，建筑设计在立面造型及平面构成上，按传统公共建筑的做法，从内部功能分区和设备配套上，体现办公建筑的安全性和舒适性，建筑造型力求简约、新颖，使之具有鲜明的时代特征。项目建筑单体设计简单大气，同时也加入了藏式建筑风格的元素，既考虑单体立面效果，又考虑了与四边建筑的协调。造型设计以平面功能布局为基础，采取左右对称、上下协调，体型端庄大气。立面设计考虑了内部功能和实用性与外表的美化相统一，建筑立面色彩明亮稳健。

二、青海银行玉树州分行和农业发展银行玉树分行联建业务用房

青海银行玉树分行及农业发展银行玉树分行业务用房项目工程，建在玉树县结古镇胜利路西侧，由青海银行和农业发展银行青海分行联合建设。占地4638平方米，总建筑面积2300平

方米。该工程由青海银行玉树分行办公楼、农业发展银行玉树分行办公楼和设备房组成，抗震设防烈度为Ⅶ度。总投资 1206.67 万元，建设资金为企业、个人自筹及贷款。由中铁二局集团勘测设计院有限责任公司设计，中铁二局集团公司援建，四川同辉建设有限公司承建，成都交大工程建设监理有限公司监理。2012 年 8 月 25 日项目建筑主体封顶，2013 年 11 月 23 日验收竣工。

根据建筑的使用功能，该项目总平面布局将场地划分为相对独立的 2 个区域，分别作为青海银行玉树分行和农业发展银行玉树分行的用地，分别在建筑物一层临街设置营业大厅，并把两个单位的办公用房、职工食堂置于一栋建筑之中，两个区域分设独立出入口，互不干扰。

青海银行玉树分行办公楼 1 层北侧，布置了配套临街商铺，东侧临胜利路设置了银行营业大厅。2 层为办公室和职工食堂，3 层和 4 层为办公室和会议室；农业发展银行玉树分行办公楼一层为营业大厅和职工食堂，2 ~ 4 层为办公用房。整个建筑以浅色为主色调，体现了现代简约的藏式建筑风格，也凸现建筑的民族和地域特色。

三、邮储银行玉树支行业务用房和平安财险玉树公司及营销服务部业务用房

邮政储蓄银行玉树州支行业务用房和平安财险玉树公司及营销服务部业务用房是两家联合建设项目，建在结古镇胜利路西侧，占地面积 5600 平方米，其中银行片区集中供热项目占地 1400 平方米，总建筑面积 5600 平方米，其中邮储银行 5200 平方米、平安财险 200 平方米、临街商铺 200 平方米。项目建筑包括新建 4 层框架结构办公楼 1 栋，建筑面积 4150 平方米；新建 3 层框架结构信贷审批中心楼 1 栋，建筑面积 1400 平方米；新建 9 平方米门卫室 1 间。工程建筑设置有银行营业服务网点、清点中心、办公室、会议室、档案室、阅览室、活动室、临街商铺、机房、配电室、健身房、车库以及其他配套设施。总投资 2528 万元，其中平安财险投资 70 万元，建设资金均为企业自筹。项目单位为中国邮政储蓄银行青海省分行和平安保险玉树公司，由中铁二局集团勘测设计院有限责任公司勘察设计，青海省宏星建设工程有限公司施工，青岛建设监理研究有限公司监理。装修工程由甘肃省建筑装饰工程公司设计，江苏省第一建筑安装有限公司施工，甘肃铁科建设工程咨询有限公司监理。2012 年 6 月 6 日开工，同年 8 月 25 日整体封顶，2013 年 6 月 20 日土建及安装工程全面完成。2013 年 9 月 30 日，邮政储蓄银行玉树州支行营业网点正式对外营业。同年 10 月 12 日办公楼正式投入使用。

四、玉树州农村信用社联社及分支机构业务用房

玉树州农村信用合作联社业务用房，建在结古镇民主路，项目建筑为混凝土框架结构，建筑面积 1600 平方米。加上各分支机构业务用房，总建筑面积 5865.31 平方米。总投资 2400 万元，为省财政捐赠资金，由中国市政工程西北设计研究院有限公司设计，重庆市佳信建设（集团）

有限公司承建，青海涌源工程监理有限公司监理。2012 年 7 月 1 日开工，2013 年 9 月 30 日经玉树州质检站核验竣工。

五、农业银行玉树州分行及玉树县支行业务用房

农业银行玉树分行灾后重建项目包括玉树州分行机关综合办公大楼和玉树县支行综合办公大楼。农业银行玉树分行机关综合办公大楼，位于原农行玉树分行（胜利路 74 号）机关院内，建筑面积 8000 平方米。综合办公大楼主体设计 5 层，附楼 3 层，建筑面积 7717.1 平方米。1 层为玉树县支行营业部，面积约 1100 平方米，2 ~ 5 层为机关办公用房。投资 2800 万元，建设资金为企业、个人自筹及贷款，项目业主为省农业银行，由中国中铁股份有限公司二局玉树灾后重建工程指挥部援建承建，北京正远监理咨询有限公司监理，2012 年 5 月 8 日开工建设，2013 年 8 月 1 层营业大厅正式通过验收并交付使用。2013 年 9 月 8 日，2 层以上机关办公楼正式投入使用。玉树分行综合办公大楼于 2013 年 11 月 11 日验收竣工，新建成的玉树县支行营业部，按照中国农业银行营业网点新的装修规范进行装修。由于该营业部功能分区多、服务功能齐全、自助服务机具到位，它将成为农业银行青海省分行在全省的精品网点之一。

农业银行玉树县支行综合办公大楼共 4 层，建筑面积 4000 平方米，投资 1400 万元。1 层为玉树县民主路支行营业室，面积约 1000 平方米，2 ~ 4 层为办公区及单身员工住房。由中铁二局玉树灾后重建工程指挥部援建承建，北京正远监理咨询有限公司监理。2013 年 6 月 10 日开工建设，2014 年 9 月 4 日验收竣工。玉树县民主路支行营业部装修完成后，将成为农行在玉树结古地区的第二大精品网点，是州级单位对公客户在农行开户最多的网点。

第二节　保险企业业务用房重建

一、人保财险玉树公司及营销服务部业务用房

中国人民财产保险股份有限公司玉树州支公司及营销服务部业务用房，建在玉树州结古镇民主路，为混凝土框架结构，建筑面积 700 平方米。投资 300 万元，建设资金为企业、个人自筹及贷款。该项目工程由中国市政工程西北设计研究院有限公司设计，重庆市佳信建设（集团）有限公司承建，青海涌源工程监理有限公司监理。2013 年 6 月 20 日开工，2014 年 5 月 30 日经玉树州质检站核验竣工。

二、安邦财险玉树公司及营销服务部业务用房

安邦财险玉树公司及营销服务部业务用房，建在玉树州结古镇民主路，该工程为混凝土框架结构，建筑面积300平方米。投资101万元，建设资金为企业、个人自筹及贷款。由中国市政工程西北设计研究院有限公司设计，重庆市佳信建设（集团）有限公司承建，青海涌源工程监理有限公司监理。2013年6月20日开工，2014年5月30日经玉树州质检站核验竣工。

三、平安财险玉树公司及营销服务部业务用房

平安财险玉树公司及营销服务部业务用房和邮政储蓄银行玉树州支行业务用房是两家联合建设项目，建在结古镇胜利路西侧，占地面积5600平方米，其中银行片区集中供热项目占地1400平方米。总建筑面积5600平方米，其中邮储银行5200平方米、平安财险200平方米、临街商铺200平方米。项目建筑包括：新建4层框架结构办公楼1栋，建筑面积4150平方米；新建3层框架结构信贷审批中心楼1栋，建筑面积1400平方米；新建9平方米门卫室1间。工程建筑设置有银行营业服务网点、清点中心、办公室、会议室、档案室、阅览室、活动室、临街商铺、机房、配电室、健身房、车库以及其他配套设施。总投资1870万元，其中平安财险投资70万元，建设资金均为企业自筹。项目单位为中国邮政储蓄银行青海省分行、平安保险青海公司，由中铁二局集团勘测设计院有限责任公司勘察设计，青海省宏星建设工程有限公司施工，青岛建设监理研究有限公司监理。装修工程由甘肃省建筑装饰工程公司设计，江苏省第一建筑安装有限公司施工，甘肃铁科建设工程咨询有限公司监理。2012年6月6日开工，同年8月25日整体封顶，2013年6月20日土建及安装工程全面完成。2013年9月30日，邮政储蓄银行玉树州支行营业网点正式对外营业。同年10月12日办公楼正式投入使用。

第三节　金融服务网络

一、金融组织体系建设

经人民银行玉树州支行申请、玉树州抗震救灾指挥部同意，玉树地区建设银行、青海银行组建事宜纳入结古镇灾后重建规划，2010年5月13日青海银行玉树分行开业，2010年12月10日建设银行玉树支行开业。2011年9月，玉树农村信用合作联社改制农村商业银行工作启动。9月28日，玉树立信融资担保公司成立，注册资本5亿元。至2013年11月24日，玉树农村

商业银行正式挂牌开业，成为康巴地区农信联社改制农商银行的首例。

至此，全州银行机构、保险机构恢复重建工作基本完成，全部迁入新居，ATM 和 POS 机数量分别是灾前的 2.8 倍和 9 倍，网上银行、手机银行等现代化支付工具得到推广应用，玉树州建成了银行、保险、担保等较为健全的现代金融组织体系和产品服务体系。

二、金融服务体系建设

玉树州强化农村金融信用体系建设，通过积极争取省上支持和自行调剂筹措资金等方式，积极支持建立完善支农信用担保、中小企业融资担保、创业小额贷款担保体系。以政府主导、金融单位推动、成员单位参与的模式，通过信用户、村、乡镇三级创评，培育信用农户，帮助解决农牧民“融资难”问题。2010 年 3 月，各县财政、农口和金融等部门协调沟通成立县级支农信用担保平台，各县财政分别注资 300 万元担保资金（分 3 年到位），省财政分别注资 300 万元担保资金；筹建州本级和玉树、囊谦县 3 个中小企业融资担保平台，省财政注资 700 万元，州本级财政注资 500 万元，玉树、囊谦两县财政各注资 100 万元担保资金。同时，省财政为玉树州创业小额贷款担保融资平台注资 450 万元担保资金，州本级财政注资 50 万元，加之往年结余，担保资金规模达到 800 万元。玉树州还将符合条件的城镇登记失业人员、就业困难人员、复转退伍军人、大中专毕业生及有经营能力的进城农民工纳入创业小额贷款申请范围，进一步扩大放贷范围，并适当提高贷款额度，以支持更多的创业者实现就业。

玉树大地震后，国务院以及“一行三会”及时出台了支持玉树灾后重建特殊金融政策。结合灾区金融业实际，青海省人民政府、人行西宁中心支行研究出台了《金融支持玉树灾后重建实施方案》《玉树地震灾后金融业恢复重建规划》等，构建起省、州政府和金融合力支持灾后重建的机制模式。同时，积极创新融资方式，青海省实施的“银政合作 + 财政贴息 + 省级金融机构支持 + 担保公司担保 + 考核激励”灾后重建融资模式发挥了重要作用，并实行银行、财政、担保、国土、住建及公安等部门“一站式”办公，有效破解了有效抵押物不足的难题，提高了审贷效率，争取了重建时间。

2010 年 7 月，青海省政府以玉树金融服务体系恢复建设和通过金融支持帮助受灾群众解决民生问题为重点推出了多项金融优惠政策。主要包括加快金融服务体系建设、强化灾区信贷引导、缓解灾区融资难、拓宽贷款服务范围、发挥资本市场作用和进一步加大保险支持灾后重建工作力度等内容。2011 年 7 月，各银行业金融机构与包片区（县）政府签订了《灾后重建银政合作协议》。

中国人民银行、银监会、证监会和保监会下发《关于全力做好玉树地震灾区金融服务工作的紧急通知》，明确相关政策，支持增加灾区信贷投放。2010 年 5 月，人民银行西宁中心支行，为加快玉树地震灾区金融服务体系重建工作，提出玉树地震灾后金融业恢复重建规划。规划要求力争至 2012 年年末，住宅区银行业金融机构网点数量恢复到灾前水平，并提出了支持灾后重建的保障措施。主要措施：优化准入政策。在保证安全、网点机构布局合理的基础上，对在灾区提供金融服务机构的准入申请实施简便快捷、易行易控的特殊准入政策安排。通过简化审批流程、提高审批效率、开设绿色通道等便利准入政策，支持银行业金融机构尽快恢复重建和优化网点布局，支持灾后重建工作。积极推动农业银行分支机构的各项改革工作，支持其在灾区增设网点，为客户提供存款、贷款、结算、理财等金融服务和产品。在灾区设立农村金融事业服务部，加大对灾区县域金融服务力度。加大政策性银行业务向灾区的拓展力度。按照自主经营、自担风险、自负盈亏的商业化运作原则，支持国家开发银行业务进一步向灾区县域拓展，加大对灾区基础设施和重点项目的信贷投入。中国农业发展银行在完善灾区粮棉油储备收购融资基础上，支持畜牧业产品加工及产业化经营，进一步拓展业务范围，丰富灾区金融服务的方式和手段。积极引导社会资本参与灾区法人金融机构治理，优化资本结构。进一步深化农村信用社改革，积极探索商业银行引导各类社会资本参与农村信用社增资扩股等改革，增强其抗风险能力，寻找农村信用社深化改革的新途径和新模式，增强支持农牧经济发展的能力。推进新型农村金融机构试点工作。进一步扩大村镇银行、贷款公司、农村资金互助社三类新型金融机构的试点范围，以吸引各类资金重点支持灾后重建工作等。邮储银行青海省支行积极推进农村信用信息体系的建设，加快农村信用评定进度和覆盖面，2011 年 4 月，小额贷款业务开办范围覆盖省内除玉树州和果洛州的全部州、地、市。

灾后 3 年来，金融机构累计投放贷款 47.37 亿元，支持灾区公共设施建设实现跨越式发展，交通、水利、能源、通信等基础设施及市场服务体系功能全面恢复，服务和保障能力显著提高。截至 2013 年 11 月，人民银行累计发放支农再贷款 16 亿元；对地方法人金融机构执行低于非灾区 4.5 个百分点的存款准备金率，累计释放流动性 12 亿元；办理再贴现 10 亿元，灾后 3 年累计为灾区金融机构提供流动性 38 亿元，减少地方法人金融机构再贷款利息 1390 万元。

2011 年 5 月 6 日上午，在中国农业银行青海省分行支持玉树灾后重建现场会上，省分行分别与中国水利水电第四工程局有限公司、青海玉能电力开发有限公司签订银企合作协议，向两家企业分别授信 10 亿元、6 亿元；向 9 位农牧民代表发放惠农卡及灾后重建贷款。

2011 年 5 月，中国农业银行青海省分行支持玉树灾后重建现场

第八篇
生态环境和防灾减灾

国务院《关于做好玉树地震灾后恢复重建工作的指导意见》将生态环境和防灾减灾作为玉树灾后恢复重建的一项重要任务，要求坚持自然恢复与人工治理相结合，逐步修复生态系统，提高防灾减灾能力。根据青海省政府印发的《玉树地震灾后恢复重建防灾减灾和生态修复专项规划》，省玉树地震灾后重建现场指挥部和玉树州把“生态保护、工程质量、资金监管”放在同等重要的位置，编制完成《玉树灾后恢复重建总体规划环境影响评价专篇》，组织编报《青海玉树地震灾区恢复重建环境保护规划》。在重建中，严格执行《建设项目环境保护分类管理名录》，对新上项目严把项目选址关、环评审批关和“三同时”验收关，从源头上控制环境污染和生态破坏，对达不到环保要求的坚决不予投入生产。同时，监管部门强化环境执法监管，成立玉树州灾后重建地材市场监管和生态保护工作领导小组，对当地生态环境保护与地材供应实行动态监管。启动“重建社会主义新玉树科技引领行动计划”，助力建设“生态优良环境优美的新玉树”，为青藏高原生态环境保护与建设提供示范。玉树地震灾后重建规划实施生态修复工程 33 项、环境整治工程 7 项、防灾减灾工程 51 项，总投资 6.14 亿元。2013 年 9 月，灾后恢复重建生态环保工程全部完工，三江源地区生态环境建设迈上了新的台阶。

众志成城　抗震救灾

第一章　生态修复与保护

第一节　国家级自然保护区修复

一、三江源国家级自然保护区

通天河保护站防火器材库　三江源国家级自然保护区通天河保护站防火器材库建在通天河保护站内，项目总建筑面积100平方米，建设内容为防火库、附属设施建设及设备购置。该工程为单层砖混结构房屋建筑，外墙为370毫米厚承重多孔免烧砖墙，内墙为240毫米厚多孔免烧砖墙，顶板为钢筋混凝土现浇板，主体高度4.65米。耐火等级为二级，设计使用年限为50年，抗震设防烈度为Ⅶ度。投资31.4万元，为中央一般预算收入。项目单位为玉树州三江源投资建设有限公司，由中国水电顾问集团西北勘测设计研究院设计，中国水利水电集团公司玉树灾后重建现场指挥部援建，中国水利水电集团公司玉树灾后重建现场指挥部第五工区承建，玉树州工程监理中心监理。2011年10月2日开工，同年10月25日验收竣工。

巴塘乡东仲保护站恢复项目　三江源国家级自然保护区巴塘乡东仲保护站林场业务用房是辽宁省援建项目，该项目3栋业务用房建筑均为1层，总建筑面积286平方米，投资124.61万元，为中央一般预算收入。项目单位为玉树县通天河投资建设有限公司，由辽宁省城乡建设规划设计院设计，辽宁省建筑设计研究院承建，辽宁省建筑设计研究院项目管理咨询公司监理。2011年7月20日开工，2012年6月20日主体封顶，2012年9月15日验收竣工。

巴塘乡东仲林场防火器材库工程　三江源国家级自然保护区东仲保护站防火物资库建在玉树县巴塘乡，该项目建筑面积100平方米，投资14.72万元，为中央一般预算收入。项目单位为玉树县通天河投资建设有限公司，由辽宁省城乡建设规划设计院设计，河南红旗渠建设集团有限公司承建，辽宁省建筑设计研究院项目管理咨询公司监理。2011年7月开工，2012年6月验收竣工。

巴塘乡东仲保护站防火道路修复工程 三江源国家级自然保护区玉树县巴塘乡东仲保护站防火道路修复工程，建设内容为重建防火库、修复20千米长的防火道路，投资359.35万元，为中央一般预算收入。项目单位为玉树县项目管理公司，由青海恒立公路勘测设计有限公司设计，青海首信建设有限公司援建、承建，青海中远公路工程监理有限公司监理。2012年5月3日开工，2012年7月10日完工。

纪念碑碑体修复工程 青海省三江源国家级自然保护区纪念碑位于玉树州称多县歇武镇直门达村。工程内容为修复纪念碑碑体、铺设广场地砖、清理和填埋纪念碑广场塌方、修复碑址绿化工程灌溉系统、修复和加固防洪设施、维修管理房、饮用水管道、加固铁艺围栏、修复广场草坪和配电设施等。由于工程涉及的修复内容杂而多，修复难度大，先后有4个公司（单位）参与工程的施工和修复。完成投资121.97万元，为中央一般预算收入。项目单位为青海省林业厅，由青海河海水利水电设计有限公司设计，玉树藏族自治州福利建筑有限公司、四川省崇州市观胜建筑工程公司、西宁城市园林绿化工程有限责任公司、称多县供电所承建，西宁友联工程建设监理有限公司监理。碑体修复工程于2010年5月30日开工，2012年9月20日竣工后，由玉树州灾后重建指挥部验收组、青海省环保厅、设计、监理、施工和建设单位等联合验收。

二、隆宝国家级自然保护区

管理站建设工程 项目在玉树县结隆乡境内，对保护区管理站的各项基础设施进行恢复重建，配置监测设备，进一步改善职工工作和生活条件，具体建设内容是在隆宝镇建758平方米业务用房；在结古镇扎西大同林区建120平方米业务用房和围墙、大门；在隆宝国家级自然保护区内建监测站5处。保护区内监测站的建设，是生态保护工作的需要，能切实保障在保护区内开展日常监测，尤其是对野生动物疫源疫病的监测和防控工作，实现监测站一站多能的功用。投资554.82万元，为中央一般预算收入。项目单位为玉树州林业环保局，由青海恒兴建筑工程设计有限公司设计，四川南部县第八建筑公司承建，玉树州建设工程监理中心监理。2012年8月11日开工，2013年6月业务用房主体封顶，同年10月经玉树州林业局、玉树州质监站竣工验收。

林业站基础设施 隆宝镇林业站基础设施建设内容为土建、附属设施及设备购置。项目占地0.2公顷，新建业务用房为地上1层砖混结构建筑，建筑面积170平方米，建筑安全等级为六级，抗震设防烈度为Ⅶ度，建筑耐火等级为二级，设计使用年限为50年。投资70.57万元，为中央一般预算收入。项目单位为玉树县通天河投资建设有限公司，由北京建筑工程设计有限责任公司设计，北京建工集团有限责任公司援建，北京建工集团援建青海玉树前线指挥部承建，玉树州工程监理中心监理。2011年7月17日开工，2011年8月7日主体封顶，2012年8月13日经玉树县通天河投资建设有限公司、玉树县建设局验收竣工交付使用。

三、可可西里国家级自然保护区

可可西里国家级自然保护区管理局业务用房及其配套用房建在海拔 2808 米的格尔木市江源中路建兴巷 65 号。项目工程基地临街，地形平整，交通便利。总建筑面积 3141.17 平方米，包括 1 栋地上 4 层的业务用房，1 栋锅炉房、消防泵房和发电机房，2 处机动车车棚，1 处非机动车车棚。其中，业务用房为二类公共建筑，建筑面积 3130 平方米，建筑高度 16.2 米，耐火及屋面防水等级均为二级，建筑抗震设防烈度为Ⅶ度，由教学培训室、档案室、动物保护研究室、高寒植物研究室、计算机室、模型室、气候监控室、GPS 定位监控室、指挥中心室、活动室、会议室组成；非机动车车棚建在地上 1 层，建筑面积 80.2 平方米；汽车库建在地上 1 层，建筑面积 200 平方米，建筑高度 2.8 ～ 3.32 米；锅炉房、消防泵房、发电机房分别建在地上和地下 1 层，建筑面积 389.12 平方米，建筑高度 4.8 米。投资 1374.61 万元，为中央一般预算收入。项目单位为青海可可西里国家级自然保护区管理局。由海南元正建筑设计咨询有限责任公司成都分公司设计，青海泰丰建筑工程有限公司承建，青海格尔木市广厦工程监理公司监理。2012 年 6 月 15 日开工建设，同年 10 月 22 日主体封顶，2013 年 9 月 30 日验收竣工。

第二节　生态修复项目

一、人工造林

结古镇新寨苗圃　结古镇新寨苗圃位于结古镇以东 8 千米的新寨村，属玉树州林业站管理。该项目建设内容包括：建苗圃业务用房 220 平方米，日光节能温室 1200 平方米，塑料大棚 500 平方米，机井 2 眼，灌溉渠道 1500 米，1000 立方米蓄水池 1 个，露天苗木基地土壤改良 5000 平方米。新寨苗圃的建设是城镇绿化和生态保护可持续发展的需要，它是培育和繁育苗木的基地，也是生态工程建设的重要组成部分和基础。结古镇新寨苗圃的重建，对于改善当地生态环境、美化生活环境、增进居民身心健康，具有重要意义。投资 626.14 万元，为中央一般预算收入，项目单位为玉树州林业局，由青海恒兴建筑工程设计有限公司设计，青海江源水利工程有限公司承建，昆明天柱工程监理公司监理。2013 年 6 月 5 日开工建设，同年 12 月竣工验收。

结古镇东风村封山育林　玉树县东风村封山育林项目涉及面积 15000 亩，投资 91.08 万元，为中央一般预算收入。项目单位为玉树县通天河投资建设有限公司，由青海省林业工程咨询中心设计，青海湟水河工程建设有限公司援建、承建、监理。2012 年 4 月开工，2013 年 12 月

30 日竣工。

重建后的新玉树周边环境保护纳入了国家三江源生态保护项目。

二、人工草地

玉树州种畜场人工草地建设项目 玉树州种畜场人工草地建设项目位于玉树县巴塘乡，建设内容为：建成半人工草地 10000 亩，投资 84 万元，为中央一般预算收入，由青海金吉集团草原钢网制造有限公司承建。2012 年 5 月 10 日开工，同年 8 月 30 日竣工。

玉树县人工草地建设项目 玉树县人工草地建设项目建设地点分别在安冲、隆宝、哈秀、结古、仲达、巴塘 6 个乡镇，建成半人工草地 5.4 万亩。其中，在隆宝镇、哈秀乡、结古镇、巴塘乡建成半人工草地 4.2 万亩（哈秀乡 0.7 万亩，结古镇 1.2 万亩，巴塘乡 1.0 万亩，隆宝镇 1.3 万亩），在安冲、仲达建成人工草地 1.2 万亩（安冲乡 0.7 万亩，仲达乡 0.5 万亩）。投资 519.55 万元，为中央一般预算收入。2012 年 4 月开工，2013 年 10 月竣工。项目主管单位为玉树县人民政府，项目监管单位为玉树州农牧局，由青海省农牧业工程项目咨询中心设计，玉树县农牧局建设。玉树县人工草地建设项目是根据灾后重建项目区现状而采取的草地生态保护与建设的重要措施。该项目通过实施人工种草，达到改良退化草地、恢复植被、提高草地生产能力的目的。实施的技术方案为：选择适应性强、品质优良、种源充足的多年生禾本科牧草作为混播草种；播种量为每亩 2.3 千克，其中披碱草 1.8 千克、青海冷地早熟禾 0.25 千克、青海中华羊茅 0.25 千克；牧草播种的同时施入底肥磷酸二铵，施肥量为每亩 10 千克。

三、草场围栏

玉树州种畜场草场围栏修复项目 玉树州种畜场草场围栏修复项目位于玉树县上巴塘，建设内容为购置 15.3 万米网围栏及配套产品并进行安装。投资 151.81 万元，为中央一般预算收入。项目单位为玉树州种畜场，由青海金吉集团草原钢网制造有限公司设计承建。2012 年 5 月 11 日开工，同年 8 月 30 日竣工。

玉树县草场围栏建设项目 玉树县草场围栏建设项目地点分别在安冲、隆宝、哈秀、结古、仲达、巴塘 6 个乡镇和县种畜场。建设内容为购置草场围栏材料 334 万米，修复草场围栏 1191 万米。投资 3370 万元。其中，民政部捐赠资金 2000 万元，中央一般预算收入 1370 万元。项目主管单位为玉树县人民政府，由玉树州农牧局监管、建设，青海省农牧业工程项目咨询中心设计。2012 年 4 月开工，2013 年 10 月竣工。

第三节　林业生态保护基础设施

一、林业站

玉树州林业站基础设施及江西林场业务用房　玉树州林业站基础设施及江西林场业务用房项目工程内容为土建、配套设施及装饰装修，建筑面积900平方米，投资319万元，为中央一般预算收入。项目单位为玉树州项目管理公司，由中铁第一勘察设计院设计，中国铁建股份有限公司援建、承建、监理。2012年4月1日开工，2013年9月14日经玉树三江源投资有限公司、玉树州质监站验收竣工。

玉树县林业站基础设施　玉树县林业站基础设施建设内容为300平方米业务用房的土建及设备购置，投资126.38万元，为中央一般预算收入。

结古镇林业站基础设施　结古镇林业站基础设施建在玉树县扎西科路南侧，建筑面积130平方米，投资61.19万元，为中央一般预算收入。工程建筑安全等级为二级，设计使用年限为50年，抗震设防烈度为Ⅶ度，建筑结构形式为钢筋混凝土框架结构。项目单位为玉树州项目管理公司，由上海大境建筑设计事务所设计，中国电力建设集团有限公司玉树重建现场指挥部第二工区援建，玉树县通天河投资建设有限公司承建，西宁正皓人防监理中心监理。2012年4月1日开工，同年11月4日主体封顶，2013年6月30日验收竣工。

安冲乡林业站基础设施　地处海拔4000米的安冲乡林业站基础设施项目工程建筑为1层砖混结构，建筑面积170平方米，是安冲乡林业站办公用房。该工程采用全新保温材料，确保使用后达到节能、保温的要求。投资78.86万元，为中央一般预算收入。项目单位为玉树县通天河投资建设有限公司，由中国市政工程西北设计研究院有限公司设计，中国建筑玉树灾后重建前线指挥部援建、承建，玉树州工程监理中心监理。2011年8月13日开工，同年10月21日主体封顶，2012年8月7日经玉树县通天河投资建设有限公司竣工验收交付使用。

仲达乡林业站基础设施　仲达乡林业站基础设施建在玉树县仲达乡增达社，工程内容为土建、配套设施及设备购置。为建筑面积170平方米的地上1层砖混结构建筑，总高度3.9米，室内外高差0.3米。建筑设计等级属二类工程，耐火等级为二级，屋面防水等级为二级，设计使用年限50年。投资108.61万元，为中央一般预算收入。项目单位为玉树县项目管理公司，由兰州铁道设计院有限公司设计，中国铁建股份有限公司援建，中铁二十一局集团第四工程有限公司承建，兰州建德工程建设监理咨询有限责任公司监理。2011年5月1日开工，同年7月25日主体封顶，2012年7月30日竣工，2013年9月由玉树县通天河投资建设有限公司验收。

巴塘乡林业站基础设施 巴塘乡林业站基础设施工程位于巴塘乡铁力角村，项目工程为面积 170 平方米的 1 层砖混结构建筑，设有办公室、会议室、实验室、物类库房和卫生间。建筑高度 4.7 米，室内外高差 0.45 米，按 7 度抗震烈度设防，投资 81.4 万元，为中央一般预算收入。项目单位为玉树县通天河投资建设有限公司，由辽宁省城乡建设规划设计院设计，辽宁省援建玉树巴塘乡前线指挥部援建，辽宁省建筑设计研究院承建，辽宁省建筑设计研究院项目管理咨询公司监理。2011 年 4 月 15 日开工建设，同年 9 月 20 日主体封顶，11 月 8 日竣工验收。

巴塘乡林业站建筑檐口及雨篷采用当地建筑常用的红褐色，外墙为土黄色，局部配以红褐色，与屋檐色调相呼应，凸显建筑的地域特色。建筑主入口处的“巴塘乡林业站”标识，采用汉语、藏语两种文字显示。

二、东仲林场林区业务用房工程

东仲林场林区业务用房工程占地面积 727 平方米，总建筑面积 1250 平方米，为地上两层钢筋混凝土建筑。一层建筑面积 727 平方米，设有茶歇室、厨房、餐厅、值班室、车库、库房等；二层建筑面积 522.96 平方米，设有办公室、大小会议室、宿舍。投资 354.27 万元，为中央一般预算收入。项目单位为玉树县通天河投资建设有限公司，由辽宁省城乡建设规划设计院设计，辽宁省援建玉树巴塘乡前线指挥部援建，辽宁省建筑设计研究院承建，辽宁省建筑设计研究院项目管理咨询公司监理。2011 年 7 月 20 日开工，2012 年 6 月 20 日完工，2012 年 9 月 15 日验收竣工。

三、西杭木材检查站

西杭木材检查站基础设施工程位于国道 214 线文成公主庙路口西北方向 400 米处，占地面积 1500 平方米，建筑面积 193.74 平方米，建设内容为一层砖混结构办公用房及室外总坪工程。建筑工程等级为二级，设计使用年限 50 年。投资 215.77 万元，为中央一般预算收入。项目单位为玉树县通天河投资建设有限公司，由中铁二局集团勘察设计院有限责任公司设计，中铁二局玉树灾后重建工程指挥部援建承建，甘肃铁科建设工程咨询有限公司监理。2012 年 5 月 19 日开工，同年 10 月 24 日主体封顶，2013 年 6 月 30 日竣工，2013 年 11 月 8 日由玉树州三江源投资建设有限公司验收。

四、森林公安设施

玉树州森林公安基础设施及结古镇扎西大同村林业防灾减灾恢复体系 项目工程建在结古镇红卫路，总建筑面积 4370 平方米。其中，玉树州森林公安基础设施建设内容为新建玉树州森林公安业务用房 2000 平方米、防火物资库 210 平方米，建成森林公安指挥系统 1 套，防火检查站 5 处，购置扑火装备 1 套、办公设备 2 套；结古镇扎西大同村林业防灾减灾恢复体系建设内容包括：有害生物防治基础建设及玉树州地震灾区生态系统恢复监测，建成业务用房 2160 平方米及观测场地 1 处，购置有害生物防治监测预警系统 1 套、检疫预灾系统 1 套、应急防控系统 1 套。项目单位为玉树州森林公安局，由山东际高建筑设计院有限公司设计，中国铁建玉树地震灾后重建指挥部援建，中铁二十一局二公司玉树地震灾后重建项目部承建，西宁正皓人防监理中心监理。2012 年 5 月 11 日开工，同年 9 月 10 日主体封顶，2014 年 7 月 22 日由玉树州建设工程质量监督站验收竣工。

玉树县森林防火与森林公安基础恢复　玉树县林业站建在玉树县扎西科路南侧，工程为玉树县森林防火与森林公安、玉树县结古镇林业站、结古镇水土保持监测站 3 家合用的钢筋混凝土框架结构 4 层办公楼，总建筑面积 1662 平方米，工程建筑安全等级为二级，设计使用年限为 50 年，抗震设防烈度为Ⅶ度。投资 849.57 元，为中央一般预算收入。项目单位为玉树县项目管理公司，由上海大境建筑设计事务所设计，中国水利水电建设总公司玉树重建现场指挥部第二工区援建，玉树县通天河投资建设有限公司承建，西宁正皓人防监理中心监理。2012 年 6 月 1 日开工，同年 11 月 4 日主体封顶，2013 年 9 月 26 日竣工验收。

五、巴塘乡东仲林场防火物资库项目

工程为面积 60 平方米的 1 层砖混结构建筑，宽 9.54 米，进深 6.24 米。投资 8.83 万元，为中央一般预算收入。项目单位为玉树县通天河投资建设有限公司，由辽宁省城乡建设规划设计院设计，辽宁省援建玉树巴塘乡前线指挥部援建，辽宁省建筑设计研究院承建，辽宁省建筑设计研究院项目管理咨询公司监理。2011 年 7 月 20 日开工，2012 年 6 月 20 日主体封顶，2012 年 9 月 15 日验收竣工。

第二章　环境整治

第一节　生态环境监测

一、玉树州环境监测监察信息达标工程

玉树州环境监测监察信息达标工程依据国家相关法规和要求，按照国家西部二级标准和三级标准进行建设。投资2323.45万元，其中中央一般预算收入1323.45万元、民政部捐赠资金1000万元。项目单位为玉树州环境保护局。项目工程设备由青海隆迪信息技术股份有限公司、青海英福特电子设备有限公司购置安装，监理单位为四川元丰建设项目管理有限公司。2012年11月15日开工，2014年11月20日验收竣工。

二、环境应急能力建设与恢复工程

玉树州环境应急能力建设与恢复工程，建设内容为配备玉树州环境监测与环境监察应急仪器设备和环境监测与环境监察、应急（流动）水质监测系统、环境应急指挥中心配置信息与指挥视频设备。通过建设州本级环境应急监测系统、州环境应急指挥中心和流动监测实验室，进一步完善玉树州总体环境应急能力以及对辖区内各县环境监测能力的补充。投资1329.8万元，为省级财政资金。项目单位为玉树州环境保护局。项目工程的设备由青海隆迪信息技术股份有限公司、青海英福特电子设备有限公司购置安装。监理单位为四川元丰建设项目管理有限公司。2012年11月15日开工，2014年11月20日验收竣工。

三、玉树州专项环境监测能力建设与恢复工程

工程内容为建成城市空气自动监测站、国控标准型辐射连续自动监测站、交通噪声检测

仪器（噪声电子显示屏）1处、长江直门达国控建设水质自动监测站、国控断面建设水质自动监测站等。工程建成后，对玉树县结古镇的空气、噪声、环境辐射和巴塘河水质和通天河直门达断面水质等进行自动监测，能够实时监控环境质量，实时客观反映其环境质量动态变化，对环境质量污染事故进行预警预报。新建成的巴塘河新寨断面水质自动监测站和长江流域通天河直门达断面水质自动监测站监测设备房面积均为120平方米。投资1176.42万元，为中央一般预算收入。项目单位为玉树州环境保护局，由玉树州房屋建筑设计有限公司设计，青海黎明建安工程公司实施土建，青海隆迪信息技术股份有限公司和青海英福特电子设备有限公司完成设备购置安装，青岛建设监理研究有限公司青海分公司和四川元丰建设项目管理有限公司分别为土建部分和设备部分监理。2013年7月8日开工，2013年10月15日主体封顶，2014年11月20日验收竣工。

四、生态监测体系工程

玉树州环境保护机构业务用房　玉树州环境保护机构业务用房与州林业中心合并建设项目，位于结古镇城东片区琼龙路国道214线旁，建设内容为修复玉树州环境保护机构监测、监察、信息及实验室等业务用房。总建筑面积3943.45平方米，其中环境监测中心2800平方米、江西林场500平方米、州林业站400平方米、商业用房100平方米、其他1943.45平方米。为地上3层，半地下1层，全地下一层的框架结构建筑。耐火等级为地上二级，地下一级，抗震设防烈度为Ⅶ度，楼型均为独立基础框架结构，设计使用年限为50年。投资1503.45万元，为中央一般预算收入。项目单位为玉树州项目管理公司，由山东际高建筑设计院有限公司设计，中国铁建股份有限公司援建，中铁二十一局集团有限公司承建，玉树州工程建设监理中心监理。2012年5月15日开工建设，同年9月3日主体封顶，2013年6月竣工。

玉树州生态监测体系建设与恢复工程　玉树州生态监测体系建设和恢复工程位于玉树州囊谦县白扎林场，建设内容为新建生态监测遥感数据库，配备数据处理设备，利用国产AB微型建设玉树生态监测遥感解译工作站，配备接收、解译等设备，配备生态定位站以及与其相应的监测仪器设备。建成的囊谦县白扎森林综合监测站监测设备房面积为200平方米。投资1420.39万元。其中，省级财政资金980.39万元，中央一般预算收入440万元。项目单位为玉树州环境保护局，由玉树州房屋建筑设计有限公司设计。工程土建由青海第二建筑工程有限公司完成，设备购置安装由青海隆迪信息技术股份有限公司和青海英福特电子设备有限公司完成。土建和设备购置安装监理分别是青岛建设监理研究有限公司青海分公司和四川元丰建设项目管理有限公司。2013年7月8日开工，2013年10月30日主体封顶，2014年11月20日验收竣工。

第二节　饮用水水源地保护

结古镇城镇饮用水水源地保护工程，位于玉树县青果村附近，依据水源地保护区现场踏勘和存在的问题，结合《青海省城市饮用水水源地安全保障规划报告》中提出的保护工程措施，工程实施要求和内容为加强水源地保护，防止有害物质排入水源保护区，消除地震产生的病原微生物、消毒剂等多种次生灾害对集中式饮用水水源地环境影响。做好一级保护区网围栏设置、省道308沿线交通警示牌、宣传牌、界标设置；饮用水水源地生态恢复；水质监测和TD-100固体型超声波流量计、标准M型传感器设备购置。根据河流型（大口井）饮用水水源保护区划分方法的要求，将玉树县扎西科河傍水水源地以3口大口井中心为圆心进行划分。一级保护区范围以水源地大口井为中心，保护半径500米。为了限制人畜活动，省道308线以南、果青村道路以西、2号大口井以西500米至山坡处区域为一级保护区；二级保护区范围以水源地大口井为中心，保护半径2000米，沿扎西科河2号大口井以西2500米区域为二级保护区。对水源地周围20.34平方千米保护区实施围栏防护措施，禁采、禁挖、禁牧，防止人为破坏，确保水源地水质不受污染。投资287万元，为民政部捐赠资金。项目单位为玉树三江源投资公司、玉树州环保局，由西宁市水利水电勘测规划设计公司、青海创鑫工程咨询有限公司设计，中国水利水电集团公司玉树灾后重建现场指挥部第六工区援建和承建，青岛工程监理有限公司监理。2012年9月开工建设，2014年6月30日竣工。

第三节　医疗废物处置设施

玉树州医疗废物集中处置中心项目，位于玉树州新寨直松村，建设内容为建设1座日处理医疗废物5吨规模的医疗废物集中处置中心，包括项目土建、附属设施及其相关设备的购置。项目中涉及的土建部分为医疗废物处置中心综合楼、医疗废物处置主厂房、污水处理站、车库和门卫房及计量间建设，总建筑面积1623平方米。投资1500万元，为民政部捐赠资金（不含震前资金850.57万元）。项目单位为玉树州环境保护局，由中国市政工程华北设计研究总院青海分院设计，土建部分由新天一集团有限公司玉树分公司承建，设备部分由重庆智得热工工业有限公司购置安装。监理单位为青岛建设监理研究有限公司青海分公司（土建部分）、四川元丰建设项目管理有限公司（设备部分）。2013年5月27日开工，2013年9月30日主体封顶，2014年11月20日验收竣工。

第四节　环境综合治理

玉树县结古镇环境整治项目，建设内容为城市次干道周边、行政机关临时占用场地、无主场地、应急厕所以及联建户等区域的垃圾清运、治理以及边角裸露地的硬化及湿地保护、临时用地复耕等相关环境整治工作，设备购置。投资 10856.51 万元，为中央一般预算收入。项目单位为玉树县通天河投资建设有限公司。项目实施单位为玉树县建设局、玉树县林业局、玉树县农牧局、玉树县城管局、玉树县教育局；承建单位为西宁宁通市政工程有限公司、青海万达建筑安装工程有限公司、玉树州福利建筑有限公司、青海宏星建设工程有限公司、四川新蜀建筑公司等；监理单位为青海国安工程监理有限公司。2013 年 9 月 25 日开工，2013 年 11 月 15 日由玉树县通天河投资建设有限公司核验竣工。

第三章　灾害监测预警设施

第一节　地质灾害监测预警设施

玉树结古镇地震台综合办公大楼，建在玉树县结古镇结曲路州地震台原址，建筑面积428.82平方米，建设内容包括GPS观察室、地磁观察室、气氡观测室、综合观测室、附属用房及围墙；配置地磁仪、钻孔应变仪等观测仪器。投资420.5万元，为省级财政资金。项目单位为玉树州地震局，由青海恒兴工程设计有限责任公司设计，青海省宏星建设工程有限公司承建，重庆江河工程建设监理有限公司监理。2012年5月奠基，同年6月7日开工建设，2013年8月30日竣工。

第二节　气象监测预报预警设施

一、国家基本气象站

玉树国家基本气象站坐落在结古镇扎西科赛马场东湿地公园西南角，建筑面积1237平方米，其中气象业务办公用房421平方米，其余为附属用房。建设内容为探空站、地面观测设施建设及配套设备购置。投资1100万元，由中央财政资金统一拨付。项目单位为玉树州气象局，由北京东方畅想建筑设计有限公司特色建筑所设计，中国水利水电建设总公司援建和承建，玉树州工程监理公司监理。同年10月15日主体封顶，2012年10月1日竣工。项目建筑风格力求简洁，适度运用了康巴建筑元素，通过色彩、构筑等细节，体现本土建筑特征。建筑重视与地形之间的关系，形成整体高低错落的轮廓，充分考虑了主导风向、防寒、日照等要素对建筑布局的影响，建筑空间组合尊重与自然环境的关系，注重节能环保设计，以减少日常运行成本，增加建筑院落内的绿化栽植，达到了绿色建筑标准。

二、气象业务系统恢复重建项目

玉树州（县）气象局业务办公用房，建在玉树州格萨尔广场东南角，建筑面积 10259.58 平方米。其中，气象业务办公用房 6230.29 平方米，商铺 4029.29 平方米。投资 380 万元，由中央财政资金统一拨付。工程为 5 层框架结构建筑，地下一层为地下车库及附属用房；1 ～ 2 层为商业用房；3 ～ 5 层为办公用房，建筑总高度 19.8 米。项目工程等级为二级，建筑设计使用年限 50 年，建筑耐火等级为二级，建筑屋面防水等级为三级，按Ⅶ度抗震设防设计。项目建筑布局呈 C 状布置，形成内庭院，既保证了朝向，每间办公室能获得最好的景观和日照，同时能有效防止各办公室之间噪声的相互影响，建筑通透，空气流通。建筑入口、楼梯、走道、各个办公室、入口平台及门厅均为无障碍设计。项目立面造型设计以藏式风格为主，运用半围合上素下华立面效果，在檐口及窗口处运用藏族传统的装饰，色彩运用大面积土黄色和局部淡蓝色，凸现出建筑的地域特色和气象行业特色。项目单位为玉树州气象局，由中铁工程设计院有限公司设计，中国中铁股份有限公司援建承建，铁科院（北京）工程咨询有限公司监理。2011 年 9 月 22 日奠基，2012 年 4 月 22 日开工建设，同年 7 月 15 日主体封顶，2013 年 11 月 15 日验收竣工投入使用。

第三节　测绘地理信息设施

专项建设工程主要包括空间定位基准恢复重建、航空航天遥感影像获取、基础地理信息数据生产、地震灾后重建地理信息服务平台建设。具体要求是：在地震发生后的 3 ～ 9 个月内完成应急基准建设、影像获取和测图工作；2 年内全面完成大地基准恢复重建；3 年内全面完成地震灾后重建地理信息服务平台建设。

空间定位基准恢复重建：分别在玉树州境内的结古、治多、曲麻莱、称多、杂多、囊谦、歇武、清水河、巴干乡建设完成应急全球卫星定位连续运行参考站 7 个和临时参考站 3 个，在果洛州玛多建设完成应急全球卫星定位临时参考站 1 个，解算整个玉树灾区的高精度大地水准面。

遥感影像获取与地理信息数据生产：在地震发生后的第二天，国家测绘地理信息局就及时获取了震后卫星影像，连夜组织加工震后卫星影像图，及时提供给各级部门了解灾情。2010 年 4 月 17 日，东方航空中国王 B-3352 机组从格尔木机场起飞，搭载 ADS80 数字航空摄影仪对玉树地区 180 平方千米受灾严重的地区进行了航空摄影，为国家测绘地理信息局提供了分辨率为 0.2 米的高清数字影像。4 月 19 日，东航再次对玉树灾区 4000 平方千米区域进行了高分辨率航空摄影，为玉树抗震救灾以及灾后恢复重建提供航空摄影资料。先后完成灾区约 358 幅 1∶1 万比例尺 DOM、DEM 及 161 幅应急 DLG 测制工作，1∶2000 比例尺 DEM、DLG 各 222 幅，为抗震救灾工作及重建规划制定提供了遥感影像与地理信息数据。

公共服务平台建设：建设完成灾后重建地理信息服务平台和多尺度基础地理信息数据库，实现灾区基础地理信息及重建规划等信息的快速查询、分析和分发服务。玉树地震灾后恢复重建测绘专项建设工程于 2012 年年底前如期建设完成，项目投资 1837.24 万元，为中央一般预算收入。项目实施单位为青海省测绘地理信息局。

第四章　防灾减灾信息化系统

第一节　青海省自然灾害应急指挥体系和信息平台

青海省自然灾害救灾应急指挥体系和信息平台建设，涉及全省民政系统。建设内容包括：救灾应急值守报送信息平台系统建设；救灾应急指挥平台的软件体系建设，包括救灾应急指挥软件、灾害数据分析、指挥调度、数据库、物资管理；救灾应急指挥视频会商系统视频终端建设；救灾应急移动指挥车购置、移动天线的改装架设；开展相关监理、设计、管理、培训等方面的工作。

青海省自然灾害救灾应急指挥体系和信息平台的建设，是在统一规划的基础上，重点建设省级应急平台系统，并将所辖地市（州）、县纳入全省综合减灾救灾应急体系中，与各相关部门应急系统保持互联互通，保证信息的上传下载和指令的分发下达。救灾应急指挥系统从功能设计上，实现通过整合互联网、政府专网、移动、联通专网、卫星通信等网络通信资源，实现纵向贯通民政部、国家减灾中心和州、县人民政府及民政局，横向联通青海省减灾委员会成员单位。灾害一旦发生，可通过应急指挥系统实施软件应用指挥调度、GIS 地图分析、卫星通信视频会议、传真电话、图片等灾害数据的实时传送，为抗灾救灾决策指挥提供科学依据和指挥手段。信息系统平台实现灾害移动监测、动态预警、综合分析评估、快速判断的信息通道。为省委、省政府和民政系统及时了解掌握灾害发生点提供综合信息，实施综合判断、分析决策、指挥调度。项目投资 2200 万元、为民政部捐赠资金。由青海省邮电设计院设计，北京中科软科技有限公司承建，西安同信立创信息监理有限公司监理。2011 年 12 月 30 日开始建设，2013 年 9 月 30 日由青海省民政厅、国家减灾中心、西安同信立创信息监理有限公司验收竣工。

第二节　玉树州救灾应急信息平台与科普项目

一、玉树州救灾应急指挥体系信息平台及减灾工作站

玉树州救灾应急指挥体系和信息平台建设及减灾工作站建设项目，坐落在玉树州民政局。由该局组织设施建设规模覆盖玉树州及所属6个县两级网络建设、软件开发应用、救灾应急视频会商、应急通信项目工程。该工程的建设，具有对重大突发灾害事件的快速响应、高效处置的功能，为应急机构进行突发事件的决策调度和快速处置提供决策支持。也为玉树州民政系统建立灾害监测预警、防灾减灾、建立健全救灾救助资金物资管理、实施救助、恢复重建等机制提供支撑，推进减灾工作重心由减轻灾害损失向减轻灾害风险转变，由灾后救灾向灾前预防转变，全面提高综合减灾能力和风险管理水平。

玉树州是一个自然灾害多发地区，特别是地震、泥石流等灾害具有较大不确定性和难以预测性，这对玉树州民政工作的减灾救灾提出了新的更高要求。项目在对玉树州民政部门实现灾情信息查询、救灾辅助决策、救灾指挥调度等方面作了充分设计，从而使系统更加贴近今后玉树州防灾减灾的需要。项目总投资1371万元，其中硬件投资1020万元、软件投资351万元，为民政部捐赠资金。由青海省邮电设计院设计，2013年2月6日，中科软科技股份有限公司、青海电信集成有限公司开工承建，西安同信立创信息监理有限公司监理。同年3月25日，项目启动后的3个月时间，在玉树州及所属6个县进行了前期调研，7月进入项目开发建设；10月20日，民政部国家减灾中心的专家对建成的项目系统进行初验。2014年4月，玉树州及所属6个县的民政工作人员共14人参加了系统运行前的业务培训。同年5月，玉树州救灾应急指挥体系和信息平台试运行，8月前完成终验。

二、玉树防震减灾科普中心

玉树防震减灾科普中心位于玉树州结古镇团结村红卫路，为砖混结构两层建筑，面积680平方米，建设内容包括土建及配套设施围墙、园内道路、绿化和自救互救实习演练地等室外项目及水、电、暖、通信等辅助设施。项目建成后，作为玉树地区防震减灾科普教育基地，可承担防震减灾“三网一员”、农牧区民居建筑工匠、志愿者队伍、社区民众和各单位人员的培训任务，使其了解防震减灾基础知识，掌握自救互救技能，开展地震安全咨询服务，并通过科普展厅向全社会广泛宣传地震知识，提高广大人民群众的防震减灾意识。投资300万元，由中央财政资金统一拨付。项目单位为青海省地震局，由山东际高建筑设计有限公司设计，中国铁建股份有

限公司援建和承建，甘肃铁一院工程监理有限责任公司监理。2012 年 5 月 25 日开工，同年 7 月 25 日主体封顶，2013 年 8 月竣工，2013 年 11 月验收竣工。

第三节　县级救灾应急信息平台

一、玉树县应急指挥平台及减灾工作站

项目坐落在玉树县民政局，建设内容包括两级网络建设、软件开发应用、救灾应急视频会商、应急通信。项目投资 100 万元。其中，硬件投资 95 万元，软件投资 5 万元，为民政部捐赠资金。项目单位为玉树州民政局，由青海省邮电设计院设计，中科软科技股份有限公司、青海电信集成有限公司承建，西安同信立创信息监理有限公司监理。2013 年 2 月 6 日开工建设，2013 年 10 月 30 日经国家减灾中心、玉树州民政局、西安同信立创信息监理有限公司初验，2014 年 8 月完成终验，正式投入使用。

二、称多县应急指挥平台及减灾工作站

项目坐落在称多县民政局，建设内容包括两级网络建设、软件开发应用、救灾应急视频会商、应急通信。项目总投资 100 万元。其中，硬件投资 95 万元，软件投资 5 万元，为民政部捐赠资金。项目单位为称多县民政局，由青海省邮电设计院设计，中科软科技股份有限公司、青海电信集成有限公司承建，西安同信立创信息监理有限公司监理。2013 年 2 月 6 日开工建设，2013 年 10 月 30 日经国家减灾中心、玉树州民政局、西安同信立创信息监理有限公司初验，2014 年 8 月完成终验，正式投入使用。

三、曲麻莱县应急指挥平台及减灾工作站

项目建设内容包括两级网络建设、软件开发应用、救灾应急视频会商、应急通信。项目总投资 100 万元。其中，硬件投资 95 万元，软件投资 5 万元，为民政部捐赠资金。项目单位为玉树州民政局，由青海省邮电设计院设计，中科软科技股份有限公司、青海电信集成有限公司承建，西安同信立创信息监理有限公司监理。2013 年 2 月 6 日开工建设，2013 年 10 月 30 日经国家减灾中心、玉树州民政局、西安同信立创信息监理有限公司初验，2014 年 8 月完成终验，正式投入使用。

四、治多县应急指挥平台及减灾工作站

项目坐落在治多县民政局，建设内容包括两级网络建设、软件开发应用、救灾应急视频会商、应急通信。项目总投资100万元，其中硬件投资95万元，软件投资5万元，为民政部捐赠资金。项目单位为玉树州民政局，由青海省邮电设计院设计，中科软科技股份有限公司、青海电信集成有限公司承建，西安同信立创信息监理有限公司监理。2013年2月6日开工建设，2013年10月30日经国家减灾中心、玉树州民政局、西安同信立创信息监理有限公司初验，2014年8月完成终验，正式投入使用。

五、杂多县应急指挥平台及减灾工作站

项目坐落在杂多县民政局，建设内容包括两级网络建设、软件开发应用、救灾应急视频会商、应急通信。项目总投资100万元，为民政部捐赠资金。其中，硬件投资95万元，软件投资5万元。项目单位为杂多县民政局，由青海省邮电设计院设计，中科软科技股份有限公司、青海电信集成有限公司承建，西安同信立创信息监理有限公司监理。2013年2月6日开工，2013年10月30日经国家减灾中心、玉树州民政局、西安同信立创信息监理有限公司初验，2014年8月完成终验，正式投入使用。

六、囊谦县应急指挥平台及减灾工作站

项目坐落在囊谦县民政局，建设内容包括两级网络建设、软件开发应用、救灾应急视频会商、应急通信。项目总投资100万元。其中，硬件投资95万元，软件投资5万元，为民政部捐赠资金。项目单位为玉树州民政局，由青海省邮电设计院设计，中科软科技股份有限公司、青海电信集成有限公司承建，西安同信立创信息监理有限公司监理。2013年2月6日开工，2013年10月30日经国家减灾中心、玉树州民政局、西安同信立创信息监理有限公司初验，2014年8月完成终验，正式投入使用。

第四节　全省灾害信息员队伍建设

全省灾害信息员队伍建设项目，根据《青海省“十二五”社会服务发展规划》和《国家综合防灾减灾规划》的要求，进一步提高灾害预警预报水平，建立起覆盖城乡社区的灾害预警及

灾害信息收集、传递和应急救助工作的基层灾害信息员队伍。建设项目内容为设备购置和人员培训。培训对象为省、州、县、乡、村五级灾害信息员并给他们配备电脑、海事卫星电话、报灾 PDA、数码摄像机、数码照相机、移动电话等相关专业报灾通信设备。

2011 年 9 月 15 日，项目经省发展改革委批复后开始实施，投资 1131 万元，为民政部捐赠资金。由青海省国宏工程咨询监理有限公司设计，青海省民政厅负责建设实施。2012 年 10 月，设备购置由省政府采购管理办公室统一安排公开招标；同年 11 月通过专家组统一验收；2012 年 12 月 10 日，通过青海省民政厅验收；同年 12 月 19 日，向全省各级灾害信息员配发了救灾专用设备，并全面完成灾害信息队伍的组建及培训。至此，全省共有在册登记和经过培训的灾害信息员 5046 名，先后举办的民政灾害信息员培训班有 36 期。

第五章　物资储备与救灾队伍

第一节　救灾物资储备

一、青海省红十字会备灾救灾中心

项目建设内容为土建、附属设施及设备购置，投资 3300 万元，为中央一般预算收入。

二、玉树州红十字会备灾救灾仓库建设项目

项目建在玉树县结古镇，建设内容包括建设救灾物资储备库、清洗衣消毒车间、援外物资整理车间、办公场所和辅助用房及室外配套设施。建筑面积 2200 平方米。投资 2500 万元，其中中国红十字会捐赠资金 1100 万元、中央一般预算收入 1400 万元。项目单位为青海省红十字会，由青海恒兴建筑有限公司设计，中国铁建股份有限公司承建，青海涌源监理有限公司监理。2012 年 6 月 10 日开工，2013 年 7 月 15 日验收竣工。

三、玉树州（县）救灾物资储备库

项目建在玉树州驾校西侧，建设内容为土建、附属设施及设备购置。总建筑面积 4869 平方米，投资 3357 万元。其中，民政部捐赠资金 773 万元，省民政厅捐赠资金 667 万元，中央一般预算收入 1917 万元。项目单位为玉树州项目管理公司，项目业主为玉树州民政局，由西宁正皓人防监理中心设计，中国铁建玉树地震灾后重建指挥部援建，中铁二十一局二公司玉树地震灾后重建项目部承建，兰州铁道设计院有限公司监理。2012 年 6 月 11 日开工建设，同年 10 月 30 日主体封顶。2013 年 8 月中旬验收竣工。

四、称多县救灾物资储备库

项目建设内容为土建、附属设施及设备购置。救灾物资储备库是由衣物库和帐篷库组成的综合性库房，建筑面积为350平方米，为地上1层框架结构建筑，设计使用年限为50年，抗震设防烈度为Ⅶ度设防，结构安全和建筑耐火等级均为二级。投资143.45万元，为民政部捐赠资金。援建单位和项目业主均为称多县项目管理公司，由青海人民防空工程设计研究院设计，湟中第一建筑公司承建，陕西省工程监理有限公司监理。2012年5月16日开工，2012年8月15日主体封顶，2013年10月13日由称多县住房和城乡建设局验收竣工。

五、称多县扎朵镇救灾物资储备库

项目建设内容为土建、附属设施及设备购置。救灾物资储备库是由衣物库和帐篷库组成的综合性库房，建筑面积270平方米，为地上1层框架结构建筑，设计使用年限为50年，抗震设防烈度为Ⅶ度设防，结构安全和建筑耐火等级均为二级。投资98.73万元，为民政部捐赠资金。援建单位和项目业主为称多县项目管理公司。由青海人民防空工程设计研究院设计，泸州第十建筑公司承建，陕西省工程监理有限公司监理。2012年5月16日开工，同年8月10日主体封顶，2013年10月15日由称多县住房和城乡建设局验收竣工。

六、玉树县隆宝镇救灾物资储备库

项目建设内容为土建、附属设施及设备购置。建筑面积200平方米，投资109.31万元，为民政部捐赠资金。项目单位为玉树县民政局，由青海省规划设计研究院设计，四川省安泰建筑有限责任公司援建、承建，玉树州工程监理中心监理。2010年7月10日开工，2011年5月30日主体封顶，2012年8月13日由玉树县通天河投资建设有限公司、玉树县建设局验收竣工。

七、曲麻莱县救灾物资储备库

项目建设内容为建设救灾物资储备库1栋，水泵房及辅助设施，建筑面积350平方米。投资141.75万元，为民政部捐赠资金。项目单位为曲麻莱县项目管理公司，由青海建筑勘察设计研究院有限公司设计，青海省宏厦建设工程有限公司承建，青海成恒工程监理有限公司监理。2010年10月5日开工，2011年9月15日竣工。

八、治多县救灾物资储备库

项目建设内容为建设350平方米框架结构救灾物资储备库、附属设施及相关设备购置。投资 142.38 万元，为民政部捐赠资金。项目单位为治多县项目管理公司，由青海鼎正建筑设计院设计，青海广驰建设工程有限公司承建，玉树州建设工程监理中心监理。2012 年 5 月开工，同年 10 月主体封顶。2013 年 5 月 11 日由治多县民政局组织相关单位验收竣工。

九、杂多县救灾物资储备库

项目坐落在萨呼腾镇，建筑面积 350 平方米，投资 114.26 万元，为民政部捐赠资金。项目单位为杂多县澜沧江源投资建设有限公司，由广东省建工设计院设计，西宁市援建，四川南部县第八建筑公司承建，青海光辉建设工程监理有限公司监理。2012 年 4 月开工建设，同年 10 月 19 日，由杂多县人大、政协、监察局、审计局、财政局、建设局、质监站、环保局、青海光辉建设工程监理有限公司、杂多县澜沧江源投资建设有限公司、退休老干部代表验收竣工。

十、囊谦县救灾物资储备库

项目建在囊谦县毛庄乡，建设内容为土建、附属设施及设备购置，建筑面积 200 平方米，投资 100.17 万元，为民政部捐赠资金。项目单位为囊谦县康功德投资建设有限公司，由西宁久隆工程有限公司地勘、勘察，青海省勘察设计研究院设计，四川成都市邛崃第二建筑有限公司承建，浙江华杰建筑工程有限公司青海分公司监理，2013 年 4 月开工，同年 7 月由县项目验收领导小组验收竣工。

十一、治多县扎河乡救灾物资储备库

项目建设内容为建设 200 平方米框架结构救灾物资储备库、附属设施及相关设备购置。投资 96.17 万元，为民政部捐赠资金。项目单位为治多县项目管理公司，由青海鼎正建筑设计院设计，青海宏厦建设工程有限公司承建，玉树州建设工程监理中心监理。2012 年 5 月 1 日开工，2013 年 8 月 8 日由治多县民政局组织相关单位验收竣工。

第二节　防汛物资储备

一、省民政厅减灾中心和省慈善总会备灾物资储备中心

项目建设内容为土建、附属设施及设备购置。投资 6800 万元，为中央一般预算收入。

二、玉树州防汛仓库

项目坐落在玉树州驾校西侧，建设内容为土建及配套设施建设。建筑面积 1286.4 平方米。投资 483.03 万元，其中民政部捐赠资金 273 万元、中央一般预算收入 210.03 万元。项目单位为玉树州项目管理公司，由兰州铁道设计院有限公司设计，中国铁建股份有限公司援建，中铁二十一局二公司玉树地震灾后重建项目部承建，西宁正皓人防监理中心监理。2012 年 6 月 11 日开工建设，同年 8 月 14 日主体封顶。2014 年 9 月 14 日竣工，同年 9 月 19 日由玉树州工程质量监督站验收。

第三节　组建救灾队伍

2013 年 8 月 27 日，武警青海省总队第一支队和青海省民政厅正式组建了自然灾害应急抢险救援队，项目内容包括 3 个部分：以青海省武警总队第一支队工化中队为主，组建青海省民政厅自然灾害应急抢险救援队，编制 98 人，纳入省民政厅自然灾害应急抢险救援队伍建设项目，并增挂“青海省民政厅自然灾害应急抢险救援队”的牌子；以省民政厅、农牧厅、水利厅、林业厅、国土资源厅、交通厅、气象局、地震局等熟悉业务的行政管理人员和精通灾害管理的专家，组建青海省自然灾害专家评估组，建立健全青海省自然灾害灾情会商评估机制；以灾情核查组、受灾群众转移安置组、救灾物资调运和发放组 3 个组织机构人员，组建民政厅自然灾害应急救援队。项目总投资 497 万元，为民政部捐赠资金。设计单位为青海省农牧业工程咨询中心，2013 年 9 月 30 日，由青海省民政厅实施组建完成。

第六章　地质灾害治理

第一节　泥石流灾害防治

一、结古镇卓涅隆巴泥石流灾害防治工程

工程位于玉树县结古镇西北约 6 千米处。因结古镇城区依山而建，受地形因素控制，周边地质环境条件脆弱，加之城镇基础设施建设未按规划同步进行，大量民居由河谷向外围丘陵边缘，尤其是北山丘陵边缘拓展，人为无序建房侵占行洪沟、渠，导致以泥石流为主的地质灾害多发、频发。根据卓涅隆巴泥石流特点，考虑到该泥石流物源量较丰富，而水源条件并不丰富。泥石流主要为暴雨作用下的短时洪流所激发，其运动具有历时较短、流量较大等特点，且堆积区有大量居民安置点，人员及财产相对较集中。因此主要采用在流通区进行拦挡，下游进行排导的治理方案。董琼隆沟（N25）沟口布置 1 道拦挡坝，坝前缘布置 1 条导流槽，将洪水泥石流排入扎喜科河；在加日括沟（N28）流通区修建两道导流堤和一条导流槽；卓涅隆巴沟（N1）中下游布置 3 座拦挡坝；果木隆沟（N29）沟口布置 1 道拦挡坝；果木隆东沟 2（N31）中下游布置 3 座拦挡坝。拦挡坝可减小泥石流流速和冲击力，改变泥石流流体性质，保护沟底和冲沟两岸，同时拦挡较粗大的固体物源，以利于剩余的少量较细颗粒泥石流（稀性为主）顺畅往下排泄及堆积。在堆积区修建的防护堤和导流槽，可确保上游洪水或泥石流顺利通过，防止泥石流、洪水对岸坡冲刷、淤埋沟口民房。防治工程安全等级为二级，投资 765.6 万元，为中央一般预算收入。项目单位为青海省国土资源厅，由青海省水文地质工程地质勘察院、中国地质大学（武汉）设计，青海省水文地质工程地质环境地质调查院承建，中铁二院（成都）咨询监理有限责任公司监理。2011 年 9 月 1 日开工，2012 年 7 月 18 日竣工。

二、结古镇布庆隆泥石流灾害防治工程

工程项目包括布庆隆、马果隆、玛括隆3条沟，工程内容为修建9座混凝土重力式、混凝土格栅拦挡坝（布庆隆沟5座，马果隆沟2座，玛括隆沟2座）和总长1376米的排导槽。

为防治和减轻地质灾害对玉树重建规划区的危害，根据青海省国土资源厅关于玉树地震灾区地质灾害防治工程施工图设计的函（青国土资环函〔2011〕13号），2011年4月29日，青海九〇六工程勘察设计院完成布庆隆沟泥石流治理工程施工图设计并承担该项目的施工任务。9座拦挡坝的设计为：

布庆隆1号拦挡坝，结构为C25钢筋混凝土重力式拦挡坝，有效拦挡坝高5米，拦挡坝溢流口高度为1米，宽度为15米，该沟道常年流水，根据常流水宽度设计格栅过水隧洞。坝肩两侧嵌入基岩1米，基础设置在碎石土地层中，满足地基承载力要求，该拦挡坝前设置C25混凝土护坦。

布庆隆2号拦挡坝，设计结构为C25混凝土重力式拦挡坝，有效拦挡坝高5米，拦挡坝溢流口高度为1米，宽度为10米，该沟道常年流水，根据常流水宽度设计格栅过水隧洞。左侧坝肩嵌入1米，右侧嵌入1.5米，基础设置在碎石地层中，满足地基承载力要求。

布庆隆3号拦挡坝，设计结构为C25混凝土重力式拦挡坝，有效拦挡坝高4米，拦挡坝溢流口高度为1米，宽度为10米，该沟道常年流水，根据常流水宽度设计格栅过水隧洞。左侧坝肩嵌入1.5米，右侧嵌入1米，基础设置在碎石地层中，满足地基承载力要求。

布庆隆4号拦挡坝，设计结构为C25混凝土格栅坝，有效拦挡坝高3米，上口格栅总长为25米，下口格栅总长度为22米。左侧和右侧坝肩均嵌入1米，基础设置在碎石地层中，满足地基承载力要求，

布庆隆5号拦挡坝，设计结构为C25混凝土格栅坝，有效拦挡坝高3米，上口格栅总长度为21米，下口格栅总长度为18米。左侧坝肩嵌入1米，右侧坝肩嵌入1.5米，基础设置在碎石地层中，满足地基承载力要求。

马果隆泥石流沟设置的两道拦挡坝中，1号拦挡坝，设计结构为C25混凝土重力式拦挡坝，有效拦挡坝高2米，拦挡坝溢流口高度为0.5米，宽度为8米。左侧和右侧坝肩均嵌入1.5米，基础设置在碎石地层中，满足地基承载力要求。该拦挡坝前设置C25混凝土护坦；2号拦挡坝，设计结构为C25混凝土格栅坝，有效拦挡坝高3米，上口格栅总长为18米，下口格栅总长度为15米，左侧和右侧坝肩均嵌入1.5米，基础设置在角砾（Q4sef）地层中，满足地基承载力要求。

玛括隆泥石流沟设置的两道拦挡坝中，1号拦挡坝，设计结构为C25混凝土重力式拦挡坝，有效拦挡坝高2米，拦挡坝溢流口高度为0.5米，宽度为14米。左侧和右侧坝肩均嵌入1.5米，基础设置在碎石地层中，满足地基承载力要求，该拦挡坝前设置C25混凝土护坦：2号拦挡坝，设计结构为C25混凝土格栅坝，其中有效拦挡坝高3米，上口格栅总长为18米，下口格栅总长度为15米。左侧和右侧坝肩均嵌入1.5米，基础设置在角砾（Q4sef）地层中，满足地基承

载力要求。

排导槽采用矩形断面和50年一遇降雨下产生的洪水流量设计。布庆隆排导槽，高2米，宽3米；玛括隆和玛果隆排导槽，均为高1米，宽1.5米设计，全部采用C25混凝土浇筑，顶部与地面齐平。

项目设计、援建单位为青海九〇六工程勘察设计院；承建单位为青海省国土资源厅；工程监理单位为青海金鑫工程监理有限责任公司。投资1175.5万元，为中央一般预算收入。2011年9月奠基开工。2012年5月完工，6月达到初验，10月由青海省国土资源厅验收竣工。

三、结古镇赛萨泥石流灾害防治工程

工程位于结古镇扎西科河南岸河谷和中高山地带，主要包括赛萨沟、爱格龙沟和登果绒沟3条泥石流沟。总体工程布局为赛萨沟工程布设拦挡坝、格栅坝共计6座及排导渠；爱格龙沟布设拦挡坝3座及排导渠；登果绒沟布设拦挡坝1座、停淤坝1座及排导渠。其中，赛萨沟工程包括1座钢筋混凝土格栅坝、4座浆砌块石拦挡坝、1座钢筋混凝土拦挡坝；爱格龙沟工程包括1座钢筋混凝土拦挡坝、2座混凝土拦挡坝；登果绒沟工程包括1座混凝土拦挡坝、1座钢筋混凝土停淤坝。投资1421.47万元，为中央一般预算收入。由青海九〇六工程勘察设计院设计，甘肃地质工程勘察院承建，青海省有色地质矿产勘查局八队监理。2011年9月8日奠基，2011年10月20日开工。2012年6月18日由青海省国土资源厅验收竣工，6月20日交付使用。

2011年9月10日，项目中标后的第三天，施工队伍进入场地开工，由于正值玉树雨季，施工受到严重的影响。道路泥泞，加之赛萨沟内的长流水，致使施工人员及机械无法正常开展工作，施工处于停滞状态。为此，项目部及时决定，首先进行道路维修，用卵石铺通道路后，抢时间冒雨进行施工，保证了施工进度。到了10月，玉树普降大雪，天气寒冷，严重缺氧。为保证工期，项目部决定将流水改道施工。2012年4月，春季复工后，由于长时间停工加之天气寒冷，施工人员的情绪受到很大影响，经过各有关部门的共同协调，存在的诸多问题得到解决，顺利完成施工任务，工程验收全部合格。

四、结古镇德窝隆巴泥石流灾害防治工程

德窝隆巴治理区共有两条沟，分别为德窝隆巴沟、载星隆北无名沟。建设内容为在德窝隆巴沟设置1道拦挡坝，上游修建7道防冲槛，拦挡坝下游修建排导槽；载星隆北无名沟修建1座拦挡坝，下游修建排导槽，通过兼顾流域上、中、下游，采取拦排结合的工程措施，有效防治泥石流灾害。

德窝隆巴沟1号拦挡坝，坝体采用C25钢筋混凝土浇筑，采取坝顶溢流方式，有效坝高3.5米，坝顶长18.8米，坝底长6米，坝顶宽1.5米，坝底宽3.6米；载星弄北无名沟1号坝坝体采用C25钢筋混凝土浇筑，采取坝顶溢流方式，有效坝高5米，坝顶长32米，坝底长4.5米，

坝顶宽 1.5 米，坝底宽 4.5 米。

为了减小泥石流对拦挡工程上游沟床的冲蚀和下切，治理工程在德窝隆巴沟 1 号拦挡坝上游地段布设 1 号、2 号、3 号、4 号、5 号、6 号和 7 号防冲槛工程，以防止 1 号拦挡坝上游沟床地段下切。1 ～ 7 号防冲槛工程断面形式均为梯形，槛底宽均为 1.1 米，槛顶宽均为 0.8 米，高 1 米，基础埋深为 2 米，槛顶均设置溢流槽。在防冲槛下游 10 米处设置防冲齿墙，防冲槛与齿墙间沟底为防冲护坦，两侧为翼墙，均采用 C20 素混凝土浇筑，防冲护坦表面铺上 10 厘米厚的卵石垫层。

德窝隆巴沟排导槽，设置在铅丝石笼坝下游，进口与铅丝石笼坝呈八字口衔接，出口与巴曲河相交，排导槽总长度为 850 米。载星弄北无名沟排导槽设置在泥石流堆积区，其进口与拦挡坝呈八字口衔接，其纵坡与地形线一致，出口与巴曲河相交，排导槽总长度为 162 米。投资 329.42 万元，为中央一般预算收入。由青海九〇六工程勘察设计院设计援建，青海省国土资源厅承建，中国交通第一公路勘察设计研究院监理。2011 年 9 月 2 日奠基开工，2012 年 5 月达到初验，2012 年 6 月由青海省国土资源厅验收竣工。

五、结古镇尼隆库泥石流灾害防治工程

工程位于玉树县结古镇南部巴塘河东岸山地河谷地区。受地震影响，尼隆库等 4 条泥石流沟沟谷两岸山体在原来较破碎的基础上更加破碎、松散，形成极大的泥石流隐患，威胁着禅古新村群众的生命财产安全，以及沟前机场公路桥和沟口恢复重建区的安全。该防治工程安全等级为二级，项目设计在 N11 沟泥石流中下游流通区修建 7 座拦挡坝；在 N12 沟流通区修建 1 座拦挡坝，以减小泥石流流速和冲击力，改变泥石流流体性质，保护沟底和冲沟两岸。同时拦挡较粗大的固体物源，以利于剩余的少量较细颗粒泥石流（稀性为主）顺畅往下排泄及堆积；在 N13 沟堆积区修建防护堤和排导槽，以确保上游洪水或泥石流顺利通过，防止泥石流、洪水对岸坡冲刷、淤埋沟口民房。投资 632.68 万元，为中央一般预算收入。项目单位为青海省国土资源厅，由青海省水文地质工程地质环境地质调查院、中国地质大学（武汉）设计，青海省水文地质工程地质环境地质调查院承建，中国交通第一公路勘察设计研究院有限责任公司玉树地质灾害防治施工监理项目部监理。2011 年 9 月 1 日开工，2012 年 7 月 18 日竣工。

六、结古镇扎隆泥石流灾害防治工程

工程位于玉树州结古镇东北部，范围东起肖鲁隆沟东 500 米无名沟、西至扎隆沟，距离结古镇约 3 千米处。施工内容包括在扎隆沟、日永隆沟、肖鲁隆沟、肖鲁隆沟东 500 米无名沟，共建拦挡坝 9 个，其中 C25 混凝土坝 3 个、格宾石笼坝 6 个，总坝长 181.5 米；建浆砌块石砌筑的导流槽 2 条，总长 728 米；建浆砌块石砌筑的防护堤 6 条，总长 1110 米。投资 790.22 万元，为中央一般预算收入。由青海省水文地质工程地质环境地质调查院和中国地质大学（武汉）设计，

由山东省地矿工程勘察院承建，青海省有色地质矿产勘察局八队监理。2011 年 9 月 16 日开工，2012 年 7 月 19 日由青海省国土资源厅组织验收竣工。

项目工程施工前，根据专家意见，结合对勘查、可研及现场调查后，对施工图原设计进行优化、细化。具体对泥石流容重、流速、流量进行了复核，对拦挡坝坝高进行调整，对排导槽的截面形式和截面尺寸进行优化设计，取消了格构护坡。同时，对拦挡坝和防护堤、导流槽的结构设计进行了细化。工程采用格宾石笼坝柔性防护，具有经济、实用、便于维护的特点。雨季可以减缓上游泥（水）石流下泄的速度，透水阻砂石，减小对沟底的冲刷，消除了对当地居民和城建设施的地质灾害威胁。

七、结古镇热翁陇沟泥石流灾害防治工程

工程位于玉树县结古镇新寨村，地处扎曲河北岸，东临热翁陇东沟东侧分水岭，西至热翁陇沟分水岭，南接扎曲河，北抵各沟谷地表分水岭，南北长约 8.5 千米，东西宽约 7 千米，面积 59.67 平方千米。

工程工作区热翁陇沟泥石流沟谷流域面积较大，为 49.10 平方千米，沟长约 14.84 千米，沟中固体物源主要为沟底及沟谷两侧坡体表层松散、破碎的堆积物。沟谷较弯曲，跌水坎不发育，沟谷两侧坡度 30 度至 40 度，局部发育不稳定边坡，泥石流沟堵塞严重。热翁陇东沟泥石流沟流域面积较小，为 0.78 平方千米，沟谷长 1.19 千米，沟谷两侧的坡度约为 40 度至 50 度，局部几近直立，沟谷中植被覆盖率小于 30%，沟谷两侧发育不稳定边坡，其固体物源主要为沟底及沟谷两侧坡体表层松散、破碎的松散堆积物，沟口为国道 214 线和受灾群众临时安置点，无停淤场地。

热翁陇沟曾经发生过一次大规模泥石流和多次小规模泥石流。2003 年 7 月 29 日，热翁陇沟曾发生过一次小规模泥石流灾害，半毁院墙 30 米及 2 座简易桥，没有造成人员伤亡。热翁陇东沟曾发生过多次泥石流，但规模一般较小，由于沟口震前无人居住，并未造成人员伤亡。

工程在热翁陇沟主沟中下游布置 5 座拦挡坝，其中 1 座刚性格栅坝、2 座浆砌片石谷坊坝、2 座钢筋混凝土重力坝；支沟布设拦挡坝 5 座，包括 3 座刚性格栅坝、2 座浆砌片石坝，坝高均在 4 米以下；沟口以下布设导流槽 1 条，长 703 米；在热翁陇泥石流沟设钢筋混凝土坝 1 座，导流槽 1 条，长 111 米。总投资 1526.46 万元，为中央一般预算收入。由青海省地矿建筑勘察设计院设计勘查，地质基础工程施工总公司承建，中铁二院（成都）咨询监理有限责任公司监理。项目单位为青海省国土资源厅。2011 年 9 月 4 日奠基开工，工程于 2012 年 6 月 10 日由青海省国土资源厅玉树灾后恢复重建指挥部验收竣工。

工程采用以拦挡为主、排导为辅和生物工程相结合的两套方案，在沟谷中共设置 8 座浆砌片石谷坊坝和 5 座刚性格栅坝，使之相互配合构成拦挡坝群。在沟口泥石流堆积区修筑排导渠，在沟谷实施退耕还草、封山育草生物措施。具有技术可行、投资少、综合效益高的特点。在泥石流支沟内设置刚性格栅坝和浆砌片石谷坊坝，可以有效减少支沟泥石流对主沟的物源供给，

同时可以保障支沟沟口牧民的生命财产安全。而钢筋混凝土坝能够有效拦挡泥石流物质，同时在1号钢筋混凝土坝址修建排导渠与原有泄洪渠连接，并延长至扎曲河主河道，从而保证沟道下游居民和工厂的生命财产安全。

八、结古镇山坚果隆巴等泥石流灾害防治工程

工程位于玉树县结古镇代格村。受地震影响，玉树县结古镇代格村北山坚果隆巴、夏坚果隆巴和德古隆3条泥石流沟沟谷两岸山体松动，增加了泥石流松散固体物源及泥石流灾害隐患。各沟口泥石流堆积区（极危险区、危险区）范围内，受泥石流威胁对象主要是居住在沟口地带的村民、寺院、恢复重建工程以及国道国道214线。其潜在危险性等级根据《地质灾害危险性评估规程》（DB63/T 489—2004）中表H7“潜在经济损失≥10000万元”的指标，划为特大型地质灾害区。

项目工程根据工作区各沟泥石流特征，以控制上游泥石流起动条件，拦截中下游大量固体物质，排导少量细粒固体物质为设计思路，采用拦挡坝、排导槽工程措施。建设内容包括：山坚果隆巴沟建设1座混凝土格栅拦挡坝、1座混凝土溢流重力坝和拦挡坝下游818米浆砌石排导槽；夏坚果隆巴沟建设1座混凝土格栅拦挡坝、1座混凝土溢流重力坝和拦挡坝下游726米浆砌石排导槽；德古隆沟建设1座混凝土格栅拦挡坝、1座混凝土溢流重力坝和拦挡坝下游243米浆砌石排导槽。投资1033.83万元，为中央一般预算收入。项目单位为青海省国土资源厅。由青海省柴达木综合地质矿产勘察院设计，地矿格尔木地质工程勘察院承建，中铁二院（成都）监理咨询有限责任公司监理。工程于2012年6月10日经青海国土资源厅验收竣工。

九、结古镇当得隆泥石流灾害防治工程

工程内容为新建6座混凝土拦挡坝，4座浆砌石拦挡坝，两条浆砌石排导槽。根据当得隆沟泥石流的特点，项目采取以人为本，动态设计，信息化实施，泥石流防治以拦为主、排导为辅，坚持经济合理、技术可靠、灾害治理与自然环境相协调的原则，泥石流拦挡坝和排导槽均按50年一遇暴雨标准进行设计，泥石流防治等级为二级。投资1375.43万元。其中，中央一般预算收入636.92万元，民政部捐赠资金738.51万元。项目单位为青海省国土资源厅，由北京中地大工程勘察设计研究院设计，青海省核工业地质局援建，青海工程勘察院承建，济南环能地质工程有限公司监理。2011年9月30日开工，2012年7月20日经省国土资源厅玉树项目办公室、玉树州国土资源局核验竣工。

十、结古镇果波隆沟泥石流灾害防治工程

工程内容为新建6座混凝土拦挡坝，6座浆砌石拦挡坝，3条浆砌石排导槽。根据果波隆沟泥石流的特点，项目采取以人为本，动态设计，信息化实施，泥石流防治以拦为主，排导为辅，坚持经济合理、技术可靠、灾害治理与自然环境相协调的原则，泥石流拦挡坝和排导槽均按50年一遇暴雨标准进行设计，泥石流防治等级为二级。工程投资2280.64万元，为中央一般预算收入。项目单位为青海省国土资源厅，由北京中地大工程勘察设计研究院设计，青海省核工业地质局援建，青海工程勘察院承建，济南环能地质工程有限公司监理。2011年9月30日开工，2012年7月20日经省国土资源厅玉树项目办公室、玉树州国土资源局核验竣工。

十一、结古镇孟宗沟泥石流灾害防治工程

工程内容为在孟宗沟中下游主沟内建设8座高度均小于等于6米的拦挡坝，其中6座为混凝土坝、2座为浆砌块石坝，起到稳拦物源和削峰减流的作用，减少到达孟宗沟下段堆积区的固体物源量，并调节下游泥石流洪峰流量。在孟宗沟1号坝出山口以下的流通堆积区段，修建总长度1750米的排导槽明渠，其上游段为单边导流堤，长度460米，下游段为长1290米的双边明渠排导槽，主要保护沟口规划区的安全，规整沟槽断面，减小弯道曲率，将1号拦挡坝下泄泥石流物质顺畅地导入主河巴曲河，保护流通堆积区和城镇规划区的安全。

孟宗沟8座泥石流拦挡坝断面设计尺寸统计表

表8-1

名称	坝高（米）	基础埋深（米）	坝顶宽度（米）	坝顶厚度（米）	坝上游坡比（宽/高）	坝下游坡比（宽/高）	溢流口坝体厚度（米）	坝基底厚度（米）
1号拦挡坝	3.5	2	20.8	1.5	0.6	0.2	2.7	4.3
2号拦挡坝	4	2	39.7	1.5	0.6	0.2	2.7	4.7
3号拦挡坝	6	2	46.2	1.5	0.6	0.2	3.1	6.3
4号拦挡坝	6	2	45.3	1.5	0.6	0.2	3.1	6.3
5号拦挡坝	5	2	37.6	1.5	0.6	0.2	3.1	5.5
6号拦挡坝	5	2	23.6	1.5	0.6	0.2	3.1	5.5
7号拦挡坝	5	2	37.6	1.5	0.6	0.2	3.1	5.5
8号拦挡坝	5	2	29.6	1.5	0.6	0.2	3.1	5.5

1～5号坝、8号坝体采用C25混凝土结构，6号、7号坝采用M10浆砌石结构。

工程由青海九〇六工程勘察设计院设计援建，青海省国土资源厅承建，青海金鑫工程监理

有限责任公司监理。投资 862.03 万元，为民政部捐赠资金。2011 年 9 月奠基开工，2012 年 5 月完工，2012 年 6 月达到初验，2012 年 10 月交付使用。

十二、结古镇结古隆巴泥石流灾害防治工程

工程项目位于玉树州府结古镇北部，内容为修建 3 座坝顶宽 1.5 米，坝高分别为 3 米、4 米和 5 米的混凝土拦挡坝；修建坝顶宽 1.5 米，坝高均为 1 米的 5 座浆砌石谷坊坝；修建 590 米浆砌石排导渠以及护栏、桥涵等附属工程。投资 743.74 万元，为中央一般预算收入。项目单位为青海省国土资源厅，由青海九〇六工程勘察设计院、甘肃地质工程勘察院设计，青海省国土资源厅援建，四川九一五建设工程公司承建，青海金鑫工程监理有限责任公司监理。2011 年 8 月 29 日工程奠基，2011 年 9 月 10 日正式开工，2012 年 5 月 17 日主体工程完工，2012 年 7 月 16 日主体及所有附属工程竣工。2012 年 7 月 18 日，青海省国土资源厅组织专家组、地方政府、监理、设计及施工单位对工程进行验收并移交地方政府。

十三、结古镇日沃囊泥石流灾害防治工程

工程建设内容为结合沟内中下游段有的 5 座钢筋石笼谷坊拦挡坝，在沟上游侵蚀切割强烈基岩段增设钢筋混凝土（C25）拦挡谷坊坝 1 座，2 座混凝土（C20）谷坊坝；在沟道中游（已有钢筋石笼坝）段地带增设混凝土（C20）谷坊坝 1 座；在沟口地带增设钢筋混凝土（C25）拦沙坝 1 座，并对已有的排导渠进行加固改造，采用 50 年一遇泥石流流量进行设防。通过兼顾流域上、中、下游，采取拦排结合工程措施，既治表，又治根，有效防治泥石流灾害，形成完整的泥石流防治体系，防治和减轻地质灾害对玉树重建规划区的危害。投资 318.78 万元，为中央一般预算收入。由青海九〇六工程勘察设计院设计援建，青海省国土资源厅承建，青海省有色地质矿产勘查局八队监理。2011 年 7 月奠基开工，2012 年 4 月达到初验，同年 10 月验收竣工。

十四、结古镇董琼隆泥石流灾害防治工程

工程位于结古镇北部的董琼隆沟属较大冲沟，建设内容包括在董琼隆沟泥石流沟谷的主沟道中游和沟口增设重力式混凝土拦挡坝 3 座，与沟内已建成的钢筋（铅丝）石笼拦砂坝共同构成拦挡坝群，投资 296.44 万元，为中央一般预算收入。项目单位为青海省国土资源厅，由青海省水文地质工程地质环境地质调查院、中国地质大学（武汉）设计，青海省水文地质工程地质环境地质调查院承建，青海省有色地质矿产勘查局八队监理。2011 年 6 月 30 日开工，2012 年 7 月 18 日验收竣工。

十五、结古镇折隆泥石流灾害防治工程

工程内容为新建1座混凝土拦挡坝，3座浆砌石拦挡坝。投资180.34万元，为中央一般预算收入。项目单位为青海省国土资源厅，由北京中地大工程勘察设计研究院设计，青海省核工业地质局援建，青海工程勘察院承建，青海省有色地质矿产勘查局八队监理。2011年5月12日开工，2012年7月20日经省国土资源厅玉树项目办公室、玉树州国土资源局核验竣工。

十六、结古镇董琼隆西支沟、扎松沟泥石流灾害防治工程

工程位于玉树州结古镇北部，建设内容包括在董琼隆西支沟及扎松沟主沟道上游分别增设重力式混凝土拦挡坝1座，与沟内已建成的钢筋（铅丝）石笼拦砂坝共同构成拦挡坝群。投资376.85万元，为中央一般预算收入。项目单位为青海省国土资源厅。由青海省水文地质工程地质环境地质调查院、中国地质大学（武汉）设计，青海省水文地质工程地质环境地质调查院承建，青海省有色地质矿产勘查局八队监理。2011年6月30日开工，2012年7月18日竣工。

十七、结古镇载星弄泥石流灾害防治工程

工程位于巴塘河南岸的禅古村东侧，工程内容为建设2座重力式钢筋混凝土拦挡坝。投资304.08万元，为中央一般预算收入。项目单位为青海省国土资源厅，由青海省水文地质工程地

青海省国土资源厅承建的玉树泥石流灾害治理工程

质环境地质调查院设计并承建，中国交通第一公路勘察设计研究院有限责任公司玉树地质灾害防治施工监理项目部监理。2011 年 9 月 1 日开工，2012 年 7 月 18 日竣工。

第二节　不稳定斜坡防治

一、结古镇禅古村不稳定斜坡防治工程

工程位于巴塘河东岸原禅古北村四社至禅古南村二、三社（佛塔北 300 米）之间。防治工程安全等级为二级，工程在治理施工中采取了以下措施：一是共修建 7 段挡土墙，采用 C20 片石混凝土浇筑，墙顶宽 2 米，高 7 米，面坡 1 : 0.25，背坡竖直，每隔 2 米设置泄水孔、交错布置，最下排孔口距地面约 0.3 米，外斜 5% ~ 8%，采用直径 100 毫米 PVC 管预埋，泄水孔后做沙砾石滤层。墙后填土选用透水性较强的填料，采用黏性土作为填料并掺入适量的块石。滤层顶采用黏土封填，黏土层厚 3 米、宽 0.5 米。每隔 10 米设置伸缩缝，缝宽 20 毫米，缝内填塞沥青麻筋，沿内、外、顶三方填塞，深度大于 15 厘米。二是根据场地条件，于滑坡后缘和坡体中部共布置 7 条截、排水沟，并将截、排水沟与坡下原有自然冲沟或公路边沟相接，形成完整截、排水系统。沟渠采用浆砌石衬砌，沟底衬砌厚度为 30 厘米，沟侧壁的衬砌厚度为 30 厘米，采用 M7.5 砂浆和 MU20 的块石砌筑，块径一般不小于 20 厘米。排水沟迎水面和顶侧均用 1 : 2 水泥砂浆进行抹面，抹面厚 2 厘米。三是裂缝夯填。投资 3530.62 万元，为中央一般预算收入。项目单位为青海省国土资源厅，由青海省水文地质工程地质环境地质调查院设计，青海省水文地质工程地质环境地质调查院、山东省地矿工程勘察院、四川冶金地质局水文地质大队承建，青海省有色地质矿产勘查局八队、青海金鑫工程监理有限责任公司、甘肃有色工程勘察设计院监理。2012 年 7 月 17 日开工。2013 年 9 月 11 日，经青海省发展和改革委员会、青海省财政厅、青海省国土资源厅、玉树州水利局、玉树州国土资源局、玉树县国土资源局、青海省有色地质矿产勘查局八队、青海金鑫工程监理有限责任公司、甘肃有色工程勘察设计院、青海省水文地质工程地质环境地质调查院、四川冶金地质局水文地质大队、山东省地矿工程勘察院验收竣工。

二、结古镇西杭水电站不稳定斜坡防治工程

工程位于玉树州结古镇南环路以北。西杭水电站不稳定斜坡的威胁范围自坡脚地带扩展到南环路以东直至胜利路上，东西宽近 300 米，南北长约 1250 米，呈条带状分布。通过治理，要保障斜坡下方的西杭水电站、应急燃油电站、统规自建区、南环路和胜利路道路工程以及两

侧规划区内房屋住宅、市政工程、商住组团居民的生命和财产安全。

西杭不稳定斜坡沿坡脚南北展布990米，按照灾害类型分区，自北向南分布有1号斜坡、H1滑坡、H2变形体、2号斜坡。其中，H2变形体位于H1滑坡的上部，H1滑坡、H2变形体与2号斜坡之间为1号溜石沟，2号斜坡上分布有2号溜石沟、3号溜石沟。其中，北段（1号斜坡）沿坡脚南北展布540米，按照灾害类型，自南向北分布有1号不稳定斜坡、2号不稳定斜坡、3号不稳定斜坡、1号滑坡、4号不稳定斜坡、5号不稳定斜坡。

西杭水电站不稳定斜坡防治工程设计，采用了抗滑桩、锚杆格构、挡土墙、拦石网、截排水沟等,结合清理危岩、坡面平整、削方减载、回填反压等工程措施综合治理。投资5685.76万元，为中央一般预算收入。项目单位为青海省国土资源厅，由青海九〇六工程勘察设计院设计，青海省国土资源厅承建，西安中交岩土有限责任公司监理。2011年9月4日开工，2013年9月12日经青海省国土资源厅验收竣工。

三、结古镇孟宗沟西不稳定斜坡防治工程

工程位于结古镇扎西科河南岸。斜坡坡高约300米，工程以建设抗滑桩为主，施工中采用了先进的(德国)劈裂机破岩技术。建设内容主要有5项：一是H1滑坡抗滑桩1.8×2.4米共9根，总深135米，土方开挖450立方米，石方开挖380立方米，C25混凝土浇筑250立方米、C30混凝土浇筑580立方米；二是H2滑坡抗滑桩2米×3米共13根，总深210米，土方开挖360立方米，石方开挖1480立方米，C25混凝土浇筑580立方米、C30混凝土浇筑1260立方米；三是H4滑坡抗滑桩1.8米×2.4米共13根，总深241米，土方开挖120立方米，石方开挖1485立方米，C25混凝土浇筑445立方米、C30混凝土浇筑1040立方米；四是1～5号危岩崩塌体治理，共修建SNS柔性防护网3090平方米，裂缝夯填共计875立方米；五是修建不稳定斜坡变形监测墩23个。投资1585.97万元，为中央一般预算收入。项目单位为青海省国土资源厅，由青海九〇六工程勘察设计院设计，四川九〇九建设工程有限公司承建，青海省有色地质矿产勘查局八队监理。2012年7月17日开工，2013年5月29日工程主体完工。2013年9月11日，由青海省国土资源厅、玉树灾后重建项目办公室、监理单位、有关专家验收竣工。

四、青海玉树灾后重建应急燃油发电站西侧不稳定斜坡治理工程

工程位于玉树县结古镇，工程内容包括新建长110米衡重式挡土墙，墙高8.5米，墙顶宽1米，采用M10浆砌片石砌筑，基底埋深约2～2.5米，坡底设0.1∶1反坡，起部分抗滑作用。自地面以上0.5米按2×2米的间距呈梅花状布设泄水孔，墙后设30厘米宽反滤层，回填20～40毫米砾石；为减小地表水下渗对斜坡稳定性的影响，沿斜坡原有冲沟及坡面适当位置修筑总长度1500米的纵、横向排水沟，排水沟底板采用C20混凝土现浇，侧板采用C20预制混凝土块组砌；针对斜坡后缘及斜坡体上存在的大量拉张裂缝，对其进行回填、夯实，防

止地表水沿裂缝渗入斜坡体中。采用素黏土料人工夯实，压实系数不小于 0.95，夯填工程量 800 立方米。投资 318.27 万元，为中央一般预算收入。项目单位为青海省国土资源厅，由青海九〇六工程勘察设计院设计、援建，青海省国土资源厅承建，青海省有色地质矿产勘查局八队监理。2010 年 8 月 12 日开工，同年 10 月 23 日竣工，2011 年 8 月通过青海省国土资源厅核验。

五、结古镇结古寺不稳定斜坡治理工程

工程位于结古镇北侧山体顶部、巴塘河与扎西科河交汇处的左岸。工程采取了以下 5 项防治措施：一是针对滑坡表层坡积物人工切脚土质边坡，采用桩板墙防护，抗滑桩设置在滑坡下方房屋挡墙后方，截面采用 3×2 米，桩长 22 ～ 37 米，桩间距 6 米，共 59 根。桩后挂板，挂板高度 4.5 ～ 9.9 米，板后连续设置顶宽 1 米，坡率 1 : 1 袋装砂卵石。采用 C30 钢筋混凝土灌注，挡土板 C30 钢筋混凝土采用现场预制，抗滑桩采用人工挖孔桩和加强型锁口护壁，桩身结构采用单独设计。二是针对滑坡上部转经路上方人工拣码挡墙，拆除后设置重力式挡土墙，挡墙长约 138.14 米，墙高 3 ～ 5 米，墙身均采用 C25 素混凝土浇注，墙址埋深不小于 1.5 米，基础开挖采用 M7.5 浆砌片石回填，墙背回填土，墙顶以下 0.5 米和最底排泄水孔之下 0.3 米采用同墙体标号混凝土封闭，墙身沿基线方向每隔 10 ～ 15 米和地层变化处设置伸缩缝，缝宽 0.02 ～ 0.03 米，缝内填塞沥青木板。墙身高出路面部分，纵横向每隔 2 米交错设置泄水孔，墙背连续设置 0.3 米厚砂卵石反滤层，砂卵石采用编织袋袋装码砌。三是针对滑坡坡面的危岩落石，采取坡面清理和主动柔性防护设计相结合的措施。主动柔性防护设计采用型号 GPS2 型，网型为钢丝绳网 + 钢丝格栅网，结构配置为钢丝绳锚杆 + 支撑绳 + 缝合绳 + 钢丝格栅网。坡面危岩落石采用主动防护网设计，共 4 处，总面积 886 平方米。四是靠近大经堂一侧设置一道被动防护网，长 338.6 米，被动防护网立柱高 6 米。五是在滑坡的顶部及中部，分别设置排水沟与滑坡外侧天沟相连接，至滑坡前缘公路排水沟内，排水沟长 810 米，采用 M7.5 浆砌片石。投资 3633.81 万元，为中央一般预算收入。项目单位为青海省国土资源厅，由青海省水文地质工程地质环境地质调查院设计，青海省水文地质工程地质环境地质调查院、中铁二院成都地勘岩土工程有限责任公司承建，青海省核工业地质局监理。2012 年 8 月 29 日开工。2013 年 9 月 11 日，经青海省发展和改革委员会、青海省财政厅、青海省国土资源厅、玉树州水利局、玉树州国土资源局、玉树县国土资源局、青海省核工业地质局、青海省水文地质工程地质环境地质调查院、中铁二院成都地勘岩土工程有限责任公司验收竣工。

第三节　裂缝危石灾害防治

一、山体裂缝人工夯填工程

工程位于玉树县结古镇，工程采用人工在指定地点挖装适宜植物生长的土，用手扶拖拉机运至需填缝的山坡坡脚，再以人工方式搬运至裂缝处夯填、植草。投资 252.15 万元，为中央一般预算收入。项目单位为青海省国土资源厅，由青海九〇六工程勘察设计院设计援建，青海省国土资源厅承建，青海省有色地质矿产勘查局八队监理。2010 年 5 月开工，同年 6 月 23 日竣工，2011 年 8 月由青海省国土资源厅核验竣工。

二、结古寺南坡危岩治理工程

工程内容为清理结古寺南坡上的大量危石、危岩体，以防在地震或大雨的作用下危石及危岩体自动滚落。设计工程量为人工清理危石、危岩体 2922.56 立方米；布设柔性防护网 2000 平方米；建设支墩 100 立方米；设置锚杆 200 根。工程实际完成人工清理危石、危岩体 3200 立方米；土袋防护墙 5478.5 立方米；弃渣外运 8678.5 立方米。投资 248.41 万元，为中央一般预算收入。项目单位为青海省国土资源厅，由青海省水文地质工程地质环境地质调查院设计，青海省国土资源厅承建，青海省有色地质矿产勘查局八队监理。2011 年 5 月 4 日开工，同年 7 月 2 日由青海省国土资源厅核验竣工。

三、巴塘河谷东岸禅古村四社陡坡危石清理工程

工程位于玉树县结古镇，清理坡面危岩体和孤石为坡顶至坡脚长度为 2 千米的范围。投资 301.97 万元，为中央一般预算收入。项目单位为青海省国土资源厅，由青海九〇六工程勘察设计院设计、援建，青海省国土资源厅承建，青海省有色地质矿产勘查局八队监理。2010 年 5 月 12 日开工，同年 9 月 23 日竣工，2011 年 10 月通过青海省国土资源厅核验。

第九篇
精神家园建设

国务院印发的《玉树地震灾后恢复重建总体规划》，要求对国家级、省级、县级文物保护单位和重要文物点实施保护性清理、维修加固和修复重建。对馆藏文物、寺内文物进行认定和修复。注重文物保护与当地居民生活特别是宗教生活的和谐共存，做好文物保护修复与开展传统宗教文化活动的协调工作；重点恢复重建受损国家级、省级非物质文化遗产和博物馆。培养民族民间文化传人，加强卓舞、依舞、民歌、安冲藏刀锻制技艺等的传承；在地震纪念设施方面，保留必要的玉树地震遗址，建设纪念设施。青海省制定《青海玉树地震灾后文化遗产恢复抢救规划》，成立文物保护工程领导小组；国家文物局组织有关单位编制玉树文物抢救保护修复专项规划。相关部门及时派出专门人员对灾区非物质文化遗产项目进行调查、摸底，运用文字、图片、录音、录像等手段对各类项目进行全面系统记录，建立了完整的档案和数据库，适时对当地的文化管理人员、“非遗”传承人进行专门的培训。省文化和新闻出版厅编辑出版《玉树非物质文化遗产名录普典》，以藏语、汉语图文并茂的形式记录玉树非物质文化遗产项目。全面实施寺院重建和文物保护工程，248个建设项目全部完工。用于玉树非物质文化遗产抢救资金1068万元；震区新寨嘉那嘛呢石堆、贝大日如来佛石窟寺、藏娘佛塔及桑周寺、格萨尔三十大将军灵塔及达那寺等各类藏族传统文物的修复、保护费用5亿元。4个国家级文物保护项目和56个省级文物保护修缮项目全部通过验收。省、州、县均成立寺院恢复重建工作协调组，93座受损宗教活动场所、僧舍和寺院公共用房全部得到重建或维修。一批设施齐备、宜居舒适的社会福利院、敬老院和儿童福利院相继建成。在玉树抗震救灾和灾后重建中，坚持物质文明、精神文明、生态文明一起抓，适时推出了一大批充满鲜明时代特色、具有丰富精神内涵、饱含强烈艺术感染力的文艺作品。组织开展主题突出、形式多样、贴近群众、真情感人的文艺演出活动，传递党和政府的关怀及全国人民的大爱深情，展现灾区人民群众的精神风貌。

众志成城　抗震救灾

第一章　文化遗产抢救保护工程

第一节　遗址　旧址

一、遗址

玉树县禅古寺遗址保护文物修缮工程　禅古寺属藏传佛教噶举派寺院，省级文物保护单位，位于玉树县结古镇禅古村，是青海玉树地区历史最悠久的寺庙，距今有750多年的历史。禅古寺是藏传佛教的4个分支之一的白教在玉树地区最大的寺庙，也是整个藏区唯一供有藏传佛教4个教派佛堂的白教寺庙。寺中保存着大量文物，其中有3000多座佛像，寺藏经书多达10多万册。禅古寺地震遗址保护区是一座以藏传佛教文化保护、"4·14"地震祭祀和地震纪念为主题的纪念性遗址保护区。保护内容包括整个遗址区的保护和炯西德勒囊加佛堂（千佛殿）、大经堂、禅莱嘉贡活佛寝宫、洛卓尼玛仁波切活佛寝宫、佛学院（讲经堂）、闭关院、禅古活佛寝宫、僧舍、护法殿及白塔的加固维修。禅古寺遗址保护文物修缮工程施工中，施工单位针对遗址保护中的病害及破坏机理，如风、雨、温度、洪水、地震等自然因素，通过现代的测试手段，运用近景摄影、航空遥感、地震物探、面波仪、声波仪等手段进行精确勘察，利用PS技术、灌浆材料、锚固技术等综合技术应用，工程各项指标均达到设计要求。修缮工程投资474.16万元，为中央一般预算收入。项目单位为玉树州文化体育局，由陕西省咸阳市古建园林设计研究院设计，西安市古代建筑工程公司施工，浙江省古典建筑工程监理有限公司监理。2011年10月15日开工，2012年11月2日经青海省文物管理局验收竣工。

玉树县仲达乡切定龙巴沟遗址抢险修缮工程　切定龙巴沟遗址属县级文物保护单位，位于玉树县仲达乡尕拉村切定龙巴沟。工程修缮面积310平方米，施工内容包括考古调查及局部清理、冲沟整治、公路边护栏及保护碑设立。投资80.58万元，为中央一般预算收入。项目单位为玉树州文化体育局，由兰州大学文物保护研究中心设计，四川省川英文化古建筑工程有限责任公司施工，浙江省古典建筑工程监理有限公司监理。2011 年 9 月 12 日开工，2012 年 10 月 16 日验收竣工。

玉树县仲达乡格宗达遗址抢险修缮工程 格宗达遗址属县级文物保护单位，位于玉树县仲达乡尕拉村格宗达自然村落东南 100 米处。工程施工内容包括考古调查及局部清理、冲沟整治、防护围栏及保护碑设立。投资 93.03 万元，为中央一般预算收入。项目单位为玉树州文化体育局，由兰州大学文物保护研究中心设计，四川省川英文化古建筑工程有限责任公司施工，浙江省古典建筑工程监理有限公司监理。2011 年 9 月 12 日开工，2012 年 10 月 16 日验收竣工。

玉树县当卡寺遗址保护 工程内容包括文物维修加固和遗址保护，投资 379.49 万元，为中央一般预算收入。项目单位为玉树州文化体育局，由北京清华城市规划设计研究院设计，西藏轩辕文物古建筑保护有限公司施工，浙江省古典建筑监理有限公司监理。2011 年 7 月 30 日开工，2012 年 9 月 30 日由玉树州文化体育局验收竣工。

玉树县仲达乡结吾卡碉堡维修加固工程 项目修缮面积 200 平方米，投资 92.07 万元，为省级财政资金。项目单位为玉树州文化体育局，由北京清华同衡规划设计研究院有限公司设计，贵州保利文物古建有限公司施工，浙江省古典建筑监理有限公司监理。2013 年 8 月 16 日开工，同年 11 月 11 日由玉树州文化体育局验收竣工。

二、旧址

玉树县隆宝镇原江南县政府旧址修缮工程 工程内容包括文物维修加固和遗址保护，修缮面积 1000 平方米，投资 256.22 万元，为中央一般预算收入。项目单位为玉树州文化体育局，由兰州河陇文化遗产规划设计有限公司设计，甘肃永靖古典建筑工程总公司施工，浙江省古典建筑监理有限公司监理。2011 年 10 月 15 日开工，2012 年 10 月 25 日由玉树州文化体育局验收竣工。

贡萨寺旧址

称多县拉布乡拉布寺旧址保护工程　拉布寺属县级文物保护单位，位于称多县拉布乡。拉布寺旧址保护工程建筑面积 200 平方米。施工内容包括场地平整，清运杂草、碎石和墙体掉落的泥土；用工字钢、槽钢、角钢对墙体进行加固并喷涂固化剂；墙顶和墙根铺设片石，墙体周围设立铁艺栏杆；对外围地面进行硬化，修筑参观便道等。投资 136.49 万元，为中央一般预算收入。项目单位为玉树州文化体育局，由咸阳市古建园林设计研究院设计，成都市园林建设处施工，浙江省古典建筑工程监理有限公司监理。2011 年 10 月 13 日开工，2012 年 11 月 9 日验收竣工。

治多县贡萨寺（含贡萨寺旧址）修缮保护工程　工程内容为佛塔塔体修缮，转经廊、小经堂维修加固及遗址保护。修缮面积 2000 平方米，投资 766.34 万元，为中央一般预算收入。项目单位为玉树州文化体育局，由北京清华城市规划设计研究院设计，西藏轩辕文物古建筑保护有限公司施工，浙江省古典建筑监理有限公司监理。2012 年 4 月 15 日开工，同年 10 月 30 日由玉树州文化体育局验收竣工。

第二节　府邸　民居

一、府邸

玉树县仲达乡隆宝百户府邸修缮工程　工程包括文物本体修复和遗址保护。修缮面积 720 平方米，投资 182.56 万元，为中央一般预算收入。项目单位为玉树州文化体育局，由河北木石古代建筑保护研究所设计，开封市古建园林有限公司施工，甘肃经纬建设监理咨询有限责任公司监理。2011 年 10 月 13 日开工，2012 年 10 月 30 日由玉树州文化体育局验收竣工。

称多县称文镇当龙家族府邸文物修缮工程　工程位于称多县称文镇。当龙家族府邸属县级文物保护单位，工程文物修缮面积 700 平方米。修缮内容包括修补墙面糟朽部分，对柱子加固处理，对构成安全隐患的柱子进行编号后更换；对新更换的柱子、门窗进行彩绘，木地板铺设，修补手扶梯；设置防治山洪的挡土墙；更换檩条，对二楼和三楼的片石进行重新归置剔补；恢复第三层的房屋隔断及门窗玻璃安装，电线铺设，防护套管保护，安装照明灯，设置灭火器；对屋面重新找坡，预留天窗透光，屋面铺设防水卷材，女儿墙片石修葺等内容。投资 177.68 万元，为中央一般预算收入。项目单位为玉树州文化体育局，由咸阳市古建园林设计研究院设计，成都市园林建设处施工，甘肃经纬建设监理咨询有限责任公司监理。2011 年 10 月 13 日开工，2012 年 11 月 9 日验收竣工。

杂多县昂赛乡格吉部落长府邸文物抢救保护工程　工程位于玉树州杂多县昂赛乡，工程项目文物修缮面积 200 平方米。修缮内容是对格吉部落长府邸单体建筑等进行全面维修，复原原有的建筑风格、做法和特点，剔除过去人为改变的不合理部分。投资93.36万元，为省级财政资金。项目单位为玉树州文化体育局，由北京清华城市规划设计研究院文化遗产保护研究所设计，贵州保利文物古建有限公司施工，浙江古典建筑工程监理有限公司监理。2013年8月15日开工，同年9月30日经省文化和新闻出版厅、北京同衡城市规划设计研究院有限公司文化遗产保护研究所、州文体局、州文物组、浙江古典建筑监理有限公司验收竣工。

二、民居

玉树县仲达乡麦松民居修缮工程　工程内容包括文物本体维修加固和遗址保护，修缮面积500平方米。投资133.47万元，为中央一般预算收入。项目单位为玉树州文化体育局，由中铁西北科学研究院有限公司设计，北京凯莱斯建筑工程有限公司施工，浙江省古典建筑监理有限公司监理。2011年10月13日开工，2012年10月22日由玉树州文化体育局验收竣工。

玉树县仲达乡多囊民居修缮工程　工程内容包括文物本体维修加固和遗址保护，修缮面积400平方米。投资105.37万元，为中央一般预算收入。项目单位为玉树州文化体育局，由中铁西北科学研究院有限公司设计，北京凯莱斯建筑工程有限公司施工，浙江省古典建筑监理有限公司监理。2011年10月13日开工，2012年10月22日由玉树州文化体育局验收竣工。

称多县拉布乡拉司通村格萨尔拉康文物修缮工程　称多县拉布乡拉司通村的格萨尔拉康属县级文物保护单位，位于称多县拉布乡西北方向约1.5千米处半山腰的山脊平地上。工程修缮内容包括地基与基础处理、墙体砌筑、楼板现浇、楼梯及扶手设置、门窗安置、屋顶做防水处理、天井设置、地面铺设木地板、内墙粉刷及外墙抹面处理。投资46.11万元，为中央一般预算收入。项目单位为玉树州文化体育局，由兰州大学文物保护研究中心设计，成都市园林建设处施工，甘肃经纬建设监理咨询有限责任公司监理。2012年4月20日开工，同年11月9日验收竣工。

玉树县安冲乡拉则村抢救性保护工程　工程内容为保护500平方米民居遗址。投资45.09万元，修缮资金为中央一般预算收入。项目单位为玉树州文化体育局，由北京市古代建筑设计研究所有限公司设计，兰州市园林建筑工程公司施工，浙江省古典建筑监理有限公司监理。2011年10月13日开工，2013年10月22日完工，同年11月11日由玉树州文化体育局竣工验收。

第三节　古寺　佛塔

一、古寺

玉树县巴塘乡仁青林寺维修加固工程　工程位于玉树县巴塘乡岔来村，内容为重建砖混结构僧舍 2 户 36 平方米；新建砖混结构民管会办公室 50 平方米，文化活动室 60 平方米，卫生室 30 平方米，警务室 30 平方米，公厕 2 处 40 平方米，铺设供水管网新建 2 个供水点，更新供电线路，安装广播电视设施；维修加固 1200 平方米大经堂 1 座（中度），270 平方米护法殿 1 座（中度），大小闭关所 2 处 380 平方米（中度），活佛住房 1 户，僧舍 48 户。投资 88.9 万元（包括文物修缮工程费用），为中央一般预算收入。项目单位为玉树州文化体育局，由青海融和建筑勘察设计有限公司设计，四川省仪陇新鸿建筑有限责任公司施工，玉树州监理中心监理。2011 年 4 月 15 日开工，2012 年 5 月主体封顶。2013 年 8 月 25 日，由州派玉树县寺院重建工作组、县委统战部、县民宗局、县质监站、县发展改革局、县水务局、县交通局、州监理公司、州气象局、州消防大队、州环保局、寺院所在乡（镇）、寺院民管会等单位验收竣工。

玉树县巴塘乡仁青林寺文物修缮工程　仁青林寺属县级文物保护单位，位于玉树县巴塘乡相古村摩巴山下。项目修缮面积 343 平方米。修缮内容包括对受损的护法殿、讲经房、僧舍等建筑物基础补强；对受损的墙体、地面、屋面和门窗进行维修加固；对寺院内和周边场地进行平整。项目单位为玉树州文化体育局，由兰州大学文物保护研究中心设计，成都市园林建设处施工，浙江省古典建筑工程监理有限公司监理。2012 年 4 月 20 日开工，同年 11 月 12 日验收竣工。

玉树县结古镇结古寺修缮工程　工程内容为文物建筑保护、古建筑壁画保护修复、可移动文物的清理修复。修缮面积 5273.3 平方米，投资 1388.28 万元，为省级财政资金。项目单位为玉树州文化体育局，由南阳市古代建筑保护研究所设计，河南华磊园林工程有限公司施工，浙江省古典建筑监理有限公司监理。2011 年 9 月 13 日开工，2013 年 10 月 16 日由玉树州文化体育局验收竣工。

玉树县巴塘乡当头寺维修加固工程　当头寺属省级文物保护单位，位于玉树县巴塘乡当头村，工程内容包括维修加固活佛住房 1 户，僧舍 93 户；重建砖混结构僧舍 11 户 198 平方米；新建砖混结构民管会办公室 50 平方米、文化活动室 60 平方米、卫生室 30 平方米、警务室 30 平方米、公厕 2 处 40 平方米，更新供电线路，安装广播电视和寺外“四通”配套设施。总修缮面积 2531.3 平方米，总投资 722.93 万元（包括文物修缮费用），为省级财政资金。项目单位为玉树州文化体育局，由青海融和建筑勘察设计有限公司设计，四川新蜀建筑有限公司青海分公司施工，玉树州监理中心监理。2011 年 4 月 15 日开工，2012 年 5 月主体封顶。2012 年 10 月 30 日由州派玉树县寺院重建工作组、县委统战部、县民宗局、县质监站、县发展改革局、县水务局、县交通局、州监理公司、州气象局、州消防大队、州环保局、寺院所在乡（镇）、寺院民管会等单位验收竣工交付使用。

玉树县巴塘乡当头寺文物修缮工程　工程内容包括寺院受损建筑物柱、梁、椽、檩的拆换或检修；屋面的拆换或检修并重做防水，墙面整修裂缝灌浆加固；木地板检修、三合土地面重做，墙面采用当地三色浆涂刷；闭关院及 1 号、2 号、3 号僧舍按当地传统做法原址复建，包括地基与基础施工、主体夯土墙施工、大木构架制作及安装、细木构件制作安装、屋面油漆彩绘施工及外墙涂饰。项目单位为玉树州文化体育局，由河北木石古代建筑设计有限公司设计，四川省川英文化古建筑工程有限责任公司施工，浙江省古典建筑工程有限公司监理。2011 年 9

月13日开工，2013年11月30日验收竣工。

玉树县下拉秀镇龙喜寺维修加固工程 工程位于玉树县下拉秀镇政府所在地。内容包括维修加固活佛住房3户，僧舍310户；重建砖混结构公用厨房3处710平方米，僧舍97户1743平方米，活佛住房1户80平方米；新建砖混结构民管会办公室50平方米，文化活动室60平方米，卫生室30平方米，警务室30平方米，公厕4处80平方米；铺设供水管网新建3个供水点，新建太阳能光伏发电站，安装广播电视设施。修缮面积2505平方米，投资712.45万元，为省级财政资金。项目单位为玉树州文化体育局，由中国中建设计集团有限公司设计，四川南部县第八建筑公司施工，玉树州监理中心监理。2011年4月开工，2012年8月主体封顶。2013年8月22日，由州派玉树县寺院重建工作组、县委统战部、县民宗局、县质监站、县发展改革局、县水务局、县交通局、州监理公司、州气象局、州消防大队、州环保局、寺院所在乡（镇）、寺院民管会等单位验收竣工交付使用。

玉树县仲达乡唐龙寺维修加固工程 工程位于玉树县仲达乡唐达村。内容包括维修加固护法殿1座150平方米（中度），公用厨房1座80平方米（中度），僧舍72户1280平方米；重建砖混结构僧舍5户90平方米；新建砖混结构民管会办公室50平方米，文化活动室60平方米，卫生室30平方米，警务室30平方米，公厕2处40平方米；铺设供水管网，新建2个供水点，更新供电线路，安装变压器和广播电视设施。修缮面积2710平方米，投资777.18万元，为省级财政资金。项目单位为玉树州文化体育局，由中国中建设计集团有限公司设计，青海省首信建设工程有限公司施工，玉树州监理中心监理。2011年4月开工，2012年6月主体封顶。2013年8月27日，由州派玉树县寺院重建工作组、县委统战部、县民宗局、县质监站、县发展改革局、县水务局、县交通局、州监理公司、州气象局、州消防大队、州环保局、寺院所在乡（镇）、寺院民管会等单位验收竣工交付使用。

玉树县仲达乡嘎然寺维修加固工程 工程位于玉树县仲达乡歇格村。内容包括维修加固大经堂1座1100平方米，僧舍36户640平方米；重建砖混结构僧舍6户108平方米；新建砖混结构民管会办公室50平方米，文化活动室60平方米，卫生室30平方米，警务室30平方米，公厕2处40平方米；铺设供水管网新建2个供水点，新建太阳能光伏发电站，安装广播电视设施。总修缮面积2720平方米，投资766.92万元，为省级财政资金。项目单位为玉树州文化体育局，由中国中建设计集团有限公司设计，陕西安康市江南水电建筑工程有限公司施工，玉树州监理中心监理。2011年4月开工，2012年7月主体封顶。2013年8月28日，由州派玉树县寺院重建工作组、县委统战部、县民宗局、县质监站、县发展改革局、县水务局、县交通局、州监理公司、州气象局、州消防大队、州环保局、寺院所在乡（镇）、寺院民管会等单位验收竣工交付使用。

玉树县小苏莽乡然格寺修缮工程 工程内容包括文物本体（经堂主体墙面、门窗、屋面）维修加固和壁画保护，修缮面积2344.6平方米，投资802.88万元，为省级财政资金。项目单位为玉树州文化体育局，由北京清华城市规划设计研究院设计，北京凯莱斯建筑工程有限公司施工，浙江省古典建筑监理有限公司监理。2011年10月13日开工，2012年9月9日由玉树州文化体育局验收竣工。

玉树县小苏莽乡东存寺修缮工程　工程内容为寺院古建筑维修加固，修缮面积560平方米。投资198.27万元，为省级财政资金。项目单位为玉树州文化体育局，由北京清华同衡规划设计研究院有限公司设计，兰州市园林建筑工程公司施工，浙江省古典建筑监理有限公司监理。2013年8月16日开工，2013年11月11日由玉树州文化体育局验收竣工。

称多县歇武乡下赛巴寺（赛达寺）维修加固工程　工程位于称多县歇武镇下赛巴村。内容包括重建砖混结构僧舍5户89平方米，活佛住房1户80平方米；新建砖混结构民管会办公室50平方米，文化活动室60平方米，卫生室30平方米，警务室30平方米，公厕2处40平方米；铺设供水管网新建3个供水点，更新供电线路，安装变压器和广播电视设施；维修加固莲花师大经堂1座，寺院公用宗教文物及民俗博物馆1处，僧舍49户。总修缮面积2670平方米，投资765.5万元（包括文物修缮费用），为省级财政资金。项目单位为玉树州文化体育局，由青海融和建筑勘察设计有限公司设计，玉树州福利建筑有限公司施工，玉树州监理中心监理。2011年4月开工，2012年10月主体封顶，同年11月由县城建局（包括县质监站）、县发展改革局、县审计局、县水务局、县交通局、县监察局、县消防队、县气象局、县地震局、县林业环保局等部门验收竣工交付使用。灾后重建为该寺院新建的卫生室和文化活动室，为僧侣的日常健康保健和文化生活提供了保障和方便。

称多县歇武乡下赛巴寺文物修缮工程　工程包括新建框架结构藏式文物馆1座，修缮大经堂，修缮护法殿，修缮尕白塔。项目单位为玉树州文化体育局，由河南省文物建筑保护设计研究中心设计，湖北殷祖古建园林工程有限公司施工，甘肃经纬建设监理咨询有限责任公司监理。2012年7月10日开工，2013年8月20日验收竣工。

称多县珍秦镇群则寺维修加固工程　工程位于称多县珍秦镇卡那（2村）滩东南角毛庆藏岭沟口，内容包括新建砖混结构民管会办公室50平方米、文化活动室60平方米、卫生室30平方米、警务室30平方米、公厕1处40平方米，铺设供水管网，新建2个供水点，更换供电线路，安装变压器和广播电视设施；维修加固僧舍21户。总修缮面积2560平方米，投资740.98万元，为省级财政资金。项目单位为玉树州文化体育局，由青海融和建筑勘察设计有限公司设计，湖北殷祖古建园林工程有限公司施工，玉树州监理中心监理。2011年4月开工，2012年10月主体封顶，同年10月由县城建局（包括县质监站）、县发展改革局、县审计局、县水务局、县交通局、县监察局、县消防队、县气象局、县地震局、县林业环保局等部门验收竣工交付使用。此次修缮中为寺院新建的卫生室和文化活动室，给僧侣的日常健康保健和文化生活提供了保障和方便。

称多县称文镇尕藏寺维修加固工程　工程位于称多县称文镇松当村丁布社的迦嘎隆巴沟口。内容包括重建罗荣活佛砖混结构住房1户80平方米；新建砖混结构民管会办公室50平方米，文化活动室60平方米，公厕3处60平方米；铺设供水管网新建2个供水点，更新供电线，安装变压器及广播电视设施；维修加固僧舍109户。修缮面积2784平方米，投资795.88万元（包括所有文物修缮工程费用），为省级财政资金。项目单位为玉树州文化体育局，由青海融和建筑勘察设计有限公司设计，玉树州福利建筑有限公司施工，玉树州监理中心监理。2011 年 4 月开工，2012 年 10 月主体封顶，同年 11 月由县城建局（包括县质监站）、县发展改革局、县审计局、县水务局、县交通局、县监察局、县消防队、县气象局、县地震局、县林业环保局等部门验收竣工。此次修缮中新建的卫生室和文化活动室，为寺院僧侣的日常健康保健和文化生活提供了保障和方便。

称多县称文镇尕藏寺文物修缮工程 工程位于称多县称文镇，内容包括对尕藏寺损坏严重的加措经堂、措庆大经堂、护法殿、丹巴寝宫 4 座单体建筑等，严格按照现存部位构件及结构特点，损坏构件按照其残破损程度，分不同情况予以修缮。复原原有的建筑风格、做法和特点，剔除人为改变的不合理部分，对“文化大革命”后修改的与原建筑风格不符合部分，拆除恢复原貌；各种建筑构件，原则上采用原建筑材料、原规格。施工中尽量采用当地原有传统工艺进行作业；油饰彩画以传统方法进行除尘，未进行油漆彩画的木构件采用当地传统材料和工艺进行施工。项目单位为玉树州文体局，河南省文物建筑保护设计研究中心设计，湖北楚风园林古建筑工程有限公司施工，甘肃经纬建设监理咨询有限责任公司监理。2011 年 9 月 30 日开工，2012 年 10 月 30 日经省文化和新闻出版厅、河南省文物建筑保护设计研究中心、州文体局、州文物组、甘肃经纬建设监理咨询有限责任公司验收竣工。

称多县尕藏寺分项八思巴讲经堂文物修缮工程 工程位于称多县称文镇，内容包括对尕藏寺损坏严重的八思巴讲经堂单体建筑进行全面维修，复原原有的建筑风格、做法和特点，剔除过去人为改变的不合理部分。项目单位为玉树州文化体育局，由河南省文物建筑保护设计研究中心设计，湖北楚风园林古建筑工程有限公司施工，甘肃经纬建设监理咨询有限责任公司监理。2012 年 4 月 30 日开工，同年 10 月 30 日经省文化和新闻出版厅、河南省文物建筑保护设计研究中心、州文体局、州文物组、甘肃经纬建设监理咨询有限责任公司验收竣工。

称多县珍秦镇康囊寺维修加固工程 工程位于称多县珍秦镇卡那陇西南的知青沟，内容包括重建砖混结构活佛住房 1 户 80 平方米，僧舍 26 户 463 平方米；新建砖混结构民管会办公室 50 平方米，文化活动室 60 平方米，卫生室 30 平方米，警务室 30 平方米，公厕 3 处 60 平方米；铺设供水管网，新建 4 个供水点，更新供电线路，安装变压器和广播电视设施；维修加固经堂 3 座，佛殿 2 座，公用厨房 5 处，僧舍 126 户。总修缮面积 1557 平方米，投资 501.26 万元，为中央一般预算收入。项目单位为称多县康囊寺民管会，由青海融和建筑勘察设计有限公司设计，青海省宏星建筑有限公司施工，玉树州监理中心监理。2011 年 4 月开工，2012 年 10 月主体封顶，同年 11 月由县城建局（包括县质监站）、县发展改革局、县审计局、县水务局、县交通局、县监察局、县消防队、县气象局、县地震局、县林业环保局等验收竣工交付使用。

囊谦县格萨尔三十大将军灵塔及达那寺抢救性保护工程 工程位于玉树藏族自治州囊谦县吉尼赛乡麦曲村达那山深山中，内容包括文物本体维修加固、地质灾害及环境治理、安全消防设施购置等，修缮总面积 9500 平方米。投资 3404.85 万元，为中央一般预算收入。2014 年 8 月 11 日修缮工程全部完工。玉树格萨尔三十大将军灵塔及达那寺抢险维修工程方案，由中国文化遗产研究院设计，国家文物局审核批准实施。工程内容为对盗毁塔按原制修复，对震损或残损灵塔体全面维修。由北京首华建设经营有限公司施工，广东立德建设监理有限公司监理。

玉树达那寺主体建筑维修工程方案，由中国文化遗产研究院设计，国家文物局审核批准实施。工程内容为百柱殿、小经堂、叶巴经堂、帕木竹巴灵塔殿、三十大将军殿及1座佛塔的修缮。由北京园林古建工程有限公司施工，广东立德建设监理有限公司监理。玉树达那寺附属建筑及道路、护坡维修工程方案，由中国文化遗产研究院设计，国家文物局审核批准实施。工程内容为嘎吾拉康、闭关中心、金刚舞念经台、伙房和3座佛塔修缮工程及寺院道路、护坡维修改造。由北京中兴文物建筑设计工程公司设计，广东立德建设监理有限公司监理。

囊谦县尕丁寺维修加固工程　工程内容包括重建僧舍8户142平方米；新建民管会办公室50平方米，文化活动室60平方米，卫生室30平方米，警务室30平方米，公厕2处40平方米；铺设供水管网、新建供水点2个，安装广播电视设施，新建太阳能光伏电站；维修加固僧舍75户，活佛住房1处。项目建筑均为砖混结构，修缮面积2200平方米。投资631.94万元（包括文物修缮工程费用），为中央一般预算收入。项目单位为囊谦县尕丁寺民管会，由青海融和建筑勘察设计有限公司设计，西宁鑫海丰建筑有限公司施工，玉树州监理中心监理。2011年11月1日开工，2012年11月1日验收竣工。

囊谦县尕丁寺文物修缮工程　工程位于囊谦县毛庄乡泽容村，修缮面积2200平方米，修缮内容包括对尕丁寺损坏严重的大经堂、护法殿、拉让3座单体建筑和寺院其他建筑进行全面维修。项目单位为玉树州文化体育局，由北京华宇星园林古建设计所设计，成都市屹华建筑工程公司施工，浙江古典建筑工程监理有限公司监理。2011年9月30日开工，2012年11月1日经浙江文物考古研究所、省文化和新闻出版厅、北京清华同衡规划设计院有限公司、州文体局、州文物组、浙江古典建筑监理有限公司验收竣工。

囊谦县苏莽囊杰则寺维修加固工程　工程位于囊谦县毛庄乡，内容包括重建僧舍11户198平方米，活佛住房80平方米，公用接待室446平方米；新建民管会办公室50平方米，文化活动室60平方米，卫生室30平方米，警务室30平方米，公厕4处80平方米；铺设供水管网并建6个供水点，安装广播电视设施，新建太阳能光伏电站；维修加固僧舍22户，昌金玛大经堂，活佛住房3户，莲花师佛殿。以上项目建筑均为砖混结构，是充分显现教派特色的藏式传统建筑。修缮面积2970平方米，投资844.97万元，为省级财政资金。项目单位为囊谦县苏莽囊杰则寺民管会，由青海融和建筑勘察设计有限公司设计，玉树州福利建筑公司援建和承建，玉树州监理中心监理。2011年4月开工，2013年7月主体封顶，同年8月由州赴县工作组、县人大、县政府、县委统战部、县民宗局、县质检站、玉树州监理公司、县气象局、县消防队、县交通局、县税务局、县发展改革局等单位验收竣工。

囊谦县白扎乡才觉寺（又称才久寺）修缮保护工程　工程包括大经堂和千佛殿的整体加固和维修，修缮面积1400平方米。投资352万元，为中央一般预算收入。项目单位为玉树州文化体育局，由北京华宇星园林古建设计所设计，北京凯莱斯建筑工程有限公司施工，浙江省古典建筑监理有限公司监理。2011年10月13日开工，2012年10月22日由玉树州文化体育局验收竣工。

称多县拉布乡拉布寺维修加固工程 工程位于称多县拉布乡拉司通村。内容包括重建砖混结构卡登活佛住房1户80平方米，僧舍80户1422.4平方米；新建砖混结构民管会办公室50平方米，文化活动室60平方米，公厕4处80平方米；铺设供水管网，新建6个供水点，更新供电线路，安装变压器和广播电视设施；维修加固僧舍128户，2012年将80户僧舍改建重建。总修缮面积2470平方米，投资709.09万元，为省级财政资金。项目单位为玉树州文化体育局，由青海融和建筑勘察设计有限公司设计，四川省南部县第八建筑有限公司施工，玉树州监理中心监理。2011年4月开工，2012年10月主体封顶，同年11月由县城建局（包括县质监站）、县发展改革局、县审计局、县水务局、县交通局、县监察局、县消防队、县气象局、县地震局、县林业环保局等部门验收竣工交付使用。灾后重建中为寺院新建的卫生室和文化活动室，为僧侣的日常健康保健和活跃文化生活提供了保障。

称多县尕朵乡格秀拉康修缮保护工程 工程修缮面积300平方米，内容包括古建筑抢险加固及壁画保护，投资236.15万元。其中，中央一般预算收入150万元，省级财政资金86.15万元。项目单位为玉树州文体广电局，由北京清华同衡规划设计研究院有限公司设计，西藏轩辕文物古建筑保护有限公司施工，浙江省古典建筑监理有限公司监理。2013年8月16日开工，同年10月25日由玉树州文体广电局验收竣工。

玉树县仲达乡巴群阿乜寺文物修缮工程 工程位于玉树县仲达乡境内通天河西岸，修缮面积900平方米，内容包括：一是护法殿大落架维修：基础做补强处理；墙体拆除后重新砌筑并做2米高片石包砌；大木构架进行维修和更换；地面进行翻新和铺设木地板、屋面重新进行翻新夯筑，增加一道SBS防水；新做金顶；门窗进行维修更换、补做油漆彩绘和金饰。二是转经堂大落架维修：基础做补强处理；墙体拆除后重新砌筑；大木构架进行维修和更换；地面进行翻新、屋面重新进行翻新夯筑，增加一道SBS防水；门窗进行维修更换、补做油漆彩绘。投资221万元，为中央一般预算收入。项目单位为玉树州文化体育局，由咸阳市古建园林设计研究院设计，西安市古代建筑工程公司施工，甘肃经纬建设监理咨询有限责任公司监理。2011年10月15日开工，2012年11月13日验收竣工。

杂多县萨呼腾镇斯日寺文物抢救保护工程 工程位于玉树州杂多县萨呼腾镇，修缮面积770平方米，修缮内容是对斯日寺损坏严重的大经堂、灵塔殿、活佛寝宫3座单体建筑等进行全面维修。投资252.77万元，为省级财政资金。项目单位为玉树州文化体育局，由北京清华同衡规划设计研究院有限公司文化遗产保护研究所设计，贵州保利文物古建有限公司施工，浙江古典建筑工程监理有限公司监理。2013年8月15日开工，同年9月30日经省文化厅、北京清华同衡规划设计研究院有限公司文化遗产保护研究所、州文体局、州文物组、浙江古典建筑监理有限公司验收竣工。

曲麻莱县巴干乡巴干寺修缮工程 修缮内容为大经堂和千佛殿的整体维修加固，修缮面积720平方米，投资221.94万元，为省级财政资金。项目单位为玉树州文化体育局，由兰州河陇文化遗产规划设计研究院设计，开封市古建园林有限公司施工，甘肃经纬建设监理咨询有限责任公司监理。2013年8月16日开工，同年11月11日由玉树州文化体育局验收竣工。

曲麻莱县巴干乡夏日寺修缮工程　修缮内容为寺院古建筑维修加固。修缮面积 720 平方米，投资 222.4 万元，为省级财政资金。项目单位为玉树州文化体育局，由兰州河陇文化遗产规划设计研究院设计，兰州市园林建筑工程公司施工，甘肃经纬建设监理咨询有限公司监理。2013 年 8 月 16 日开工，2013 年 11 月 11 日由玉树州文化体育局验收竣工。

杂多县萨呼腾镇佐青寺修缮工程　修缮内容为寺院古建筑维修加固。修缮面积 230 平方米，投资 65.85 万元，为省级财政资金。项目单位为玉树州文化体育局，由北京清华同衡规划设计研究院有限公司设计，贵州保利文物古建有限公司施工，浙江省古典建筑监理有限公司监理。2013 年 8 月 16 日开工，同年 11 月 11 日由玉树州文化体育局验收竣工。

二、佛塔

玉树县仲达乡藏娘佛塔及桑周寺修缮工程　工程位于青海省玉树藏族自治州玉树县仲达乡藏娘村的通天河南岸，包括文物本体维修加固、壁画修复保护和地质灾害治理等。修缮总面积 24000 平方米，总投资 3724.47 万元，为中央一般预算收入。工程有 5 个分项：一是玉树藏娘佛塔及桑周寺场地稳定性评价及边坡加固防护工程（一期）设计方案，由辽宁有色勘察研究院设计，国家文物局审核批准实施。工程主要采用坡底抗滑桩，坡面采用现浇钢筋混凝土格构加预应力锚索的永久性加固防护措施。由甘肃中铁地质灾害防治技术工程有限公司施工，四川省文物考古研究院监理。2011 年 7 月开工，2013 年 9 月完工，工程质量验收合格。二是玉树藏娘佛塔及桑周寺和小经堂壁画抢险保护修复工程方案，由敦煌研究院设计，国家文物局审核批准实施。工程包括藏娘佛塔及桑周寺和小经堂壁画抢险保护修复工程的施工。主要任务是壁画残片的整理与修复、壁画表面预加固、残片回贴、壁画修复、壁画表面修整、烟熏壁画修复等。由敦煌研究院文物保护技术服务中心施工，四川省文物考古研究院监理。2011 年 8 月开工，2013 年 9 月完工，工程质量验收合格。三是玉树藏娘佛塔及桑周寺修缮工程方案，由北京清华城市规划设计研究院文化遗产保护研究所、西藏文化遗产保护研究所设计，国家文物局审核批准实施。工程主要包括藏娘佛塔、大经堂、小经堂、护法殿、弥底嘉那修行处 5 个殿堂文物本体的抢险修缮。由西藏轩辕文物古建筑保护工程有限公司施工，广东立德建设监理有限公司监理。2011 年 11 月开工，2013 年 9 月完工，工程质量验收合格。四是玉树藏娘佛塔及桑周寺灾后文物抢救保护环境整治工程方案，由甘肃省文物保护维修研究所设计，国家文物局审核批准实施。工程主要包括场地平整、摆砌围墙、道路修整、给排水、电气、垃圾处理、环境绿化、僧舍修缮等。整治面积 20.56 万平方米。由西安文物保护修复工程有限公司施工，浙江省古典建筑工程监理有限公司监理。2012 年 9 月开工，2013 年 9 月完工，工程质量验收合格。五是玉树藏娘佛塔及桑周寺复建文物库房工程方案，由甘肃省文物保护维修研究所编制设计，国家文物局审核批准实施。工程内容为复建地震损毁的文物库房及库房内设备采购。建筑面积 1473 平方米，由甘肃省永靖古典建筑工程总公司施工，浙江古典建筑工程监理有限公司监理。2012 年 9 月开工，2013 年 9 月完工，验收合格。

结古镇当旦石经墙及佛塔修缮工程 工程包括嘛呢石堆保护、大经堂整体加固和佛塔维修，修缮面积1500平方米。投资398.39万元，为中央一般预算收入。项目单位为玉树州文体局，由陕西省咸阳市古建园林设计研究院设计，开封市古建园林有限公司施工，甘肃经纬建设监理咨询有限责任公司监理。2011年10月15日开工，2012年11月2日由玉树州文化体育局验收竣工。

玉树县仲达乡格宗佛塔修缮工程 玉树县仲达乡格宗佛塔为县级文物保护单位，修缮内容为佛塔塔体加固，修缮面积295平方米。投资78.15万元，为中央一般预算收入。项目单位为玉树州文化体育局，由河北木石古代建筑保护研究所设计，兰州市园林建筑工程公司施工，甘肃经纬建设监理咨询有限责任公司监理。2011年4月15日开工，2012年10月10日由玉树州文化体育局验收竣工。

玉树县仲达乡切定龙巴沟佛塔修缮工程 修缮内容为佛塔塔体的修缮、加固及保护，修缮面积310平方米。投资80.58万元，为中央一般预算收入。项目单位为玉树州文化体育局，由北京市古代建筑设计研究所有限公司设计，兰州市园林建筑工程公司施工，甘肃经纬建设监理咨询有限责任公司监理。2011年10月13日开工，2012年5月15日由玉树州文化体育局验收竣工。

玉树县仲达乡东宝石塔修缮工程 修缮包括塔体维修、加固和保护施工，修缮面积350平方米。投资91.60万元，为中央一般预算收入。项目单位为玉树州文化体育局，由北京市古代建筑设计研究所有限公司设计，兰州市园林建筑工程公司承建，甘肃经纬建设监理咨询有限责任公司监理。2011年10月13日开工，2012年5月15日由玉树州文化体育局验收竣工。

玉树县巴塘相古村格泽佛塔及曲登尼则佛塔修缮工程 修缮内容为佛塔塔体的修缮、加固及保护，修缮面积400平方米。投资105.14万元，为中央一般预算收入。项目单位为玉树州文化体育局，由兰州大学设计，兰州市园林建筑工程公司施工，浙江省古典建筑监理有限公司监理。2011年4月20日开工，2012年10月11日由玉树州文化体育局验收竣工。

杂多县昂赛乡吉日沟古塔修缮工程 修缮面积630平方米。投资251.87万元，为省级财政资金。项目单位为玉树州文化体育局，由北京清华同衡规划设计研究院有限公司设计，西藏轩辕文物古建筑保护有限公司施工，浙江省古典建筑监理有限公司监理。2013年8月16日开工，同年11月11日由玉树州文化体育局验收竣工。

第四节　石窟　石刻

一、石窟

玉树县巴塘乡贝大日如来佛石窟寺及勒巴沟摩崖保护工程　玉树县巴塘乡贝大日如来佛石窟寺及勒巴沟摩崖为全国重点文物保护单位。保护工程位于青海省玉树藏族自治州玉树县巴塘乡贝达社，勒巴沟摩崖由古秀泽玛、吾娜桑嘎、恰冈和泽琼沟 4 处石刻文物组成，大部分为线刻，总面积约 330 平方米。工程主要包括文物建筑维修加固、石刻修复保护、危岩体加固治理、安全消防设施建设及景区设施建设等，总修缮面积 9450 平方米，总投资 2387.67 万元。其中，省级财政资金 2182.67 万元，中央一般预算收入 205 万元。玉树贝大日如来佛石窟寺及勒巴沟摩崖灾后危岩体抢险加固工程（一期）方案，由辽宁有色勘察研究院设计，国家文物局审核批准实施。主要对威胁古秀泽玛、吾娜桑嘎、恰冈和泽琼沟 4 处石刻文物的危岩体进行加固，并对部分石刻文物做防雨棚。由辽宁有色基础工程公司施工，四川省文物考古研究院监理。玉树贝大日如来佛石窟寺正殿及勒巴沟佛塔抢救修缮工程，由甘肃省文物保护维修研究所设计，国家文物局审核批准实施。根据受损情况，文物建筑修缮包括正殿（文成公主庙）、勒巴沟口佛塔（古素沙塔）、子琼塔等内容。由湖北殷祖古建园林工程有限公司施工，甘肃经纬建设监理咨询有限责任公司监理。两项工程均于 2011 年 7 月开工，2013 年 9 月完工，工程质量验收合格。

结古镇然吾沟石窟及经堂　修缮工程包括文物本体修缮、加固及石窟的保护施工，修缮面积 1500 平方米，投资 426.14 万元，为中央一般预算收入。项目单位为玉树州文体局，由兰州河陇文化遗产规划设计有限公司设计，甘肃昊廷古剑工程有限公司施工，甘肃经纬建设监理咨询有限责任公司监理。2011 年 10 月 15 日开工，2012 年 9 月 15 日由玉树州文化体育局验收竣工。

二、石刻

玉树县结古镇新寨嘉那嘛呢堆保护工程　主要修缮内容包括嘛呢堆本体修复、佛塔修复、殿堂修复及环境景观治理等，总修缮面积 21500 平方米，投资 6423.64 万元，其中省级财政资金 6055.64 万元、中央一般预算收入 368 万元。新寨嘉那嘛呢震后总体抢险修缮工程第一标段，由中国文化遗产研究院设计，国家文物局审核批准实施。主要任务是结合抢险清理嘛呢石，恢复原有的干摆嘛呢石边界，对转经廊进行维修加固；清理嘛呢石堆内部与塔、殿通道，重新干摆垒砌，将部分新近堆放不宜干摆码放的嘛呢石运转至附近新辟的嘛呢堆；消除因地震引起的石堆不稳定状态与《新寨嘉那嘛呢文物保护规划》衔接，使嘛呢石堆有序增长。由甘肃省

2010 年 5 月 14 日，国家文物局在新寨嘉那嘛呢启动玉树地震灾区文化遗产抢救保护工程

永靖古典建筑工程有限公司施工，广东立德建设监理有限公司监理。工程于 2011 年 7 月开工，2013 年 9 月完工，工程质量验收合格。

新寨嘉那嘛呢震后总体抢险修缮工程第二标段 由中国文化遗产研究院设计，国家文物局审核批准实施。主要任务是对地震中损毁严重的嘉那嘛呢石经城建筑群进行加固维修，包括对倒塌的八善塔、辟邪塔和 3 座房式塔进行复原建设；对濒临倒塌的嘉那道丁塔、三怙主塔和 1 座房式塔进行维修加固（共 15 座佛塔）；维修加固桑秋帕旺经堂、查来坚贡经轮堂、甘珠儿经堂（3 座经堂）。由北京园林古建工程有限公司施工，广东立德建设监理有限公司监理。2011 年 7 月开工，2013 年 9 月完工，工程质量验收合格。

新寨嘉那嘛呢环境整治工程 由北京华宇星园林古建设计所设计，经国家文物局审核批准实施。主要包括嘛呢石清理、场地平整、嘛呢石经堆基座修建、转经道维修、一世嘉那活佛闭关处修缮等内容。由北京园林古建工程有限公司施工，广东立德建设监理有限公司监理。2011 年 7 月开工，2013 年 9 月完工，工程质量验收合格。

玉树县仲达乡电达摩崖石刻抢险修缮工程 电达摩崖石刻属县级文物保护单位，工程位于玉树县仲达乡电达村北 50 米处，修缮面积为 278 平方米，内容包括表面清洗、裂隙加固、环境控制、生物防治、锚固与崩塌砌补、防水和排水处理、公路改线移位、防护围栏与保护碑设立。投资 69.18 万元，为中央一般预算收入。项目单位为玉树州文化体育局，由兰州大学文物保护研究中心设计，四川省川英文化古建筑工程有限责任公司施工，甘肃经纬建设监理咨询有限责任公司监理。2011 年 9 月 12 日开工，2012 年 11 月 11 日验收竣工。

玉树县仲达乡东宝石刻抢险修缮工程 东宝石刻属县级文物保护单位，工程位于玉树县仲达乡电达村东宝社南 2 千米处，内容包括文物表面清洗、裂隙加固、环境控制、生物防治、松动岩块锚固、保护碑设立。投资 88.3 万元，为中央一般预算收入。项目单位为玉树州文化体育局，由兰州大学文物保护研究中心设计，四川省川英文化古建筑工程有限责任公司施工，甘肃经纬建设监理咨询有限责任公司监理。2011 年 9 月 12 日开工，2012 年 11 月 11 日验收竣工。

称多县尕朵乡赛康岩画抢险修缮工程　赛康岩画属县级文物保护单位，工程位于称多县尕朵乡卡吉村，内容包括文物表面清洗、裂隙加固、环境控制、生物防治、锚固与崩塌砌补、防水排水处理、公路改线移位、防护围栏与保护碑设立。投资 88.18 万元，为中央一般预算收入。项目单位为玉树州文化体育局，由兰州大学文物保护研究中心设计，四川省川英文化古建筑工程有限责任公司施工，甘肃经纬建设监理咨询有限责任公司监理。2011 年 9 月 15 日开工，2012 年 11 月 10 日验收竣工。

杂多县昂赛乡跃宁沃切石刻保护修缮工程　修缮工程内容为石刻文物修缮及遗址保护，修缮面积 160 平方米，投资 65.46 万元，为省级财政资金。项目单位为玉树州文化体育局，由北京清华同衡规划设计研究院有限公司设计，贵州保利文物古建有限公司施工，浙江省古典建筑监理有限公司监理。2013 年 8 月 16 日开工，同年 11 月 11 日由玉树州文化体育局验收竣工。

第五节　墓　群

一、玉树县隆宝镇宁塘滩墓群保护工程

工程内容为墓冢本体维修、表面草坪培植、管理用房修建等，修缮面积 500 平方米。投资额 95.23 万元，为中央一般预算收入。项目单位为玉树州文化体育局，由中铁西北科学研究院有限公司设计，北京凯莱斯建筑工程有限公司承建，浙江省古典建筑监理有限公司监理。2011 年 10 月 13 日开工，2012 年 10 月 20 日由玉树州文化体育局验收竣工。

二、玉树县隆宝镇杂涅墓群保护工程

工程内容为墓冢本体维修、表面草坪培植、管理用房修建等，修缮面积 500 平方米。投资额 95.33 万元，建设资金为中央一般预算收入。项目单位为玉树州文化体育局，由中铁西北科学研究院有限公司设计，北京凯莱斯建筑工程有限公司承建，浙江省古典建筑监理有限公司监理。2011 年 10 月 13 日开工，2012 年 10 月 2 日由玉树州文化体育局验收竣工。

三、称多县称文镇白龙沟可哇下庄墓群保护工程

工程内容为墓冢本体维修、表面草坪培植、管理用房修建等，修缮面积 500 平方米。投资额 95.08 万元，为中央一般预算收入。项目单位为玉树州文化体育局，由中铁西北科学研究院有限公司设计，北京凯莱斯建筑工程有限公司承建，浙江省古典建筑监理有限公司监理。2011

年10月13日开工，2012年10月2日由玉树州文化体育局验收竣工。

四、称多县称文镇增布达墓群保护工程

工程内容为墓冢本体维修、表面草坪培植、管理用房修建等，修缮面积500平方米。投资额95.52万元，为中央一般预算收入。项目单位为玉树州文化体育局，由中铁西北科学研究院有限公司设计，北京凯莱斯建筑工程有限公司承建，浙江省古典建筑监理有限公司监理。2011年10月13日开工，2012年10月2日由玉树州文化体育局验收竣工。

五、治多县加吉博洛镇改查墓群保护工程

工程内容为墓冢本体维修、表面草坪培植、管理用房修建等，修缮面积310平方米。投资额95.05万元，建设资金为中央一般预算收入。项目单位为玉树州文化体育局，由中铁西北科学研究院有限公司设计，北京凯莱斯建筑工程有限公司承建，浙江省古典建筑监理有限公司监理。2011年10月13日开工，2012年10月19日由玉树州文化体育局验收竣工。

六、治多县加吉博洛镇叶青墓群保护工程

工程内容为墓冢本体维修、表面草坪培植、管理用房修建等，修缮面积310平方米。投资额95.1万元，建设资金为中央一般预算收入。项目单位为玉树州文化体育局，由中铁西北科学研究院有限公司设计，北京凯莱斯建筑工程有限公司承建，浙江省古典建筑监理有限公司监理。2011年10月13日开工，2012年10月19日由玉树州文化体育局验收竣工。

第六节　古渡口

称多县尕白塔及古渡口保护工程位于玉树州称多县拉布乡境内，归属于其东北方向约3千米外的土登寺，内容为塔体修缮及小经堂和转经廊维修，面积800平方米。投资309.20万元，为中央一般预算收入。项目单位为玉树州文化体育局，由北京清华城市规划设计研究院设计，西藏轩辕文物古建筑保护有限公司承建。2011年10月1日开工，2012年6月1日由玉树州文化体育局验收竣工。

第二章　宗教场所修复重建

第一节　寺院修复

一、规划

2010 年 5 月 29 日，省玉树地震灾后重建现场指挥部召开专题会议，部署寺院重建工作。会议决定，同意省民宗委、省委统战部和玉树州民宗局的意见，将结古镇清真寺纳入第一批结古镇寺院重建计划中，与结古寺、禅古寺、当卡寺 3 个藏传佛教寺院同步启动，同时要求做好寺院房屋鉴定和群众、僧侣的思想工作，抓紧禅古寺选址工作。7 月 24 日，现场指挥部拟定《宗教活动场所恢复重建建设标准和单位造价》。8 月 26 日，省委统战部、省发展和改革委员会、省民族宗教事务委员会、省财政厅、省住房和城乡建设厅联合印发《玉树地震灾后宗教活动场所恢复重建和维修加固建设标准及指导意见》，提出了宗教活动场所恢复重建的基本原则、范围和内容、标准、补助对象及标准、建设方式、保障措施等具体的指导意见。宗教活动场所恢复重建资金以中央财政为主，规划总投资额 99000 万元。其中，玉树县 66151 万元，称多县 21942 万元，曲麻莱县 2936 万元，杂多县 3758 万元，囊谦县 1753 万元，玉树州佛学校 2460 万元。

州县政府、统战、宗教等部门编制申报了宗教活动场所恢复重建规划，初期审批 85 座寺院、89 个规划项目，后因余震和灾区规划范围调整新增 5 座寺院的恢复重建项目，共 90 座寺院。下达 9.9 亿元的恢复重建资金。寺院的殿堂、佛塔、僧舍等按灾损情况恢复重建或维修加固。每座寺院新建公共项目，包括民管会办公室 50 平方米、警务室 30 平方米、文化活动室 60 平方米、卫生室 30 平方米，总计 14790 平方米。同时配套建设水、电、路、通信、广播电视、消防、地坪等基础设施。总投资 26197.02 万元，资金来源于中央一般预算收入。

设计标准为，殿堂原则采用框架结构，僧舍、民管会办公室、警务室、文化活动室、卫生室，采用砖混结构；抗震等级按要求设防。以上建设内容及寺内配套基础设施的恢复重建，采取统规自建方式；寺内总图以外的通水、通电、通路等基础设施，采取统规统建的方式建设。项目竣工后，由州派玉树县寺院重建工作组、县委统战部、县民宗局、县质监站、寺院民管会等单位验收，交付使用。

列入恢复重建的寺院 90 座。其中，玉树县 52 座，称多县 23 座，杂多县 8 座，曲麻莱县 4 座，囊谦县 3 座。2010 年 4 月起，玉树县结古镇当卡寺等 6 座寺院开工建设。2011 年 4 月起，玉树县禅古寺等 78 座寺院开工建设。2012 年 4 月，玉树县隆宝镇让娘寺等 4 座寺院开工建设。2013 年 4 月，玉树县下拉秀镇日桑尼姑寺、杂多县斯日寺开工建设。2011 年 10 月 15 日，杂多县曲林寺、色求（色扎）寺维修加固工程率先竣工，2012 年有 44 座寺院维修加固工程竣工，2013 年又有 44 座寺院维修加固工程竣工。2013 年 10 月 15 日，下拉秀镇日桑尼姑寺维修加固工程竣工，成为最后一座完成恢复重建的寺院。至此，经过 100 多个施工单位、3000 多名施工人员近 18 个月的艰苦施工，列入规划的 85 座寺院和新增的 5 座寺院中的所有维修加固项目、重建僧舍、活佛行宫、公共用房、殿堂和新建寺外通电、通水、通路、通信“四通”项目、广播电视项目全部完成。共完成重建面积 117334 平方米，其中殿堂 57999 平方米、公共用房 2930 平方米、僧舍 2999 户 56405 平方米；维修加固面积 342529 平方米，其中殿堂 199927 平方米、公共用房 23914 平方米、僧舍 5166 户 118688 平方米；新建公共用房 19680 平方米。总投资中央一般预算收入 94420.24 万元。

二、项目

结古寺 结古寺位于玉树县结古镇，藏传佛教萨迦派寺院，全称结古旦珠林，为省级文物保护单位，是玉树县影响最大、规模最大、地震中受灾最严重的寺院之一。恢复重建 12517 平方米，总投资 3381.78 万元。维修加固经堂 1 座，2174.3 平方米；弥勒佛殿 1 座，306 平方米；讲经院 1 座，1236 平方米；佛塔 1 座，40 平方米；九世班禅行宫遗址 1 座，576 平方米。重建砖混结构活佛住房 2 户，160 平方米；重建僧舍 9646 平方米，维修加固 1981 平方米；新建公共用房 890 平方米；修建供水管网和 6 个供水点；铺筑寺内水泥路；修排洪排污渠；更换供电线路，安装变压器，以及寺外“四通”设施和景观台改造工程。2011 年 6 月 4 日开工，2013 年 6 月 5 日主体完工，2013 年 9 月 30 日竣工。由陕西省建筑设计研究院有限公司设计，甘肃天苑典建筑有限公司承建。

禅古寺 位于距离结古镇 15 千米的禅古村，属藏传佛教噶举派寺院，省级文物保护单位。地震中受灾最为严重，是玉树州 4 座异地重建寺院之一。地震后，国务院总理温家宝、省委书记强卫、省长骆惠宁等各级领导先后亲临寺院，慰问僧侣和指导恢复重建。灾后异地重建，建设总规模 13681 平方米，总投资 4248.54 万元。新建 4000 平方米 5 层大经堂 1 座，2000 平方米小经堂 1 座，800 平方米文殊经堂 1 座，400 平方米 2 层玛哈杂拉护法殿 1 座，400 平方米 2 层才仁玛护法殿 1 座，400 平方米 2 层愤怒莲师护法殿 1 座，全部框架结构，共 8000 平方米。辩经场 1 处，3000 平方米；砖混结构活佛官邸、僧舍 4703 平方米，采用节能新型建材；佛塔

288 平方米。新建砖混结构公共用房 978 平方米。铺设供水管网和建供水点 10 个，铺筑水泥路，修排洪排污渠，安装变压器和架设供电线路，安装广播电视、寺外“四通”配套项目。2011 年 4 月 15 日开工，2013 年 7 月主体完工，2013 年 8 月 29 日竣工验收。项目单位为禅古寺民管会。由上海同建强华建筑设计有限公司设计，成都市大邑县明志建筑工程公司承建。

当卡寺　当卡寺地处玉树县结古镇东风村，属藏传佛教噶举派寺院，省级文物保护单位。信教群众遍及结古镇东风村的 5 个社、前进村的 6 个社，信教群众 1200 余人，是影响地区规模最大的寺院之一。地震前，当卡寺有大经堂、小经堂、护法殿、金刚护法殿、器乐殿、六法闭关所、大圆满闭关所等各 1 座（处），僧舍 154 户，平均每户 152 平方米，大小佛塔 26 座，活佛行宫 1 处 42 间，接待室 1 处 26 间。另有学经院经堂 1 座，僧舍 40 间，伙房 2 处，储存室 9 间，其他附属房屋 16 间，印经院 1 处。地震中受灾最为严重。震前当卡寺位于半山腰处，地震后勘查发现存在地质灾害及山体滑坡等隐患，不宜原址重建。经省、州、县批准重新选址，按照震前原有规模进行异地重建。灾后重建规模 12946 平方米，总投资 4227.06 万元。重建 6000 平方米 5 层大经堂 1 座，1200 平方米 3 层小经堂 1 座，藏汉结合风格；400 平方米 3 层护法殿 1 座，400 平方米 2 层金刚护法殿 1 座，150 平方米乐器殿 1 座，600 平方米 2 层那若六法闭关所 1 座，400 平方米 2 层大圆满闭关所 1 座，藏式风格。殿堂重建共计 9150 平方米，全部为框架结构。重建砖混结构活佛官邸、僧舍 2818 平方米，采用新型节能建材；白塔 288 平方米。新建砖混结构公共用房 978 平方米。修建供水管网和 10 个供水点；铺筑水泥路，修排洪、排污渠；安装变压器和供电线路、广播电视及寺外“四通”配套设施。2010 年 6 月奠基，2010 年 7 月开工，2013 年 6 月 5 日主体完工，8 月 20 日竣工验收。项目单位为结古镇当卡寺民管会。由玉树州房屋建筑设计有限公司设计，成都市大邑县第一建筑工程有限公司承建。

结松寺　结松寺位于玉树县隆宝镇杂娘村，距离隆宝镇政府所在地 5 千米，属藏传佛教格鲁派寺院。重建总规模 5072 平方米，总投资 785.11 万元。重建 1200 平方米框架结构大经堂 1 座，160 平方米护法殿 1 座；砖混结构僧舍 792 平方米。维修加固中度灾损的文殊菩萨殿 1 座 450 平方米，僧舍 2200 平方米。新建砖混结构公共用房 210 平方米。修建供水管网和 4 个供水点，安装广播电视。建成寺外“四通”配套项目。于 2011 年 4 月 15 日开工，2012 年 8 月主体封顶，2012 年 11 月 3 日竣工验收，并交付使用。项目单位为结松寺民管会。由青海省建筑勘察设计研究院设计，青海省首信建设工程有限公司承建。

让娘寺　让娘寺位于玉树县隆宝镇措桑村，属藏传佛教格鲁派寺院，距离隆宝镇政府所在地 17 千米，地震中受损严重。灾后异地重建，总规模 14460 平方米，总投资 4080.57 万元。重建框架结构经堂 1 座 4600 平方米，佛殿 1 座 2000 平方米，护法殿 1 座 1000 平方米，闭关所 1 处 1180 平方米，计 8780 平方米；重建砖混结构活佛住房和僧舍 4850 平方米，公共用房 830 平方米。建太阳能光伏电站，修建供水管网和 6 个供水点，寺院内场地硬化，安装广播电视设施及寺院“四通”配套设施。于 2012 年 4 月 15 日开工，7 月主体封顶，8 月 30 日上述建设内容完工。建设单位为让娘寺民管会。由陕西省建筑设计研究院有限公司设计，青海省首信建设工程有限公司承建。

帮公寺 帮公寺位于玉树县安冲乡结拉村，距离安冲乡政府所在地4千米，属藏传佛教格鲁派寺院，寺院建筑总面积5722平方米。灾后重建和维修加固工程总规模5947平方米，总投资707.82万元。殿堂重建843平方米，维修加固2800平方米；活佛住房、僧舍重建594平方米，维修加固1420平方米；公共用房重建230平方米，维修加固60平方米。修建供水管网和4个供水点，安装变压器和供电线路，安装广播电视。建成寺外“四通”配套项目。2011年4月15日奠基开工，2013年5月15日主体完工，2013年8月25日竣工。项目单位为帮公寺民管会。由青海省建筑勘察设计研究院设计，四川南部县第八建筑公司承建。

帮群寺 帮群寺位于玉树县仲达乡电达村，属藏传佛教格鲁派寺院。灾后重建和维修加固工程总规模5722平方米，总投资1409.16万元。重建框架结构佛殿1座2000平方米，维修加固中度受损的护法殿1座430平方米。重建活佛住房、僧舍3032平方米，公共用房260平方米。修建供水管网和4个供水点，安装广播电视设施，建光伏电站1座。2011年4月开工，2013年6月主体完工，2013年8月27日竣工验收。项目单位为帮群寺民管会。由青海省建筑勘察设计研究院设计，四川马尔康建筑实业有限公司承建。

尕拉寺 仲达乡尕拉寺位于玉树县仲达乡尕拉村，距离仲达乡政府所在地60千米，属藏传佛教格鲁派寺院。灾后重建和维修加固工程总规模3138平方米，总投资1088.42万元。殿堂重建1200平方米，维修加固1200平方米；重建僧舍468平方米。新建270平方米。修建供水管网和2个供水点，安装变压器和供电线路，安装广播电视。2011年4月开工，2013年5月主体完工，8月27日竣工验收。项目单位为尕拉寺民管会。由深圳市华博建筑设计有限责任公司设计，青海省班玛县建筑工程有限公司承建。

夏日寺 夏日寺位于曲麻莱县巴干乡西南的角群科夏日林卡，距离巴干乡政府所在地25千米，海拔4000米，全称“夏日代青秋阔岭”，属藏传佛教格鲁派寺院，始建于1447年。占

灾后重建的夏日寺

地面积 8000 平方米，有僧舍 455 间，经堂 1 间 640 平方米，佛塔 4 座，拥有各类经文 820 册，大小佛像 867 尊。地震前生活和公共用房不足，供水困难。地震中僧舍和经堂等用房受到不同程度的损坏。灾后重建总规模 4580 平方米，总投资 976.1 万元。重建大经堂 1 座 1000 平方米，维修加固 1200 平方米；重建僧舍 1160 平方米，维修加固 930 平方米；新建公共用房 210 平方米，维修加固 80 平方米。修建供水管网和 4 个供水点，安装广播电视，建太阳能光伏电站。2011 年 5 月 5 日开工，2012 年 9 月 25 主体完工，2013 年 9 月 6 日竣工验收。项目单位为夏日寺民管会。由青海融和建筑勘察设计有限公司设计，甘肃临夏鑫隆建筑安装公司承建。

结古清真寺　结古清真寺位于玉树县结古镇，是玉树州唯一的清真寺。灾后重建和维修加固工程建设总规模 1352 平方米，总投资 442.58 万元。重建礼拜殿 1 座 900 平方米，含两侧楼梯，框架结构，穆斯林建筑风格；教职人员用房 182 平方米，其中阿訇用房 80 平方米，砖木结构；新建公共用房 270 平方米。修建供水管网和 2 个供水点，院内场地硬化，修排洪排污渠，安装供电线路及有线电视。2011 年 4 月 15 日开工，2013 年 6 月主体完工，8 月 30 日竣工验收。项目单位为结古清真寺民管会。中国中建设计集团有限公司设计，青海黎明建安工程公司承建。

玉树州宗教场所灾损情况统计表

表 9-1

灾损寺院所在地	灾损僧舍（平方米）	灾损殿堂（平方米）	灾损宗教物品（件）	备注
玉树县	57472	39320	50137	含清真寺 1 座
称多县	21224	16056	13067	
杂多县	5232	4570	7113	
曲麻莱县	3430	2418	8646	
合计	87358（6637 间）	62364（161 座）	78963	75648.18 万元

宗教场所恢复重建项目资金补助分类一览表

表 9-2

类别		补助标准	计算依据
重建类	活佛住房	129600 元 / 人	按农牧民户均住房 1620 元 ×80 平方米
	僧尼住房	28800 元 / 人	按农牧民住房一户人均（80 平方米 ÷4.5 人 / 户 ×1620 元）
	规划内其他单层建筑	1620 元 / 平方米	按框架结构单体建筑造价
	殿堂及其他多层建筑	2200 元 / 平方米	
	殿堂工程装饰	500 元 / 平方米	
	殿堂宗教装饰	2763 元 / 平方米	
	公共服务管理用房	1620 元 / 平方米	

续表 9-2

类别		补助标准	计算依据
维修加固类	活佛住房	8000 元 / 户	
	僧舍	5000 元 / 户	
	殿堂		按框架结构单体建筑 2200 元 / 平方米
	严重损坏	880 元 / 平方米	40%
	中度损坏	660 元 / 平方米	30%
	轻度损坏	220 元 / 平方米	10%
	公共服务管理用房		按砖混结构单体建筑 1620 元 / 平方米
	严重损坏	648 元 / 平方米	40%
	中度损坏	486 元 / 平方米	30%
	轻度损坏	162 元 / 平方米	10 %

玉树州宗教场所重建情况统计表

表 9-3　　　　单位：平方米

序号	项目名称	总投资（万元）	建筑面积	殿堂		僧舍		公共用房		备注
				重建	维修	重建	维修	新建	维修	
1	结古寺	3381.78	12517	—	—	9646	1981	890	—	—
2	当卡寺	4227.06	12946	9150	—	2818	—	978	—	异地
3	交泽尼姑寺	606.18	7571	—	3162	188	3370	230	621	—
4	结仲寺	300.90	2725	—	862	—	610	210	1043	—
5	色求寺	239.82	1266	—	331	—	340	210	385	—
6	曲林寺	368.91	2308	220	860	80	788	210	150	色扎
7	年都寺	1147.18	5150	700	892	540	1689	900	429	含巴艾
8	曲吉尼姑寺	367.12	1395	311	184	108	538	210	44	—
9	禅古寺	4248.54	13681	8000	—	4703	—	978	—	异地
10	结古清真寺	442.58	1352	900	—	182	—	270	—	★
11	尕拉寺	1088.42	3138	1200	1200	468	—	270	—	★
12	帮公寺	707.82	5947	843	2800	594	1420	230	60	★
13	帮群寺	1409.16	5722	2000	430	3032	—	260	—	★
14	结松寺	785.11	5072	1360	450	792	2200	210	60	★

续表 9-3

序号	项目名称	总投资（万元）	建筑面积	殿堂		僧舍		公共用房		备注
				重建	维修	重建	维修	新建	维修	
15	嘎巴寺	530.01	4506	—	3582	314	200	210	200	
16	尕雄寺	765.20	3744	1100	1860	332	242	210	—	
17	哈秀寺	603.28	6421	—	5725	486	—	210	—	
18	拉格寺	703.78	3958	—	2410	576	702	210	—	
19	耐情尼姑寺	498.19	1684	860	—	180	234	270	140	
20	班庆寺	1443.59	12731	2600	8729	1232	—	170	—	
21	吉拉扎寺	282.12	2900	—	2450	—	260	190	—	
22	德孜体寺	1202.59	5622	—	3540	494	1138	210	240	
23	阿宁寺	437.72	2679	—	1693	296	480	210	—	
24	东从寺	749.37	3437	—	2030	584	613	210	—	
25	耐松寺	368.78	1824	—	930	494	—	190	210	
26	萨珈寺	511.52	1598	600	520	288	—	190	—	
27	拉扎寺	366.33	2297	—	1467	278	362	190	—	拉孔
28	龙庆寺	440.50	1420	600	—	486	144	190	—	
29	昂普寺	395.60	4268	—	3530	260	288	190	—	
30	公主尼姑寺	221.14	4791	—	3130	314	792	210	345	
31	拉孜寺	369.90	1971	—	790	386	605	190	—	
32	康久尼姑寺	207.92	3128	—	900	—	1998	230	—	
33	宗果寺	309.21	1570	—	700	414	126	190	140	
34	尕然寺	230.53	958	—	—	108	640	210	—	
35	唐龙寺	210.89	1890	—	150	90	1360	210	80	
36	扎西尼姑寺	662.17	4374	—	3100	1044	—	230	—	
37	仁青林寺	294.57	3040	—	1850	36	944	210	—	
38	桑周寺	197.95	2966	—	2756	—	—	210	—	
39	拉吾寺	761.80	6759	—	5030	206	1093	210	220	
40	哈秀尼姑寺	511.00	2747	—	1033	288	866	210	350	
41	多龙寺	635.43	7666	—	4712	242	2062	210	400	

续表 9–3

序号	项目名称	总投资（万元）	建筑面积	殿堂		僧舍		公共用房		备注
				重建	维修	重建	维修	新建	维修	
42	当头寺	222.70	2142	—	—	198	1734	210	—	
43	相古寺	1063.90	12831	—	8290	80	3551	230	680	
44	多多寺	383.73	5702	—	4370	162	960	210	—	
45	莫合尼姑寺	587.69	7006	—	1460	1026	4290	230	—	
46	耐多寺	557.53	5380	—	2952	396	1822	210	—	
47	查荣寺	452.21	6470	—	4400	540	1320	210	—	
48	阿永寺	631.67	8200	—	6150	—	1840	210	—	
49	曾红尼姑寺	380.33	2743	—	1075	342	1116	210	—	
50	代巴寺	378.26	6561	—	5160	—	1191	210	—	
51	东新尼姑寺	482.04	2764	—	805	558	1191	210	—	
52	仁者尼姑寺	359.21	1776	—	480	126	960	210	—	
53	日桑寺	313.34	1710	—	1158	—	342	210	—	
54	龙西寺	828.27	9066	—	—	1826	6340	900	—	
55	达杰寺	1903.51	5782	3584	—	1988	—	210	—	
56	周巴寺	459.53	7874	—	1870	288	3860	210	—	
57	让娘寺	4080.57	14460	8780	—	4850	—	830	—	异地
58	尼宗寺	728.52	6026	—	3581	1152	690	210	393	
59	竹节寺	1353.00	22202	—	8901	400	12666	110	125	
60	下赛巴寺	805.93	6028	—	3900	170	1020	210	728	
61	上赛巴寺	387.99	3751	—	1870	80	980	210	644	
62	巴干寺	255.35	3231	—	2230	—	670	190	141	
63	帮布寺	258.76	3602	—	2382	—	1010	210	—	
64	东程寺	575.48	3304	—	562	72	620	150	700	
65	多干寺	252.49	4558	—	3713	—	695	150	—	
66	尕藏寺	194.59	2440	—	—	80	2190	170	—	
67	改吾寺	412.70	5908	—	4888	80	730	210	—	
68	拉布寺	455.34	2830	—	—	80	2560	190	—	

续表 9–3

序号	项目名称	总投资（万元）	建筑面积	殿堂		僧舍		公共用房		备注
				重建	维修	重建	维修	新建	维修	
69	群则寺	136.45	770	—	—		580	190	—	
70	赛康寺	1016.11	14086	—	10132	404	3300	250	—	色康
71	刚察寺	253.12	2374	—	1514		650	210	—	
72	康囊寺	940.09	10244	—	6247	548	2540	230	679	卡那
73	孔角寺	445.97	3516	—	2404	296	340	210	266	
74	土登寺	658.85	4426	540	2952	234	490	210	—	
75	西哇尼姑寺	577.70	4736	160	2201	306	1859	210	—	含代东
76	先宗寺	622.63	3491	—	2521		760	210	—	
77	秀玛寺	475.65	13921	—	4946	72	2900	210	5793	
78	扎西寺	801.58	6328	—	4070	278	950	190	840	赛东青
79	帮夏寺	754.15	5756	720	1472	180	610	190	2584	
80	佐青寺	668.11	6018	486	4174	108	1100	150	—	
81	尕丁寺	456.95	1894	—	—	144	1540	210	—	
82	苏莽囊杰则寺	750.83	2876	—	1492	278	470	190	446	
83	萨扎尼姑寺	288.34	2100	—	1350	90	450	210	—	
84	夏日寺	976.10	4580	1000	1200	1160	930	210	80	
85	巴干寺	1100.36	6910	1221	2393	396	1220	230	1450	
86	日桑尼姑寺	443.56	维修寺内建筑面积 1200，建设面积 200							
87	扎西智格林寺	534.82	维修寺内建筑面积 1200，建设面积 200							
88	仲晴寺	238.28	维修寺内建筑面积 1500，建设面积 210							
89	江荣寺	339.15	维修寺内建筑面积 1600，建设面积 210							
90	色日寺	433.25	维修寺内建筑面积 2000，建设面积 210							
91	州佛教学校	2604	在特殊教育学校面积 +800 合建							
92	结古寺观景台	640	旧经堂进行加固维修，改造成结古寺观景台							
93	宗教活动场所基础设施	35799	宗教活动场所通水、通电、通路、通信、通广播电视及其他设施共 35799.02 万元							

第二节　基础设施建设

一、通路项目

改造、新建通往寺院道路 429.09 千米。其中，沙砾路 392.54 千米，水泥路 36.55 千米；涵洞 256 道，新建桥梁 4 座。

二、供水项目

共解决 89 座寺院供水。埋设管径 DN32 ~ 90 毫米的供水管道 229598 米，修建引水口 84 座，设检查井 868 座，建蓄水池 43 座，打井 4 口。

三、通电项目

为 83 座寺院供电。其中，光伏电站共 44 座（包括增容 25 座）788 千瓦；照明电网 39 座；架设 10 千伏配电线路 44.8 千米，0.4 千伏低压线路 31.803 千米，220 伏低压线路 42.8 千米；设 10 千伏 /0.4 千伏台式变压器 6 台，更换变压器 36 台。

四、通信项目

通达 18 座寺院。新建室外站 20 个。其中，宏蜂窝基站 16 个，含 BS8800 设备 1 套，BBU+RRU 设备 15 套；射频拉远基站 4 个。敷设各类光缆 243.88 千米，其中新建 208.65 千米、加挂 33.23 千米、直埋 2 千米。建设配套基站传输设备 16 套，对相关传输节点扩容 5 套，更换 1 套，新增 1 套。

第三章　文艺创作与演出

第一节　文学作品

一、《玉树大营救》

报告文学集《玉树大营救》。玉树大地震发生后，由中国作家协会、青海省委宣传部、青海省作家协会在第一时间组织了作家采访团，火速奔赴地震灾区进行采访，撰写了一篇篇报告文学和通讯，讴歌玉树抗震救灾精神。采访团的作家们，在灾难中感受和发现社会生命观念的进步、生命的可贵以及珍惜生命的崇高。

这本报告文学集收录了30余篇真实记录玉树大地震后，来自社会各方面的全力救援和灾区人民的生产、生活情况的稿件。作家们满怀伤痛的文字，将灾区那触目惊心的情景展现在人们面前。让人们随同作家的脚步一起踏上那片满目疮痍的土地，深入了解灾区人民被灾难彻底破坏的生活。那一篇篇悲恸的文章，让人们泪流满面，感同身受。

这是一次特殊的采访。作家们深入地震灾区，在极端艰苦的创作环境下，获取真实生动的第一手鲜活资料，并在最短时间完成创作，汇集成书出版。

2010年5月，报告文学集《玉树大营救》由青海人民出版社出版发行。

二、《废墟上的花朵》

2010年7月，著名诗人，中国诗歌学会常务副会长，中共青海省委常委、宣传部部长吉狄马加主编，献给玉树地震灾区人民和遇难同胞的诗集——《废墟上的花朵》由青海人民出版社出版发行。

诗集集结了吉狄马加、曲青山、鲍义志、格桑多杰、梅卓、昂旺文章、嘎代才让、觉乃·云才让、刚杰·索木东、卓仓·果羌、德乾恒美、鲁仓·旦正太、阿顿·华多太、江洋才让、嘉绒之子、达佤扎西、洛嘉才让等101位诗人的作品，以讴歌生命、抚慰伤痛、鼓励重建和展望未来为创作主题，通过诗歌表达了诗人们对玉树同胞的关爱和祝福。

第二节　艺术作品

一、纪实类摄影作品

《永不放弃——同玉树在一起》大型画册　由青海省委宣传部和四川出版集团、四川民族出版社共同策划出版的《永不放弃——同玉树在一起》大型画册，于2010年5月14日公开发行。

《玉树不倒——青海玉树“4·14”大地震影像纪实》　纪实摄影画册，收录100余位摄影家拍摄的有关照片。青海摄影家协会编，主编吉狄马加，执行主编蔡证、孙海波。2010年5月，青海人民出版社出版。

《玉树“4·14”抗震救灾影像志》　摄影图片集，由中共青海省委宣传部、新华社青海分社、青海日报社主编，全书分为6个部分——关怀：同人民在一起；灾情：发生在三江源头；营救：彰显国家力量；援助：我们都是玉树人；重建：新校园、会有的，新家园、会有的；后记。2010年6月，青海人民出版社出版。

《“4·14”玉树地震影像志》　玉树州政协干部冶青林自己出资、策划、设计的摄影集《“4·14”玉树地震影像志》，2011年3月由青海民族出版社正式出版发行。摄影集分为灾难、救援、哀悼、生活、重建、希望、祈福、爱心、关怀等篇章。

《玉树大救援：甘肃省交通运输系统赴玉树抗震救灾纪实》　画册，由甘肃省交通新闻记者王生朝拍摄，陈宏伟编著。在玉树抗震救灾中，王生朝是甘肃交通援青抢险突击队队员。在一线，他以记者独特的视角，用镜头记录事实、讲述故事，不仅为中央电视台、甘肃电视台拍摄了大量珍贵的电视新闻镜头，还为《甘肃日报》《中国交通报》《甘肃经济日报交通周刊》等报刊提供了长篇通讯和大量的新闻图片。这不仅是对这段难忘历史的真实记录，更是甘肃交通人与青海人民一道抗震救灾的见证。2012年4月，在玉树大地震两周年之际，由甘肃人民美术出版社出版，精装本，大16开，167页。

《鏖战间隙》　摄影作品，由青海省农牧民摄影协会秘书长陈有钧在“4·14”玉树地震现场拍摄。画面上，“山东救援”的3名战士由于劳累和高原反应处在迷糊之中，和他们的搜救犬瘫倒在路边。2011年，作品《鏖战间隙》先后获得国展优秀奖、平遥国际摄影展优秀展览奖，作者荣获国家抗震救灾优秀摄影家称号。这也是青海省第一次入选纪实类摄影作品展出并获奖的作品。震后第六天，这幅作品就在西宁中心广场展出，之后在中国人民革命军事博物馆展出，还参加了 2011 年平遥国际摄影展，并被《玉树不倒》等多部画册采用。

《祈福玉树》 摄影作品，玉树州政协干部冶青林拍摄。玉树发生大地震后，冶青林立即投入到灾区救灾和灾情的摄影报道工作中，拍摄了上千张反映灾情和救灾的图片。作品《祈福玉树》反映了玉树人民经历大灾大难时从容面对、祈求平安的内心表达。《祈福玉树》先后参加了青海省第十五届摄影艺术展、玉树地震一周年摄影展、三江源国际摄影节。在青海省第十五届摄影艺术展中获得数码创意类银奖。2011 年作者荣获国家抗震救灾优秀摄影家称号。

二、影视作品

《玉树花开》《玉树花开》是一部由段连民执导，仁青顿珠、多哇·才吉等主演的剧情电影，于 2011 年 4 月 12 日上映。影片以玉树抗震救灾为背景，讲述地震前后 2 个汉族青年和 3 个藏族青年之间的友情、爱情的故事，表现藏族和汉族团结一心共同抗震救灾的精神。中共青海省委宣传部、海军政治部电视艺术中心、四川最爱影视传媒有限公司联合出品，陈飞豪制作，段连民编剧、导演，吉狄马加总策划。主题曲《献给就要来临的明天》由吉狄马加、赵麟共同创作，阿鲁阿卓演唱。2010 年 5 月 25 日开机，2011 年 4 月 12 日首映。

电影《玉树花开》剧照

MTV《阳光雨露》 2011 年 4 月 11 日，为感谢社会各界对灾区的无私帮助和关爱，加强学校学生的感恩教育，青海省教育厅组织策划和拍摄制作了 MTV《阳光雨露》。玉树地震一周年纪念日前夕，《阳光雨露》首映式在青海师范大学举行。作品自始至终贯穿“感恩奋进”的主题，歌颂了灾区人民在党和政府的坚强领导下不屈不挠的抗震救灾精神和全国人民无私援助的大爱情怀，感恩色彩贯穿始终，具有强烈的叙事特色。

第三节　剧作与演出

一、民族歌舞剧

玉树州民族歌舞团创作的大型民族歌舞剧《玉树不会忘记》，通过舞台艺术形式，把抗震救灾中许许多多感人事迹和场面艺术地再现出来，表达玉树人民知恩、感恩、铭恩、报恩的诚挚之心和感恩奋进的坚定信念，弘扬玉树抗震救灾精神。该剧由美、情、悲、爱、梦 5 部分组成。主线剧情是，巍峨的雪山，无尽绵延，与天相接。蜿蜒流淌的三江源母亲河，纯洁、透亮，一位老阿妈手摇转经筒向孙子小达哇讲述着玉树美丽动人的故事，雪域高原呈现出一幅幅多彩和谐的画卷。突如其来的地震，将美丽的玉树顷刻之间变成满目疮痍的废墟。弥漫的烟尘，坍塌的房屋，失去的亲人……此刻，剩下的只有孤独无助。但一个个生命从废墟中站起来，坚强地与死亡进行抗争。急促紧张的脚步，在废墟上川流涌动，象征着部队战士、公安消防、武警官兵、医务人员的四色彩灯，不停地交织闪烁。喧嚣的废墟中，一双双血淋淋的双手触目惊心。然而，正是这一双双血淋淋的双手换取了一个个鲜活的生命。悠扬的山歌再次响起，却比之前来得更嘹亮更动听，洁白的哈达从各个角落汇集在一起。老阿妈与小达哇和众人一起踏出响彻

《玉树不会忘记》剧照

天宇的步伐，踏出坚定的生命信念，踏出玉树人的新生。2010 年 6 月至 2011 年 4 月，由玉树州民族歌舞团历时 10 个月创作完成。由色尕编剧，苏自红导演。

2011 年 4 月 15 日，大型民族歌舞剧《玉树不会忘记》在北京天桥剧场首演之后赴山东、辽宁、吉林、内蒙古、河北、山西、宁夏、河南、黑龙江 9 个省（自治区）的 11 个城市，巡演 21 场，在青海省内巡演 117 场，演出场次共达 138 场，观众人数达 20 万人次。

《玉树不会忘记》为 2010 年至 2011 年国家舞台艺术精品工程资助剧目。

二、话剧

《情满玉树》 通过讲述玉树地震发生后，隆宝镇灾后重建办公室主任贡达罗布和妻子李月华倾情帮助遇难者亲人的故事，深入挖掘人物内心的情感，从灾后人们的心灵重建角度入手，展现了基层干部与群众同风雨共患难的感情，表现玉树抗震救灾和灾后重建中，各民族干部群众守望相助、共渡难关、携手奋进的感人事迹。谱写了一曲“大爱同心、坚韧不拔、挑战极限、感恩奋进”的玉树抗震救灾精神的赞歌。由青海省戏剧艺术剧院、成都军区战旗文工团共同创作。这部话剧的主创人员用 3 个月时间赴玉树灾区一线采风，并用 12 天时间完成了剧本创作。王爰、杨景民、谢先莉编剧，张慧导演。

2010 年 11 月 25 日，《情满玉树》在中国评剧大剧院举行汇报演出。中共中央政治局委员、国务院副总理回良玉，中共中央政治局委员、北京市委书记刘淇，中共中央政治局委员、中央书记处书记、中宣部部长刘云山，青海省委书记、省人大常委会主任强卫，文化部部长蔡武，中国文联党组书记胡振民，中国作协党组书记李冰，北京市政协主席阳安江等一同观看演出。之后，该剧先后在北京、上海、江苏、广东、广西、贵州、安徽、四川等地巡回演出 65 场，在青海省内巡演 38 场，获得良好的社会反响和观众好评。

《春回玉树》 话剧《春回玉树》是《情满玉树》的姊妹篇，再现玉树重建两年来的情景。主要反映的是，玉树县委书记罗布、农业科技推广站技术员江海河等一批曾在抗震救灾第一线的干部、党员在帮助受灾群众重建家园的同时，也为帮助广大牧民提高生活水平、发展生产建设、保护三江源生态环境和非物质文化遗产作出自己的努力。话剧《春回玉树》诠释了人性的真善美和大爱无疆的美好情怀，爱情、亲情、友情都在这部剧中得到淋漓尽致的表现，感人至深。2012 年 4 月公演，作为青海省第十二次党代会的演出剧目，在省内进行了巡演，获得良好的演出效果和社会反响。

该剧由青海省戏剧艺术剧院编创人员历时半年创作而成，张璐、杜笙编剧，杜笙导演。

三、音乐剧

2011 年 4 月 14 日晚，由中共青海省委宣传部主办，青海省广电局、省文联、省旅游局等承办的玉树“4・14”大地震周年祭音乐之夜在国家大剧院音乐厅举行。该剧用音乐的语言祭奠遇难同胞、赞颂生命、感恩祖国、祝福家园，并为一切灾难中罹难的生命祈祷。

音乐之夜首先演奏了青海省曲作者加贝创作的藏族打击乐、弦乐合奏曲《安魂与祈福》。《安魂与祈福》深情讴歌了伟大的玉树抗震救灾精神。随后，中国著名朗诵家、国家一级演员殷之光和著名演员温玉娟在美国作曲家巴伯创作的柔板的伴奏下，朗诵了诗人吉狄马加为玉树大地震创作的诗歌《嘉那嘛呢石上的星空》。《嘉那嘛呢石上的星空》诗意地表达了人们对玉树地震死难者的哀悼以及对生命的颂扬。其后，著名指挥家谭利华率领北京交响乐团的音乐家以及中国交响乐团合唱团、中央歌剧院合唱团的演员们，为观众演奏和演唱了贝多芬创作的《英雄交响乐》的第二乐章《葬礼进行曲》和第四乐章《终曲》。还演奏了作曲家郭文景根据吉狄马加的诗歌创作的交响合唱《圣殿般的雪山》。

四、情景剧

《梦圆玉树》，是一部以感恩玉树为主题的大型感恩剧情景剧，2013 年 10 月，由玉树州民族歌舞团编排演出，全剧分为追梦、铸梦、圆梦、庆梦 4 个篇章。

《梦圆玉树》剧照

五、特别节目演出

“情系玉树　大爱无疆”抗震救灾大型募捐活动特别节目　2010 年 4 月 20 日，由中宣部、民政部、国家广电总局、中华慈善总会等联合主办的“情系玉树　大爱无疆”抗震救灾大型

总政慰问团演出现场

2010年7月28日晚，青海省人民政府主办的“玉树不倒　感恩祖国——青海玉树地震灾区重建美好家园特别节目”直播晚会现场

募捐活动特别节目在中央电视台演播大厅举行。现场共募捐到各类款项21.75亿元。

总政慰问团慰问演出　6月13日，总政慰问团乘飞机到玉树地震灾区，亲切慰问了抗震救灾的各个部队。总政慰问团演员们克服高山缺氧的严重反应，一丝不苟地表演每一场节目。

玉树不倒　感恩祖国——青海玉树地震灾区重建美好家园特别节目　2010年7月28日晚，由青海省人民政府主办的“玉树不倒　感恩祖国——青海玉树地震灾区重建美好家园特别节目”直播晚会在北京举行。晚上8时整，一曲充满青藏高原风情的舞蹈《扎西德勒》拉开了晚会的序幕。整台晚会以“感恩”为主题，演员们为全场观众献上了一个个精彩纷呈、感人至深的歌舞节目。其中，来自青海玉树的演员们表演的歌曲《我的家乡》、舞蹈《舞动明天》等节目独具特色、饱含深情，伴随着主持人动情的讲述，充分表达出玉树灾区人民心中那份血浓于水的感恩之心和对重建美好家园的坚定信心。

诗歌诵读音画诗《玉树·飞翔》　2011年4月13日，在玉树“4·14”地震一周年前夕，由西宁市委宣传部主办的诗歌诵读音画诗《玉树·飞翔》在西宁体育馆上演。来自公安、消防、教育、市直机关的千余名观众通过诗歌、舞蹈、情景剧等形式，再次感受了“大爱同心、坚韧不拔、挑战极限、感恩奋进”的伟大的玉树抗震救灾精神。

纪念玉树“4·14”地震两周年大型慈善文艺演出 2012年4月14日，由青海省委宣传部和青海省红十字会联合主办，青海贤德文化传播有限公司承办的纪念玉树“4·14”地震两周年大型慈善文艺演出在西宁南门体育场举办，并在青海省广播电视台、西宁市电视台、青海交通文艺广播电台、中国藏族音乐网、优酷网、土豆网等媒体播出。晚会本着弘扬玉树民族文化、感恩回馈全国人民的演出宗旨，通过演绎雅俗共赏丰富多彩的民间艺术，表达对所有帮助、支持、援建玉树的单位及个人的感谢。

情暖玉树——中央电视台“心连心”艺术团赴青海玉树慰问演出 2013年8月24日下午，中央电视台“心连心”艺术团带着中共中央、国务院的亲切关怀，在玉树县结古镇格萨尔广场上，为玉树州5000余名各界群众和参加重建的部分援建者代表献上了一台精彩的文艺演出。慰问演出共分4个篇章，分别为《重建家园篇》《民族风情篇》《美好祝福篇》《追逐梦想篇》。演出由中央电视台节目主持人朱军、董卿、张泽群和玉树州电视台才仁巴毛共同主持。演出在玉树州合唱团献上的开场大合唱《凤凰涅槃》壮美的歌声中拉开序幕。黄圣依、阿朵、容中尔甲、郭峰等知名歌手先后登台，为观众献上歌曲《开在心里的花》《旋转的时光》《高原红》和《胜利》，唱响拥抱新玉树的共同心声。同日，青海省也派出强大的演出阵容，西宁市歌舞团、玉树州民族歌舞团、玉树州土风歌舞团、玉树州康巴盛装歌舞团给观众奉献上了激情洋溢、欢快优美的舞蹈表演。

2013年8月24日，中央电视台“心连心”艺术团在玉树县结古镇格萨尔广场慰问演出　（孔祥瑞　摄）

第四章　展览　纪念设施

第一节　展　览

一、“见证”——“4·14”玉树抗震救灾大型新闻图片展

2010年5月15日上午，由青海省委宣传部、新华社青海分社、青海日报社、省文化新闻出版厅联合主办，省博物馆承办的“见证”——“4·14”玉树抗震救灾大型新闻图片展在青海省博物馆开展。新闻图片展展出的400余幅图片，是新华社、青海日报社新闻工作者在玉树地震发生后，以高度的政治责任感，第一时间赶赴灾区记录下的真实场景，生动记录了抗震救灾的历程。

二、“藏地密码、祈福玉树”唐卡艺术慈善展

2010年5月25—30日，由中国红十字基金会指导，福建七匹狼实业股份有限公司主办，上海壹号美术馆和上海东上海新文实业有限公司承办的“藏地密码、祈福玉树”唐卡艺术慈善展在上海市建国中路1号的上海壹号美术馆举办。展会期间，在上海锦江汤臣洲际大酒店举办以唐卡为主题的艺术慈善拍卖晚会。为抢救和保护青海玉树地区的文化遗产，展示藏族优秀民间艺术和博大的传统佛教文化，让上海人民在世界博览会期间对唐卡艺术文化有更多的了解，展览从青海、西藏组织了100多幅风格流派多样、题材丰富的精品唐卡，包括来自17世纪的古老牛皮唐卡《三世佛》、18个画师联合制作一年完成的大型唐卡《释迦牟尼成佛图》以及唐卡泰斗夏吾才让大师的封笔之作等，画展现场还有来自玉树藏区的画师现场绘制唐卡，以及高僧演示的坛城沙画艺术。主承办单位在展览期间举办“唐卡艺术夜”慈善拍卖晚宴，拍卖本次展览的多幅精选唐卡和上海艺术家捐出的艺术品，所得收入捐给中国红十字基金会，定向用于

玉树非物质文化遗产的保护。本次活动特别赞助单位——福建七匹狼实业股份有限公司在晚会上捐出200万元，成立用以保护三江源地区生态平衡的专项基金。晚会由SMG艺术人文频道全程录制转播。

三、“新玉树、新家园”——“4·14”玉树地震一周年美术书法摄影展

2011年4月2日，由中共青海省委宣传部、中国人民革命军事博物馆、中国书法家协会等单位联合举办的“新玉树、新家园”——“4·14”玉树地震一周年美术书法摄影展开幕式在中国人民革命军事博物馆举行。展览共展出美术、书法、摄影作品1000余幅。其中，美术作品81幅，书法作品208幅，摄影作品800余幅，展现玉树抗震救灾和灾后重建的非凡历程，进一步弘扬伟大的抗震救灾精神。

四、“新玉树·新家园”玉树地震一周年美术书法摄影展

2011年5月8日，由中共青海省委宣传部、青海省文联共同主办，青海省美术家协会、书法家协会、摄影家协会承办的“新玉树·新家园”玉树地震一周年美术书法摄影展在省博物馆开幕。展览共展出1000余幅美术、书法、摄影作品。展览期间，青海省书法家协会在西宁市中心广场组织“支援玉树地震灾区书法作品义卖”活动。青海省书协名誉主席、顾问、常务副主席及部分理事等20余人参加义卖活动，筹得善款2.6万余元，全部捐献给玉树地震灾区。省书协还向全国书法界发出赈灾倡议，得到全国各地书法家的积极响应，短短半个月时间内就收到近800位书法界人士爱心捐赠的1400余件作品。作品中既有享誉全国的中国书协领导和理事的作品，也有颇具实力的中青年优秀书法家的作品；既有年逾八旬的老书法家的倾心之作，又有少年儿童书法爱好者的童真作品；不仅有国内书法家的作品，还有香港同胞和远在美国的华裔书法家的作品；不仅有地方书协统一组织捐赠的作品，更有书法家个人捐赠的作品。活动得到广泛响应，体现了全国书法界人士对玉树人民的深情厚谊和高度的社会责任感。展览先后在中国人民革命军事博物馆和青海省博物馆展出，展览结束后出版了作品集。

五、“江源玉树，幸福家园”——纪念玉树“4·14”地震两周年重建家园摄影展

2012年4月11日，由青海省委宣传部、省外宣办和省文联主办，省摄影家协会承办的“江源玉树，幸福家园”——纪念玉树“4·14”地震两周年重建家园摄影展在西宁开幕，这也是玉树重建以来青海省规格最高、规模最大的一次以图片方式进行的大型新闻宣传传播活动。这次展览由30多名摄影家历时两年精心创作了240余幅摄影作品，用影像全方位、多角度展

示了玉树重建两周年的伟大成就。展览由江源玉树、大爱无疆、寄托希望、玉树重建和幸福家园 5 个部分组成。

六、“难忘的记忆”——纪念玉树地震两周年工艺美术、书法摄影作品展

2012 年 4 月 12 日上午，由青海省文化和新闻出版厅主办，以“难忘的记忆”为主题，纪念玉树地震两周年工艺美术、书法摄影作品展在西宁开展。展览精选反映重建题材的 13 类 140 余幅民族民间工艺美术、书法和摄影作品，综合反映玉树文化重建工作的成绩，再现玉树文化重建工作两年来的难忘记忆和场景，以表达全省广大文化新闻出版工作者对重建大军的崇敬之情和对玉树人民的关怀之意，为玉树 3 年重建任务的全面完成擂鼓助力。

七、国家画院纪念玉树地震三周年画展

2013 年 4 月 14 日，由中国国家画院、青海省文化和新闻出版厅共同主办的“大美青海——中国国家画院著名画家青海行作品展”在位于西宁的青海省博物馆开幕，本次画展共展出画作 104 幅。该展览持续至 4 月 30 日。

第二节　纪念设施

一、玉树州地震遗址纪念设施

玉树州地震遗址纪念设施位于结古镇南入口处，建设内容为遗址本体加固，结古镇感恩广场、地震遗址博物馆玻璃罩以及文物保存、环境控制及安防、消防设施设备购置等。

玉树抗震救灾纪念馆主体为地上 1 层、地下 2 层建筑，由纪念墙体、祈福厅及展厅组成。震后把保留的原格萨尔王宾馆遗址作为展示主体，而新建的纪念馆主体隐于地下。地面建筑通过两条线性元素限定，围合的广场是举行集会、仪式的纪念场所。简洁的直线型纪念长墙以青色毛石砌成，沿着墙体设置了 85 个转经筒。

地震遗址纪念设施是玉树“4・14”大地震灾难性事件的记忆载体。纪念馆用毛石砌筑而成的纪念墙体长 106 米，沿大地水平展开的收分体量显得十分厚重，既有强烈的纪念性又传递出浓郁的藏族特色。当人们从地面纪念墙体进入建筑内部，随预设的空间序列缓缓走进中央的祈福之庭，内聚的圆形空间、环绕的壁龛矩阵试图唤起观者内心的精神共鸣。在地下 2 层的展

重建后的玉树抗震救灾纪念馆一角

厅能透过下沉庭院仰望地震遗址，最大限度地向观者展示地震破坏的痕迹，同时展厅内跌宕起伏的吊顶和崎岖不平的地面无不运用建筑语言诉说着地震的威力。

玉树抗震救灾纪念馆建筑地上 1 层高度 4.25 米，地下建筑 2 层高度 9.6 米，建筑面积 2998.99 平方米，玻璃罩建筑面积 1046.6 平方米，室外总坪工程（感恩广场）建筑面积 5742.85 平方米。总投资 9514.47 万元。其中，中央一般预算收入 8514.47 万元，省级财政资金 1000 万元。项目单位为玉树州三江源投资建设有限公司，由深圳市建筑设计研究总院有限公司设计，中铁二局股份有限公司玉树灾后重建工程指挥部援建承建，铁科院（北京）工程咨询有限公司监理。2012 年 4 月 10 日开工建设，2013 年 6 月 25 日主体封顶，2013 年 11 月 1 日经玉树州三江源投资建设有限公司竣工验收。

为了建设玉树抗震救灾纪念馆，相关部门从结古镇的 3 处备选震后废墟中，综合考虑建筑物的完整度、建筑特色和地理位置后，最终确定将位于进出结古镇必经之路的格萨尔王宾馆确定为震后遗址，并建设纪念馆。2012 年 5 月起，援建单位开始加固原有建筑。作为参与过四川省北川地震遗址保护的中铁西北科学研究院，经过再三论证后，确定利用假设桥梁中使用的预应力反吊技术，将在地震中坍塌的建筑用钢结构支撑加固。施工人员打磨墙面，并通过在裂缝中注浆，在保持墙体裂缝原貌的同时，加固墙面。按照新旧建筑“一隐一显”的原则，在极具震撼力的地震遗址旁边，是一个用折线型“裂痕”分割出来的广场，地下则是一个圆形柱体，成百上千个小格子是用来祭奠逝者时摆放酥油灯的壁龛。在遗址纪念馆设计之初，大家就希望这个建筑物能把沉重的灾难记忆转化为对生命的祈福，传达出人与自然和谐共生的生命哲学。

二、感恩广场石碑雕塑

玉树感恩广场属于玉树县结古镇南地震遗址纪念设施地块，总占地面积6730平方米，由广场石碑雕像等组成。

玉树感恩广场纪念碑

第五章　悼念与祈福活动

第一节　悼念活动

一、全国悼念日

为表达全国各族人民对青海玉树地震遇难同胞的深切哀悼，国务院决定，2010 年 4 月 21 日举行全国哀悼活动，全国和驻外使领馆下半旗志哀，停止公共娱乐活动。根据国务院决定，文化部要求文化系统各部门、各单位停止组织一切娱乐活动。同时，全国所有文化娱乐场所停止一切娱乐活动。各影剧院、歌舞娱乐场所、游艺娱乐场所、棋牌室等场所以及文化馆（宫、

2010 年 4 月 21 日，北京天安门广场为青海玉树地震遇难同胞降半旗志哀
（新华社记者　公磊　摄）

2010 年 4 月 21 日，青海玉树“4·14”地震灾区举行哀悼活动。图为在玉树县结古镇举行的降半旗哀悼活动主会场　　（新华社记者　费茂华　摄）

站)、社区文化活动中心停止一切演出、娱乐、放映、棋牌等相关活动。此外，各互联网上网服务营业场所停止一切游戏、音乐、影视等娱乐项目。

4 月 21 日上午举行的中共中央政治局常务委员会会议开始时，中共中央总书记、国家主席、中央军委主席胡锦涛提议向玉树地震遇难者致哀，政治局常委集体默哀 1 分钟。

2010 年 4 月 21 日零时至 4 月 22 日零时，全国所有电视台的台标变为黑白，部分娱乐频道在当天停播。全国各地组织进行了哀悼活动。

青海省人民政府 4 月 20 日发布《关于悼念玉树地震遇难同胞活动的公告》，决定 21 日青海省全省举行哀悼活动。21 日，全省下半旗志哀，停止一切公共娱乐活动，上午 10 时整起，全省人民默哀 3 分钟，汽车、火车、轮船鸣笛，防空警报鸣响。同时，青海省委、省政府在玉树县结古镇隆重举行玉树地区各族、各界群众参加的悼念大会。西宁市隆重举行省垣及西宁地区各族、各界群众参加的悼念大会。全省其他地区也集中举行了哀悼仪式，省直各部门、各企事业单位、各群众团体自行组织本单位的悼念活动。

二、周年纪念

2011 年 4 月 6 日，青海玉树抗震救灾纪念邮册《见证》发行。

2011 年 4 月 14 日，纪念青海玉树强烈地震一周年大会在玉树县结古镇召开，举行敬献花圈、哈达等仪式。中共中央政治局委员、书记处书记、中宣部部长刘云山，全国人大常委会副委员长韩启德，全国政协副主席李金华等出席纪念活动；强卫主持，骆惠宁、王建军、白玛、徐福顺、多杰热旦、王小青参加纪念活动。纪念大会结束后，举办玉树“4·14”地震一周年感恩教育启动仪式以及放飞信鸽、点灯诵经等纪念活动。

当日上午 7 时 49 分，青海全省为玉树地震举行了 3 分钟的默哀仪式，汽车、火车、轮船鸣笛，防空警报鸣响，行人驻足默哀。

第二节　祈福活动

一、学生、网友祈福活动

2010 年 4 月 21 日玉树“4·14”地震哀悼活动日前后，全国各地高校以及部分中小学校学生及网友们纷纷为青海玉树地震遇难同胞举办烛光祈福会等，为玉树的学生和人们祈福，为玉树加油。

2010 年 4 月 17 日晚八点半，西北师范大学来自西藏、甘肃、青海、四川等省份的 30 余名藏族学生在兰天公寓院内为玉树地震灾区祈福

2010 年 4 月 21 日，河北省石家庄某小学操场上，500 多名小学生摆出了一个心形图案，悼念“4·14”青海玉树地震遇难的同胞。图为孩子们双手紧合为灾区同胞祈祷

（中新社发　翟羽佳　摄）

2010 年 4 月 21 日，网友们点燃蜡烛为玉树灾区祈福　（杨世尧　摄）

二、宗教界为青海玉树地震灾区祈福

2010 年 4 月 16 日上午，中国佛教协会在北京灵光寺举行“中国佛教协会为青海玉树地震灾区祈福回向暨捐款法会”。中国佛教协会会长传印长老、副秘书长兼灵光寺方丈常藏法师共同主法拈香，中国佛教协会的法师、工作人员和首都佛教界信众 1000 余人参加法会，并踊跃捐款。国家宗教事务局一司司长徐远杰出席法会。

4 月 17 日上午，中国道教界在北京白云观举行为青海玉树地震灾区祈福解厄大法会暨捐赠善款仪式。

4 月 17 日，西藏宗教界人士代表在位于拉萨市中心的大昭寺为发生地震的青海省玉树州灾区举行祈福和捐款仪式。本次祈福捐款仪式由西藏宗教界人士自发举行，包括中国佛教协会西藏分会工作人员、色拉寺、甘丹寺、哲蚌寺、大昭寺以及拉萨周边寺庙僧人代表在内的约 200 人参加本次仪式。

2010 年 4 月 17 日，僧人在大昭寺祈福仪式上　（新华社记者　觉果　摄）

4 月 20 日，中国佛教协会副会长、第十一世班禅额尔德尼·确吉杰布、中国佛教协会副会长第六世嘉木样·洛桑久美·图丹却吉尼玛在北京西黄寺共同举行法会，超度在青海玉树地震中遇难同胞的亡灵，祈愿灾区有情众生早日脱离苦难，祈祷世界和平、人类安康。5 月 14 日，第十一世班禅额尔德尼·确吉杰布在地震重灾区的玉树县结古镇结古寺举行超度祈福法会。15 日，在青海塔尔寺举行法会，祈愿死者安息，生者安乐，风调雨顺，国泰民安，世界和平。

2010 年 4 月 21 日，陕西法门寺僧俗各界举办福佑中华赈灾祈福大法会

4 月 21 日，陕西法门寺僧俗各界举办福佑中华赈灾祈福大法会，为玉树地震灾区回向祈愿，祈福和谐盛世，祈福国泰民安。

4 月 21 日下午，湖北武当山道教学院为青海玉树地震灾区举行“武当山道教学院荐拔玉树地震遇难同胞暨祈福消灾法会”，为地震罹难者超度，为受灾同胞祈福、消灾，祈愿逝者安息，早日超度；祈愿生者坚强，健康安宁；祈愿国泰民安，社会和谐。

2010 年 4 月 21 日，武当山道教学院为玉树地震灾区举行祈福消灾法会

2011 年 4 月 14 日，青海玉树藏族自治州玉树县结古寺、禅古寺、当卡寺三大寺院僧人举行祈福大法会，纪念玉树“4·14”地震一周年。

第十篇
对口援建

着眼玉树灾后重建的艰巨性、复杂性、紧迫性和特殊性，中共中央、国务院和青海省委、省政府先后作出由北京、辽宁两省市和中国建筑、中国铁建、中国中铁、中国电建集团四大央企以及青海省内 4 个地区和 11 家企业共同援建玉树的重大决策，确立了“由国家出资、由援建方建设、由地方提供服务保障”的特殊援建方式。参加对口援建省市、中央企业、军队和武警部队的主要任务是，支持灾区做好灾后恢复重建总体规划和专项规划各项任务的落实，支持灾区重建家园、重建信心、重建未来。重点做好工程施工、规划设计、建材运输、智力支持和对口协作工作。用 3 年时间基本完成恢复重建主要任务，使灾区基本生活条件和经济社会发展全面恢复并超过灾前水平，生态环境得到保护和改善，又好又快地重建新校园、新家园，实现居民生产生活水平和三江源生态建设水平上“两个大台阶”的要求，早日建成生态美好、特色鲜明、经济发展、安全和谐的社会主义新玉树。青海省加强对对口援建工作统一领导，为对口援建提供有力保障。省内外各援建地区和援建单位讲政治、讲大局、讲奉献、讲团结、讲协作，迅速启动援建工程，保证工程建设标准和质量；广大援建工作者始终保持“五加二、白加黑”的工作状态，与灾区群众同甘共苦、并肩作战，创造了一个又一个“玉树速度”“玉树奇迹”，开创了援建力量和地方党委政府团结协作、共同高效推进灾后重建的援建工作“玉树模式”。军队和武警共同援建的“两校一院”工程从 2011 年 3 月 30 日破土动工，到 2012 年 5 月初，20 个项目全部竣工，创造了高海拔地区年施工期达 11 个月的纪录。西宁市援建杂多县萨呼腾镇，海东地区援建称多县称文镇，海西州援建治多县加吉博洛镇，海南州援建玉树县上拉秀乡重建任务于 2013 年 9 月圆满完成。省内 11 家对口援建企业也都按时胜利完成援建任务。

众志成城　抗震救灾

第一章　对口省市、中央企业援建

第一节　北京市援建

一、组织实施

北京市贯彻落实中共中央、国务院的决策部署，中共中央政治局委员、北京市委书记刘淇，市委副书记、市长郭金龙亲自主持召开专题会议，对援建工作进行安排部署。从有关部门抽调精兵强将，组织北京建工集团、市政路桥控股公司、北京住总集团、北京城建集团 4 家市属强势企业，承担了玉树州结古镇市政工程、新寨旅游景区开发、玉树县隆宝镇、哈秀工作站农牧民住房等建设任务。

地震发生后，北京市对口支援和经济合作工作领导小组成立青海玉树指挥部，为其前方指挥机构，主要职责是，在领导小组的领导下，负责与当地党委和政府的联系协调工作，统筹组织实施本市在当地的项目建设、产业合作、智力支援等对口支援和经济合作工作，承担领导小组交办的其他工作。市对口支援和经济合作工作领导小组内设机构有办公室、宣传联络部、项目管理办公室、人力资源部、灾后重建后续工作办公室。市政府副秘书长刘永富担任北京对口援建地震灾区指挥部前线分指挥部指挥，金焱担任援建指挥部专职副指挥。

5 月 13 日，刘永富带领北京市对口援建地震灾区考察团到达青海，对接联系灾后重建援助工作。27 日，北京市建委主任隋振江带队的北京市对口援建地震灾区先遣组到玉树灾区，对接开展工作。先后与青海省政府办公厅、省住房城乡建设厅、省经委、省财政厅、省水利厅、省环境保护厅、省交通厅、省国土资源厅、省卫生厅、省通信管理局等 20 家相关部门负责人会谈，重点磋商了援建工作机制、工作程序和工作方式。

5 月 28 日，省玉树地震灾后重建现场指挥部与北京市援建工作组对接会在玉树举行，双方就北京市援建玉树县结古镇、隆宝镇重建的各项工作进行积极对接，并达成基本共识。张建民主持会议并就房屋鉴定、废墟清理、受灾群众过渡安置、政策制定、建材交通电力保障、民房拆迁、规划审批、项目建设以及建立重建工作机制等灾后重建工作事宜向北京市工作组作了介绍说明。隋振江就项目选址工作、建立两个基地、深化工程设计、先行完成道路与自来水、污水处理、垃圾处理、供热等市政设施建设，统规统建城乡住房试点等近期需要开展的工作向指挥部和州、县政府作了说明。北京工作组各有关方面还分别就援建地废墟清理、项目的数量和标准、项目审批、项目管理、项目对接、规划设计中的近远期实施方案、项目实施中的环境保护、签订合同、提供气象水文资料、调运大型项目设备等需要尽快解决的问题与指挥部和州、县政府进行具体商榷。6 月 18 日，青海省政府与北京市政府就玉树地震灾后援建事宜进行座谈，双方就援建协议主要原则和内容达成共识，并对协议涉及的一些具体问题交换了意见。

6 月 20 日下午，国务院玉树灾后恢复重建协调小组在西宁召开玉树地震灾后恢复重建对口援建工作会议。北京市副市长陈刚签署对口援建协议。各项工作进入紧张实施之中，充分体现了“首都速度”和“北京精神”。

二、对口援建任务

北京市对口支援，承担玉树县结古镇的市政道路、市政基础设施建设，新寨村的整体重建，重灾区隆宝镇、哈秀乡的整体恢复重建任务。包括城乡住房项目 3 项、公共服务设施 20 项、基础设施 81 项、和谐家园 5 项、特色产业 4 项、生态环境 1 项，共 114 项，计划总投资为 32 亿元。

北京市承担援建任务特点是任务覆盖面最广、投资额最大、困难也最多。一是标准高、期望值高，援建代表的是首都水平、首都形象。二是援建点多、面广、战线长。援建项目分布在结古镇、隆宝镇两个镇，最远的距玉树结古镇直线距离 160 千米。三是工期短，材料保证困难。144 个项目确定 3 年完工，但玉树是高原高寒地区，3 年中结古镇的有效工期只有 18 个月，隆宝镇更短，仅有 15 个月。四是高原高寒对施工的技术挑战超过预期。

北京市与玉树州建立了长远对口援建关系，在完成“硬件援建”之后将继续对玉树进行“软件援建”。

三、援建力量

北京建工集团、市政路桥控股公司、北京住总集团、北京城建集团 4 家市属企业，承担了玉树州府结古镇市政工程。北京市市政工程设计研究总院、北京中联环建筑设计有限公司、北京市住宅设计院、北京市建工设计公司参与了各类重建项目的规划、设计工作。各单位领导由带队，成立援建前线指挥机构，落实人员，提供保障，全面实施规划项目援建任务。

北京建工集团 北京建工集团对口援建玉树县隆宝镇。3 年援建，为隆宝镇建设 1631 套农牧民房，建筑面积 130480 平方米；实施隆宝镇中心寄宿小学、司法所业务用房、社会就业平台、社会服务中心、派出所、法庭审判用房、敬老院、卫生院、幼儿园、农牧业商贸服务中心等公共建筑29项，建筑面积约24000平方米；承担市政道路建设、市政供水系统、村道路硬化、农村公路、乡村供水、便民桥梁维修加固等市政工程共6项。

北京建工集团设立隆宝镇环保奖励基金

在援建中，为保护三江源生态平衡、打造环保新隆宝，北京建工集团设立隆宝镇环保奖励基金，与隆宝镇政府和隆宝镇中心寄宿小学联合开展“保护三江源，建设美丽新隆宝”主题环保活动，并将每个月的第一个星期六定为“隆宝镇环保日”。

北京住总集团援建玉树前线党组织发挥战斗堡垒作用

市政路桥控股公司　北京市政路桥控股承担结古镇市政基础设施工程援建任务，包括41.8千米的市政道路；新改建桥梁15座；供水厂、污水处理厂、垃圾填埋场等各1座；同时，还包括雨水、污水、给水、燃气、电力、电信等市政管线共计200余千米以及景观绿化、照明、交通、公交场站等工程。这些工程覆盖面广、拆迁量大、交通导改次数频繁、施工工艺复杂、工程质量要求高、环境复杂，市政路桥控股公司创造了组织保障有力、机械化程度高等援建之最，践行了“绿色援建”的理念，按时优质高效地完成了援建任务。

北京住总集团　北京住总集团主要承担玉树县哈秀乡农牧民住房、乡政府办公用房、学校、敬老院、卫生站、市政道路和人畜饮水公共设施等建设任务，总规模近4万平方米。北京住总集团玉树援建指挥部组织7家施工单位援建，指挥部组成4个整编制项目部、8支突击队，按照援建工程任务4个时间节点要求，进行了援建工程管理人员优化组合、分片管理的分工，共设7个管片，充实了管理人员10人，加强了管理力度。落实了施工队伍、材料供应及施工机械工作，进一步深化完善了援建工程的制度化管理，出台了援建工程资金管理制度、消防交通

2011 年 8 月 23 日，由北京市政路桥控股市政集团六公司援建的玉树县结古镇垃圾填埋场顺利完成 1 号垃圾坝合龙施工

玉树县八塘路

安全管理制度、施工日常信息采集管理办法等项工作。

在援建过程中，北京住总集团遵循北京前线指挥部“精心施工，树首善标准；文明援建，展北京风采”的要求，弘扬“特别能吃苦、特别能战斗、特别能奉献”的精神，严格落实安全文明施工标准，注重保护好援建地的生态环境，仅用两年的时间完成了所有援建项目，率先实现了三年援建任务两年完的目标，交出了“民族团结工程”。

北京城建集团 北京城建集团派出的 12 支援建施工队伍，发扬特别能吃苦、特别能奉献的精神，以一流的理念、一流的管理、一流的技术、一流的效率，圆满完成结古镇新寨村整体重建任务。其援建的玉树州、县两级政府所在地结古镇的新寨村（距结古镇 3 千米）整体重建任务（包括民居工程：45 套农户用房；基础设施建设：公路、通电所、水文站、饮水工程、畜牧站等；公众服务设施建设：派出所、敬老院、社区服务站等；旅游设施建设：嘛呢石堆周边的旅游设施。总计建筑面积 3.5 万平方米）于 2012 年 11 月全部竣工。

第二节　辽宁省援建

一、组织领导

2011年11月8日上午，玉树县巴塘乡重建项目交接暨捐赠仪式在巴塘乡寄宿制小学举行

辽宁省长期以来对青海省进行东西协作对口帮扶，自2005年以来，每年的帮扶资金达150余万元。玉树大地震发生以后，辽宁省在第一时间作出部署，投入抗震救灾，主动争取承担灾后恢复重建任务。

国家召开援建玉树部署会后，辽宁省迅速成立援建工作领导小组，负责全面指导和筹划援建工作；抽调省直机关和直属单位得力干部，组建辽宁省援建玉树巴塘乡前线指挥部。前线指挥部到达玉树后，立即召开会议，研究部署工作，设立了协调组、管理组、宣传组、保障组等各种机构，为顺利完成援建任务提供了有力保障。

二、援建任务

按照青海省委、省政府的统一安排，辽宁省负责玉树藏族自治州玉树县巴塘乡的重建工作。主要任务是，承担巴塘乡1218套农牧民住房的重建和164套住房的加固以及巴塘乡医院、学校、道路、民房等项目的建设工程。具体包括居民住房和教育、医疗卫生、文化体育、就业和社会保障、交通、能源、水利、农牧业、旅游业、扶贫开发、整村推进等内容的6类51项建设工程，总投资4.7313亿元。

主要建设项目：一是农牧民住房1112户；二是教育、医疗卫生、文化体育、就业和社会保障、交通、人文关怀等公建项目6类14个，建筑规划面积2万平方米；三是3条公路建设、9座便民桥梁的维修加固、6个村的道路硬化；四是建设3个水渠、7个人畜饮水工程；五是生态修复东仲林场业务用房、保护站恢复、防火物资库3个项目；六是全民健身设施、灯光篮球场2个项目。

灾后重建的巴塘乡小学举行开学典礼

三、援建进展

截至 2011 年 11 月，共完成投资 50051.9 万元，完成实物工作量的 92% 以上，农牧民住房 1132 户全部建成可立即入住；学校和卫生院等 14 个公建项目全部竣工；林业、电力、水利等 27 项工程完工。到 2012 年 8 月末，辽宁省援建的 51 个工程项目全部完工，实现了省委、省政府提出的“三年任务两年基本完成”工作目标。

第三节　中国建筑工程总公司援建

一、组织部署

2010 年 6 月，中国建筑工程总公司（以下简称“中国建筑”）在刚刚顺利完成汶川震后援建施工任务后，又委托中国建筑第八工程局承担起玉树灾后重建任务。中国建筑迅速成立中国建筑玉树灾后重建前线指挥部，精心策划，周密部署，按照高起点策划、高水平管理、高标准要求，从人力技术、设计标准、资源配置上给予最大保证，选派的各类精干管理人员近 200 人。同时，严格遵守科学重建的原则，在玉树前线指挥部设立了援建施工所需的工程、技术质量、规划设计、物资、合约、财务等 8 个职能部门，保证了援建工作的顺利开展。

二、援建任务

中国建筑承担灾后重建项目86个，总建面积45.1万平方米，总投资约为22.41亿元，主要援建内容为玉树县安冲乡农牧民住房及乡镇公建、基础设施；结古镇城北片区城镇住房、公建、基础设施、水利项目等。学校项目共5所。其中，安冲乡寄宿制小学为玉树灾后重建第一所交付使用的新校园，玉树州红旗小学是玉树灾后重建的新校园标志性工程。医院卫生项目8所，其中玉树州人民医院是玉树灾后重建最大的民生工程。居民住房共2136户，总建筑面积22.22万平方米。其中，农牧民住房653户，3个统规自建区住房总户数为1009户，3个统规统建区住房总户数为474户。公建项目共42个，其中包括玉树州十大标志性建筑2个。此外，援建安冲乡通村公路3条共75千米，另包括加固维修桥梁6座，新建桥梁2座。

三、工作进展和所获荣誉

2010年，在农牧民住房建设中，中国建筑取得了交付入住时间第一、交付入住套数第一、结构封顶率第一、施工速度第一的“四个第一”。施工质量、建设速度走在援建央企前列，确立了中国建筑玉树援建排头兵的地位。

2011年，在参与援建的4家央企中率先全面完成了青海省“三个确保”年度援建目标，中国建筑玉树援建央企排头兵地位进一步巩固。

2011年11月17日，中国建筑工程总公司举行援建玉树县一完小竣工交付、“三个确保”任务全面完成庆典、2012年玉树县援建决战之年誓师大会

2012 年是玉树援建的决战之年，率先完成青海省玉树地震灾后重建现场指挥部下达的“6·30”（6 月 30 日）、“8·30”（8 月 30 日）、“9·30”（9 月 30 日）时间节点任务。到 2012 年 10 月 27 日，经过所有中建援建人的共同努力，玉树州人民医院、民南居住组团等项目顺利交工，标志着中建 3 年重建绝大部分任务基本完成，目标基本实现。

2013 年是玉树援建的决胜收官之年，中国建筑以更加饱满的热情、更加刚强的斗志、更加坚定的信心全面完成收官之年工作任务。到 6 月底，中国建筑基本完成省指下达的“6·30”时间节点居民住房建设目标任务。

到 2014 年 11 月 20 日，中国建筑所有援建项目全部完工。

3 年援建中，先后获得 7 个“全国五一劳动奖状”、10 次“青海省工人先锋号”荣誉称号、5 次“青海省文明号”荣誉称号，5 个单位获得“青海省玉树灾后重建先进集体”荣誉称号，9 个集体获得“青海省先进基层党组织”荣誉称号；有 16 人获得“全国五一劳动奖章”，1 人获得“全国五四青年奖章”，1 人获得“青海省五四红旗奖章”。

四、重点项目

玉树州人民医院，总建筑面积 36700 平方米，总投资 21667 万元，由传染病楼、门（急）诊医技综合楼、综合楼、住院部综合楼、后勤附属用房 5 个单体和玉树州采供血机构、玉树州突发卫生事件应急指挥中心、玉树州突发卫生事件应急物资储备中心、玉树州基层卫生人员培训中心 4 个项目组成，共 4400 平方米。从 2011 年 5 月开工建设，到 2012 年 10 月竣工，实际施工有效工期 13 个月。

新建的玉树州人民医院是整个康巴藏区规模最大，极具藏民族文化特色的现代化国家三级乙等医院，与震前相比，医疗水平有了极大程度的提高，科室设置由震前的普通外科、内科细

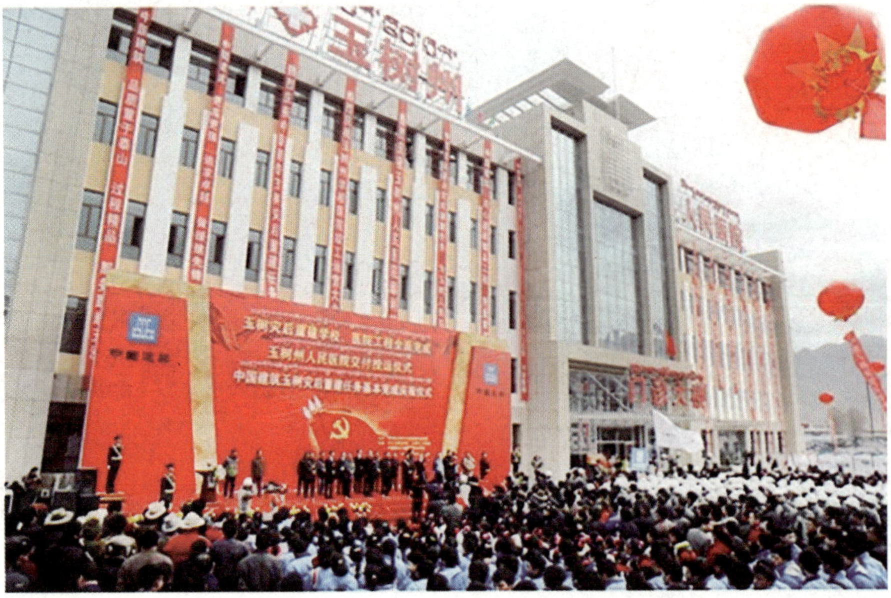

2012 年 10 月 27 日上午，中国建筑玉树灾后重建任务基本完成庆祝活动、玉树州人民医院交付运营仪式在玉树州人民医院广场举行

化到心脏内科、外科、肝胆病中心、眼科等50多个科室，病房设有400个床位。新建州人民医院配有手术室6间。其中，万级洁净室4间，可进行普通外科（除去一类切口手术）、妇产科手术等。百级手术室2间，可进行关节置换手术、器官移植手术及脑外科、心脏外科和眼科手术中的无菌手术等。同时配备ICU病房，可对重症患者进行全方位监护，并将拥有最先进的核磁共振等各种大型精密医疗设备。该医院具有青海省洁净度最好的2间百级洁净室手术室，手术室具有远程协助功能，可以进行高难度的手术，通过无影灯上摄像头形成的视频同步发送到医疗水平较高的医院，专家可以通过视频进行场外指导，还可用摄像头形成的视频，进行手术场外施教，学员在手术室外进行现场观摩。无论是就医环境，还是医疗设备，都达到了青海省最优。

第四节　中国中铁股份有限公司援建

一、组织部署

地震发生后，中国中铁股份有限公司（以下简称“中国中铁”）迅速成立中国中铁玉树灾后重建领导小组并召开会议，就对口援建玉树灾后重建工作方案及相关事宜进行研究部署，成立玉树灾后重建现场指挥部，确定中铁建工、中铁二局和中铁西北院为灾后重建具体实施单位。

在援建工作中，坚持企业的社会功能和社会责任及“保本”原则，体现“援建”性质，组织突击队，及时协调解决援建施工中的困难和问题，攻坚克难，科学施工，彰显了央企的排头兵和生力军作用。

中铁二局援建的下拉秀镇农牧民住房

（新华社记者　吴光于　摄）

二、援建任务

2010年6月21日，青海省下发了《中国中铁股份有限公司援建项目册》，明确了中国中铁援建任务：中国中铁以交钥匙方式

中国中铁援助玉树重建工程夜间加班施工

负责极重灾区玉树县结古镇城南片区城镇住房、公共服务、基础设施、生态环境、特色产业和服务业、和谐家园及 308 干线公路等方面的恢复重建项目 58 个。

10 月 14 日，青海省政府又将下拉秀镇 1000 套农牧民住房建设任务交给中国中铁。在后来的援建过程中，又有 3 个项目陆续交由中国中铁实施，援建项目达到 61 个，总建筑面积 76 万平方米。

三、实施进展与获得荣誉

中国中铁第一批援建人员于 2010 年 6 月初进驻玉树进行工作衔接。7 月 6 日，中国中铁在所有援建企业中第一个完成营地建设。

2011 年 8 月 11 日上午 11 时，坐落于结古镇胜利路大街的青海玉树藏族自治州玉树县第二完全小学举行竣工典礼。这是玉树震后重建的首所交工完全小学，学校占地面积 2.4 万平方米，建筑面积 10355 平方米，工程比原计划提前 20 天竣工。学校于 2012 年 3 月正式投入使用。2012 年 9 月 28 日上午，中国中铁承建的结古镇南大门五大商住组团工程竣工。中国中铁率先实现青海省玉树灾后重建指挥部制定“在 2012 年年底让城镇居民全部搬离帐篷，入住新房”的重建目标。

2013 年是玉树灾后重建决胜收官之年。6 月 30 日，中国中铁承建的居民住房工程全部竣工；8 月 30 日，所有重建工程全部竣工；9 月 30 日，竣工工程资料全部移交地方；10 月 1 日，玉树灾后重建完工庆典活动在结古镇赛马场举办，中国中铁全面完成援建目标任务。

中国中铁在灾后重建中赢得了“玉树援建铁军”的称号，中共中央政治局委员、国务院副总理回良玉称赞他们“真正是一支能打硬仗的队伍，不愧为‘铁军’”。在 3 年的玉树援建工作中，中国中铁先后获得“全国五一劳动奖状”“全国工人先锋号”“中央企业青年文明号”“青海省玉树灾后重建先进集体”“全省先进基层党组织”“青海省‘十一五’建功立业先进集体”等荣誉，还有多人荣获“全国五一劳动奖章”。

第五节　中国铁建股份有限公司援建

一、组织领导

接受援建任务后，中国铁建股份有限公司（以下简称“中国铁建”）第一时间成立灾后援建工作领导小组和现场指挥部，确定中铁二十一局和中国铁建第一勘察设计院为援建任务实施单位。援建过程中，每年两次召开玉树专题工作会议，安排部署玉树重建工作。指挥部每年3月召开第一个百日大干会战动员大会，开展援建工作攻坚战，全力推进各项重建工作。

二、援建任务与工作进展

中国铁建主要承担结古镇城东片区和仲达乡居民住房、公共服务、基础设施、生态修复、和谐家园、特色产业和服务业等118个恢复重建项目，总建筑面积约77万平方米，计划总投资30.23亿元（实际完成投资37.27亿元）。

至2012年10月，民生项目全面完成。格萨尔广场、玉树州博物馆和玉树州游客服务中心等十大标志性工程主体封顶，其他公建项目陆续进入后期装饰装修阶段，2年援建任务年内基本完成。

截至2013年10月31日，118个项目全面竣工并通过验收。

在所有援建单位中，中国铁建先后争得第一个队伍进场，第一个完成营地建设，所有重建项目中第一个开工建设，建成的农牧民住房实现第一批入住，结古镇统规自建区住房建设经验成为“当代模式”广泛推广，竣工项目一次性通过验收交工排名第一，援建的民族中学第一个竣工交付使用，援建的医院第一个竣工投入使用，结古镇最大的住宅小区率先竣工交钥匙，在4家央企中第一个完成所承担的全部重建任务，在项目工程质量、管理评选中获奖17项名列4家央企第一，县管87个项目在4家央企中率先完成验交等12个第一，全面实现了“勇争第一”的奋斗目标。3年中，指挥部、设计单位及所属3个参建单位先后6次获得“全国五一劳动奖状”；15人获得“全国五一劳动奖章”。

三、重点工程项目

五大商住组团工程　五大商住组团工程分别是西杭商住组团、扎南商住组团、胜利路商住组团一、组团二、组团三，共由 102 栋商住楼组成，合计建筑面积为 36.23 万平方米，下面 1 层、2 层为商铺，上面 3 ~ 5 层为住宅，提供 1785 套居民住房和 13.8 万平方米的大小商铺。

琼龙住宅小区 琼龙住宅小区是玉树州结古镇规模最大的小区建设项目，总共有 110 栋商住楼、2000 多套住房，以及 1 个幼儿园、1 个社区服务中心、1 个市场和 1 座社区商业大楼。琼龙住宅小区于 2010 年 10 月开工，2012 年 9 月建成，2012 年 10 月 26 日举办了举行竣工入住仪式。

玉树州博物馆项目 玉树州博物馆位于玉树州结古镇核心区，民主路、红卫路和胜利路交叉口，规划用地面积 16077 平方米，建筑面积 11000 平方米。2011 年 7 月 31 日开工。主体建筑由陈展区、技术及办公用房、观众服务设施等部分组成。按照设计要求，在施工中既体现了民族特色、地域风貌、时代特征，又注重其建筑本体的庄重和民族文化特征，反映康巴文化特色和时代精神。

玉树州藏医院 玉树州藏医院总建筑面积 13447 平方米，有门诊大楼、住院部大楼、制剂楼、锅炉房等工程。配套工程包括道路、绿化、停车场、地下管网等附属工程。从 2012 年 8 月 25 日破土动工，到 2013 年 10 月 28 日实现了 5 层门诊楼和 6 层住院部大楼主体封顶。同时，还完成了 1325 平方米的地下车库施工。

格萨尔广场 格萨尔广场东临巴塘河，北临扎西科河，西临胜利路，用地面积 6.93 公顷，建筑物总面积 8799 平方米。其中，格萨尔文化展示中心 2637 平方米，玉树州城市规划档案馆 3496 平方米，玉树州档案馆 1339 平方米，857 平方米的商业设施，同时还包括派出所等附属设施。

中国铁建援建的玉树州行政中心

第六节　中国电力建设集团有限公司援建

一、安排实施

灾难发生后，中国电力建设集团有限公司（以下简称“中国电建集团”）立即启动Ⅰ级响应，安排驻青海的水电四局组织救援队赶赴玉树抗震救灾。6月22日，成立现场指挥部，下设第一、第二、第三、第四4个工区，设计院和后勤、医疗2个保障中心。到年底，根据承担重建任务的实际，增设第五、第六2个工区，抽调干部职工达到4800余人。3年中，水电四局有限公司共有7名厅级干部和29名处级干部参与到重建工作。

二、援建任务与进展

中国电建集团承担结古镇城西片区居民住房、公共设施、生态修复、特色产业和歇武镇、小苏莽乡农牧民住房等79个项目，计划投资351619.85万元。其中，援建项目78个，计划总投资290892.71万元；援建项目外项目1个（两河景观结古镇滨水商业文化旅游核心区建设），计划投资60727.14万元。在3年重建过程中，中国电建集团承建的79个重建项目，占到重建项目总数的40%，是承担玉树重建项目最多的央企。

2010年7月，中国电建集团玉树重建现场指挥部承建的玉树县第三完全小学开工。胡锦涛在玉树灾区视察慰问时，在玉树县第三完全小学写下“新家园，会有的！新校园，会有的！”12个大字。2010年7月10日，玉树地震灾后第一个重建项目的开工仪式暨玉树重建万人誓师大会在此举行，拉开了中国电建集团玉树3年重建的帷幕。玉树县第三完全小学开工2月余，该项目首栋教学楼实现封顶，10月16日其余7栋建筑提前6天全线封顶。2011年10月23日，该项目主体教学楼投入使用。之后，该项目的其他工程全部顺利竣工并完成交接。

第一工区承担的玉树县第二民族中学、小苏莽乡农牧民安置房、小苏莽乡公共建筑工程、小苏莽乡寄宿制学校、下西同统规城镇居民住宅等32个项目，总建筑面积190343.8平方米，计划总投资8.01亿元。按照计划工期安排，于“9·30”（9月30日）节点目标全部完工。

第二工区承担的玉树县第三民族中学（原玉树县寄宿制中学）工程，于2012年8月3日完成竣工移交，是结古镇首家完成学校竣工移交的项目。同年8月24日，第二工区竣工移交；10月24日，该项目率先拿到工程建设验收合格证，是玉树灾后重建项目首个拿到验收合格证的施工项目，树立了中国电建集团诚信履约的良好形象。

2011年10月23日，现场指挥部第三工区承建的玉树县第四完全小学顺利交工，是中国电建集团在玉树重建项目中首个实现交工的重建项目。10 月 27 日，第三工区扎村托弋社区 1 号、2 号工程顺利提前竣工并交付业主使用。10 月底，承建的歇武镇 100 套农牧民住房也实现了竣工移交。

此外，第四工区承担的玉树县公检法房建项目、第五工区承担的歇武镇农牧民住房项目、第六工区承担的德秀格城镇住房项目等重建工程，也都完成。

截至 2013 年 6 月 30 日，现场指挥部承建的 79 个项目发生总成本 338549.52 万元。其中，各工区项目发生 276342.28 万元，已干未结 32705.82 万元，指挥部及两院一中心管理费 9863.44 万元，税金 4029.13 万元，设备费 11205.36 万元，工程建设其他费用（已结算的设计、地勘、环评、安评及审图费用）4403.49 万元。

2013 年 9 月 22 日，随着第六工区承建的扎西科组团（三）359 户城镇居民住房顺利实现竣工移交，中国电建集团援建玉树的城镇居民住房竣工移交 2126 户，房屋整体入住率超过 98%。

三、技术革新与获得荣誉

在援建过程中，中国电建集团坚持和谐重建、绿色重建，充分发挥工人的创造精神，革新了 150 拌合楼“填空式”安装法、抗裂砂浆的应用、河道宾格网箱的码放、砖厂砖机改造、环保技术的运用的施工工艺，提高了工程质量。

3 年间，有 81 个集体和个人分别获得“全国五一劳动奖状”“全国五一劳动奖章”“全国青年文明号”“青海省先进基层党组织”“国资委优秀共产党员”“青海省五四红旗团委”“青海省标兵青年岗位能手”等荣誉称号，得到了国务院国资委和青海省委、省政府的高度评价和赞誉，彰显了企业形象和社会影响力。

2011 年 10 月 27 日，中国电建集团重建的玉树县结古镇首批居民住房交工入住

第二章　部队援建

第一节　组织实施

一、组织机构与工作要求

军队武警援建玉树地震灾后重建工作在中央军委总参谋部、总后勤部联合工作组指导下进行，由兰州军区具体组织实施，由军区援建工作领导小组统一负责，从全区部队抽调 32 人组建了工程指挥部和 3 个项目管理部、1 个协调组和 1 个保障组，常驻玉树抗震救灾军地联合指挥中心具体实施工程建设。青海省、玉树州成立了由省建设厅、教育厅、卫生厅领导，玉树州政府及相关职能部门领导参加的协调组，专门负责援建工作中的协调和有关问题的处理。

受领任务后，任务部队牢固树立使命任务意识、岗位责任意识、吃苦奉献意识，坚持“统一领导、军地协作，统筹组织、分项负责，规模适度、坚固实用，依托社会、市场运作，质量第一、安全高效”的援建原则，主动克服自然环境苦、高原反应大、居民拆迁难等各种矛盾问题，超前预测，统筹安排，攻坚克难，严格管理，确保安全，如期完成援建任务。

二、援建任务与工程进展

军队和武警部队负责结古镇玉树州职业技术学校、玉树州孤儿学校和玉树县人民医院援建工作，并协助清理废墟和运输重建物资。2011 年 4 月 21 日，总后勤部批准“两校一院”工程总投资 6.74 亿元（不含购置医疗设施设备费 6100 万元）。

2010 年 8 月 28 日举行了“两校一院”工程开工奠基仪式，2011 年 3 月 30 日正式破土动工。到 2012 年 5 月初，20 个单体全部竣工，总占地面积达 251.25 亩、总建筑面积达 9.76 万平方米，配置各种设施设备共 2000 余种 13.54 万余件（套、台）。

2012 年 8 月 22 日竣工移交，实际施工工期 16 个月，创造了高海拔地区年施工期达 11 个月的纪录。

第二节　项目简介

一、玉树州八一孤儿学校

按照保障 810 名学生（全部寄宿）、90 名教职员工，18 个教学班（小学 12 个、初中 6 个）的规模建设。具体建设规模测算和功能设置，参照 2008 年 10 月国家有关部委联合颁布的《汶川地震灾后重建学校规划建筑设计导则》九年制学校建设标准执行，建成后配备必要的教学、办公、生活设施，建设周期计划为 2 年。工程占地面积 27.35 亩，总建筑面积 1.28 万平方米，新建教学综合楼、综合服务楼、师生宿舍楼等 5 栋单体，配套建设了篮球、排球、羽毛球场和硅 PU 运动场及景观绿化工程，配置了电脑、实验仪器等设施设备 1.36 万台（件），建立了校园安防、网络、广播系统，配齐了食宿保障设施，为师生创造了宽敞舒适的学习生活环境。

2012 年 3 月 10 日，玉树州八一孤儿学校搬进新校园

二、玉树州八一职业技术学校

按照保障 4000 名学生（全部寄宿）、250 名教职员工，80 个教学班的规模建设。建设规模测算和功能设置，参照 1987 年 3 月国家教委、纪委联合颁布的《全日制普通中等专业学校校舍规划面积定额》执行，建设后配备必要的教学、办公、生活设施，建设周期计划 3 年。工程占地面积 203.57 亩，总建筑面积 6.8 万平方米，新建教学综合楼、实训楼、多功能体育馆、师生宿舍楼、食堂等 11 栋单体，配套建设了 12 个篮球场、4 个羽毛球场、1 个 400 米标准跑道灯光足球场和景观绿化工程，配置了电脑、投影仪、印刷机、钢琴等设备及医疗、美容美发、汽修等专业教学模具，共 15.92 万件（台、套），配全了 36 个专业的教学实训室，建设了校园安防、网络、广播系统，实现了会议教学可视化、学习培训一体化、校园管理智能化，学校硬件设施在青海省大中专院校中处于一流水平。

三、玉树八一医院

按照200张床位的规模建设，参照2008年9月国家有关部委联合颁布的《综合医院建设标准》执行，建成后配备必要的医疗设施设备，建设周期计划为2年。工程占地面积18.86亩，总建筑面积1.79万平方米，新建医疗综合楼、传染病楼、综合服务楼等6栋单体。其中，医疗综合楼1.28万平方米，综合服务楼2943平方米，传染病楼1414平方米，其他用房300平方米，设立200张床位。新建的医院达到国家三甲医院的建设标准。配置了高压氧舱、核磁共振、CT、DR等医疗设施设备1.6万件（台、套），设置了ICU重症监护室、万（千）级手术室，配套建设了污水处理站、制氧供氧和视频安防系统等，实现了远程可视会诊、数字化办公、信息化管理，设施设备配置走在青海地区同类医院的前列。

军队和武警部队援建的玉树八一医院

第三章　省内援建

第一节　西宁市援建

一、工作部署与进展

省委、省政府安排西宁市承担对口支援玉树州杂多县灾后重建工作，要求是援建杂多县萨呼腾镇灾后重建，援建项目涉及农牧民及城镇居民住房、教育、医疗卫生、广播电视、社会服务管理及基础设施等领域共 58 项，总建筑面积 31.78 万平方米（不包含市政基础设施），总投资 11.78 亿元。

2010 年 6 月 28 日，市委、市政府成立援建工作领导小组，市直属的 10 个部门为援建成员单位，具体负责援建工作的协调管理工作。其间，市政府分管领导带领相关部门 3 次赴杂多县协调对接援建项目工作，并从各部门抽调专业管理人员开展项目规划论证及专业规划建设工作。9 月 13 日成立了西宁市援建杂多县地震灾后重建项目现场指挥部，到杂多县开展援建工作。

市国土局制定了《杂多县萨呼腾镇灾后恢复重建征地补偿方案》意见征求稿，帮助指导杂多县国土局制定土地征购工作相关文件；市规划局完成了杂多县灾后重建的城乡总体规划编制工作和控制性规划；市城乡建设委员会、市房产局、市水利局、市城管局在对援建项目实地踏勘的基础上，提出具体项目实施意见和建议，参与援建项目总图设计、施工图设计、地质灾害评估、可研、设计、地勘等前期工作，加快了项目实施的准备工作。

2010 年 10 月 4 日，开工建设 884 户农牧民住房，实现了当年开工率 100%。

2010 年至 2012 年冬春季节，指挥部充分利用冬歇时间抓紧开展项目前期工作，先后举办了 6 期资料收集、工程质量管理等相关培训，组织施工单位与设计单位进行技术对接，指定专人负责项目前期组织和报审工作，到 2012 年 5 月，全部完成了 60 个援建项目的前期准备工作。2011 年 4 月，城镇居民住房工程、教育卫生、社会服务管理等 46 个项目全面开工；到 9 月上旬，城镇居民住房和农牧民住房建设工程全面完成。2012年，继续稳步推进43个续建项目，并适时开工建设杂多县行政中心、文化中心、影剧院等13个项目，实现了所有援建项目全部开工。到2012年9月底，完成了教育卫生及部分公建项目。至此，援建主要工作任务基本完成。

截至2013年6月中旬，西宁市援建杂多县灾后重建项目现场指挥部关系民生、社会经济发展的重点项目基本完工，60个援建项目（含配套附属工程）完工49项，占项目总数的81%。其中，竣工或交付使用项目22项，占项目总数的35%；基本完工及组织验收项目27项，占项目总数的46%；正在收尾工程项目11项，当年7月20日前与配套附属设施工程同步完工并交付使用。

西宁市支援杂多县的2000万元援建资金，安排修建的杂多县新城区文化广场、闹从村广场、新城区供水入户3个项目均在2013年5月20日先后开工建设，并在同年9月上旬全面完工并交付使用。

在援建工作中，全体参战人员发扬了特别能吃苦、特别能忍耐、特别能战斗的青藏高原精神和玉树抗震救灾精神，夜以继日，连续奋战，圆满完成了对口支援杂多县灾后重建工作任务，现场指挥部的工作也得到了各级领导的充分肯定。在2012年6月玉树州委、州政府组织的玉树灾后重建项目现场观摩检查评比中，西宁市组织实施的援建项目获得“城乡居民住房建设工程质量进度奖”“公建项目建设工程进度奖”“重建工作服务协调奖”“安全生产奖”“重建项目资金管理奖”“特色风貌打造奖”“地材生产与环境保护奖”“援建地区工作奖”等9项专项奖。2010年至2012年，现场指挥部连续3年被省委、省政府评为“玉树地震灾后重建工作先进集体”；2012年4月被中华全国总工会授予“全国五一劳动奖状”；先后有3人荣获“全国五一劳动奖章”，有6人荣获省级表彰，实现了援建工作任务与精神文明建设双丰收。

二、工作措施

明确目标，科学决策　西宁市委、市政府高度重视对口援建工作，及时确定了西宁市援建工作要走在全省前列的总体目标，从强化政治意识、协调协作意识、精品意识入手，加大检查督促力度，分阶段制定工作计划、明确责任、落实任务。市政府每月召开一次援建工作专题会议，定期分析、检查督导援建工作进展情况。省委副书记兼市委书记王建军，市委副书记、市长王予波高度关注援建工作，多次对援建工作作出具体批示。省委、省政府领导5次7人，市主要领导7次12人，各援建成员单位领导11次52人，赴杂多视察援建项目进展情况，看望慰问援建工作人员。各级领导现场解决援建工作中存在的困难和问题，提出具体意见和建议，为援建工作的顺利开展提供了坚强支持。

统筹谋划，精心组织　现场指挥部根据3年来项目施工进度和前期工作进展现状，利用每年冬春休歇期间，制订工作实施计划，明确时间节点，精心组织每年“冬季百日战役”，全面完成项目前期工作。同时，开展施工管理及质量安全生产培训，督促施工单位做好材料、人员等开（复）工前的准备工作。市建委、市房产局等10个援建成员单位落实援建工作目标责任

2013 年玉树杂多县灾后重建决胜收官动员大会

制，定期检查指导各自的援建工作情况，建立援建成员单位领导和援建现场指挥部双重领导机制，进一步明确任务，强化职责。市建委抽调人员成立了援建项目材料检测中心和监理分公司，为施工企业提供便捷服务。现场指挥部强化内部管理，固定工作人员，减少交接环节，督促成员单位落实责任、及时解决各局委办在援建工作中存在的困难和问题，定期组织开展质量进度、安全文明施工等专项检查（3 年援建施工中未发生过一起安全事故），完善措施，改进方法，加快了援建工作的进度，为全面推进援建工作创造了条件。

市县联建，齐抓共管　市援建领导小组及现场指挥部加强与杂多县委、县政府沟通衔接，建立协商议事机制，定期征询意见，形成了团结协作的工作氛围。市政府在西宁市城乡建设委员会安排联署办公场所及设施设备，集中解决援建工作中的困难和问题，加快了项目前期工作的进度。对杂多县昂赛乡自建项目，市委、市政府也予以高度重视，从规划、环境、土地征用、建设等方面提供了无私的援助和技术支持。杂多县项目管理办公室主动承担了部分援建项目的管理工作，既支持了援建工作又锻炼了队伍，实现了在援建工作中的双赢。在项目资金管理使用中，市县共管，相互监督，强化了资金监管力度，杜绝了超投资、超规模及违规使用现象。西宁市在财力紧张的情况下为杂多县解决落实小市镇及配套设施缺口资金 2600 万元，并协调上级部门解决落实 1000 万元援建资金，为援建工作顺利开展和稳步推进创造了有利条件。

注重生态，和谐重建　针对部分施工企业管理和技术力量薄弱、工程进度缓慢、农民工工资拖欠等突出问题，现场指挥部与县项目办多次组织施工企业召开座谈会、协调会，征询意见、解决困难，引导企业改进管理方式，加强内部管理，做好材料供应、资金周转计划，积极解决好困扰施工的各种问题，同时加大农民工工资发放监管，积极解决恶性拖欠、恶意讨薪等相关问题，做好农民工权益保障工作，凝聚了施工力量，稳定了施工队伍。指挥部充分营造生态环保氛围，始终坚持生态优先原则，把生态环境保护作为首要任务，监督施工企业制定详细可行的生态环境保护工作预案，统筹处理生态保护和恢复重建关系，组织规划、设计、施工企业合理利用草地、湿地、河流、林木等自然生态资源，实行生态规划、生态重建，做好重建过程中的生态保护工作。教育和督促施工企业做好生活垃圾填埋、局部植被破坏恢复等工作，实现生态重建和环境保护双赢。

强化保障，改善环境　现场指挥部从改善工作环境和生活环境入手，加强保障能力建设，积极开展巡回医疗服务，为援建人员及施工企业送医送药，解决援建人员看病就医难的问题。3 年中，援建人员无一人因公殉职，实现了无依托后勤保障工作的制度化、经常化，顺利完成了市领导、各援建成员单位领导到杂多县现场检查工作及监理、测绘、环评、设计等单位人员的接待及后勤保障工作，为援建工作的顺利开展提供了坚强的后勤支持。市财政局按时足额拨付援建工作经费，市卫生局定期派出巡回医疗队为施工单位和指挥部工作人员提供医疗服务，建立健康档案，携带设备、药品开展诊治排查 17866 人次，抢救诊治 31 人次，医疗处理 240 人次，建议遣返 246 人次，免费发放药品价值 8 万元；市红十字会积极开展工地急救培训，为指挥部送来药品和健康医疗设备，慰问看望援建工作人员及施工人员，先后发放了价值 24 万元的药品，组织现场救护培训 67 次，大大改善了工作人员生活医疗环境，为援建工作合力的形成提供了物质保障。

第二节　海东地区援建

一、组织机构与工作要求

省委、省政府确定海东地区援建玉树州称多县称文镇地震灾后重建工作。接到援建工作任务后，海东地委、行署高度重视，精心安排，迅速行动，多次与称多县召开联席会议，研究援建协议和实施方案，并就援建项目的具体实施进行了协商对接，明确双方的工作职责。2010 年 6 月 23 日，海东行署与玉树州政府签订《玉树地震灾后恢复重建援建协议》。

加强对援建工作的组织领导，成立了海东地区玉树地震灾后恢复重建援建工作领导小组。领导小组下设援建办公室，内设综合财务、项目建设两个工作组，负责援建工作的组织、指挥、协调。先后从海东各级政府机关、相关部门和企业事业单位抽调 34 名管理、技术人员积极参与援建项目的规划、勘察、可研、设计、建设、管理工作。海东援建办公室与称多县委、县政府共同组成了重建援建工作联合指挥部，具体负责重建援建工作各项具体事宜的推进实施。各县也相应成立了援建工作机构，并抽调人员赴一线开展援建工作。9 月 7 日，在经过实地调研和充分征求称多县各方意见的基础上，海东援建办公室与称多县政府签订了《称文镇地震灾后恢复重建援建协议》，确定了援建方式，约定双方权利和义务，明确工作职责。

2011 年 2 月 25 日，海东地委召开会议，研究批准了《海东地区援建玉树州称多县称文镇工作方案》，确定了“地县共建，以县为主”的援建工作原则，将援建任务分解到所辖 6 个县组织实施，明确了任务目标，落实了各方责任。其后，行署每年组织召开援建工作会议，认真分析，总结经验，查找不足，周密部署下一年度的援建工作，并与各县政府签订年度援建目标责任书。各县根据责任书确定的工程量、难易程度和计划进度，研究制定了具体援建工作实施方案，抽调专业技术人员，优化人员配置，充实援建力量，健全完善各项工作机制，确保援建任务全面完成。

参加援建单位按照“地县共建，以县为主”的原则，把援建工作作为一项光荣的政治任务，不讲条件、不畏困难、不计得失、不图回报，科学、依法、统筹、有力、有序、有效地推进地震灾后重建援建工作。广大援建工作者和施工建设人员勇于担当、不辱使命、齐心协力、攻坚克难、顽强奋战，经受住了复杂局面的严峻考验，发挥了称文镇灾后重建中流砥柱的作用，援建工作取得了丰硕成果。

二、援建任务、工作措施及工程进展

援建计划安排 海东援建称多县称文镇地震灾后重建民建和公建项目共 40 个，计划总投资 9.78 亿元。其中，城乡居民住房建设项目 2 个，总任务 2216 户（含新建 1866 户，维修加固 350 户），建筑面积 14.9 万平方米，项目总投资 3.17 亿元。公建项目 38 个，建筑面积 17.38 万平方米，项目总投资 6.61 亿元。

工作措施 在重建援建过程中，科学合理规划，狠抓项目前期，严格按照“先规划后建设”的要求，充分考虑节约利用土地、保护生态环境、防止地质灾害等因素，坚持生态重建、绿色重建，妥善处理灾后重建和生态环境保护之间的关系。强化资金管理，健全各项制度，协调称多县政府联合印发了《称多县人民政府海东援建办关于进一步规范灾后重建项目资金管理的意见》，不断细化完善财务管理、工程招标、建筑材料采购、项目管理等一系列制度，建立了权责分明、相互制约、程序规范的工作机制。加强沟通衔接，尊重社情民俗，多次与称多县委、县政府，称文镇党委、政府和称多县有关部门主要领导召开协调会，就解决援建工作中存在的困难和问题、推进施工进度、保证工程质量和开工前的重点工作等方面进行了交流协商；成立处置群体性事件应急工作领导小组和矛盾纠纷排查化解领导小组，不断完善《海东援建办处置称多县称文镇灾后恢复重建援建突发群体性事件应急预案》，建立 24 小时值班制度、突发事件应急预案和重大信息报告制度，健全矛盾纠纷排查调处机制，有效预防和及时处置各类矛盾纠纷，促进和谐共建。监督管理到位，施工安全规范，推行一线工作法，积极落实“一抓三保”，即抓进度、保质量、保安全、保和谐工作要求，实行分片包干责任制，制定倒排工期表，随时跟踪督促检查，保证了工程按时、按要求完成。不定期开展专项培训和质量安全、文明施工大检查，治理整顿工程质量、安全、文明施工、食品安全上存在的问题，全面监管施工企业的安全、进度、工程质量等，做到施工资料与工程同步、施工进度与工程质量并重。严格工作程序，狠抓竣工验收。成立援建项目自查工作领导小组，每日组织人员深入施工现场，检查工程质量，查阅资料档案，协调解决施工企业存在的各类问题，认真做好项目竣工验收前的各项准备工作。

对具备验收条件的项目，加强沟通衔接，明确责任分工，制订验收计划，倒排时间节点，分期分批加快项目竣工验收工作。加强信息交流，营造良好氛围，构建及时有效的援建工作信息交流机制，制定了信息报送制度，确保按时、准确上报各种灾后重建数据。与各级党委、政府互通有无，完善思路，展示海东援建的形象。强化队伍建设，完善管理机制，把援建现场作为培养干部和思想政治建设的主阵地，充分发挥党员领导干部的先锋模范作用和党组织的战斗堡垒作用。把创先争优活动的要求贯穿到支援灾区灾后重建的具体行动中，使更多的干部在一线经受磨炼、增长才干，赢得了当地群众的赞誉和好评。

工作进展 城乡居民住房建设：2010 年 8 月 21 日，在称多县称文镇白龙村举行了海东援建称文镇暨称多县灾后重建项目开工仪式，标志着称多县灾后重建工作正式启动，也标志着海东援建称文镇工作进入了实质性阶段。到 2011 年 9 月底，2216 户城乡居民住房建设任务全面完成，当年城乡居民入住率达到 95%。2012 年 4 月复开工以后，海东援建办公室印发了《称文镇城乡居民住房回访调查维修表》，指定专人负责，逐户登记，梳理存在的问题，全面开展了城乡居民住房的回访复查工作。从 5 月开始督促各县援建办公室及施工企业进行维修整改。2013 年开复工以后，成立了城乡居民住房质量回访复查领导小组，对所有住房再次进行回访复查和维修整改。到 6 月底维修整改工作全部结束。公建项目建设：2010 年 10 月初，称多县完全小学开工建设，标志着海东援建称多县公建项目建设正式启动。经过广大援建工作者和施工企业的辛勤努力，到 2013 年 8 月底，援建的 38 个公建项目全部如期竣工。到 9 月下旬，验收移交项目 36 个。9 月 25 日，在称多县民族中学举行了称多县灾后重建完工庆典，标志着海东援建称多县称文镇灾后重建任务全面完成。

在重建援建过程中，海东各援建办公室多次被省、州、地评为先进集体，60 多名援建干部先后被评为省、州、地级先进个人。

海东地区援建称多县灾后重建完工庆典仪式

第三节　海西蒙古族藏族自治州援建

一、组织机构与工作措施

省委、省政府作出海西州援建治多县加吉博洛镇的决定后，海西州委、州政府立即成立海西州支援玉树州治多县灾后恢复重建工程指挥部，迅速抽调人力赶赴玉树州治多县开展援建工作。2010 年 7 月 16 日，海西援建指挥部 25 人到达治多县灾区，立即开展前期准备工作。

在援建过程中，发扬玉树抗震救灾精神和柴达木精神，建立海西州、玉树州、治多县“三点一线”的工作格局，实行网络化办公，进一步健全工程管理制度、工程设计变更及现场签证管理制度、合同管理制度、财务管理制度等 10 项管理制度，不断提高工作效率，彰显海西速度与担当，树立海西责任和形象，确保援建工作规范高效开展。

二、项目进展与获得荣誉

海西援建指挥部共承担治多县灾后恢复重建项目 12 个大项 60 个子项（治多县实施 3 项）。60 个子项总建筑面积 267508 平方米（不包括农牧民住房 109440 平方米），维修加固 20567 平方米，总投资 104755.4 万元（不包括海西州捐助资金 2322 万元）。2013 年省现场指挥部又安排治多县粮食储备应急体系项目 1 个，总投资 230 万元。

2011 年 8 月 4 日，海西州援建治多县加吉博洛镇幸福小区竣工交接仪式

2010 年，有 1368 户住房开工建设。到当年 11 月 4 日，牧民住房开工率为 100%、墙体完成率为 100%，城镇居民住房开工建设 908 户，圆满完成年度目标任务。

至 2011 年 6 月中旬，工程地勘、项目建设方案、可行性研究报告完成率均为 100%。完成城乡居民住房、希望小学教学楼、卫监所、药监所等 13 项工程的招投标，通过了广电设施维修工程、人民医院等 4 个项目的可研和初步设计，完成日青村、改查村的道路硬化、村级公共服务用房以及人畜饮水等 6 项工程的可研和审查，干部周转房等 10 个项目上报审批。年底，由海西州援建的治多县 1368 户农牧民和城镇居民住房建设任务全面完成，城乡居民入住率达到 93%。

2012 年 5 月，当年承建的 58 个项目中 55 项开工建设。其中，邮政局项目移交；6 个教育类项目、6 个卫生类项目、5 个文化体育项目、3 个就业和社保项目、22 个社会管理项目、4 个市政基础设施项目、6 个农牧区基础设施项目、5 个人文关怀项目，在 2013 年年底陆续完成并交付使用。

援建期间，援建指挥部连续 3 年被省委、省政府授予玉树灾后重建先进集体荣誉称号，被海西州委、州政府评为年度目标考核优秀单位；先后被评为全省“十一五”建功立业劳动竞赛先进集体，被中华全国总工会授予 2012 年玉树灾后重建“全国五一劳动奖状”，被海西州委创先争优活动领导小组授予创先争优优秀单位。

第四节　海南藏族自治州援建

一、援建工作机构与职责

2010 年 7 月 14 日，海南藏族自治州成立援建玉树灾区恢复重建工作领导小组。当日，组建恢复重建现场指挥部，成员单位由州住房城乡建设局、州经贸委、州财政局、州质监站、州工程监理站、共和县、贵南县组成。8 月底又增补州交通局、州水利局、州水电队、州交通建设工程质量监督站、州路政局为指挥部成员单位。

指挥部设立综合协调、工程技术材料、后勤保障（财务）3 个工作组。综合协调组负责与省援建现场指挥部，玉树州、玉树县、上拉秀乡政府的联络和协调；负责援建指挥部日常工作；负责协调建设项目申报、审批；协助施工单位和援建各村村委会、牧民协调落实施工单位材料、设备进场的囤积地和存放地，材料、设备转运线路；负责协调落实地材（沙、石）采集地；负责协调处理各参建单位、参建人员与牧民的纠纷和矛盾，对牧民提出的问题和要求解决的困难，按有关文件的规定解释和处理；负责指挥部综合性的总结、报告、简报、工作计划、通知等文件的起草、核稿和档案的整理、归档、保管工作；负责电台、电视、报纸等新闻媒体的宣传工作；

负责车辆管理，保证车辆的合理调度；负责援建指挥部的干部管理和教育监督工作。

工程技术材料组负责援建玉树灾区恢复重建工程项目的设计、地勘、招标工作；负责做好重建工程项目的施工管理与组织，跟踪进行工程的项目管理、质量监督、合同管理、工程档案资料收集整理等工作；负责建设项目的技术指导、工程质量监督、检查和验收工作；负责及时调整完善在项目施工过程中发现的设计不够合理的问题；负责做好材料、试验、施工工艺、工序交接、质量验收等重要关口的把关工作；负责抓好项目建设单位安全生产责任制的落实，开展安全检查，严格执行安全技术操作规程。负责援建工程建筑材料的调配；负责做好与玉树灾区恢复重建工程建设管理部门的衔接工作。

后勤保障（财务）组负责与玉树灾区恢复重建指挥部协调落实恢复重建项目资金以及资金的使用、管理和监督工作；根据工程进度及时向施工企业拨付建设资金；负责指挥部援建物资调配处置及财务账务处理工作；负责做好指挥部和工作人员工作、生活的后勤保障和各项服务工作。

二、援建任务与工作进展

海南州援建玉树县上拉秀乡灾后恢复重建项目几经调整，最后经省发展改革委确定的恢复重建任务包括农牧民住房、教育、医疗卫生和计划生育、文化、体育、就业和社会保障、社会管理、基础设施（桥梁）、农牧区基础设施（人畜饮水安全供水工程、乡村公路）、人文关怀等 12 大类 33 个项目，总投资 32105.2 万元。其中，上拉秀乡农牧民住房重建任务 1090 户，建筑面积 8.72 万平方米，总投资 21015.2 万元。项目分散在 7 个村 16 个点，是省内 4 个援建地区农牧民住

2011 年 9 月 6 日，玉树县上拉秀乡多拉村 161 户农牧民入住海南州援建的新房

房建设任务最重的一个地区。其中，公共建筑项目包括乡寄宿制学校、乡中心卫生院和计生服务站、社会管理、人文关怀、文化体育设施等共9大类12个子项，建筑面积20781.37平方米，总投资7458万元；公路建设11项，建设里程68.8千米，其中有通村水泥路3项40.8千米、村村道硬化路7条28千米，桥梁维修加固工程1项，总投资2494万元；人畜饮水安全供水工程5项，分散式保温土井工程2项共117座，总投资1138万元。到2012年10月11日，所有建设项目中的牧民住房、公建、水利、交通等32个项目及乡寄宿制学校全部完工并通过初验。2013年6月22日，乡寄宿制学校附属设施操场等项目通过验收竣工。规划审查、消防、防雷、环评、节能5个专项也顺利通过验收。所有配套设备经过测试运转正常。之后，对施工中遗留的一些问题和不足，逐个进行整改处理，最终通过相应单位或住户的签字认可后，把资产整体移交给使用单位和住户。资料整理、工程结算、工程决算基本完成后，全面进入审计。

2013年8月19日，将灾后恢复重建的33个项目资产整体移交给玉树县通天河投资建设有限公司。至此，海南州的援建工作圆满完成。

三、荣誉称号

3年援建过程中，共有34人先后受到省政府、省玉树地震灾后重建现场指挥部党委、玉树州委、玉树县委和海南州委、海南州总工会等单位的表彰奖励，有2人先后获得“全国五一劳动奖章”。海南州援建现场指挥部连续3年荣获省政府、省玉树地震灾后重建现场指挥部、玉树州委、玉树县授予“灾后重建先进集体”“先进基层党支部”称号并获得“全国五一劳动奖状”。

第五节　省内建筑企业援建

一、青海盈吉建筑集团有限公司援建

青海盈吉建筑集团有限公司承担玉树州囊谦县毛庄乡麻永村和赛吾村428套农牧民住房的建设任务。2010年9月14日接到援建任务后，立即组建援建工作领导小组，组织实施灾后重建项目工程的建设。随后，选派援建项目负责人于9月15日下午到达囊谦县并与县灾后重建指挥部进行对接，开展各项援建工作。2011年7月，在省内援建企业中第一个完成首批70套农牧民住房援建任务。到2012年7月底，公司援建项目部成为省内援建企业中第一个全面完成灾后援建任务的队伍。援建项目完成资金金额7086.5万元。

在援建施工过程中，先后有1200余人次无偿参与到重建施工的辅助工作中。2012年3月，

公司受到省玉树灾后恢复重建工作领导小组表彰，获得2011年度玉树灾后恢复重建“先进集体”荣誉称号；2013年12月，被授予玉树地震灾后恢复重建“先进集体”荣誉称号，受到玉树州委、州政府的表彰；2014年1月，获“玉树地震灾后恢复重建先进集体”荣誉称号，受到人力资源社会保障部、国家发展改革委、国务院国资委、解放军总政治部表彰。公司职工樊秉钧、樊秉钰（女）分别于2011年4月、2013年4月获得中华全国总工会颁发的“全国五一劳动奖章”。

二、青海省水利水电工程局有限责任公司援建

2010年4月14日，玉树地震发生后，青海省水利水电工程局有限责任公司按照省委、省政府的安排部署，积极履行社会责任，全力投入抗震抢险工作。作为青海省水电建设行业的排头兵，地震发生后的第一时间以防汛抢险机动大队为主体组建了抗震救灾工程救援队、水利抢险队、电力抢险一队和二队，抽调经验丰富的技术人员和必需的抢修设备，迅速集结前往玉树灾区进行电力线路抢修。4个分队共176名技术及施工人员、各类车辆33辆，携带线路抢修器材和生活物资棉帐篷184顶、军用棉大衣300件、军用被褥各300套，带着公司500多名职工的嘱托，于14日下午3点从西宁出发开赴玉树地震灾区。公司先后承担了禅古水电站除险加固工程、巴塘河及扎西科河抢险治理工程、拉布乡灾后重建民居工程的建设任务。从2010年5月所有项目工程开工，到2011年11月，历时18个月，高质量、高标准圆满完成各项工程建设任务。

公司先后获得由中华全国总工会授予的“抗震救灾重建家园工人先锋号”称号、青海省委省政府颁发的“赴地震灾区抗震救灾集体贡献奖”、青海省玉树地震灾后恢复重建工作领导小组颁发的2010年度“玉树地震灾后恢复重建先进集体”，被青海省住房和城乡建设厅评为“全省建设系统抗震救灾先进集体”。2013年8月28日，在玉树州称多县拉布乡举行的玉树灾后重建民居工程竣工仪式上，被玉树州政府授予“大爱越千山　援建显真情”荣誉锦旗；同年12月27日，在玉树州委、州政府召开的玉树地震灾后恢复重建表彰大会上，获得“玉树地震灾后恢复重建先进集体”荣誉称号。

三、青海一建建筑工程有限责任公司援建

青海一建建筑工程有限责任公司承担了玉树县小苏莽乡西扎、扎秋、多陇、让多、协新、江西6个村692户农牧民住房重建任务。2010年10月，公司援建工程项目部进点开工。项目部按照省玉树灾后重建指挥部2010年提出的“大干50天，2011年保入住”以及决战收官各阶段的要求，攻坚克难，精心组织施工，到2013年6月25日，援建住房竣工并顺利移交，圆满完成任务。

2010年，公司员工王浩文获“玉树地震灾后恢复重建先进个人”荣誉称号，受到省玉树地震灾后恢复重建领导小组表彰；公司小苏莽乡灾后重建指挥部党支部获“玉树地震灾后恢复

重建先进党支部”荣誉称号；王浩文、杜照国、刘忠、郭守宇、杜振敏获“玉树地震灾后恢复重建先进个人”荣誉称号，受到玉树县委、县政府表彰。2011 年，公司多陇村重建工程项目经理部和小苏莽乡灾后重建指挥部获“劳动竞赛先进集体”荣誉称号；鹿爱华、李彦平、王江明、范清城获“劳动竞赛先进个人”荣誉称号，受到青海省建设工会表彰；张礼寿获“优秀共产党员”荣誉称号，受到玉树县委表彰。2013 年，张礼寿获“玉树地震灾后恢复重建先进个人”荣誉称号，受到人力资源社会保障部、国家发展改革委、国务院国资委、解放军总政治部表彰；袁朝伟、鹿爱华、李彦平、蔺建军获“玉树地震灾后恢复重建先进个人”荣誉称号，受到玉树州委、州政府表彰；公司承建的玉树州结古百货商城项目工程获“工程管理奖”和“工程质量奖”，受到省玉树地震灾后恢复重建指挥部表彰。

四、青海华德集团集协建筑工程有限公司援建

地震发生当天，青海华德集团集协建筑工程有限公司迅速行动，立即成立抗震救灾工作领导小组，组织救援队伍和救灾物资赶赴玉树灾区参加抢险救灾。2010 年 10 月，公司承担了省灾后重建指挥部下达的称多县称文镇 308 套农牧民住房重建任务。施工期间，组织开展“比安全、比质量、比进度、比奉献”竞赛活动，2011 年 6 月开工建设的 177 套住房于当年冬季歇工前全部完成主体工程。2012 年 10 月，援建的农牧民住房全部竣工验收交付使用。

公司被青海省住房和城乡建设厅评为 2011 年度“玉树灾后恢复重建省内援建企业劳动竞赛先进项目部”，公司总经理任黎明被省住房城乡建设厅评为“玉树抗震救灾先进个人”和“青海省‘十二五’建功立业劳动竞赛先进个人”，项目经理严生贵获得中华全国总工会授予的“全国五一劳动奖章”。

五、青海省金安建筑工程有限公司援建

地震发生后，青海省金安建筑工程有限公司承担了杂多县昂赛乡和称多县尕朵乡共 571 套农牧民住房的援建任务。接受任务后，公司立即成立恢复重建领导小组，并在短时间内从人员调配、机械设备等方面做了充分准备。2010 年 9 月，援建队伍开赴玉树灾区施工工地。在援建施工中，始终坚持以人为本的管理理念，严把质量关、安全施工关和环境保护关，千方百计调动施工人员的劳动积极性，提高施工效率，确保项目工程施工高效有序推进。经过两年的不懈努力，保质保量完成了总投资 9000 万元的援建任务，使近 2000 名受灾农牧民提前搬进了新居。

2011 年，公司援建工程项目部被青海省住房和城乡建设厅评为“玉树灾后恢复重建先进项目部”。3 年援建中，公司先后 2 次被玉树州委、州政府评为“玉树灾后恢复重建先进集体”。

六、青海省方正建筑安装工程有限公司援建

地震发生后，青海省方正建筑安装工程有限公司领导班子紧急召开会议，当天就组建了援建现场施工指挥部和后勤供应指挥部。次日，接受了援建玉树县下拉秀镇地域内921套农牧民住房的任务。

在进驻施工地之前，组织援建人员学习党的民族宗教政策和一些简单常用的藏语，教育大家尊重当地群众的风俗习惯，搞好民族团结。2013年6月30日，顺利完成下拉秀镇农牧民住房工程；9月30日，全部完成下拉秀镇公建房项目工程。

2011年，公司获中华全国总工会颁发的“全国五一劳动奖状”，被中国海员建设工会授予“全国工会先进组织”称号。2013年，公司被授予玉树灾后重建先进集体——青海高原“工人先锋号”和“玉树灾后重建先进集体”荣誉称号，获得玉树州委、州政府颁发的玉树援建单位“金质奖章”。

七、青海聚盈建筑工程有限公司援建

地震发生后，青海聚盈建筑工程有限公司接受援建称多县珍秦镇400套农牧民住房任务后，立即组建了恢复重建援建项目部。2011年9月25日，援建项目部施工班组开赴灾区施工现场，援建施工全面展开。在施工过程中，全体施工人员怀着“一切为了建设新玉树”的强烈责任感，严格遵循施工规范和标准，以务实作风和精益求精的态度做好每一项工作。2012年10月30日，全面完成援建任务，并一次性验收合格交付使用。

2011年年底，公司援建项目部受到省住房城乡建设厅授予的“工人先锋号”荣誉称号，被珍秦镇人民政府授予“大灾无情人有情，援助重建显真情”的锦旗。2013年12月25日，获玉树州委、州政府授予的“玉树地震灾后恢复重建先进集体”荣誉称号。2014年1月10日，获人力资源社会保障部、国家发展改革委、国务院国资委、解放军总政治部授予的“玉树地震灾后恢复重建先进集体”荣誉称号。

八、青海春辉建筑工程有限公司援建

地震发生后，青海春辉建筑工程有限公司承担玉树州杂多县昂赛乡和治多县移民安置住房560套援建任务。其中，杂多县昂赛乡移民安置住房400套，建筑面积32000平方米（每户80平方米），投资额6400万元；治多县移民安置住房160套，建筑面积12800平方米（每户80平方米），投资2508万元。

公司接受任务后，当即组建援建现场指挥部，选派得力管理干部和技术人员，通过实地勘察，研究制订施工计划和方案，精心组织施工，层层严把质量关，抢时间抓进度，于2012年10月20日前全部完成目标任务。

九、青海海北紫恒建筑工程有限公司援建

2010 年 9 月下旬，青海海北紫恒建筑工程有限公司接受援建称多县尕朵乡及查从滩、下河沟村 294 套农牧民住房任务后，迅速组建援建指挥部，挑选年轻、技术力量最好、施工组织能力最强并多次获得过“优秀项目部”荣誉称号的精干队伍具体进行施工。施工点均在海拔 4300 米以上的地方，在保证施工进度的前提下，始终把施工质量和施工安全放在首位。在援建施工过程中，先后投入劳力 500 多人、发电机 20 多台、机械设备 50 多台、施工车辆 30 多台。2011 年 9 月，新建的 132 套住房均达到竣工验收标准，农牧民住户陆续搬进新居。2012 年 10 月，新建的 162 套农牧民住房通过设计单位、勘察单位、监理单位、质检部门一次性验收合格并完成交接。

2013 年年底，公司被玉树州委、州政府和青海省住房和城乡建设厅评为“玉树地震灾后恢复重建先进集体”。公司员工蔡宝山获 2012 年度“玉树灾后恢复重建全国先进工作者”荣誉称号；范文栋、李长清、任达东、钮晟杰获得 2013 年度“玉树灾后恢复重建先进个人”荣誉称号，受到玉树州委、州政府表彰。

十、青海西部建业有限责任公司援建

地震发生后，青海西部建业有限责任公司接受援建 324 套农牧民住房的任务。其中，援建玉树县结古镇果青村农牧民住房 261 套，援建玉树县国有牧场农牧民住房 63 套。援建工程于 2010 年 10 月 11 日开工，全体援建人员不畏艰辛，克服重重困难，于 2012 年 11 月 27 日全面完成任务。援建后期，由公司出资，为结古镇果青村藏族群众修建了一座 160 平方米的公共佛堂。

在近 3 年的援建中，公司年年被玉树县委、县政府评为“玉树灾后恢复重建先进集体”和“优秀基层党组织”。2013 年年底，被玉树州委、州政府和青海省住房和城乡建设厅评为“玉树灾后恢复重建先进集体”。

十一、青海路桥建设股份有限公司援建

地震发生后，受青海路桥集团公司委托，青海第三路桥公司紧急动员，迅即组建了一支由 35 名员工（10 名党员）组成的抗震救援队伍，日夜兼程赶赴灾区，马不停蹄投入抗震救灾中。先后拆除了玉树县政府办公楼、玉树县公安局办公楼、玉树县第一和第二完全小学校舍、玉树州汽车站等多处倒塌的危险房屋，如期完成了抗震救灾指挥部安排的拆危清墟任务。

2010 年 10 月，路桥建设股份有限公司又接受了玉树州称多县珍秦镇 400 套农牧民住房的援建任务。全体援建职工不畏艰难险阻，千方百计克服困难，坚持不懈奋战在施工第一线。2012 年 8 月 20 日，公司承担的援建任务圆满完成。

第四章　社会援建

第一节　群众团体援建

一、工会系统援建

重建资金援助　地震发生后，全国各级工会组织和广大职工在第一时间为玉树受灾职工捐款捐物、奉献爱心，对玉树抗震救灾和灾后恢复重建给予无私援助，累计捐款达7000余万元，为建设玉树州职工综合服务中心和杂多县、治多县等6家职工综合服务中心提供了有力的资金保障。

2013年，北京市总工会再向青海玉树州工会捐助400万元，用于玉树州困难职工救助、职工培训、工会设备设施改善等。其中，从“暖疆基金”中拿出了220万元，作为对青海玉树州的对口援助资金。朝阳、海淀、丰台、房山、顺义及市金融工会也分别拿出30万元共计180万元，对口援助玉树州6个县的工会工作。

玉树地震后，北京市工会系统用于援助玉树的资金达3000万元。

对口援建机制　2013年5月，青海省玉树、果洛等藏区6州总工会与北京、上海等6省市总工会签订对口援青协议书，建立长期援助机制，开启工会对口援青工作。

玉树州职工综合服务中心建设。玉树州职工综合服务中心建筑面积7000平方米，是集职工培训、困难职工帮扶、职工法律援助、职工书屋和职工文体活动中心等功能于一体的综合活动场所，其建设资金全部来源于全国各级工会组织及广大职工的爱心捐款。

2013年4月14日，青海省委常委、省总工会主席苏宁走进玉树州职工综合服务中心工地，看望慰问援建职工。面对拔地而起的4层综合大楼，苏宁动情地说：“这里的每一分建设资金都来自全国工会组织的爱心捐助，一定要把工会援建项目建设成为见证全国工会一家亲的友谊丰碑。”

当年12月，北京工会代表团远赴玉树，对玉树州和6县的工会及其职工群众进行了慰问。北京市工会代表团深入灾后重建工地，慰问北京市政路桥控股公司、北京建工集团、北京城建集团、北京住总集团和中国铁建5家援建企业的职工，并为他们送上10万元慰问金。

二、妇联系统援建

玉树县第三幼儿园工程　2010年4月14日玉树地震之后，全国妇联立即作出部署，动员灾区妇联迅速投入抗震救灾，号召全国各地妇联全力支持灾区灾后重建。广东省妇联积极响应全国妇联号召，向全省妇女发出“捐款献爱心”倡议，得到广大妇女积极响应，广东省妇女儿童基金会共收到善款820多万元。经与青海省几级妇联协商，根据玉树县只有一所幼儿园，学前教育事业发展紧迫的情况，决定将所筹集的820多万元与全国妇联筹集的1000万元一起合力捐建玉树县第三幼儿园。

2011年4月2日，由全国妇女联合会、广东省和山西省妇女联合会共同捐建的玉树县第三幼儿园项目正式签约。幼儿园建设规模为3500平方米，设计规模为540人，共18个班。工程于2012年4月开工，10月竣工并交付使用。幼儿园竣工后正式命名为“腾讯网友春蕾幼儿园”，主教学楼命名为“南粤爱心教学楼”。

结古镇寄宿制中心小学项目　地震发生后，在全国妇联及省妇联的帮助支持下，由中国儿童少年基金会和中国人民解放军空军部队共同合作，组织实施“蓝天春蕾助学计划”爱心资助项目，援建玉树县第三幼儿园和结古镇中心寄校。资助玉树灾区的小学生860名，每人每年400元，3年每人1200元，共计103.2万元；资助初中生1000名，每人每年600元，3年每人1800元，共计180万元；资助高中生400名，每人每年1200元，3年每人3600元，共计144

2011年4月，青海省妇联举行捐建玉树县第三幼儿园项目签约仪式

万元，并为结古镇寄宿制中心小学援建了蓝天春蕾图书馆和电教室，累计资助资金达 627.2 万元。

2012 年 5 月，省妇联在玉树藏族自治州结古镇中心寄校举行蓝天春蕾助学款发放仪式，发放助学款 284.8 万元，用于资助玉树结古小学 2260 名儿童。省妇联同时发放 20 万元“中电投蒙春蕾女童班”助学款，用于资助全州 7 个春蕾女童班的 200 名中小学生。

“蓝天春蕾助学计划”惠及玉树灾区的贫困弱势儿童少年 助学计划启动后，省妇联项目工作组在玉树举办了孤儿公益保险、恒爱行动、孤儿助养行动等玉树儿童公益行动启动仪式，对玉树灾区的 243 户贫困妇女及母亲发放帮扶资金每户 1000 元，共计 24.3 万元；玉树县 3000 名贫困儿童获得 12 种重大疾病公益保险，100 名孤儿获得 2000 元的助养金，2 个“中电投蒙春蕾女童班”开班，50 名贫困中小学女生获得 5 万元的助学金，近千名孤残儿童获得爱心毛衣和爱心 T 恤衫等慰问品。同时，积极争取腾讯网友资助捐建玉树县第三幼儿园项目，与省、州有关部门积极沟通协调，及时协调解决项目在开工、建设、开园、教师培训与选调方面的存在的问题和困难，确保了工程全面竣工并开园招生。

三、共青团系统援建

援建学校

青海玉树抗震希望小学（学校） 地震发生后，中国青少年发展基金会发起“希望工程紧急救灾劝募行动”，动员社会力量为灾区学校搭建板房教室，援建抗震希望小学（学校），帮助灾区学生及早复课。截至 2010 年 5 月 27 日，中国青基会在玉树地震灾区援建抗震希望小学（学校）15 所，搭建板房 19933.9 平方米，使用社会捐款 970.68 万元，满足 2 万余名学生的课堂学习和住宿需要。

玉树州孤儿院活动板房希望学校 2010 年 4 月 18 日即地震发生 4 天后，玉树州孤儿院活动板房希望学校建成并投入使用。这所矗立在玉树地震灾区的第一所活动板房希望小学，由中国青少年发展基金会援建，共有 5 间，可以容纳玉树州孤儿院学校所有 200 多名孤儿的学习需求。面积达 5000 平方米的第一座活动板房中学，也于当天（18 日）在结古镇开始建设，以保证高三学生尽快复课。

天津共青团希望学校 2010 年 4 月 23 日下午，在共青团青海省委机关会议室，举行天津共青团援建玉树希望学校捐助仪式，将共青团天津市委和天津市青少年发展基金会筹措的首批爱心款 100 万元交付共青团青海省委，用于为玉树灾区孩子援建一所设施完备的“天津共青团希望学校”。

完美希望小学和淡水河谷希望小学 2011 年 10 月，由中国青少年发展基金会联合完美（中国）有限公司、淡水河谷（中国）有限公司分别捐资 500 万元、200 万元援建的玉树州曲麻莱县叶格乡“完美希望小学”和囊谦县白扎乡“淡水河谷希望小学”竣工，并通过验收投入使用。

五粮液玉树县结古希望小学 2011 年 4 月 25 日，五粮液玉树县结古希望小学捐赠仪式在位于宜宾的五粮液公司怡心园举行，五粮液集团捐赠 2500 万元建设资金。4 月 28 日，正式开工，

2011 年 4 月 28 日上午，五粮液玉树县结古希望小学工程举行开工仪式

由北京城建集团承建。项目分两期进行，首期为灾后恢复重建工程，总建筑面积为 11053 平方米，包括教学楼、宿舍楼、食堂、田径场的建设；二期为扩建工程，包括教工宿舍、多功能活动中心等建设。学校建成后，可容纳 36 个教学班、1450 名学生。

拉布朗诗希望小学　2010 年 7 月 17 日，朗诗地产援建玉树灾区拉布朗诗希望小学项目正式奠基。2011 年 7 月 31 日，拉布朗诗希望小学竣工。新校园总投资 1000 万元，总建筑面积逾 3200 平方米，可抵御 8 级地震。校园设计时充分尊重藏族同胞建筑风格和使用习惯，还原了拉布乡孩子们熟悉的学习氛围，同时增加锅炉、洗澡、食堂、取暖等各种改善学习、生活质量的设施设备。竣工后，学校的教学软硬件条件得到了显著提高，师生数量增加到原来的 1.5 倍，成为辐射周边的中心小学。在重建校舍的基础上，朗诗开展了设立奖学金、助学金等后续支持活动，并牵头为希望小学在长三角地区寻找友好合作学校，进行教学资源和经验方面的分享。

截至 2011 年 5 月，在玉树地区还有全国各地共青团组织、青少年发展基金会和部分企业捐资 2379 万元援建的 6 所希望小学在建设之中。

青海高原青年文明号活动　在新玉树灾后恢复重建完成之际，为选树、表彰和宣传在玉树灾后重建工作中涌现出的先进青年集体和青年个人典型，共青团青海省委于 2013 年 10 月 29 日召开了命名表彰玉树灾后重建援建企业“青海高原青年文明号”和“青海青年岗位能手”大会，授予 2010 年以来参与玉树灾后重建援建的中央企业中做出突出贡献的中国铁建玉树地震灾后重建指挥部第二项目部等 21 个援建企业先进青年集体“青海高原青年文明号”荣誉称号，授予中国铁建二十一局集团二公司职工徐荣鹏等 21 名先进青年个人“青海青年岗位能手”荣誉称号。

第二节　社团援建项目

一、红十字会系统援建

中国红十字会　中国红十字会在玉树灾区投入重建项目资金236126万元，对接捐建项目92个，主要涉及教育、卫生、文化、民房、备灾设施5大民生领域，其中教育类项目31个、卫生类项目44个、文化类项目1个、民房建设项目14个、备灾设施建设项目2个。至2013年10月，投入使用46个。

青海省红十字会　青海省红十字会先后投入项目资金2162.51万元，在灾区实施了以改善灾区群众生产生活为内容，涵盖助学、助残、助医、助困、再生育、技能培训的“牧民新生活”项目、“关爱园丁”项目和乡村教师、乡村干部体检项目及灾区群众大病筛查项目、“博爱助残”“博爱助学”项目、唐卡培训等19个民生项目。

四川省红十字会系统　玉树“4·14”地震中，四川省红十字会系统共援助甘孜藏族自治州受灾地区18个项目，其中项目建设总资金5940.57万元、博爱家园项目150.5万元、红十字小餐盒项目120万元、康定县人民医院远程诊疗项目120万元、送温暖活动项目84.95万元、项目支持费用224.03万元，共计6640.05万元。资金来源于玉树地震捐款。

石渠县人民医院辅助业务用房建设项目　四川省红十字会援助金额500万元。2011年4

石渠县人民医院辅助业务用房建设项目

石渠县奔达乡卫生院建设工程

石渠县正科乡卫生院重建工程

石渠县德荣玛乡卫生院灾后恢复重建项目

月 30 日完成了招投标工作，5 月 10 日完成了施工合同的签订。施工单位为四川龙欣建筑集团有限公司，监理单位为成都瑞特建设项目管理有限公司。项目于 2011 年 5 月 10 日开工建设，2012 年 11 月竣工验收并投入使用。

石渠县尼呷镇卫生院重建项目　四川省红十字会援助金额 300 万元。2011 年 4 月 30 日完成了招投标工作，5 月 10 日完成了施工合同的签订。施工单位为四川和瑞建筑工程有限公司，监理单位为成都瑞特建设项目管理有限公司。项目于 2011 年 5 月 10 日开工建设，2011 年 11 月 10 日竣工验收并投入使用。

石渠县真达乡卫生院灾后恢复重建项目　四川省红十字会援助金额 300 万元。2011 年 4 月 30 日完成了招投标工作，5 月 10 日完成了施工合同的签订。施工单位为泸州第七建筑工程公司，监理单位为成都瑞特建设项目管理有限公司。项目于 2011 年 5 月 10 日开工建设，2011 年 11 月 10 日竣工验收并投入使用。

石渠县奔达乡卫生院灾后恢复重建项目　四川省红十字会援助金额 300 万元。2011 年 4 月 30 日完成了招投标工作，5 月 10 日完成了施工合同的签订。施工单位为泸州第七建筑工程公司，监理单位为成都瑞特建设项目管理有限公司。项目于 2011 年 5 月 10 日开工建设，2011 年 11 月 10 日竣工验收并投入使用。

石渠县正科乡卫生院灾后恢复重建项目　四川省红十字会援助金额 300 万元。2011 年 4 月 30 日完成了招投标工作，5 月 10 日完成了施工合同的签订。施工单位为四川红叶建设工程有限公司，监理单位为成都瑞特建设项目管理有限公司。项目于 2011 年 5 月 10 日开工建设，2012 年 6 月竣工验收并投入使用。

石渠县德荣玛乡卫生院灾后恢复重建项目　四川省红十字会援助金额 300 万元。2011 年 4 月 30 日完成了招投标工作，5 月 10 日完成了施工合同的签订。施工单位为四川省邛崃市宏吉建筑工程有限公司，监理单位为成都瑞特建设项目管理有限公司。项目于 2011 年 5 月 10 日开工建设，2011 年 11 月 10 日竣工验收并投入使用。

石渠县俄多玛乡卫生院灾后恢复重建项目　四川省

红十字会援助金额 300 万元。2011 年 4 月 30 日完成了招投标工作，5 月 10 日完成了施工合同的签订。施工单位为四川瑞地建设工程有限公司，监理单位为成都瑞特建设项目管理有限公司。项目于 2011 年 5 月 10 日开工建设，2011 年 11 月 10 日竣工验收并投入使用。

石渠县蒙宜乡卫生院灾后恢复重建项目　四川省红十字会援助金额 300 万元。2011 年 4 月 30 日完成了招投标工作，5 月 10 日完成了施工合同的签订。施工单位为四川四通建设工程有限公司，监理单位为成都瑞特建设项目管理有限公司。项目于 2011 年 6 月 1 日开工建设，2011 年 11 月 10 日竣工验收并投入使用。

石渠县俄多玛乡中心校灾后恢复重建项目　四川省红十字会援助金额 650 万元。建设俄多玛乡中心校业务用房 2605.05 平方米。2011 年 4 月 6 日在甘孜州政务中心招标，施工单位为云南九州建设集团有限公司，监理单位为四川省迅达工程咨询监理有限公司。项目于 2011 年 6 月 1 日开工建设，2011 年 12 月竣工验收并投入使用。

石渠县德荣玛乡中心校灾后恢复重建项目　四川省红十字会援助金额 422.75 万元。2011 年 4 月 6 日开标，施工单位为成都瑞特建设项目管理有限公司，监理单位为四川省迅达工程咨询监理有限公司。项目于 2011 年 6 月 1 日开工建设，2011 年 12 月竣工验收并投入使用。

石渠县蒙宜乡中心校灾后恢复重建项目　四川省红十字会援助金额 387.5 万元。2011 年 4 月 6 日招标，施工单位为江西昌南建设工程集团公司，监理单位为四川省迅达工程咨询监理有限公司。项目于 2011

石渠县俄多玛乡中心校灾后恢复重建项目

石渠县德荣玛乡中心校灾后恢复重建项目

石渠县蒙宜乡中心校灾后恢复重建项目

年6月1日开工建设，2011年12月竣工验收并投入使用。

石渠县奔达乡中心校灾后恢复重建项目 四川省红十字会援助金额420万元。2011年4月6日在甘孜州政务中心招标，施工单位为重庆万州建筑工程总公司，监理单位为四川省迅达工程咨询监理有限公司。项目于2011年5月1日开工建设,2013年11月竣工验收并投入使用。

石渠县真达乡中心校灾后恢复重建项目 四川省红十字会援助金额465万元。2011年4月6日在甘孜州政务中心招标，施工单位为攀枝花市建筑机械化施工有限公司，监理单位为四川省迅达工程咨询监理有限公司。项目于2011年5月1日开工建设，2011年10月竣工验收并投入使用。

石渠县藏医院灾后原址恢复重建项目 绵阳市红十字会援助金额995.32万元。2011年5月10日招标，施工单位为四川和瑞建筑工程有限公司，监理单位为成都瑞特建设项目管理有限公司。项目于2011年5月10日开工建设，2012年11月竣工验收并投入使用。

石渠县藏医院灾后原址恢复重建项目

红十字小餐盒项目 2012年至2014年，四川省红十字会在甘孜州泸定县得妥乡雨洒坪小学、加郡乡老街小学、得妥乡湾东小学、加郡乡河口小学以及丹巴县边尔乡边尔小学、丹东乡丹东小学、格宗乡川主庙小学、太平桥三叉沟小学、巴底乡巴底小学实施红十字小餐盒项目，主要为贫困走读学生提供每日一顿午餐，标准为每人每天5元。共为以上学校600名贫困走读学生提供午餐，项目总资金120万元。

博爱家园项目 四川省红十字会援助甘孜州博爱家园项目4个，分别为泸定县得妥乡椒子坪村、泸桥镇海子环环村、加郡乡海子村、石渠县阿日扎乡恰冲村。主要为4个村建设防灾避险设施，实施生计项目帮助当地群众脱贫致富。项目总资金150.5万元。

康定县人民医院远程诊疗项目 援助康定县人民医院120万元，用于采购实施远程诊疗设备，为藏区群众诊治疑难杂症。

送温暖活动项目 采购家庭包，对受灾地区群众及学生进行慰问，总价值84.95万元。

二、慈善协会系统援建

截至2010年8月12日，中华慈善总会共接收玉树地震抗震救灾社会捐赠资金26.72亿元，其中总会本级接收5.82亿多元、各地慈善会汇缴20.9亿多元。根据国家灾后恢复重建规划和资金安排计划，与青海省政府签署备忘录，确定23亿元捐赠资金用于恢复重建项目，并将该款拨付到青海省慈善总会账户。其中，8亿元用于援建灾区城乡居民住房，8亿元用于援建学校等公共服务设施，4亿元用于援建福利设施，2.5亿元用于援建农牧区基础设施（如村级道路、饮水工程等），0.5亿元用于援建生态环境保护项目。

三、中国扶贫基金会援建

玉树大地震3年来，中国扶贫基金会共实施板房医院、学校、蔬菜大棚和社区生计发展等多个项目，累计投入重建善款1.5亿元，重点探索以“产业恢复和生计发展”为核心的扶贫开发新模式。

2013年8月26日上午，由中国扶贫基金会和加多宝集团援建的玉树农畜产品综合交易市场在玉树县结古镇竣工，成为玉树州最大的农畜产品综合交易市场。交易市场将采用合作社形式经营，让农民自主经营，自主参与管理，并自主分配利润。市场投入使用后，不仅惠及州人民政府所在地结古镇周边的上千户贫困农民，更成为辐射玉树州、影响青川藏三省（自治区）边界的一个大型商贸、物流集散中心。综合交易市场项目的竣工，标志着基金会玉树地震灾后重建工作基本结束。

第三节　其他组织与个人援建项目

一、中华环保基金会援建

2010—2012年，“金太阳援助工程——保护三江源行动”向青海省三江源自然生态保护区所在的玉树县、囊谦县及称多县的援助太阳能集中电站10座（4校6村），太阳能户用发电系统123套（6村），太阳能路灯60盏（1村）及太阳能便携照明产品2100套（36校9村3寺3政府部门），受助人数达17441人。

太阳能校用集中电站部分设施　（中华环保基金会　供图）

2011年7月14日下午，“金太阳援助工程——保护三江源行动”2011 年玉树援建项目开标仪式在北京举行。这是中华环保基金会首次采用公开招标形式采购项目所需的太阳能发电系统工程，旨在解决玉树地区 3 所无电小学照明、冰柜食物存储问题以及 190 户无电家庭的照明困难。首个实施周期为 3 年，项目资金由社会各界致力于清洁发展的企业募集。

“金太阳援助工程——保护三江源行动”援助情况一览表

表 10-1

序号	时间	形式	地点	数量	户数	人数
1	2010	太阳能路灯	玉树县 1 个村社	60 盏	238	1032
2	2011	太阳能户用独立系统	玉树县 1 个村社	14 套	14	61
3		太阳能村用集中电站	玉树县 6 个村社	6 座	205	1230
4		太阳能校用集中电站	玉树县 3 所小学	3 座	—	501
5		便携式太阳能灯	玉树县	100 盏	100	300
6	2012	太阳能校用集中电站	囊谦县 1 所小学	1 座	—	535
7		太阳能户用独立系统	称多县 5 个村社	109 套	109	688
8		便携式太阳能产品	囊谦县、称多县 35 校 8 村 3 寺及 2 个政府部门	2000 套	—	13094
合计						17441

“金太阳援助工程——保护三江源行动”援助项目一览表

表 10-2

序号	援助点	所属地理位置	海拔（米）	援助数量	援助户数	受益人数	援助类型	太阳能功率（瓦）	援助单位
				2010 年					
1	甘达村	玉树县结古镇	4000	60 盏	238	1032	路灯	80	天壕节能
				2011 年					
1	甘达村玛比社	玉树县结古镇	4700	14 套	14	61	独立户用	350	天壕节能
2	措多村小学	玉树县隆宝镇	4800	1 座	—	246	集中电站	1650	
3	高强村小学	玉树县下拉秀镇	4100	6 座	—	102		2200	中航工业集团
4	高强村高强涌点		4100		20	130		6600	
5	塔马村格吉卡点		4400		90	478		28600	
6	塔马村小学		4400		—	153		4400	
7	高强久涌点		4300		20	120		6600	
8	钻多村玛祖拖点		4300		11	63		3300	

续表 10-2

序号	援助点	所属地理位置	海拔（米）	援助数量	援助户数	受益人数	援助类型	太阳能功率（瓦）	援助单位
9	野吉村三社	玉树县下拉秀镇	4300	2 座	6	35	集中电站	1650	正国集团
10	江西村然厦同点	玉树县小苏莽乡	3800		58	404		19800	
11	玉树县	玉树县 1 校 1 村 1 机构		100 盏	100	300	便携产品	3	文创
2012 年									
1	阿多村金额社	称多县称文镇	3764	20 套	10	49	独立户用	200	中国农机院
2	者贝村贝格社		3746		10	49			
3	红旗村一社	称多县清水河镇	4400	34 套	34	200		235	正国集团
4	扎麻村		4400	300 套	200	800	便携产品	6	中证报
5	红旗村	称多县扎朵镇	4400		100	560			
6	孜荣联村小学	囊谦县毛庄乡	3600	1 座	—	535	集中电站	20000	
7	中卡村	称多县清水河镇	4400	30 套	30	240	独立户用	200	刘志强
8	称多县政府	称多县	4000	30	—	90	便携产品	6	
9	卓玛松求林尼姑寺	称多县扎朵镇	4400	200	—	600			
10	革新小学		4400	10	—	70			
11	红旗小学		4400	10	—	52			
12	中卡村	称多县清水河镇	4400	300	300	1380			
13	普桑村		4400	130	130	585			
14	吉尼赛乡中心寄小	囊谦县吉尼赛乡	3800	5	—	79			
15	吉尼赛二校		3800	10	—	110			
16	麦曲村校		3900	8	—	104			
17	瓦作村校		3900	5	—	53			
18	东坝乡中心寄小	囊谦县东坝乡	4000	12	—	463			
19	优达村校		4100	5	—	32			
20	尕羊乡中心寄小	囊谦县尕羊乡	4000	10	—	255			
21	麦多村校		4200	5	—	63			
22	山荣村校	囊谦县吉曲乡	3750	8	—	152			
23	瓦江村校		3750	8	—	146			
24	瓦卡村校		3750	6	—	88			
25	吉曲二校		3750	8	—	168			
26	热永教学点		4000	10	—	128			

续表 10-2

序号	援助点	所属地理位置	海拔（米）	援助数量	援助户数	受益人数	援助类型	太阳能功率（瓦）	援助单位
27	吉曲乡中心寄小	囊谦县吉曲乡	3750	12	—	330	便携产品	6	天壕节能
28	瓦保村校		3750	5	—	61			
29	革新村	称多县扎朵镇	4400	200	200	1156			
30	红旗村	称多县清水河镇	4400	130	130	580			
31	文措村		4400	100	100	600			
32	扎哈村	称多县清水河镇	4400	210	210	1114			
33	卡西求阔尼姑寺		4400	70	—	210			
34	文措小学		4400	10	—	110			
35	囊谦县政府	囊谦县	4000	20	—	60			
36	嘎丁寺	囊谦县毛庄乡	3600	20	—	60			
37	达桥联村小学	囊谦县香达镇	3700	6	—	87			
38	青土希望小学		3700	10	—	215			
39	前多村小学		3700	6	—	95			
40	白扎乡中心寄校	囊谦县白扎乡	3700	12	—	328			
41	白扎二校		3700	8	—	162			
42	巴麦村小学		3750	6	—	92			
43	茶哈村校		3750	5	—	53			
44	娘拉乡中心寄小	囊谦县娘拉乡	3600	10	—	255			
45	多伦多村校		3650	5	—	46			
46	毛庄乡中心寄小	囊谦县毛庄乡	3600	12	—	395			
47	孜多村校		3700	5	—	74			
48	觉拉乡中心寄小	囊谦县觉拉乡	3700	12	—	304			
49	觉拉二校		3750	8	—	187			
50	肖尚村校		3700	5	—	47			
51	联村小学		3700	8	—	152			
52	尕少村校		3700	5	—	30			
53	着晓乡寄小	囊谦县着晓乡	4400	10	—	240			
54	班多村校		4450	5	—	44			
55	茶哈村校		4500	5	—	29			
56	文措村	称多县清水河镇	4400	25 套	25	150	独立户用	200	
合计					2036	17441			7 家

说明：便携式产品人数统计按所接收单位的实际使用人数计算，未有具体人数的按产品数量的 3 倍计算，最终数据以受援助地《接收记录》统计为准

二、皇甫志友志愿援建队援建

2010 年 4 月 16 日 15 时，正在四川援建的唐山农民企业家皇甫志友组建了一支 10 余人的志愿者队伍从成都启程，赶赴灾区参加抗震救灾。他带着 5 辆大货车满载加班加点生产的 20 余间活动房板材和价值 70 余万元的援建材料，从四川国强友旺建材公司启程，奔赴青海玉树。

4 月 18 日下午，皇甫志友志愿援建队将这批援建物资运送到玉树极重灾区结古镇，开始建设玉树地震灾区第一座高标准板房中学。玉树县结古镇民族中学当时有 600 余名高三学生正面对即将到来的高考。皇甫志友志愿援建队在 3 天后交付第一批 1000 平方米活动板房教室，供高三学生先行复课。皇甫志友志愿援建队联系邻近板材生产基地，要求加班加点赶制活动板材，并于 4 月 23 日建起了第二批 5000 平方米板房教室。皇甫志友是唐山市丰润区宏旺集团董事长，四川汶川特大地震后，皇甫志友第一时间赶灾区第一线，以企业的名义向灾区捐款 100 万元，并在灾区建起一家非营利性的建材公司，生产活动房彩钢板，为灾区人民建设新家园出力。

皇甫志友志愿援建队的救灾车装载板房建材准备启程

后　记

2011年3月，由青海省发展和改革委员会牵头承编的《玉树大地震救灾重建志（卷五）灾后重建志》（以下简称“本志”）正式启动编纂工作。根据青海省人民政府关于编纂《玉树大地震救灾重建志》的要求，为加强对编纂工作的领导，成立了由省发展改革委主任张守成任主任，省发展改革委副主任沈传立、李晓南任副主任的编纂委员会。在编纂委员会的领导下，整个编纂工作由省发展改革委工程咨询中心副主任马忠贤负责落实，副主任仲莲协助处理具体事宜。

本志以志书的体例记载玉树灾后重建的过程和成果，作为对玉树大地震灾后恢复重建壮举的礼赞。本志的编纂经历了广泛征集资料、认真编纂初稿、精心审核把关、严格组织评审4个阶段。编纂任务分工为：钟明远承担概述和第一、二篇的编纂任务，方标承担第三、四、五、六、七篇的编纂任务，赵宗洲承担第八、九、十篇的编纂任务。方标同时承担编纂工作方案制订、篇目大纲设计等工作。初稿形成后，马忠贤对志稿进行了审改；审改稿经编纂委员会审定后于2017年6月报送全志委办公室组织评审。11月，根据评审意见较多、修改量较大以及人员变动的实际情况，省发展改革委工程咨询中心委托青海大川区域经济发展规划研究院进行修改完善，李大川对志稿作了补充资料、归整内容、完善事项、梳理关系、加工文字等具体修改工作，并邀请省统计局陈宇琪对涉及数据进行清核统一。2019年3月，最后定稿由省发展改革委经过相关审核程序后报送全志委办公室。

本志的编纂工作，自始至终得到全志委办公室领导杨松义、王振青等的指导及李泰年的帮助和指点，得到社会各界的大力支持，得到各有关部门的通力合作。在此，一并表示感谢！

由于灾后重建工作时间跨度长、涉及的地区和部门多，本志收录的内容肯定有所疏漏，错讹亦在所难免。对此遗珠之憾，恳请读者见谅和指正。

《玉树大地震救灾重建志（卷五）灾后重建志》编纂委员会

2020年11月